C0-AUL-809

The Catholic
Theological Union
LIBRARY
Chicago, Ill.

WITHDRAWN

IRÉNÉE DE LYON
CONTRE LES HÉRÉSIES

SOURCES CHRÉTIENNES

Directeurs-fondateurs : H. de Lubac, s.j. et † J. Daniélou, s.j.
Directeur : C. Mondésert, s.j.

N° 264

IRÉNÉE DE LYON

CONTRE LES HÉRÉSIES

LIVRE I

ÉDITION CRITIQUE

PAR

Adelin ROUSSEAU

Moine de l'abbaye d'Orval

et

Louis DOUTRELEAU, s.j.

The Catholic
Theological Uni
LIBRARY
Chicago, Ill.

TOME II

TEXTE ET TRADUCTION

*Cet ouvrage est publié avec le concours
du Centre National de la Recherche Scientifique*

LES ÉDITIONS DU CERF, 29 Bd de la Tour-Maubourg, PARIS
1979

La publication de cet ouvrage a été préparée avec le concours
de l'Institut des Sources Chrétiennes
(E.R.A. 645 du Centre National de la Recherche Scientifique)

© *Les Éditions du Cerf*, 1979
ISBN 2-204-01490-7

D'IRÉNÉE A SON ÉDITEUR

*Je t'en conjure, toi qui reproduiras ce livre,
au nom de notre Seigneur Jésus-Christ et
de son glorieux avènement où il viendra
juger les vivants et les morts, colla-
tionne ce que tu auras transcrit et
corrige-le avec le plus grand soin
d'après le modèle où tu l'auras
pris. Tu reproduiras aussi
cette adjuration en la met-
tant dans ton édition. —
S.* IRÉNÉE, *fin du
Traité sur l'Og-
doade, d'après
Eusèbe, H.
E., V,
2 0*

▽

SIGLES ET CONVENTIONS

LES MANUSCRITS DU LATIN

C   *Claromontanus (Berolin. lat. 43)*, s. IX.
V   *Vossianus (Leid. Voss. lat. F 33)*, a. 1494.
A   *Arundelianus (Brit. Mus. Arundel. 87)*, s. XII.
Q   *Vaticanus lat. 187*, ca. 1429.
S   *Salmanticensis 202*, ca. 1456 (S^a et S^b dans les doublets).
codd.   les manuscrits, Érasme exclu.
ε   Érasme, édition princeps, 1526.
ε^2 Érasme, éditions postérieures.
cett.   *ceteri*, Érasme inclus.

LES MANUSCRITS DES FRAGMENTS GRECS

Épiphane : V *Vaticanus gr. 503*, s. IX.
            M *Marcianus 125*, s. XI.
Hippolyte : P *Parisinus Suppl. gr. 464*, s. XIV.
            (P$_1$ P$_2$, quand le Livre X [P$_2$] s'oppose aux autres
            Livres [P$_1$]).
Eusèbe   : A T E R   B D M, cf. *Introd.* p. 78.
Théodoret : A B M R, cf. *Introd.* p. 81.

Les conventions suivantes valent pour tous les mss :

C^{sl} C *supra lineam.*
C^{ac} C *ante correctionem.*
C^{pc} C *post correctionem.*
C^1 correction de la première main.
C^2 correction contemporaine de la 1re main.
C^3 correction ultérieure.
C^x correction dont la date est impossible à préciser.
mg ou ^{mg} en marge.

LES ÉDITIONS

Feu.	Feuardent, 2e éd., Cologne 1596.
Gra.	Grabe, Oxford 1702.
Mass.	Massuet, Paris 1710 (reproduite dans *PG* 7).
Sti.	Stieren, Leipzig 1853.
Hv	Harvey, Cambridge 1857.
edd.	les éditeurs.
edd. a...	les éditeurs, à partir du désigné (dans l'ordre ci-dessus).
edd. usq...	les éditeurs, jusqu'au désigné inclus

SIGNES CRITIQUES

< >	*mots* ajoutés par l'éditeur.
< >	dans les fragments arméniens, corrections au texte du ms.
[ ]	suppressions faites par l'éditeur.
∾	interversion de mots *(mutando ordinem scripsit)*.
—	tenir compte des mots intermédiaires.
...	ne pas tenir compte des mots intermédiaires.
]+	situe une addition des mss.
□	lettre laissée en blanc.
▨	lettre grattée.
*	point d'insertion d'un fragment grec.
*	point d'insertion d'un fragment syriaque ou arménien.

ABRÉVIATIONS USUELLES

app.	apparatus	secl.	seclusit
cancell.	cancellatum (biffé)	s.l.	supra lineam
coni.	coniecit	sscr.	suprascripsit
del.	deleuit	suppl.	suppleuit
exp.	expunxit	transp.	transposuit
expunct.	expunctum	u.	uide
iter.	iterauit	uac.	uacat (espace laissé en blanc)
leg.	legendum	uid.	uidetur
pp.	propter		

L'intervention de l'éditeur est toujours marquée par les mots écrits en toutes lettres, à la première personne : *addidi, conieci, correxi, scripsi, seclusi,* plus généralement *nos.*

TEXTE ET TRADUCTION

TITRES DES MANUSCRITS

Par commodité, nous avons reporté les titres sur cette page plutôt que de les confier à l'apparat critique, où les explications qu'ils comportent auraient tenu trop de place.

C : Hireneus Lugdunensis episcopus contra omnes hereses *altera coaetanea manu in fronte paginae exscriptus super priorem erasum titulum, nulla tabula capitulorum nunc antecedente. Sequitur praefatio* Quatenus *etc.*

V : Hirenei episcopi Lugdunensis contra omnes hereticos (*s.l.* al' reses *man. 2*[a]) libri numero quinque *sine tab. cap. antec. Sequitur praefatio* Quatenus *etc.*

A : Prefatio Hyrenei Lucdunensis episcopi contra hereticos. *Sequitur praefatio* Quatenus *etc., dein tab. 36 cap. cum tit.* Incipiunt capitula libri primi.

Q : Incipiunt capitula librorum Hyrenei Lugdunensis episcopi. *Sequitur tab. 34 cap., dein tit.* Incipit prephatio libri. Quatenus *etc.*

S[a] : Incipiunt capitula librorum Hyrenei Lugdunensis archiepiscopi et martiris gloriosi numero quinque aduersus hereses. *Sequitur tab. 35 cap., dein tit.* Narratio primi libri. Quatenus etc.

S[b] : De primo libro *et infra in medio lineae* S. Hyreneus Lugdunensis archiepiscopus contra hereses. Quatenus *etc...* uerisimilitudo etc. quere supra in primo libro reperies de uerbo ad uerbum.

ε : Incipiunt capitula Irenaei Lugdunensis Episcopi in lib. primum contra haereses. *Sequitur tab. 35 cap., dein tit.* Diui Irenaei Episcopi Lugdunensis aduersus haereses Valentini similiumque. Liber primus. Praefatio. Quatenus *etc.*

TABLE DES CHAPITRES

Les chiffres entre crochets correspondent à l'emplacement des *capitula* dans les mss.

Incipiunt capitula libri primi

I. Tabvla. — Nota : 1° *deest tabula capitulorum in CV* ; 2° *per notas arabicas in tabula numeros scripsit Erasmus.* ‖ *Tit. uide supra* ‖ 1 I AQ : I & II *simul* S ‖ ualentini *om.* Q ‖ discipulorum ualentini ∽ ε ‖ 2 II AQ : III S ‖ 3 III AQ : IIII S ‖ ostensio neque : ostensione que AQ ‖ in (AQSε) *seclusi iuxta edd. propter interpol.* ‖ 4 IIII AQ : v S ‖ quid ε : quod AQS ‖ agnitionis habere ∽ Qε ‖ 5 v AQ : vi S ‖ in quibus AQS : *forte leg.* <et> in quibus *cf. Mass. ad tit.* in qua ε ‖ 6 vi AQ : vii S ‖ hii Sε

II. Capitvla. — Testes : CV AQSε *prout stant capitula intra textum* ‖ 1 I ε : cap. primum A *om.* CV QS ‖ *ante* narratio *add.* incipit ε ‖ *post* discipulorum *add.* incipit Q ‖ narratio — discipulorum *om.* S ‖ 2 II CV ASε : *om.* Q ‖ percipiens : praedicans V ‖ 3 III CV ASε : *om.* Q ‖ ostensio neque plus AQpcSε : ostensione quibus CV ‖ ea quae : qua V ‖ in (CV AQSε) *seclusi* ‖ 4 IIII CV ASε : *om.* Q ‖ alios₂ : alius C ‖ minus habere Sb *cett.* : habere minus ∽ Sa ‖ agnitionis : -nem *post ras.* V *add. s.l.* habere Sa ‖ 5 v CV Aε : *om.* QS ‖ est : sit V ‖ discrepant (dis *cancell.*) S ‖ 6 vi CV Aε ‖ *om.* QS ‖ hi C Q : hii V ASε

I. Tabvla. — 7 vii AQ : viii S ‖ 8 viii AQ : viiii S ‖ colarbas <i> [eorum] *nos, cf. Introd. p.* 35 : colarbas eorum AQ colarbaseorum Sε *Feu. Gra.* colorbaseorum *Mass. Hv* ‖ 9 viiii Q ix A : x S ‖ 10 x AQ : xi S ‖ syllabas ε : sill- AQS ‖ conconantur (con$_1$ *cancell.*) Q ‖ argumentatio AQ : -nem Sε ‖ 11 xi AQ : xii S ‖ 12 xii AQ : xiii S ‖ conditionem *nos e tx. lat.* 17. 2 *Gra. in n.* ‖ quod *nos, cf. Introd. p.* 36 : qui *codd.* ε *edd.* ‖ factam AQε : factum S ‖ 13 xiii AQ : xiiii S ‖ trasferunt Q ‖ ficmentum A ‖ 14 xiiii AQ : xv S ‖ omnibus AQ^{pc}S : hominibus Qε ‖ 15 xv AQ : xvi S ‖ ex ASε : *om.* Q (*suppl. s.l.* Q^1)

II. Capitvla. — 7 vii CV Aε : *om.* QS ‖ conuersatio AQSε : conuersa CV (qualis conu. ips. *sup. ras.* V) ‖ ipsorum]+ ipsorum *uersa pag.* V ‖ quae : qualis S ‖ 8 viii CV Aε : *om.* QS ‖ est : sit V ‖ colarbas <i> [eorum] *nos* (*cf. Introd. p.* 00) : colarbas eorum CQ colarbaseorum V Sε colorbas eorum A ‖ 9 viiii Q ix V Aε : *om.* Q *uac.* S ‖ quae$_1$ — flunt *uac.* S ‖ 10 x CV Aε : *om.* Q *uac.* S ‖ quemadmodum — argumentatio *uac.* S ‖ per$_2$ *om.* Vε ‖ syllabas ε : sill- CV AQ ‖ argumentatio C AQ : -nem ε agnitionem V ‖ 11 xi Aε : xii S *om.* CV Q ‖ quomodo — parabolas *uac.* S ‖ 12 xii CV Aε : xiii S *om.* Q ‖ quemadmodum — factam *om.* S ‖ conditionem *nos e tx. lat.* 17, 2 ‖ eius : quis Q ‖ quod *nos* : qui C AQε quae V ‖ eos *om.* A ‖ factam : faciam V factum ε ‖ 13 xiii CV Aε : *om.* QS ‖ quemadmodum — figmentum *om.* S ‖ 14 xiiii CV AQε : *uac.* S ‖ quemadmodum — patrem *uac.* S ‖ patrem : pat║rem C (-tor- C^{ac}) ‖ *iam cessat* S (*scil.* S^a) ; *describuntur tamen in* S^b *tria capitula inferiora,* 15, 19, 35 ‖ 15 utuntur S^b *cett.* : utantur ε

I. Tabvla. — 16 xvi AQ : xvii S ‖ de]+ re S ‖ 17 xvii A : *om.* Q xviii S ‖ quot S : quod Aε quid Q (-ot Q¹/²) ‖ redhibitionis ε : redib- AQS ‖ 18 xviii A : xvii Q xix S ‖ imbuunt S : inbuunt A ibuunt Q imbuant ε ‖ credunt]+ *in fine lineae* xix A ‖ 19 xviii Q xx AS ‖ 20 xviiii Q xxi AS ‖ simonis ε : sy- AQS ‖ samaritae ε : -te AQS ‖ 21 xx Q xxii AS ‖ menandri ε : manandri AQS ‖ 22 xxii⫽ A : xxi Q xxiii S ‖ basiliden *cf. app. seq.* : -dem AQε basilis S ‖ doctrina AQε : -nam S ‖ 23 xxiii⫽ A : xxii Q xxiiii S ‖ 24 xxv AS xxiii Q ‖ eorum AQS : ipsorum ε ‖ perationes — omnia *vac.* Q *scribens tantum* o ‖ qui Aε : quae S ‖ omnia (AQSε) *deleui ut fit ap. Mass. cf. Introd. p.* 36 ‖ 25 xxv⫽ A : xxiiii Q xxvi S ‖ qualis est cerinthi (cherinthi A) Aε : quae est ebionitarum QS ‖ 26 xxvi⫽ A : xxv Q xxvii S ‖ quae est ebionitarum Aε : qualis est cherenti QS

II. Capitvla. — 16 et : ei V ‖ 17 xvii AQε : xxvii V *om.* C ‖ quot Vε : quod C AQ ‖ eos *om.* A (*suppl. s.l.* A¹) ‖ redhibitionis Qε : redib- CV A ‖ 18 xviii CV Qε : *om.* A ‖ imbuunt : inb- C ‖ 19 xviiii C Q xix V Sᵇ : *om.* A ‖ tendunt CV Sᵇ : tendant AQε ‖ 20 est : sit V ‖ simonis ε : sy- CV AQ ‖ magi CVε : magica A magy Q ‖ 22 xxii CV Qε : *om.* A ‖ relatio Cᵖᶜ *cett.* : reuelatio C ‖ basiliden C A : -dem V Qε ‖ doctrina CV Qε : -nam A ‖ 23 xxiii C AQε : xiii V ‖ est : sit V ‖ 24 qui AQε : quae CV ‖ omnia *(codd.) deleui cf. Introd. p.* 36 ‖ 25 cerinthi ε : caerinti C carinthi V cherinti A cherinthi Q ‖ cer. doctr. : doctr. cer. ∽ Qε ‖ 26 est *om.* C (*suppl. s.l.* C²)

I. Tabvla. — 27 xxvii S : xxvi Q   xxviii A ‖ nicolaitarum Aε : nicholaitarum Q   -cho-]+ que continentium auersa S ‖ 28 xxvii Q xxix AS ‖ est AQSᵃᶜε : sunt Sᵖᶜ ‖ sententia AQε : sm̄a S ‖ 29 xxviii Q   xxx AS ‖ marcion Aε : martion QS ‖ 30 xxviiii Q   xxxi AS ‖ continentium AQε : -cium S ‖ auersatio AS : aduer- Qε ‖ 31 xxxx (x₃ *cancell.*) Q   xxxii AS ‖ est AQS : *om.* ε ‖ 32 xxxi Q   xxxiii AS ‖ hi AQ : hii Sε ‖ indifferentias : differentias AQSε *in tabula* (indiff- *cf. app. seq.*) ‖ occasionem AQSε *sic in tabula* ‖ 33 xxxii Q   xxxiiii AS ‖ fuerunt AQS : fuerint ε ‖ 34 xxxiii Q : xxxv AS ‖ sunt AQS : *om.* ε ‖ 35 xxxiiii Q : xxxvi *ante ras.* xxx ⫶⫶ *post ras.* A   *om.* S : caianorum AQS : cainorum ε ‖ ophitarum ε : ofit- A   offit- Q   offic- S ‖ irreligiositas Aε : inrel- QS ‖ impudentia AQε : imprudentia S ‖ ipsorum]+ incipit liber primus A   incipit prephatio libri Q   finis indicis ε   *uac.* S

II. Capitvla. — 27 sunt : sint Vε ‖ nicolaitarum A : nicoloitarum C nicholaitarum V Q   nicolaitatum ε ‖ 28 est : sit V ‖ 29 xxviiii C AQ xxix Vε ‖ docuerit : docuit A ‖ 30 est : sit V ‖ continentium : -tum ε ‖ auersatio : aduer- V Q ‖ 31 xxxi AQε : xxxii CV ‖ tatiani : -ciani V A ‖ 32 xxxii AQε : xxxiii CV ‖ unde — occasiones AQε : quibus — doctrinas acceperunt *e sequenti* (33) *et uice uersa* CV (*cum nota in* C : « hic minium inferius sequitur ») ‖ hi : hii ε   *om.* V (33) ‖ indifferentias CV (33) : differentias AQε ‖ occasiones *sic* CV AQε *in capitulis* ‖ 33 xxxiii AQε : xxxiiii CV ‖ quibus — doctrinas acceperunt AQε : unde — occasiones *e praeced.* (32) CV (*cum nota in* C : « hic non superiori minio ») *cf. Introd.* p. 45 ‖ 34 xxxiiii AQε : xxxv CV ‖ genera sunt gnosticorum : sint gnost- genera ε ‖ 35 xxxv V QSᵇε : ? *in plicatura* A (35 Sᵇ *in mg.*) xxxvi C ‖ ophitarum ε : ofi- CV AQ   offi- Sᵇ ‖ caianorum C QᵃᶜSᵇ : caionorum V   cainorum AQᵖᶜε ‖ irreligiositas V ASᵇ : inrel- C Qε ‖ et₂ : etiam ε ‖ impudentia : impru- Sᵇ ‖ ipsorum : eorum V

\<LIBRI PRIMI\>

PRAEFATIO

Pr., 1. *Quatenus ueritatem refutantes quidam
inducunt uerba falsa et *genealogias infinitas quae quaes-
tiones magis praestant*, | quemadmodum Apostolus ait, HV 2
4 *quam aedificationem Dei quae est in fide*[a], et per eam
quae est subdole exercitata uerisimilitudo transducunt
sensum eorum qui sunt inexpertiores et in captiuitatem
ducunt eos, falsantes uerba Domini, interpretatores 4
8 mali eorum quae bene dicta sunt effecti, et multos
euertunt, adtrahentes eos sub occasione agnitionis ab
eo qui hanc uniuersitatem constituit et ordinauit, quasi
altius aliquid et maius habentes ostendere quam eum 8
12 qui caelum et terram et omnia quae in eis sunt fecit[b],

De titulo uide supra
Pr. 5 subdolo V ‖ exercita AQε   exercitii S ‖ tranducunt A[ac] ‖
7 faliantes A[ac]   flāntes S ‖ uerbum ε ‖ 9 uertunt CV ‖ 10 uniuersitatem : in ueritate V

Fr. gr. 1. — **A) Pr.** 1 — **11,** 38 Ἐπεὶ — ἀληθείας,
ÉPIPHANE, *Pan.*, *haer.* 31, 9-32 (Holl I, 398, 19 - 435, 8).
— **B) 8,** 1-29 Τοιαύτης — Θεοῦ, ÉPHREM, *De virt.* 8 (Asse-
mani, G. I, p. 224 D - 225 B). — Voir *Introd.* p. 81.

‹ Ἐκ › τῶν τοῦ ἁγίου Εἰρηναίου. | **Pr.** 1. | Ἐπεὶ τὴν
ἀλήθειαν παραπεμπόμενοί τινες ἐπεισάγουσι λόγους
ψευδεῖς καὶ « γενεαλογίας ἀπεράντους, αἵτινες ζητήσεις
4 μᾶλλον παρέχουσι », καθὼς [399] ὁ Ἀπόστολός φησιν,
« ἢ οἰκοδομὴν Θεοῦ τὴν ἐν πίστει[a] », καὶ διὰ τῆς πανούργως συγκεκροτημένης πιθανότητος παράγουσι τὸν νοῦν

PRÉFACE

Pr. 1. Rejetant la vérité, certains introduisent des discours mensongers et « des généalogies sans fin, plus propres à susciter des questions », comme le dit l'Apôtre, « qu'à bâtir l'édifice de Dieu fondé sur la foi[a] ». Par une vraisemblance frauduleusement agencée, ils séduisent l'esprit des ignorants et les réduisent à leur merci, falsifiant les paroles du Seigneur et se faisant les mauvais interprètes de ce qui a été bien exprimé. Ils causent ainsi la ruine d'un grand nombre, en les détournant[1], sous prétexte de « gnose », de Celui qui a constitué et ordonné cet univers : comme s'ils pouvaient montrer quelque chose de plus élevé et de plus grand que le Dieu[2] qui a fait le ciel, la terre et tout ce qu'ils renferment[b] ! De façon spécieuse, par l'art des

τῶν ἀπειροτέρων καὶ αἰχμαλωτίζουσιν αὐτούς, ῥᾳδιουρ-
8 γοῦντες τὰ λόγια τοῦ Κυρίου, ἐξηγηταὶ κακοὶ τῶν καλῶς
εἰρημένων γινόμενοι, καὶ πολλοὺς ἀνατρέπουσιν, ἀπά-
γοντες αὐτοὺς προφάσει γνώσεως ἀπὸ τοῦ τόδε τὸ πᾶν
συστησαμένου καὶ κεκοσμηκότος, ὡς ὑψηλότερόν τι καὶ
12 μεῖζον ἔχοντες ἐπιδεῖξαι τοῦ τὸν οὐρανὸν καὶ τὴν γῆν
καὶ πάντα τὰ ἐν αὐτοῖς πεποιηκότος[b] Θεοῦ, πιθανῶς μὲν

Testes : *Vat. gr. 503* (V). *Marcianus 125* (M).

Fr. gr. 1. — <ἐκ> τῶν τοῦ ἁγίου εἰρηναίου : tit. fragm. ab Epiphanio appositus VM ‖ 1 ἐπὶ M ‖ 3 καὶ om. M ‖ 6 παρεισάγουσιν Vac ‖ 8 τοῦ om. V ‖ καλῶς : κακῶς Vac ‖ 10 τοῦ τόδε : τούτου δὲ M

Pr. 1. a. I Tim. 1, 4 ‖ b. cf. Ex. 20, 11. Ps. 145, 6. Act. 4, 24 ; 14, 15

suadenter quidem illi illiciunt per uerborum artem sim- [Hv 2]
pliciores ad requirendi modum, male autem perdunt
eos in eo quod blasphemam et impiam sententiam
16 ipsorum faciant in Fabricatorem, non discernere ualen- 12
tium falsum a uero — | **Pr., 2.** error enim secundum Hv 3
semetipsum non ostenditur, ne denudatus fiat compre-
hensibilis, suasorio autem cooperimento subdole ador-
20 natus, et ipsa ueritate, ridiculum est et dicere, ueriorem
semetipsum praestat, ut decipiat exteriori phantasmate 4
rudiores, quemadmodum a meliore nobis dictum est de
huiusmodi quoniam lapidem pretiosum smaragdum,
24 magni pretii apud quosdam, uitreum in eius contumeliam per artem adsimilatum, quoadusque non adest qui 8
potest probare et artificium arguere quod subdole sit
factum; cum autem commixtum fuerit | aeramentum Hv 4
28 argento, quis facile poterit, rudis cum sit, hoc probare?

Pr. 13 suadentes C S²ᴾᶜ ‖ illi *codd.* : *forte seclud. ex gr. et pp. ditt.*‖
illiciunt : inl- C Q indicunt *(cancell.)* illiciunt V *om.* S *(suppl. mg.*
S²) ‖ uerborum artem CV : bonorum mortem A bonum mortem
QS bonorum morem ε b. mortem εᵐᵍ ‖ 13-14 supplitiores S ‖
14 requirendi S *cett.* : -dum Sᴾᶜ ‖ perducunt CV ‖ 15 in eo quod :
inique AQS iniqui ε ‖ blasphemam C : -ment V *om.* AQSε ‖ et
vac. A *om.* S ‖ impia sententia S ‖ 16 faciant : factam AQε
facta S ‖ 16-18 in — semetipsum *om.* AQSε ‖ 18 ostendunt ε
‖ 19 autem *om.* S ‖ 20 ipsa : in ipsa AQSε ‖ 21 semetipsam V
AQε ‖ praestat : praefert Cᵘᵗ ᵘⁱᵈ V *Feu.*ᵐᵍ *Mass.* ‖ phantasmate
ε : fan- *codd.* ‖ 22 dicendum V ‖ 23 quoniam : quem ε quomodo
εᵐᵍ *Feu.* ‖ pretiosum]+ et S ‖ 24 magni S *cett.* : magi Sᴾᶜ ‖ 25
per artem : partem Q ‖ assimulatum A ‖ adest : est S ‖ 26 pro-
bari Vᴾᶜ ‖ 27 autem *nos ex gr.* : enim *codd.* ε *edd.* ‖ mixtum QS

ἐπαγόμενοι διὰ λόγων τέχνης τοὺς ἀκεραίους εἰς τὸν τοῦ
ζητεῖν τρόπον, ἀπιθάνως δὲ ἀπολλύντες αὐτοὺς ἐν τῷ
16 βλάσφημον καὶ ἀσεβῆ τὴν γνώμην αὐτῶν κατασκευάζειν
εἰς τὸν Δημιουργὸν μὴ διακρίνειν δυναμένων τὸ ψεῦδος
ἀπὸ τοῦ ἀληθοῦς — | **Pr. 2.** | ἡ γὰρ πλάνη καθ' ἑαυτὴν

discours, ils attirent d'abord les simples à la manie des
recherches ; après quoi, sans plus se soucier de vraisemblance[1], ils perdent ces malheureux, en inculquant
des pensées blasphématoires et impies à l'endroit de
leur Créateur à des gens incapables[2] de discerner le faux
du vrai.

Pr. 2. L'erreur, en effet, n'a garde de se montrer
telle qu'elle est, de peur que, ainsi mise à nu, elle ne
soit reconnue ; mais, s'ornant frauduleusement d'un
vêtement de vraisemblance, elle fait en sorte de paraître
— chose ridicule à dire[3] — plus vraie que la vérité elle-
même, grâce à cette apparence extérieure, aux yeux
des ignorants[4]. Comme le disait, à propos de ces gens-là,
un homme supérieur à nous : « La pierre précieuse, voire
de grand prix aux yeux de certains, qu'est l'émeraude,
se voit insultée par un morceau de verre habilement
truqué[5], s'il ne se rencontre personne qui soit capable
de procéder à un examen et de démasquer la fraude.
Et lorsque de l'airain a été mêlé à l'argent, qui donc,
s'il n'est connaisseur, pourra aisément le vérifier ? »

μὲν οὐκ ἐπιδείκνυται, ἵνα μὴ γυμνωθεῖσα γένηται κατά-
20 φωρος, πιθανῷ δὲ περιβλήματι πανούργως κοσμουμένη καὶ
αὐτῆς τῆς ἀληθείας, ⟨γελοῖον τὸ καὶ εἰπεῖν⟩, ἀληθεστέ-
ραν ἑαυτὴν παρέχει φαίνεσθαι διὰ τῆς ἔξωθεν φαντασίας
τοῖς ἀπειροτέροις, καθὼς ὑπὸ τοῦ κρείττονος ἡμῶν εἴρηται
24 ἐπὶ τῶν τοιούτων, ὅτι « λίθον τὸν τίμιον σμάραγδον ὄντα
καὶ πολυτίμητόν τισιν ὕαλος ἐνυβρίζει διὰ τέχνης παρο-
μοιουμένη, ὁπόταν μὴ παρῇ ὁ σθένων δοκιμάσαι καὶ
τέχνην διελέγξαι τὴν πανούργως γενομένην · ὅταν δὲ
28 ἐπιμιγῇ χαλκὸς εἰς τὸν ἄργυρον, τίς εὐκόλως δυνήσεται
τοῦτον ἀκέραιος ⟨ὢν⟩ δοκιμάσαι ; » – ἵνα οὖν μὴ ⟨καὶ⟩

[Fr. gr. 1] 17 μὴ nos : μηδὲ ἐν τῷ VM ‖ 18 πλάνη : ἡδονὴ Vᵃᶜ ‖
αὐτὴν V ‖ 21 ⟨γελοῖον τὸ καὶ εἰπεῖν⟩ nos, iuxta Holl in app. ‖ 26
σθένων : ἰσχύων M ‖ 27 τέχνη M ‖ 28 ὁ χαλκὸς V ‖ 29 ἀκέραιος
⟨ὢν⟩ Holl : ἀκεραίως Vᵖᶜ om. VᵃᶜM ‖ ⟨καὶ⟩ Holl

— igitur ne forte et cum nostro delicto abripiantur [Hv
quidam quasi oues a lupis, ignorantes eos propter
exterius ouilis pellis superindumentum[a], a quibus cauere 4
32 denuntiauit nobis Dominus, similia quidem nobis
loquentes, dissimilia uero sentientes, necessarium duxi,
cum legerim commentarios ipsorum, quemadmodum ipsi
dicunt, Valentini discipulorum, quibusdam autem ipso-
36 rum et congressus et apprehendens sententiam ipsorum, 8
manifestare tibi, dilectissime, portentuosissima et altis-
sima mysteria, quae non omnes capiunt[b], quia non
omnes cerebrum habent, ut et tu | cognoscens ea omnibus Hv 5
40 his qui sunt tecum manifesta facias et praecipias eis
obseruare se a profundo insensationis et eius quae est
in Deum blasphemationis. Et quantum nobis uirtutis
adest, sententiam ipsorum qui nunc aliud docent, dico 4
44 autem eorum qui sunt circa Ptolomaeum, quae est uelut
flosculum Valentini scolae, compendiose et manifeste

Pr. 32 denuntauit C (-ti-C[asl]) ‖ similiter V ‖ 37 potentissima
S ‖ 38 mysteria]+eorum ε *Feu.* ‖ quae — capiunt *om.* S ‖ quae :
tua A ‖ quia : quae CV ‖ 39 celebrum V ‖ tu *om.* V (*sscr.* V[1]) ‖
omnibus ε[mg] *codd.* : ouibus ε ‖ 40 his *om.* V (*suppl.* V[2]) ‖ eis]+se S
‖ 43 adest : est V ‖ 44 ptholomeum V tholomeum Q ‖ quae : qui ε
‖ 45 flosculus ε ‖ scole *codd.* : scho- ε ‖ copiose S

παρὰ τὴν ἡμετέραν αἰτίαν συναρπάζωνταί τινες ὡς πρόβατα
ὑπὸ λύκων, ἀγνοοῦντες αὐτοὺς διὰ τὴν ἔξωθεν τῆς προβα-
32 τείου δορᾶς ἐπιβολήν[a], οὓς φυλάσσειν παρήγγελκεν ἡμῖν
ὁ Κύριος, ὅμοια μὲν ⟨ἡμῖν⟩ λαλοῦντας, ἀνόμοια δὲ
φρονοῦντας, ἀναγκαῖον ἡγησάμην, ἐντυχὼν τοῖς ὑπο-
μνήμασι τῶν ὡς αὐτοὶ λέγουσιν Οὐαλεντίνου μαθητῶν,
36 ἐνίοις δ᾽ αὐτῶν καὶ συμβαλὼν καὶ καταλαβόμενος τὴν
γνώμην αὐτῶν, μηνῦσαί σοι, ἀγαπητέ, τὰ τερατώδη καὶ
βαθέα μυστήρια, [400] ἃ « οὐ πάντες χωροῦσιν[b] », ἐπεὶ
μὴ πάντες τὸν ἐγκέφαλον ἐξεπτύκασιν, ὅπως καὶ σὺ

Or nous ne voulons pas que, par notre faute, certains
soient emportés par ces ravisseurs comme des brebis
par des loups, trompés qu'ils sont par les peaux de
brebis dont ils se couvrent[a], eux dont le Seigneur nous
a commandé de nous garder, eux qui parlent comme
nous, mais pensent autrement que nous. C'est pourquoi,
après avoir lu les commentaires des « disciples » de
Valentin — c'est le titre qu'ils se donnent —, après
avoir aussi rencontré certains d'entre eux et avoir
pénétré à fond leur doctrine, nous avons jugé nécessaire
de te manifester, cher ami, leurs prodigieux et profonds
mystères, que « tous ne comprennent pas[b] », parce que
tous n'ont pas craché[1] leur cerveau. Ainsi informé de
ces doctrines, tu les feras connaître à ton tour à tous
ceux qui sont avec toi et tu engageras ceux-ci à se
garder de l'« abîme »[2] de la déraison et du blasphème
contre Dieu. Autant qu'il sera en notre pouvoir, nous
rapporterons brièvement et clairement la doctrine de
ceux qui enseignent l'erreur en ce moment même —
nous voulons parler de Ptolémée et des gens de son
entourage[3], dont la doctrine est la fleur de l'école de
Valentin —, et nous fournirons, selon nos modestes

---

40 μαθὼν αὐτὰ πᾶσι τοῖς μετὰ σοῦ φανερὰ ποιήσῃς καὶ
παραινέσῃς αὐτοῖς φυλάξασθαι τὸν βυθὸν τῆς ἀνοίας
καὶ τῆς εἰς τὸν Θεὸν βλασφημίας. Καί, καθὼς δύναμις
ἡμῖν, τήν τε γνώμην αὐτῶν τῶν νῦν παραδιδασκόντων,
44 λέγω δὴ τῶν περὶ Πτολεμαῖον, ἀπάνθισμα οὖσαν τῆς
Οὐαλεντίνου σχολῆς, συντόμως καὶ σαφῶς ἀπαγγελοῦμεν,

[Fr. gr. 1] 32 ἐπιβουλήν V ‖ 33 ‹ἡμῖν› Holl ‖ 36 συμβάλλων M
‖ 42 τὸν om. V ‖ Θεὸν Holl : χριστὸν VM

Pr. 2. a. cf. Matth. 7, 15 ‖ b. Matth. 19, 11

ostendemus, et aliis occasiones dabimus secundum [Hv 5]
nostram mediocritatem ad euertendum eam, non stantia
48 neque apta ueritati ostendentes ea quae ab his dicuntur, 8
neque conscribere consueti neque qui sermonum arti
studuerimus, dilectione autem nos adhortante et tibi
et omnibus qui sunt tecum manifestare quae usque
52 adhuc erant absconsae, iam autem secundum gratiam 12
Dei in manifestum uenerunt doctrinae ipsorum : *nihil*
est enim coopertum quod non manifestabitur, et nihil
*absconsum quod non cognoscetur*c. |

56 **Pr., 3.** Non autem exquires a nobis, qui apud Celtas Hv 6
commoramur et in barbarum sermonem plerumque
uacamus, orationis artem, quam non didicimus, neque
uim conscriptoris, quam non adfectauimus, neque
60 ornamentum uerborum, neque suadelam, quam nesci- 4
mus, sed simpliciter et uere et idiotice ea quae tibi cum
dilectione scripta sunt cum dilectione percipies et ipse

Pr. 46 damus Q (-bimus Q¹) ‖ 47 ad euertendum : aduer-
tendum C ad deuastandum V ‖ stantia : const- ε *Feu.* ‖ 48
acta CV ‖ 52 adhuc *om.* C (*suppl. s.l.* C¹) ‖ absconsa AQSε *Feu.*
Gra. ‖ 54 est *om.* A ‖ manifestetur Q ‖ 56 exquiret S ‖ 58 uacamus
Mass. : uacamur CV auocamur AQε *Feu. Gra.* aduocamur S ‖
quam : quem A ‖ didiscimus S ‖ 59 uim : enim V ‖ quam : quem V ‖
neque]+ per V ‖ 61 et idiotice : ydiote S ‖ 62 scripte C

καὶ ἀφορμὰς δώσομεν κατὰ τὴν ἡμετέραν μετριότητα
πρὸς τὸ ἀνατρέπειν αὐτήν, ἀλλόκοτα καὶ ἀσύστατα καὶ
48 ἀνάρμοστα τῇ ἀληθείᾳ ἐπιδεικνύντες τὰ ὑπ' αὐτῶν λεγό-
μενα, μήτε συγγράφειν εἰθισμένοι, μήτε λόγων τέχνην
ἠσκηκότες, ἀγάπης δὲ ἡμᾶς προτρεπομένης σοί τε καὶ
πᾶσι τοῖς μετὰ σοῦ μηνῦσαι τὰ μέχρι μὲν νῦν κεκρυμμένα,
52 ἤδη δὲ κατὰ τὴν χάριν τοῦ Θεοῦ εἰς φανερὸν ἐληλυθότα

possibilités, les moyens de les réfuter, en montrant que
leurs dires sont absurdes, inconsistants et en désaccord
avec la vérité. Ce n'est pas que nous ayons l'habitude
de composer ou que nous soyons exercé dans l'art des
discours ; mais la charité nous presse de te manifester,
à toi et à tous ceux qui sont avec toi, leurs enseignements
tenus soigneusement cachés jusqu'ici et venus enfin
au jour par la grâce de Dieu : « car il n'est rien de caché
qui ne doive être révélé, rien de secret qui ne doive être
connu[c] ».

Pr. 3. Tu n'exigeras de nous, qui vivons chez les
Celtes et qui, la plupart du temps, traitons nos affaires
en dialecte barbare, ni l'art des discours, que nous
n'avons pas appris, ni l'habileté de l'écrivain, dans
laquelle nous ne nous sommes pas exercé, ni l'élégance
des termes ni l'art de persuader, que nous ignorons ;
mais ce qu'en toute simplicité, vérité et candeur nous
t'avons écrit avec amour, tu le recevras avec le même

διδάγματα · « οὐδὲν γάρ ἐστι κεκαλυμμένον ὃ οὐκ ἀποκα-
λυφθήσεται, καὶ κρυπτὸν ὃ οὐ γνωσθήσεται[c] ».

| **Pr. 3.** | Οὐκ ἐπιζητήσεις δὲ παρ' ἡμῶν, τῶν ἐν Κελτοῖς
56 διατριβόντων καὶ περὶ βάρβαρον διάλεκτον τὸ πλεῖστον
ἀσχολουμένων, λόγων τέχνην, ἣν οὐκ ἐμάθομεν, οὔτε
δύναμιν συγγραφέως, ἣν οὐκ ἠσκήσαμεν, οὔτε καλλω-
πισμὸν λέξεων οὔτε πιθανότητα, ἣν οὐκ οἴδαμεν, ἀλλὰ
60 ἁπλῶς καὶ ἀληθῶς καὶ ἰδιωτικῶς τὰ μετὰ ἀγάπης σοὶ
γραφέντα μετὰ ἀγάπης σὺ προσδέξῃ καὶ αὐτὸς αὐξή-

[Fr. gr. 1] 47 καὶ ἀσύστατα om. V ‖ 50 σύ M ‖ 55 κελτοῖς Holl :
δελφοῖς V ἀδελφοῖς M ‖ 58 ἠσκήσαμεν : ἠκούσαμεν M ‖ 60-61 σοὶ
γραφέντα V : συγγρ- M ‖ 61 σὺ : σοὶ V[ac] om. M

Pr. 2. c. Matth. 10, 26

auges ea penes te, ut magis idoneus quam nos, quasi [Hv 6]
64 semen et initia accipiens a nobis, et in latitudine sensus 8
tui in multum fructificabis ea quae in paucis a nobis
dicta sunt et potenter adseres his qui tecum sunt ea
quae inualide a nobis relata sunt. Et quemadmodum nos
68 elaborauimus, olim quaerenti tibi discere sententiam
eorum, non solum facere tibi manifestam, sed et submi- 12
nistrationem dare, uti ostenderemus eam falsam, sic et |
tu efficaciter reliquis ministrabis secundum gratiam quae Hv 7
72 tibi a Domino data est, ut iam non abstrahantur
homines ab illorum suadela, quae est talis. |

Pr. 63 auges (cf. *Introd.* p. 28) : -geas ε *Feu.* legens S ‖ 65 in
multum *om.* S ‖ a *om.* S ‖ 66 et : ut CVᵖᶜ *Feu.*ᵐᵍ ‖ adseres : -ras
V*Feu.*ᵐᵍ ‖ qui : que Sᵃᶜ ‖ ea ε : *om.* CV AQS ‖ 67 relicta S ‖ 68
elaborauimus : ea laborauimus Q ‖ quaerent tibi CV *(forte leg. ex
gr.* quaerente te) ‖ dicere CV ‖ 69 man. tibi facere ∞ S ‖ 70 eam
om. V *(suppl. s.l.* V²) ‖ sic : si C ‖ 71 reliᵬquis C ‖ 73 talis]+ Explicit praefatio. Incipiunt capitula libri primi *(sequitur tab. 36 capit.)* A Explicit prephatio (-aef -ε) Qε

σεις αὐτὰ παρὰ σεαυτῷ, ἅτε ἱκανώτερος ἡμῶν τυγ-
χάνων, οἱονεὶ σπέρματα καὶ ἀρχὰς λαβὼν παρ' ἡμῶν,
64 καὶ ἐν τῷ πλάτει σοῦ τοῦ νοῦ ἐπὶ πολὺ καρποφορήσεις
τὰ δι' ὀλίγων ὑφ' ἡμῶν εἰρημένα καὶ δυνατῶς παραστήσεις
τοῖς μετὰ σοῦ τὰ ἀσθενῶς ὑφ' ἡμῶν ἀπηγγελμένα · καὶ
ὡς ἡμεῖς ἐφιλοτιμήθημεν, πάλαι ζητοῦντός σου μαθεῖν

amour, et tu le développeras toi-même pour ton compte,
car tu en es plus que nous capable : après l'avoir reçu
de nous comme des « semences », comme de simples
« commencements », tu feras abondamment « fructifier »[1]
dans l'étendue de ton esprit ce qu'en peu de mots nous
t'avons exprimé et tu présenteras avec force à ceux qui
sont avec toi ce que, bien insuffisamment, nous t'avons
fait connaître. Et de même que, pour répondre à ton
désir[2] déjà ancien de connaître leurs doctrines, nous
avons mis tout notre zèle, non seulement à te les manifester, mais encore à te fournir le moyen d'en prouver
la fausseté, ainsi toi-même tu mettras tout ton zèle à
servir autrui selon la grâce qui t'a été donnée par le
Seigneur, pour que dorénavant les hommes ne se laissent
plus entraîner par la doctrine captieuse de ces gens-là.
Cette doctrine, la voici donc.

----

68 τὴν γνώμην αὐτῶν, μὴ μόνον σοὶ ποιῆσαι φανεράν, ἀλλὰ
   καὶ ἐφόδια δοῦναι πρὸς τὸ ἐπιδεικνύειν αὐτὴν ψευδῆ,
   οὕτως δὲ καὶ σὺ φιλοτίμως τοῖς λοιποῖς διακονήσεις
   κατὰ τὴν χάριν τὴν ὑπὸ τοῦ Κυρίου σοὶ δεδομένην, εἰς
72 τὸ μηκέτι παρασύρεσθαι τοὺς ἀνθρώπους ὑπὸ τῆς ἐκείνων
   πιθανολογίας, οὔσης τοιαύτης.

[Fr. gr. 1] 68 μὴ : ἢ M ǁ φανερά V ǁ 71 διδομένην V^{ac}M

NARRATIO OMNIS ARGVMENTI
VALENTINI DISCIPVLORVM

1, 1. Dicunt esse quendam in inuisibilibus et inenar-   Hv 8
rabilibus altitudinibus perfectum Aeonem, qui ante fuit;
hunc autem et Proarchen et Propatora et Bython
4 uocant; esse autem illum inuisibilem et quem nulla res   4
capere possit. Cum autem a nullo caperetur et esset
inuisibilis, sempiternus et ingenitus, in silentio et in
quiete multa fuisse in immensis aeonibus. Cum | ipso   Hv 9
8 autem fuisse et Ennoiam, quam etiam Charin et Sigen
uocant. Et aliquando uoluisse a semetipso emittere
hunc Bythum Initium omnium, et uelut semen prola-
tionem hanc praemitti uoluit, et eam deposuisse quasi   4
12 in uulua eius quae cum eo erat Sige. Hanc autem
suscipisse semen hoc et praegnantem factam generasse

1 *Titulus* Narratio omnis argumenti Valentini discipulorum CV
Incipit liber primus. Narr- omn- arg- Val- disc- Cap̄. primum A
Narratio omn- arg- Val- disc- incipit Q   *om.* S   et incipit Narratio
omn- arg- Val- disc- Cap. ɪ. ε ‖ 1 esse : etiam V ‖ 3 proarchen :
parchenet S ‖ bython ε : python CV   byton AS   biton Q ‖ 5
ullo V ‖ 7 fuisse : fecisse S ‖ ipso *om.* CV ‖ 8 ennoyam S ennoean
ε ‖ etiam]+ et *expunct.* Q ‖ sygen S ‖ 10 bithum V   bitum S ‖
initium : unitum S ‖ semen : ▨▨men C ‖ 11 uolunt Qε ‖ depossuisse
C ‖ 12 uuluam QS ‖ 13 suscipisse C *(2Ls43)* : suscep- *cett.* & *edd.*

| **1, 1.** | [401] Λέγουσιν γάρ τινα εἶναι ἐν ἀοράτοις καὶ
ἀκατονομάστοις ὑφώμασι τέλειον Αἰῶνα προόντα · τοῦτον
76 δὲ καὶ Προαρχὴν καὶ Προπάτορα καὶ Βυθὸν καλοῦσιν ·
ὑπάρχοντα δ' αὐτὸν ἀχώρητον καὶ ἀόρατον, ἀΐδιόν τε καὶ
ἀγέννητον, ἐν ἡσυχίᾳ καὶ ἠρεμίᾳ πολλῇ γεγονέναι ἐν

PREMIÈRE PARTIE

EXPOSÉ DE LA DOCTRINE DE PTOLÉMÉE

1. Constitution du Plérôme

Genèse des trente Éons.

1, 1. Il existait, disent-ils, dans les hauteurs invisibles et innommables, un Éon parfait, antérieur à tout. Cet Éon, ils l'appellent « Pro-Principe », « Pro-Père » et « Abîme »[1]. Incompréhensible et invisible[2], éternel et inengendré, il fut en profond repos et tranquillité durant une infinité de siècles. Avec lui coexistait la « Pensée », qu'ils appellent encore « Grâce » et « Silence ». Or, un jour, cet Abîme eut la pensée d'émettre, à partir de lui-même, un Principe de toutes choses ; cette émission dont il avait eu la pensée, il la déposa, à la manière d'une semence, au sein de sa compagne Silence[3]. Au reçu de cette semence, celle-ci devint enceinte et enfanta

---

ἀπείροις αἰῶσι [χρόνων] · συνυπάρχειν δ' αὐτῷ καὶ
80 Ἔννοιαν, ἣν δὴ καὶ Χάριν καὶ Σιγὴν ὀνομάζουσι. Καὶ
ποτὲ ἐννοηθῆναι ἀφ' ἑαυτοῦ προβαλέσθαι τὸν Βυθὸν
τοῦτον Ἀρχὴν τῶν πάντων, καὶ καθάπερ σπέρμα τὴν
προβολὴν ταύτην, ἣν προβαλέσθαι ἐνενοήθη, [καὶ]
84 καταθέσθαι ὡς ἐν μήτρᾳ τῆς συνυπαρχούσης ἑαυτῷ
Σιγῆς · ταύτην δὲ ὑποδεξαμένην τὸ σπέρμα τοῦτο καὶ

[Fr. gr. 1] 79 [χρόνων V (-οις M)] nos, iuxta Holl in app. ‖ 81
προβάλλεσθαι Vᵃᶜ ‖ 82 τοῦτον Holl : τούτων VM ‖ 83 [καὶ] Holl
‖ 84-85 τῆς συνυπαρχούσης … σιγῆς nos : τῇ -ούσῃ … σιγῇ VM

Nun, similem et aequalem ei qui emiserat et solum [Hv 9
capientem magnitudinem Patris. Nun autem hunc et
16 Vnigenitum uocant et Patrem et Initium omnium. Vna 8
autem cum eo emissam Veritatem. Et hanc esse primam
et primogenitam pythagoricam Quaternationem, quam
et radicem omnium dicunt : est enim Bythus et Sige,
20 deinde Nus et | Alethia. Sentientem autem Vnigenitum Hv 1
hunc in quae prolatus est, emisisse et ipsum Logon et
Zoen, patrem omnium eorum qui post se futuri essent
et initium et formationem uniuersi Pleromatis. De Logo 4
24 autem et Zoe emissum secundum coniugationem Hominem et Ecclesiam. Et esse hanc primogenitam Octonationem, radicem et substantiam omnium, quattuor
nominibus apud eos nuncupatam, Bython et Nun et
28 Logon et Anthropon. Esse enim illorum unumquemque 8
masculo-feminum, sic : initio Propatorem illum coisse
secundum coniugationem suae Ennoeae, id est Cogita-
tioni, quam Gratiam et Silentium uocant; Vnigenitum

1, 14 nun : unum V hunc S^{ac} ‖ 14-15 similem — nun *om.*
QS ‖ 14 miserat V (em- V²) ‖ 15 hunc autem QS ‖ et *om.*
ε ‖ 16 unam S ‖ 17 hunc V (*difflc. lectu* C) ‖ 18 pytagoricam QS ‖ 20
sentientem : et s- V^{ac} ‖ 21 hunc : huc S ‖ emississe C emisse V ‖
22 zhoen Q ‖ patrem : et p- CV ‖ horum S ‖ 24 zoe : toe Q ‖ 27
apud deos V ‖ 29 faeminum C -nam C^x ‖ illorum CV ‖ 30-31
cogitationi⫽ C

ἐγκύμονα γενομένην ἀποκυῆσαι Νοῦν, ὅμοιόν τε καὶ
ἴσον τῷ προβαλόντι καὶ μόνον χωροῦντα τὸ μέγεθος τοῦ
88 Πατρός · τὸν δὲ Νοῦν τοῦτον καὶ Μονογενῆ καλοῦσι καὶ
Πατέρα καὶ Ἀρχὴν τῶν πάντων · συμπροβεβλῆσθαι δὲ
αὐτῷ Ἀλήθειαν. Καὶ εἶναι ταύτην πρώτην καὶ ἀρχέγονον
Πυθαγορικὴν Τετρακτύν, ἣν καὶ ῥίζαν τῶν πάντων καλοῦ-
92 σιν · ἔστιν γὰρ Βυθὸς καὶ Σιγή, ἔπειτα Νοῦς καὶ Ἀλήθεια.
Αἰσθόμενον δὲ τὸν Μονογενῆ τοῦτον ἐφ' οἷς προεβλήθη,

« Intellect », semblable et égal à celui qui l'avait émis,
seul capable aussi de comprendre la grandeur du Père.
Cet Intellect, ils l'appellent encore « Monogène »,
« Père » et « Principe » de toutes choses. Avec lui fut
émise « Vérité ». Telle est la primitive et fondamentale
Tétrade[1] pythagoricienne, qu'ils nomment aussi Racine
de toutes choses. C'est : Abîme et Silence, puis Intellect
et Vérité. Or ce Monogène, ayant pris conscience de ce
en vue de quoi il avait été émis, émit à son tour « Logos »
et « Vie », Père de tous ceux qui viendraient après lui[2],
Principe et Formation de tout le Plérôme. De Logos et
de Vie furent émis à leur tour, selon la syzygie,
« Homme » et « Église ». Et voilà la fondamentale
Ogdoade, Racine et Substance de toutes choses, qui est
appelée chez eux de quatre noms : Abîme, Intellect,
Logos et Homme. Chacun de ceux-ci est en effet mâle
et femelle : d'abord le Pro-Père s'est uni, selon la
syzygie, à sa Pensée, qu'ils appellent aussi Grâce et

προβαλεῖν καὶ αὐτὸν Λόγον καὶ Ζωήν, πατέρα πάντων
τῶν μετ' αὐτὸν ἐσομένων καὶ ἀρχὴν καὶ μόρφωσιν παντὸς
96 τοῦ Πληρώματος. Ἐκ δὲ τοῦ Λόγου καὶ τῆς Ζωῆς προβεβλῆσθαι κατὰ συζυγίαν Ἄνθρωπον καὶ Ἐκκλησίαν. Καὶ
εἶναι ταύτην ἀρχέγονον Ὀγδοάδα, ῥίζαν καὶ ὑπόστασιν
τῶν πάντων, τέτρασιν ὀνόμασι παρ' αὐτοῖς καλουμένην,
100 Βυθῷ καὶ Νῷ καὶ Λόγῳ καὶ Ἀνθρώπῳ· εἶναι γὰρ αὐτῶν
ἕκαστον ἀρρενόθηλυν, οὕτως· πρῶτον τὸν Προπάτορα
ἡνῶσθαι κατὰ συζυγίαν τῇ ἑαυτοῦ Ἐννοίᾳ, ⟨ἣν καὶ Χάριν
καὶ Σιγὴν καλοῦσιν⟩, τὸν δὲ Μονογενῆ, τουτέστιν τὸν

[Fr. gr. 1] 87 προβάλλοντι V^{ac} ‖ 90 πρῶτον V ‖ 93 δὲ Holl : τε VM ‖
95 τῶν : τὸν V ‖ καὶ₂ om. V^{ac} ‖ 96 δὲ : δὴ V ‖ post ζωῆς add.
τοῦ V^{ac} ‖ 99 καλουμένων V ‖ 102-103 ⟨ἣν καὶ χάριν καὶ σιγὴν
καλοῦσιν⟩ nos

32 autem, hoc est Nun, Alethiae, id est Veritati; Logon   [Hv 1
    autem Zoae, id est Vitae; et Anthropon cum Ecclesia.   12

1, 2. Hos autem Aeones in gloriam Patris emissos,
    uolentes et ipsos de suo clarificare Patrem, emisisse
36 emissiones in coniugatione; Logon quidem et Zoen
    posteaquam emissus est Homo et Ecclesia, | alteros   Hv 11
    decem Aeonas, quorum nomina dicunt haec : Bythius et
    Mixis, Ageratos et Henosis, Autophyes et Hedone,
40 Acinetos et Syncrasis, Monogenes et Macaria. Hi x
    Aeones, quos dicunt ex Logo et Zoe emissos. Anthropon   4
    autem et ipsum emisisse cum Ecclesia Aeonas xii,
    quibus nomina haec donant : Paracletus et Pistis,
44 Patricos et Elpis, Metricos et Agape, Aenos et Synesis,
    Ecclesiasticos et Macariotes, Theletos et Sophia.

1, 3. Hi sunt xxx erroris eorum Aeones, qui tacentur   8
    et non agnoscuntur. Hoc inuisibile et spiritale secundum

1, 32 alethicte V ‖ 34 aeonas ε edd. ‖ 35 emississe C ‖ 36 coniugationem ε *Feu. Gra.* ‖ 37 postquam A ‖ 38 decem CV ε : x AQS
‖ haec : haet A   habet S ‖ 39 henosis CV : henonis AQε   hennonis
S ‖ autophyes *Feu.* : authopyae C   authophie V Q   autophye
Aε   autophie S ‖ 40 acinetos et sincrasis CV   agin et oset-
sincrasis AQS   agne et hosiosyncrasis ε ‖ matharia S ‖ x : decem
Qε *edd.* ‖ 41 ex : ea CV ‖ logon S ‖ 42 emississe C misisse V ‖ duodecim A *Feu.* ‖ 43 donauit ε ‖ paraclitus Q   paradiecus S ‖ 44
enos S ‖ sinesis CV ‖ 45 macariothes CV   macuriotes S ‖ thele-
thos V   teletos ε ‖ 46 triginta *edd.* ‖ erroris : eonis errores S

---

104 Νοῦν, τῇ ᾽Αληθείᾳ, τὸν δὲ Λόγον τῇ Ζωῇ καὶ τὸν ῎Ανθρωπον
     τῇ ᾽Εκκλησίᾳ.

    | **1, 2.** | [402] Τούτους δὲ τοὺς Αἰῶνας εἰς δόξαν τοῦ
     Πατρὸς προβεβλημένους, βουληθέντας καὶ αὐτοὺς διὰ
108 τοῦ ἰδίου δοξάσαι τὸν Πατέρα, προβαλεῖν προβολὰς ἐν
     συζυγίᾳ · τὸν μὲν Λόγον καὶ τὴν Ζωήν, μετὰ τὸ προβα-
     λέσθαι τὸν ῎Ανθρωπον καὶ τὴν ᾽Εκκλησίαν, ἄλλους δέκα
     Αἰῶνας, ὧν τὰ ὀνόματα λέγουσι ταῦτα · Βύθιος καὶ Μῖξις,

Silence[1] ; puis le Monogène, autrement dit l'Intellect, à la Vérité ; puis le Logos, à la Vie ; enfin l'Homme, à l'Église.

1, 2. Or, tous ces Éons, émis en vue de la gloire du Père, voulant à leur tour glorifier le Père par quelque chose d'eux-mêmes, firent des émissions en syzygie. Logos et Vie, après avoir émis Homme et Église, émirent dix autres Éons, qui s'appellent, à ce qu'ils prétendent : « Bythios » et « Mixis », « Agèratos » et « Henôsis », « Autophyès » et « Hèdonè », « Akinètos » et « Syncrasis », « Monogenès » et « Makaria ». Ce sont là, disent-ils, les dix Éons émis par Logos et Vie. L'Homme, lui aussi, avec l'Église, émit douze Éons, qu'ils gratifient des noms suivants : « Paraclètos » et « Pistis », « Patrikos » et « Elpis », « Mètrikos » et « Agapè », « Aeinous » et « Synesis », « Ekklèsiastikos » et « Makariotès », « Thelètos » et « Sagesse ».

Exégèses gnostiques.

1, 3. Tels sont les trente Éons de leur égarement, ces êtres enveloppés de silence, ces inconnus. Tel est leur

---

112 Ἀγήρατος καὶ Ἕνωσις, Αὐτοφυὴς καὶ Ἡδονή, Ἀκίνητος καὶ Σύγκρασις, Μονογενὴς καὶ Μακαρία · οὗτοι ⟨οἱ⟩ δέκα Αἰῶνες, οὓς φάσκουσιν ἐκ Λόγου καὶ Ζωῆς προβεβλῆσθαι. Τὸν δὲ Ἄνθρωπον καὶ αὐτὸν προβαλεῖν μετὰ τῆς
116 Ἐκκλησίας Αἰῶνας δώδεκα, οἷς ταῦτα τὰ ὀνόματα χαρίζονται · Παράκλητος καὶ Πίστις, Πατρικὸς καὶ Ἐλπίς, Μητρικὸς καὶ Ἀγάπη, Ἀείνους καὶ Σύνεσις, Ἐκκλησιαστικὸς καὶ Μακαριότης, Θελητὸς καὶ Σοφία.
120 | **1, 3.** | Οὗτοί εἰσιν οἱ τριάκοντα Αἰῶνες τῆς πλάνης αὐτῶν, οἱ σεσιγημένοι καὶ μὴ γινωσκόμενοι · τοῦτο τὸ

[Fr. gr. 1] 108 προβάλλειν M ‖ 109 προβάλλεσθαι Vᵃᶜ ‖ 111 βύθιος : βίθυος VᵃᶜM ‖ 113 ⟨οἱ⟩ Holl ‖ 119 ἐκκλησιαστικὸς Holl : καὶ ἐκκλ. VM

34 ADVERSVS HAERESES

48 eos Pleroma, tripertite diuisum in Octonationem et [Hv
Decada et Duo|decada : et propter hoc Salvatorem dicunt Hv ◗
— nec enim Dominum eum nominare uolunt — xxx
annis[a] in manifesto nihil fecisse, ostendentem mysterium
52 horum Aeonum. Sed et in parabola eorum operariorum 4
qui in uineam mittuntur[b] dicunt manifestissime xxx
hos Aeonas declaratos : mittuntur enim alii quidem
circa primam horam, alii circa tertiam, alii circa sextam,
56 alii circa nonam, alii circa undecimam; compositae
igitur praedictae horae in semetipsas xxx numerum 8
adimplent : una enim et tres et sex et nouem et undecim
xxx fiunt; per horas autem Aeonas manifestari uolunt.
60 Et haec esse magna et admirabilia et abscondita mysteria
quae ipsi fructificant, et | sicubi quid eorum quae Hv ◗
dicuntur in Scripturis poterunt adaptare et adsimilare
figmento suo.

1, 48 tripartite ε || octonatione CV octo nation ē Q || et om.
AQS || 49 decades V   de cada Q || 50 nec : hec V (nec V²ᵐᵍ) || do-
minum : d̄n̄ōm̄ C saluatorem Q || xxx CV : triginta A   per xxx
Qε   et per xxx S   per trig- Feu. || 51 annos AQSε Feu. || 52 et
om. A || in om. AQSε || 53 manifestasse S || triginta edd. || 54
quidem : qui Q   quidam S || 56 undecimam : xi S || 57 triginta
edd. || 58 implent A (adimp. rest. A¹) || undecim : xi. S || 59 triginta
ε edd. || fiunt : sunt ε || manifestare C || 60 esse : ē (= est?) C || 61
ipsis S || 62 adaptare om. Q

ἀόρατον καὶ πνευματικὸν κατ᾽ αὐτοὺς Πλήρωμα, τριχῆ
διεσταμένον εἰς ᾽Ογδοάδα καὶ Δεκάδα καὶ Δωδεκάδα.
124 Καὶ διὰ τοῦτο τὸν Σωτῆρα λέγουσιν — οὐδὲ γὰρ Κύριον
αὐτὸν ὀνομάζειν θέλουσι — τριάκοντα ἔτεσι[a] κατὰ τὸ
φανερὸν μηδὲν πεποιηκέναι, ἐπιδεικνύντα τὸ μυστήριον
τούτων τῶν Αἰώνων. ᾽Αλλὰ καὶ ἐπὶ τῆς παραβολῆς τῶν
128 εἰς τὸν ἀμπελῶνα πεμπομένων ἐργατῶν[b] φασι φανερώτατα
τοὺς τριάκοντα τούτους Αἰῶνας μεμηνῦσθαι · πέμπονται

Plérôme invisible et pneumatique, avec sa division
tripartite en Ogdoade, Décade et Dodécade. C'est pour
cela, disent-ils, que le Sauveur — car ils refusent de lui
donner le nom de Seigneur — a passé trente années[a]
sans rien faire en public, révélant par là le mystère de
ces Éons. De même encore, disent-ils, la parabole des
ouvriers envoyés à la vigne[b] indique très clairement
ces trente Éons. Car certains ouvriers sont envoyés vers
la première heure, d'autres vers la troisième, d'autres
vers la sixième, d'autres vers la neuvième, d'autres
enfin vers la onzième. Or, additionnées ensemble, ces
différentes heures donnent le total de trente : $1+3+6+$
$9+11 = 30$. Ces heures, prétendent-ils, indiquent les
Éons. Et voilà ces grands, ces admirables, ces secrets
mystères, produit de leur propre « fructification », pour
ne rien dire de toutes les autres paroles des Écritures
qu'ils ont pu adapter et accommoder à leur fiction[1].

γὰρ οἱ μὲν περὶ πρώτην ὥραν, οἱ δὲ περὶ τρίτην, οἱ δὲ περὶ
ἕκτην, οἱ δὲ περὶ ἐνάτην, ἄλλοι δὲ περὶ ἑνδεκάτην ·
132 συντιθέμεναι οὖν αἱ προειρημέναι ὧραι εἰς ἑαυτάς, τὸν
τῶν τριάκοντα ἀριθμὸν ἀναπληροῦσι · μία γὰρ καὶ τρεῖς
καὶ ἓξ καὶ ἐννέα καὶ ἕνδεκα τριάκοντα γίνονται · διὰ δὲ
τῶν ὡρῶν τοὺς Αἰῶνας μεμηνῦσθαι θέλουσι. Καὶ ταῦτ' εἶναι
136 τὰ μεγάλα καὶ θαυμαστὰ καὶ ἀπόρρητα μυστήρια, ἃ
καρποφοροῦσιν αὐτοί, καὶ εἴ πού τι τῶν [ἐν πλήθει]
εἰρημένων ἐν ταῖς γραφαῖς δυνηθείησαν προσαρμόσαι
καὶ εἰκάσαι τῷ πλάσματι αὐτῶν.

[Fr. gr. 1] 125 ὀνομάζειν αὐτὸν ∽ V ‖ 128 φησι M ‖ 130 οἱ₁ :
ὁ M ‖ οἱ₂ : ὁ M ‖ 132-133 τῶν τὸν ∽ M ‖ 134 γίνωνται M ‖ 137
[ἐν πλήθει] nos ‖ 138 δυνηθείησαν nos : δυνηθείη VM

1, 3. a. cf. Lc 3, 23 ‖ b. cf. Matth. 20, 1-7

2, 1. Et Propatorem quidem eorum cognosci solo [Hv ▸
dicunt ei qui ex eo natus est Monogeni, hoc est No, 4
reliquis uero omnibus inuisibilem et incomprehensibilem
4 esse. Solus autem Nus secundum eos delectabatur uidens
Patrem, et magnitudinem immensam eius considerans
exsultabat. Et excogitabat reliquis quoque Aeonibus 8
participare magnitudinem Patris, quantus et quam
8 magnus exsisteret, et quemadmodum erat sine initio
et incapabilis et incomprehensibilis ad uidendum;
continuit autem eum Sige uoluntate Patris, quoniam
uellet omnes hos in intellectum et desiderium exquisi- 12
12 tionis Patris sui adducere. Et reliqui quidem omnes
Aeones tacite quodammodo desiderabant prolatorem
seminis sui uidere et eam quae sine initio est radicem
contemplari.

2, 1 cognitum QSε *Feu.* ‖ soli ε *Mass.* ‖ 2 monogen S ‖ no : nus
Aε   nu QS ‖ 3 hominibus ε ‖ et : hoc est S ‖ 5-7 immensam —
magnitudinem *om.* Q ‖ 5 eius imm. ∽ S ‖ 6 cogitabat S ‖ reliquos
Sε ‖ aeones AS   aeonas ε ‖ 8 erat *om.* V (*suppl. mg.* V²) ‖ 9 incomprehensibilis : inuisibilis Q ‖ 10 sige eum ∽ S ‖ sige : syge A
sine CV ‖ 11 uolet Q   nollet ε ‖ omnes hos in intellectum : tum S ‖
in *om.* CV ‖ intellectu V ‖ 12-13 aeones omnes ∽ ε ‖ 13 quodad-
modo C ‖ 14 semini Q ‖ 15 contemplare C (-ri C¹)

140 | 2, 1. | Τὸν μὲν οὖν Προπάτορα αὐτῶν γινώσκεσθαι
μόνῳ λέγουσι τῷ ἐξ αὐτοῦ γεγονότι Μονογενεῖ, τουτέστιν
τῷ Νῷ, τοῖς δὲ λοιποῖς πᾶσιν ἀόρατον καὶ ἀκατάληπτον
ὑπάρχειν. Μόνος δὲ ὁ Νοῦς κατ' αὐτοὺς ἐτέρπετο θεωρῶν
144 τὸν Πατέρα καὶ τὸ μέγεθος τὸ ἀμέτρητον αὐτοῦ κατανοῶν

2. Perturbation et restauration
du Plérôme

Passion de « Sagesse » et intervention de « Limite ».

2, 1. Ainsi donc, à ce qu'ils disent, leur Pro-Père
n'était connu que du seul Monogène ou Intellect issu de
lui ; pour tous les autres Éons il était invisible et
insaisissable. Seul, d'après eux, l'Intellect se délectait
à voir le Père et se réjouissait de contempler sa grandeur
sans mesure. Il méditait de faire part également aux
autres Éons de la grandeur du Père, en leur révélant
l'étendue de cette grandeur et en leur apprenant qu'il
était sans principe, incompréhensible et insaisissable
pour la vue. Mais Silence l'en retint, par la volonté du
Père, car elle voulait amener tous les Éons à la pensée
et au désir de la recherche de leur Pro-Père susdit.
C'est ainsi que les Éons désiraient semblablement[1],
d'un désir plus ou moins paisible, voir le Principe
émetteur de leur semence et explorer la Racine sans
principe.

---

[403] ἠγάλλετο. Καὶ διενοεῖτο καὶ τοῖς λοιποῖς Αἰῶσιν
ἀνακοινώσασθαι τὸ μέγεθος τοῦ Πατρός, ἡλίκος τε καὶ
ὅσος ὑπῆρχεν, καὶ ὡς ἦν ἄναρχός τε καὶ ἀχώρητος καὶ
148 οὐ καταληπτὸς ἰδεῖν · κατέσχεν δὲ αὐτὸν ἡ Σιγὴ βουλήσει
τοῦ Πατρὸς διὰ τὸ θέλειν πάντας αὐτοὺς εἰς ἔννοιαν καὶ
πόθον ζητήσεως τοῦ προειρημένου Προπάτορος αὐτῶν
ἀναγαγεῖν. Καὶ οἱ μὲν λοιποὶ ὁμοίως Αἰῶνες ἡσυχῇ
152 πως ἐπεπόθουν τὸν προβολέα τοῦ σπέρματος αὐτῶν
ἰδεῖν καὶ τὴν ἄναρχον ῥίζαν ἱστορῆσαι.

[Fr. gr. 1] 151 ἀγαγεῖν V

16 **2, 2.** Praesiliit autem ualde ultimus et iunior de [Hv 1?
Duo|decade ea quae ab Anthropo et Ecclesia emissa Hv 14
fuerat Aeon, hoc est Sophia, et passa est passionem
sine complexu coniugis Theleti : quae exorsa quidem
20 fuerat in his quae sunt erga Nun et Alethian, diriuauit 4
autem in hunc Aeonem, id est Sophiam, demutatam,
sub occasione quidem dilectionis, temeritatis autem, |
quoniam non communicauerat Patri perfecto, quemad- Hv 15
24 modum et Nus. Passionem autem esse exquisitionem
Patris : uoluit enim, ut dicunt, magnitudinem eius
comprehendere; dehinc cum non posset, quoniam 4
impossibilem rem adgrederetur, in magna agonia cons-
28 titutum propter magnitudinem Altitudinis et propter
quod inuestigabile Patris est et propter eam quae erat
erga eum dilectionem, cum extenderetur semper in
priora[a], a dulcitudine eius nouissime forte absortum 8
32 fuisse et resolutum in uniuersam substantiam, nisi ei

2, 16 praesiit Q ‖ de *om.* V (*suppl.* V²) ‖ 17 duodeca et de S ‖
ecclesiae AQ eccralesi V *corr. temptauit* Vˣ ‖ missa AQS ‖ 19
teleti ε ‖ exorsa *edd. a Feu* : exors CVAQ ε exhors S ‖ 20 qui
Mass. ‖ erga *om.* A (*suppl. s.l.* A²) ‖ alethiam AQS ‖ diriuauit
V : der- *cett.* ‖ 21 demutatam *codd.* ε : *forte leg. ex gr.* demutatum
‖ 22 delectationis V *Feu.*ᵐᵍ ‖ temeritatis dilectionis ∽ S ‖ 25
uolunt Q ‖ enim : autem CV ‖ 31 a dulcitudine C : a dulcedine
V ad ultionem AQSε ‖ nouissimum S ‖ forte : uero V *Feu.*ᵐᵍ
‖ absorptum ε *edd.* ‖ 32 fuisset CV Aε

| **2, 2.** | Προήλατο δὲ πολὺ ὁ τελευταῖος καὶ νεώτατος
τῆς Δωδεκάδος τῆς ὑπὸ τοῦ Ἀνθρώπου καὶ τῆς Ἐκκλησίας
156 προβεβλημένης Αἰών, τουτέστιν ἡ Σοφία, καὶ ἔπαθε πάθος
ἄνευ τῆς ἐπιπλοκῆς τοῦ συζύγου τοῦ Θελητοῦ · ὃ ἐνήρξατο
μὲν ἐν τοῖς περὶ τὸν Νοῦν καὶ τὴν Ἀλήθειαν, ἀπέσκηψε
δὲ εἰς τοῦτον τὸν παρατραπέντα, προφάσει μὲν ἀγάπης,
160 τόλμῃ δέ, διὰ τὸ μὴ κεκοινῶσθαι τῷ Πατρὶ τῷ τελείῳ,

2, 2. Mais le dernier et le plus jeune Éon de la
Dodécade émise par l'Homme et l'Église, c'est-à-dire
Sagesse, bondit violemment et subit une passion en
dehors de l'étreinte de son conjoint Thelètos. Cette
passion avait pris naissance aux alentours de l'Intellect
et de la Vérité[1], mais elle se concentra[2] en cet Éon, qui
en fut altéré[3] : sous couvert d'amour, c'était de la
témérité[4], parce qu'il n'était pas, comme l'Intellect,
uni[5] au Père parfait. Cette passion consista en une
recherche du Père, car il voulut, comme ils disent,
comprendre la grandeur de ce Père ; mais comme il ne
le pouvait, du fait même qu'il s'attaquait à l'impossible,
il se trouva dans un état de lutte d'une extrême violence,
à cause de la grandeur de l'Abîme[6], de l'inaccessibilité
du Père et de son amour pour lui. Comme il s'étendait
toujours plus vers l'avant[a], il allait finalement être
englouti par la douceur du Père et se dissoudre dans
l'universelle Substance, s'il n'avait rencontré la Puis-

καθὼς καὶ ὁ Νοῦς. Τὸ δὲ πάθος εἶναι ζήτησιν τοῦ Πατρός ·
ἤθελε γάρ, ὡς λέγουσι, τὸ μέγεθος αὐτοῦ καταλαβεῖν ·
ἔπειτα, μὴ δυνηθέντα διὰ τὸ ἀδυνάτῳ ἐπιβαλεῖν πράγματι
164 καὶ ἐν πολλῷ πάνυ ἀγῶνι γενόμενον διά τε τὸ μέγεθος
τοῦ Βάθους καὶ τὸ ἀνεξιχνίαστον τοῦ Πατρὸς καὶ τὴν
πρὸς αὐτὸν στοργήν, ἐκτεινόμενον ἀεὶ ἐπὶ τὸ πρόσθεν[a]
ὑπὸ τῆς γλυκύτητος αὐτοῦ τελευταῖον ἂν καταπεπόσθαι
168 καὶ ἀναλελύσθαι εἰς τὴν ὅλην οὐσίαν, εἰ μὴ τῇ στηριζούσῃ

[Fr. gr. 1] 154 προήλατο (η sup. ras.) V : προσήλετο M ‖ 156 προ-
βεβλημένος V ‖ 157 συζύγου Holl : ζυγοῦ VM ‖ 159 πρόφασιν V
‖ 160 τόλμῃ nos : τόλμη M τόλμης V ‖ κεκοινωνῆσθαι V ‖ 163
δυνηθέντα Holl : δυνηθῆναι VM ‖ τὸ : τῷ M ‖ 164 post ἐν add.
τῷ V ‖ τε om. M

2, 2. a. cf. Phil. 3, 13

40 ADVERSVS HAERESES

quae confirmat et extra inenarrabilem Magnitudinem [Hv 18
custodit omnia occurrisset Virtuti. Hanc autem Virtutem
et Horon uocant; a qua abstentum et | confirmatum, Hv 16
36 uix reuersum in semetipsum et credentem iam quoniam
incomprehensibilis est Pater, deposuisse pristinam Intentionem cum ea quae acciderat passione, ex illa stuporis
admiratione.

40 **2, 3.** Quidam autem ipsorum huiusmodi passionem et 4
reuersionem Sophiae uelut fabulam narrant : impossibilem et incomprehensibilem rem eam adgressam,
peperisse substantiam informem, qualem naturam
44 habebat femina parere; in quam cum intendisset, primo 8
quidem contristatam propter inconsumma|tum gene- Hv 17
rationis, post deinde timuisse ne hoc ipsum finem
habeat, dehinc expauisse et aporiatam, id est confusam,
48 quaerentem causam et quemadmodum absconderet id
quod erat natum; in his autem passionibus factam, 4
accipisse regressionem et in Patrem regredi conari, et

2, 33 confirmet CV ‖ et *om.* AQSε ‖ magnitudinem]+ eius
expunct. Q ‖ 34 custodit : et cust- ε ‖ 35 et horon (oron CV) CV :
e coron AQ   horon Sε ‖ absentum AQS   absentem ε ‖ 36 credentem iam *edd.* : credent (-dunt V) etiam CV   credente iam AQSε ‖
37 pater *om.* Qε ‖ 38 accederat CV A (-cid-A²) ‖ ex : et ex C ‖ 40
huius S ‖ 42 eam *om.* A (*suppl.* A¹) ‖ 43 peperiisse V ‖ naturam :
natura non S ‖ 44 feminam S ‖ parere *expunct.* A pariens A² ‖
45 inconsummatum *coni.* 2Ls191 : -tam CV   -tionem AQSε ‖
48 quaerente CV ‖ absconderat AQSε ‖ 50 accipisse C *(2Ls43)* :
accep- *cett.* & *edd.* ‖ et₂ *om.* ε

καὶ ἐκτὸς τοῦ ἀρρήτου Μεγέθους φυλασσούσῃ τὰ ὅλα
συνέτυχε Δυνάμει. Ταύτην δὲ τὴν Δύναμιν καὶ "Ορον
καλοῦσιν, ὑφ᾽ ἧς ἐπεσχῆσθαι καὶ ἐστηρίχθαι καὶ μόγις
172 ἐπιστρέψαντα εἰς ἑαυτὸν καὶ πεισθέντα ὅτι ἀκατάληπτός
ἐστιν ὁ Πατήρ, ἀποθέσθαι τὴν προτέραν Ἐνθύμησιν σὺν
τῷ ἐπιγενομένῳ πάθει ἐκ τοῦ ἐκπλήκτου ἐκείνου θαύματος.
| **2, 3.** | Ἔνιοι δὲ αὐτῶν οὕτως τὸ πάθος τῆς Σοφίας

sance qui consolide les Éons[1] et les garde en dehors de
la Grandeur inexprimable. A cette Puissance ils donnent
le nom de « Limite ». Par elle, donc, l'Éon en question
fut retenu[2] et consolidé ; ayant fait à grand peine
retour à lui-même et persuadé désormais que le Père est
incompréhensible, il déposa, sous le coup de l'admiration, son « Enthymésis » antérieure[3] avec la passion
survenue en celle-ci.

2, 3. Certains parmi les hérétiques imaginent plutôt
de la façon suivante[4] la passion et la conversion de
Sagesse. Pour avoir entrepris une tâche impossible et
irréalisable, elle enfanta, disent-ils, une substance
informe, telle que pouvait en enfanter une femme.
L'ayant considérée, elle s'attrista d'abord à cause du
caractère inachevé de son enfantement, puis elle
craignit que ce fruit même ne vînt à disparaître[5] ; elle
fut alors comme hors d'elle-même et remplie d'angoisse[6],
cherchant la cause de l'événement et la manière dont
elle pourrait cacher ce qui était né d'elle. Après avoir
été plongée dans ces passions, elle s'éleva à la « conversion » et tenta de revenir vers le Père ; mais, au bout

---

176 καὶ τὴν ἐπιστροφὴν μυθολογοῦσιν · ἀδυνάτῳ καὶ ἀκαταλή-
πτῳ πράγματι αὐτὴν ἐπιχειρήσασαν [404] τεκεῖν οὐσίαν
ἄμορφον, οἵαν φύσιν εἶχεν θήλεια τεκεῖν · ἣν καὶ κατα-
νοήσασαν πρῶτον μὲν λυπηθῆναι διὰ τὸ ἀτελὲς τῆς
180 γενέσεως, ἔπειτα φοβηθῆναι μήτι καὶ αὐτὸ τοῦτο τέλος
ἔχῃ, εἶτα ἐκστῆναι καὶ ἀπορῆσαι, ζητοῦσαν τὴν αἰτίαν
καὶ ὅντινα τρόπον ἀποκρύψῃ τὸ γεγονός · ἐγκαταγενομένην
δὲ τοῖς πάθεσι λαβεῖν ἐπιστροφήν, καὶ ἐπὶ τὸν Πατέρα

[Fr. gr. 1] 172 ἐπιστρέψαν M ‖ 174 ἐπιγινομένῳ V ‖ ἐκπλήττου M ‖
175 οὕτως Holl : πῶς VM ‖ 176-177 ἀκαταλήμπτῳ Vac ‖ 178
ἔσχεν M ‖ θήλεια Holl : θήλειαν VM ‖ 180 μήτι Holl : μήτε VacM
μηδὲ Vpc ‖ τοῦτο nos : τὸ εἶναι VM ‖ 180-181 τέλος ἔχῃ Holl :
τελείως ἔχειν VM ‖ 182 ἀποκρύψει Vpc

aliquamdiu ausam, tamen defecisse et supplicem Patris [Hv 1?
52 factam, una autem cum ea rogasse et reliquos Aeonas,
maxime autem [et] Nun. Hinc dicunt primum initium
habuisse substantiam materiae, de ignorantia et taedio | 8
et timore et stupore.   Hv 18

56 **2, 4.** Pater autem praedictum Horon super haec per
Monogenen praemittit in imagine sua, sine coniuge
masculo-femina : Patrem enim aliquando quidem cum
coniuge Sige, modo uero et pro masculo et pro femina 4
60 esse uolunt. Horon uero hunc et Stauron et Lytroten
et Carpisten et Horotheten et Metagogea uocant. Per
Horon autem hunc | dicunt mundatam et confirmatam Hv 19?
Sophiam et restitutam coniugi : separata enim Inten-
64 tione ab ea cum appendice passione, ipsam quidem infra
Pleroma perseuerasse, Concupiscentiam | uero eius cum Hv 20?
passione ab Horo separatam et crucifixam[a] et, extra

2, 51 et *om.* Q ‖ patri ε ‖ 53 et nun CV (*seclusimus* et) : *om.* AQSε
‖ hinc : hunc S   *om.* Q ‖ 57 monogenem ε ‖ sine : siue ε ‖ 58
quidem *om.* S ‖ 59 syge AQ   sigen S ‖ et pro masculo *om.* AQSε
‖ 60 litroten Q ‖ 61 arpisten C (car- C[1]) capristen S ‖ horotheton S
‖ methagogea S ‖ 62 hunc *om.* S ‖ mandatam ε ‖ 62-63 et conf.
soph. : sophiam et confirmatam ∾ S ‖ 64 appendisse S ‖ 66 horon S

---

184 ἀναδραμεῖν πειραθῆναι, καὶ μέχρι τινὸς τολμήσασαν
ἐξασθενῆσαι καὶ ἱκέτιν τοῦ Πατρὸς γενέσθαι, συνδεηθῆναι
δὲ αὐτῇ καὶ τοὺς λοιποὺς Αἰῶνας, μάλιστα δὲ τὸν Νοῦν.
Ἐντεῦθεν λέγουσι πρώτην ἀρχὴν ἐσχηκέναι τὴν οὐσίαν
188 τῆς ὕλης, ἐκ τῆς ἀγνοίας καὶ τῆς λύπης καὶ τοῦ φόβου
καὶ τῆς ἐκπλήξεως.

| **2, 4.** | Ὁ δὲ Πατὴρ τὸν προειρημένον Ὅρον ἐπὶ τούτοις
διὰ τοῦ Μονογενοῦς προβάλλεται ἐν εἰκόνι ἰδίᾳ, ἀσύζυγον,
192 ἀθήλυντον· τὸν γὰρ Πατέρα ποτὲ μὲν μετὰ συζύγου
τῆς Σιγῆς, ποτὲ δὲ καὶ ὑπὲρ ἄρρεν καὶ ὑπὲρ θῆλυ εἶναι
θέλουσι. Τὸν δὲ Ὅρον τοῦτον καὶ Σταυρὸν καὶ Λυτρωτὴν

d'un court effort, elle défaillit et supplia le Père ; à sa
prière se joignirent les autres Éons, principalement
l'Intellect. C'est de tout cela, disent-ils, que tire sa
première origine la substance de la matière, à savoir
de l'ignorance, de la tristesse, de la crainte et de la
stupeur.

2, 4. Le Père alors, par l'intermédiaire du Monogène,
émit en surplus la Limite dont nous avons déjà parlé ;
il l'émit à sa propre image, c'est-à-dire sans couple,
sans compagne[1]. Car ils veulent tantôt que le Père ait
Silence pour compagne[2], tantôt qu'il soit au-dessus de
la distinction de mâle et de femelle[3]. A cette Limite
ils donnent aussi les noms de « Croix », de « Rédempteur », d'« Émancipateur », de « Délimitateur » et de
« Guide »[4]. C'est par cette Limite, disent-ils, que
Sagesse fut purifiée, consolidée et réintégrée dans sa
syzygie[5]. Car, lorsqu'eut été séparée d'elle son Enthymésis avec la passion survenue en celle-ci, elle-même
demeura à l'intérieur du Plérôme ; mais son Enthymésis,
avec la passion qui lui était inhérente, fut séparée,
« crucifiée[a] »[6] et expulsée du Plérôme par Limite. Cette

καὶ Καρπιστὴν καὶ Ὁροθέτην καὶ Μεταγωγέα καλοῦσι.
196 Διὰ δὲ τοῦ Ὅρου τούτου φασὶ κεκαθάρθαι καὶ ἐστηρίχθαι
τὴν Σοφίαν καὶ ἀποκατασταθῆναι τῇ συζυγίᾳ · χωρισ-
θείσης γὰρ τῆς Ἐνθυμήσεως ἀπ' αὐτῆς σὺν τῷ ἐπιγενομένῳ
πάθει, αὐτὴν μὲν ἐντὸς Πληρώματος μεῖναι, τὴν δὲ
200 Ἐνθύμησιν αὐτῆς σὺν τῷ πάθει ὑπὸ τοῦ Ὅρου ἀφορισ-
θῆναι καὶ ἀποσταυρωθῆναι[a] καί, ἐκτὸς αὐτοῦ γενομένην,

[Fr. gr. 1] 185 ἱκέτην V^{ac}M ‖ 191 σύζυγον V^{ac}M ‖ 192 συζύγου
nos : συζυγίας VM ‖ 194 σταυρὸν καὶ λυτρωτὴν Holl : συλ-
λυτρωτὴν VM ‖ 198 ἐπιγενομένῳ Holl : ἐπιγινομένῳ VM ‖ 201
ἀποσταυρωθῆναι Holl : ἀποστερηθῆναι VM

2, 4. a. cf. Gal. 5, 24

eum factam, esse quidem spiritalem substantiam, ut [Hv 20
68 naturalem quendam Aeonis impetum, informem uero
et sine specie, quoniam nihil apprehendisset; et propter 4
hoc fructum eius inualidum et femineum dicunt.

2, 5. Postea uero quam separata sit haec extra
72 Pleroma Aeonum et mater eius redintegrata suae
coniugationi, Monogenen iterum alteram emisisse coniu- 8
gationem secundum proui|dentiam Patris, Christum et Hv 21
Spiritum sanctum, a quibus consummatos dicunt esse
76 Aeonas. Christum enim docuisse eos coniugationis
naturam, innati comprehensionem cognoscentes suffi-
cientes siue idoneos esse, declarasse quoque in eis Patris 4
agnitionem, quoniam incapabilis est et incomprehensi-
80 bilis et non est neque uidere neque audire eum nisi per
solum Monogenen[a]; et causam quidem aeternae perse-

2, 67 factum S || quidem : quamdam QSε || ut : et ε   cur CV
|| 70 hoc *om.* A || 71 quem C || 72 reintegrata V QS || 73 coniuga-
tione C (-ni C²) || monogenem ε || alterum CV || emississe C   com-
misisse emisisse S || 73-74 coniugationem *om.* S || 75 esse dicunt
ε *edd.* || 77 innati *codd.* ε : « *al.*' lunari   *al.*' initiati » εᵐᵍ || cognos-
centem ε² || 77-78 sufficienter Sε² || 78 siue CV : si ille AS   si
illos Qε   sibi illos ε² *Feu.* || idoneus esset S || in *om.* S || 81 mono-
genem ε || aeternae : maternae CV   *om.* S

εἶναι μὲν πνευματικὴν οὐσίαν, φυσικήν τινα Αἰῶνος
ὁρμὴν τυγχάνουσαν, ἄμορφον δὲ καὶ ἀνείδεον διὰ τὸ
204 μηδὲν καταλαβεῖν · καὶ διὰ τοῦτο καρπὸν ἀσθενῆ καὶ
θῆλυν αὐτὴν λέγουσι.

| **2, 5.** | Μετὰ δὲ τὸ ἀφορισθῆναι ταύτην ἐκτὸς τοῦ Πλη-
ρώματος τῶν Αἰώνων τήν τε μητέρα αὐτῆς ἀποκατασταθῆναι
208 τῇ ἰδίᾳ συζυγίᾳ, τὸν [405] Μονογενῆ πάλιν ἑτέραν προβαλέσθαι συζυγίαν κατὰ προμήθειαν τοῦ Πατρός, ἵνα μὴ
ὁμοίως ταύτῃ πάθῃ τις τῶν Αἰώνων, Χριστὸν καὶ Πνεῦμα
ἅγιον, εἰς πῆξιν καὶ στηριγμὸν τοῦ Πληρώματος, ὑφ' ὧν
212 καταρτισθῆναι ⟨λέγουσι⟩ τοὺς Αἰῶνας. Τὸν μὲν γὰρ

Enthymésis était une substance pneumatique, puisque
c'était l'élan naturel d'un Éon, mais c'était une substance sans forme ni figure, car Sagesse n'avait rien
saisi ; c'est pourquoi ils disent que cette substance était
un fruit faible et féminin.

Émission du « Christ », de l' « Esprit Saint » et du « Sauveur ».

2, 5. Après que cette Enthymésis eut été bannie du
Plérôme des Éons et que la mère de celle-ci eut été
réintégrée dans sa syzygie, le Monogène émit encore un
autre couple, conformément à la providence du Père,
afin qu'aucun des Éons ne subisse désormais une passion
semblable : ce sont « Christ » et « Esprit Saint », émis
en vue de la fixation et de la consolidation du Plérôme[1].
C'est par eux, disent-ils, que furent remis en ordre les
Éons. Le Christ, en effet, leur enseigna la nature de la
syzygie... (quelques mots inintelligibles)[2] et publia au
milieu d'eux la connaissance du Père, en leur révélant
que celui-ci est incompréhensible et insaisissable et que
personne ne peut le voir ni l'entendre, sinon à travers
le seul Monogène[a] ; la cause de la permanence éternelle

Χριστὸν διδάξαι αὐτοὺς συζυγίας φύσιν, † ἀγεννήτου
κατάληψιν γινώσκοντας ἱκανοὺς εἶναι †, ἀναγορεῦσαί τε
ἐν αὐτοῖς τὴν τοῦ Πατρὸς ἐπίγνωσιν, ὅτι τε ἀχώρητός
216 ἐστι καὶ ἀκατάληπτος καὶ οὐκ ἔστιν οὔτε ἰδεῖν οὔτε
ἀκοῦσαι αὐτὸν ⟨ἀλλ'⟩ ἢ διὰ μόνου τοῦ Μονογενοῦς[a]
[γινώσκεται] · καὶ τὸ μὲν αἴτιον τῆς αἰωνίου διαμονῆς

[Fr. gr. 1] 204 τοῦτο : τὸ M ‖ 205 αὐτὴν Holl : αὐτὸν VM ‖ 206
αὐτὴν M ‖ 210 πάθῃ τις : παθητὴς M ‖ 212 ⟨λέγουσι⟩ nos ‖ 213
διάξαι M ‖ 216 ἀκατάλημπτος V[ac] ‖ 217 ⟨ἀλλ'⟩ nos ‖ μόνου om. M
‖ 218 [γινώσκεται] nos

2, 5. a. cf. Matth. 11, 27

uerationis his omnibus incomprehensibile Patris esse, 8 [Hv⁴
generationis autem et formationis | comprehensibile Hv 22
84 eius, quod quidem Filius est. Et haec quidem qui nunc
emissus erat Christus in eis operatus est.

2, 6. Spiritus uero sanctus adaequatos eos omnes
gratias agere docuit et ueram requiem induxit. Et sic 4
88 forma et sententia similes factos Aeonas dicunt, uniuersos factos Noas et Logos et omnes Anthropos et omnes
Christos, et feminas similiter omnes Alethias et Zoas et
Spiritus et Ecclesias. Confirmata quoque in hoc omnia
92 et requiescentia ad perfectum, cum magno gaudio 8
dicunt | hymnizare Propatorem, magnae exsultationis Hv 23
participantem. Et propter hoc beneficium una uoluntate
et sententia uniuersum Pleroma Aeonum, consentiente
96 Christo et Spiritu, unumquemque Aeonum quod habebat 4
in se optimum et florentissimum conferentes collationem

2, 82 incomprehensibile *edd.* : -lem *codd.* ε ‖ 83 comprehen-
sibilia AQSε ‖ 84 qui *om.* AQSε ‖ nunc : nun S ‖ 85 est *om.* V
(*suppl.* V²) ε² ‖ 89 omnes₁ : os S ‖ 89-90 et omnes christos *om.* AQSε
‖ 90 zoas : toas Q ‖ 93 ymnizare AQS ‖ propathorem C ‖ 94
una : in V (una V²) ‖ 96 spiritum CV -tu]+ sancto S ‖ aeonum : eo ε ‖ 97 et *om.* AQSε

τοῖς ὅλοις τὸ ἀκατάληπτον ὑπάρχειν τοῦ Πατρός, τῆς
220 δὲ γενέσεως [αὐτοῦ] καὶ μορφώσεως τὸ καταληπτὸν
αὐτοῦ, ὃ δὴ Υἱός ἐστιν. Καὶ ταῦτα μὲν ὁ ἄρτι προβληθεὶς
Χριστὸς ἐν αὐτοῖς ἐδημιούργησε.

| 2, 6. | Τὸ δὲ [ἓν] Πνεῦμα τὸ ἅγιον ἐξισωθέντας αὐτοὺς
224 πάντας εὐχαριστεῖν ἐδίδαξεν καὶ τὴν ἀληθινὴν ἀνάπαυσιν
εἰσηγήσατο. Οὕτως τε μορφῇ καὶ γνώμῃ ἴσους κατα-
σταθῆναι τοὺς Αἰῶνας λέγουσι, πάντας γενομένους Νόας
καὶ πάντας Λόγους καὶ πάντας Ἀνθρώπους καὶ πάντας
228 Χριστούς, καὶ τὰς θηλείας ὁμοίως πάσας Ἀληθείας καὶ

des Éons[1] est ce qu'il y a d'incompréhensible[2] dans
le Père, et la cause de leur naissance et de leur formation
est ce qu'il y a de compréhensible en lui, c'est-à-dire
le Fils. Voilà ce que le Christ nouvellement émis effectua
en eux. **2, 6.** Quant à l'Esprit Saint, après avoir égalisé
tous les Éons, il leur enseigna à rendre grâces et introduisit le vrai repos. Et c'est ainsi, disent-ils, que les
Éons furent établis dans l'égalité de forme et de pensée,
devenant tous des Intellects, tous des Logos, tous des
Hommes, tous des Christs ; et de même pour les Éons
féminins, tous des Vérités, des Vies, des Esprits, des
Églises.

Là-dessus, consolidés et en parfait repos, les Éons,
disent-ils, chantèrent avec une grande joie un hymne
au Pro-Père, tout en prenant part[3] à une immense
réjouissance. Et pour ce bienfait, dans une unique
volonté et une unique pensée de tout le Plérôme des
Éons, avec l'assentiment du Christ et de l'Esprit et la
ratification du Père[4], chacun des Éons apporta et mit
en commun ce qu'il avait en lui de plus exquis et comme

πάσας Ζωὰς καὶ Πνεύματα καὶ Ἐκκλησίας. Στηριχθέντα
δὲ ἐπὶ τούτῳ τὰ ὅλα καὶ ἀναπαυσάμενα τελέως μετὰ
μεγάλης χαρᾶς φασιν ὑμνῆσαι τὸν Προπάτορα, πολλῆς
232 εὐφρασίας μετασχόντα. Καὶ ὑπὲρ τῆς εὐποιίας ταύτης
βουλῇ μιᾷ καὶ γνώμῃ τὸ πᾶν Πλήρωμα τῶν Αἰώνων,
συνευδοκοῦντος τοῦ Χριστοῦ καὶ τοῦ Πνεύματος, τοῦ δὲ
Πατρὸς αὐτῶν συνεπισφραγιζομένου, ἕνα ἕκαστον τῶν
236 [406] Αἰώνων, ὅπερ εἶχεν ἐν ἑαυτῷ κάλλιστον καὶ ἀνθηρό-

[Fr. gr. 1] 219 ὅλοις nos : λοιποῖς VM ‖ ἀκατάληπτον Holl :
πρῶτον καταληπτὸν VM ‖ 220 [αὐτοῦ] nos ‖ 223 [ἐν] Holl ‖
225 εἰσηγήσατο Holl : ἡγήσατο VM ‖ 226 τοὺς om. M ‖ 228 post
καὶ₁ add. πάντας Vᵃᶜ (?) M ‖ 230 τελείας M ‖ 231 φασιν nos :
φησιν VM ‖ 233 βουλῇ μιᾷ : βούλημα M

fecisse, et haec apte compingentes et diligenter in unum [Hv 2
adaptantes, emisisse problema et in honorem et gloriam
100 Bythi, perfectissimum decorem quendam et sidus Pleromatis, perfectum fructum Iesum, quem et Salvatorem 8
uocari et Christum et Logon patronymice et Omnia,
quoniam ab omnibus esset; satellites quoque ei in
104 honorem ipsorum eiusdem generis Angelos cum eo
prolatos. |

3, 1. Haec igitur est quae intra Pleroma ipsorum Hv 24
dicitur negotiatio, et passi Aeonis et pene perditi et
quasi in multa materia propter inquisitionem Patris
4 calamitas, et Hori et Crucis ipsorum et Redemptoris et 4
Carpisti et Horotheti et Metagogei ex agonia compago, et primi Christi cum Spiritu sancto de paenitentia a Patre ipsorum postrema Aeonum genesis, et

2, 98 diligentes V || 99 probleuma V || et₁ forte seclud. ex gr. ||
in om. AQSε || 100 bythi edd. : bithy CV orthi AQSε || 102 pa-
tronymice C ε : -imice VA -imyce Q -umice S || et₃ codd. : ac ε
edd. || 103 ei : et CV || in : et AQSε
3, 2 negatio ε || poene C paene Q || 5 carpisti codd. Feu.ᵐᵍ :
-tae ε edd. || horotheti codd. Feu.ᵐᵍ : -tae ε edd. || metagogei (-tha-S)
AQSε : -ge CV u. sequentem || ex agonia coni. Gra. : let aeona
(1 = i in fin. praec. metagoge) C lex aona (aeona V²) V ex
aeona AS ey aeona Q et aeonum ε Feu. hexaeonia Mass. ||
6-7 de paenitentia : dependentia εᵐᵍ ε²

τατον συνενεγκαμένους καὶ συνερανισαμένους καὶ ταῦτα
ἁρμοδίως πλέξαντας καὶ ἐμμελῶς ἑνώσαντας, προβαλέσθαι
πρόβλημα εἰς τιμὴν καὶ δόξαν τοῦ Βυθοῦ, τελειότατον
240 κάλλος τι καὶ ἄστρον τοῦ Πληρώματος, τέλειον καρπὸν
τὸν Ἰησοῦν, ὃν καὶ Σωτῆρα προσαγορευθῆναι καὶ Χριστὸν
καὶ Λόγον πατρωνυμικῶς καὶ τὰ Πάντα, διὰ τὸ ἀπὸ
πάντων εἶναι· δορυφόρους τε αὐτῷ εἰς τιμὴν τὴν αὐτῶν
244 ὁμογενεῖς Ἀγγέλους συμπροβεβλῆσθαι.

| 3, 1. | Αὕτη μὲν οὖν ἐστιν ἡ ἐντὸς Πληρώματος

la fleur de sa substance ; tressant le tout harmonieuse-
ment en une parfaite unité, ils firent, en l'honneur et à
la gloire de l'Abîme, une émission qui est la toute
parfaite beauté et comme l'étoile du Plérôme : c'est
le Fruit parfait, « Jésus », qui s'appelle aussi « Sauveur »,
et encore Christ et Logos, du nom de ses pères, et aussi
« Tout », car il provient de tous. En même temps, en
l'honneur des Éons, furent émis pour lui des gardes
du corps, qui sont des Anges de même race que lui.

Exégèses gnostiques.

3, 1. Telles sont donc : la production qu'ils disent[1]
avoir été effectuée au-dedans du Plérôme ; la mésaven-
ture de cet Éon qui tomba en passion et faillit périr,
comme dans une vaste matière, à cause de sa recherche
du Père ; l'assemblage hexagonal[2] de celui qui est à la
fois Limite, Croix, Rédempteur, Émancipateur, Délimitateur et Guide ; la naissance, postérieure à celle des
Éons, du premier Christ et de l'Esprit Saint émis par
le Père à la suite de son repentir ; enfin la fabrication,

ὑπ' αὐτῶν λεγομένη πραγματεία, καὶ ἡ τοῦ πεπονθότος
Αἰῶνος καὶ μετὰ μικρὸν ἀπολωλότος ὡς ἐν πολλῇ ὕλῃ
248 διὰ ζήτησιν τοῦ Πατρὸς συμφορά, καὶ ἡ τοῦ Ὅρου καὶ
Σταυροῦ καὶ Λυτρωτοῦ καὶ Καρπιστοῦ καὶ Ὁροθέτου καὶ
Μεταγωγέως ἐξάγωνος σύμπηξις, καὶ ἡ τοῦ πρώτου
Χριστοῦ σὺν τῷ Πνεύματι τῷ ἁγίῳ ἐκ μετανοίας ὑπὸ τοῦ
252 Πατρὸς αὐτῶν μεταγενεστέρα τῶν Αἰώνων γένεσις, καὶ

[Fr. gr. 1] 237 ἐρανισαμένους V ‖ 238 ἁρμονίως M ‖ 239 προβλή-
ματα V ‖ 240 κάλλος : ἀλλ' ὅς M ‖ τι : τε V ‖ 241 τὸν om.
VᵃᶜM ‖ 242 τὰ Holl : κατὰ VM ‖ 243 αὐτῷ : αὐτῶν V ‖ τὴν :
τῶν M ‖ 246 λεγομένη : γενομένη Vᵃᶜ ‖ 248 ἡ om. M ‖ 249 σταυροῦ
Holl : στύλου VM ‖ 250 ἐξάγωνος nos : ἐξάγωνος V ἐξ ἀγῶνος M
‖ 252 αἰωνίων M

8 secundi Christi, quem Soterem dicunt, ex collatione [Hv 2
composita fabricatio. Haec autem manifeste quidem non 8
esse dicta, quoniam non omnes capiunt[a] agnitionem
ipsorum, mysterialiter autem a | Saluatore per parabolas Hv 25
12 ostensa his qui possunt intelligere sic : xxx Aeonas
significari per triginta annos[b], sicut praediximus, in
quibus nihil in manifesto dicunt fecisse Saluatorem, et
per parabolam operariorum uineae[c]. Et Paulum mani- 4
16 festissime dicunt Aeonas nominare saepissime, adhuc
etiam et ordinem ipsorum seruare, sic dicentem : *In
uniuersas generationes saeculi saeculorum*[d]. Sed et nos
ipsos denique in gratiarum actionibus dicentes : *aeonas* 8
20 *aeonum*, illos Aeonas significare; et ubicumque aeon
aut aeones nominantur, in illos id referri uolunt.

3, 2. Duodecadis autem Aeonum emissionem signifi-

3, 8 sotherem V   sotheren S ‖ collationem CA ‖ 10 capiunt
CQ : capiant C[a]V ASε *Feu.* ‖ 11 a *om.* S ‖ parabolam CV ‖ 12 qui
om. A ‖ triginta A ‖ 13 triginta C AQε : xxx V S ‖ annis C[ac]
aeonas S ‖ 14 manifeste A ‖ 15 per *om.* S ‖ parabolas A ‖ paulum]
+ autem CV ‖ 15-16 manifeste A ‖ 17 sic *om.* V ‖ in *om.* V ‖ 19
denique ε[2] *Feu. edd.* : in eum qui CV AQε   qui S ‖ ipsos denique
nonne delendum ex gr.? ‖ 21 aut aeones : autones V   autem aeones Q[ac]

ἡ τοῦ δευτέρου Χριστοῦ, ὃν καὶ Σωτῆρα λέγουσιν, ἐξ
ἐράνου σύνθετος κατασκευή. Ταῦτα δὲ φανερῶς μὲν μὴ
εἰρῆσθαι διὰ τὸ μὴ πάντας χωρεῖν[a] τὴν γνῶσιν αὐτῶν,
256 μυστηριωδῶς δὲ ὑπὸ τοῦ Σωτῆρος διὰ παραβολῶν μεμηνῦσθαι τοῖς συνίειν δυναμένοις οὕτως. Τοὺς μὲν γὰρ
τριάκοντα Αἰῶνας μεμηνῦσθαι διὰ τῶν τριάκοντα ἐτῶν[b],
ὡς προέφαμεν, ἐν οἷς οὐδὲν ἐν φανερῷ φάσκουσι πεποιη-
260 κέναι τὸν Σωτῆρα, καὶ διὰ τῆς παραβολῆς τῶν ἐργατῶν
τοῦ ἀμπελῶνος[c]. Καὶ τὸν Παῦλον φανερώτατα λέγουσι

par une mise en commun de cotisations, du second
Christ, qu'ils appellent aussi le Sauveur. Tout cela, sans
doute, n'a pas été dit en clair dans les Écritures, parce
que « tous ne comprennent pas[a] » leur gnose, mais cela
a été indiqué en mystère par le Sauveur, au moyen de
paraboles, à l'intention de ceux qui sont capables de
comprendre. Ainsi les trente Éons ont été indiqués,
comme nous l'avons déjà dit, par les trente années[b]
durant lesquelles le Sauveur n'a rien fait en public, ainsi
que par la parabole des ouvriers de la vigne[c]. Paul
également, à les en croire, nomme manifestement et à
maintes reprises les Éons ; il garde même leur hiérarchie,
lorsqu'il dit : «... dans toutes les générations du siècle
des siècles[d] »[1]. Nous-mêmes enfin, lorsque nous disons
au cours de l'eucharistie : « dans les siècles des siècles »,
nous faisons allusion à ces Éons. Partout où se rencontrent les mots « siècle » ou « siècles », ils veulent qu'il
y soit question des Éons.

3, 2. L'émission de la Dodécade d'Éons est indiquée

τούσδε Αἰῶνας ὀνομάζειν πολλάκις, ἔτι δὲ καὶ τὴν τάξιν
αὐτῶν τετηρηκέναι οὕτως εἰπόντα · «εἰς πάσας τὰς
264 γενεὰς τοῦ αἰῶνος τῶν αἰώνων[d] ». Ἀλλὰ καὶ ἡμᾶς ἐπὶ
τῆς εὐχαριστίας λέγοντας · « εἰς τοὺς αἰῶνας τῶν αἰώνων »,
ἐκείνους τοὺς Αἰῶνας σημαίνειν · καὶ ὅπου ἂν αἰὼν ἢ
αἰῶνες ὀνομάζονται, τὴν ἀναφορὰν [407] εἰς ἐκείνους
268 εἶναι θέλουσιν.

| 3, 2. | Τὴν δὲ τῆς Δωδεκάδος τῶν Αἰώνων προβολὴν

[Fr. gr. 1] 254 ἐράνου : οὐρανοῦ V[ac]M ‖ 256 σωτῆρος : πατρὸς M
‖ 262 τούσδε : τούς τε M ‖ 263 εἰπόντα : εἶπεν τὰ M ‖ 264 τοῦ
αἰῶνος τῶν αἰώνων nos : τῶν αἰώνων τοῦ αἰῶνος ∽ VM

3, 1. a. Matth. 19, 11 ‖ b. cf. Lc 3, 23 ‖ c. cf. Matth. 20, 1-7
‖ d. Éphés. 3, 21

catam per id quod xii annorum exsistens Dominus [Hv 2
24 disputauerit cum legis doctoribus[a] et per apostolorum 12
electionem : xii enim | apostolos elegit[b]. Et reliquos Hv 26
xviii Aeonas manifestari per id quod post resurrectionem a mortuis xviii mensibus dicant conuersatum eum
28 cum discipulis; sed et per praecedentes nominis eius 4
duas litteras iotam et hetam xviii Aeonas significanter
manifestari. Et x autem Aeonas similiter per iotam
litteram, quod praecedit in nomine eius, significari
32 dicunt. Et propter hoc dixisse Saluatorem : *Iota unum
aut unus apex non praeteriet, quoadusque omnia fiant*[c]. 8

3, 3. Hanc autem passionem quae circa duodecimum
Aeonem facta est significari dicunt per apostasiam
36 Iudae, qui duodecimus erat apostolorum, et quoniam
duodecimo mense passus est : uno enim anno[a] uolunt

3, 23 duodecim *edd.* ‖ 25 duodecim Aε ‖ 26 octodecim *edd.* ‖
aeones C[ac] ‖ 27 octodecim *edd.* ‖ dicunt S ‖ 28 per *om.* AQSε ‖
29 iotam C AQ : iotham V S   iota ε *edd.* ‖ hetam C AQ : etham V
hetham S   eta ε *edd.* ‖ octodecim *Feu. edd.* ‖ significantur S ‖ 30
manifestare Sε ‖ decem S *edd.* ‖ iotam C²V AQ : totam C   iotham
S iota ε ‖ 31 quod : quae S ‖ praedixit V ‖ 32 iota Aε : iotha S
iotam CV Q ‖ unum : autem *(expunct.)* unam Q ‖ 33 praeteribit V
Feu.[mg] ‖ quousque V ‖ 34 duodecim ε (-cimum ε²) ‖ 35 aeonum
AQSε ‖ 37 xii° Q xii Sε

μηνύεσθαι διὰ τοῦ δωδεκαετῆ ὄντα τὸν Κύριον διαλεχθῆναι
τοῖς νομοδιδασκάλοις[a] καὶ διὰ τῆς τῶν ἀποστόλων
272 ἐκλογῆς · δώδεκα γὰρ ἀπόστολοι[b]. Καὶ τοὺς λοιποὺς
δεκαοκτὼ Αἰῶνας φανεροῦσθαι διὰ τοῦ μετὰ τὴν ⟨ἐκ⟩
νεκρῶν ἀνάστασιν δεκαοκτὼ μησὶν λέγειν διατεριφέναι
αὐτὸν σὺν τοῖς μαθηταῖς · ἀλλὰ καὶ διὰ τῶν προηγουμένων
276 τοῦ ὀνόματος αὐτοῦ δύο γραμμάτων, τοῦ τε ἰῶτα καὶ
τοῦ ἦτα, τοὺς δεκαοκτὼ Αἰῶνας εὐσήμως μηνύεσθαι.
Καὶ τοὺς δέκα Αἰῶνας ὡσαύτως διὰ τοῦ ἰῶτα γράμματος,
ὃ προηγεῖται τοῦ ὀνόματος αὐτοῦ, σημαίνεσθαι λέγουσιν,

par le fait qu'à douze ans le Seigneur a discuté avec
les docteurs de la Loi[a], comme aussi par le choix des
apôtres, car ceux-ci furent au nombre de douze[b].
Quant aux dix-huit autres Éons, ils sont manifestés par
le fait que le Seigneur, après sa résurrection d'entre les
morts, a vécu durant dix-huit mois — c'est du moins
ce qu'ils disent — avec ses disciples. Les deux premières
lettres du nom de Jésus, à savoir iota (= 10) et êta
(= 8), indiquent aussi clairement les dix-huit Éons.
De même les dix Éons sont signifiés, disent-ils, par la
lettre iota (= 10), qui est la première de son nom. Et
c'est pour ce motif que le Sauveur a dit : « Pas un seul
iota ni un seul petit trait ne passera, que tout n'ait eu
lieu[c]. »

3, 3. La passion survenue dans le douzième Éon est
signifiée, disent-ils, par l'apostasie de Judas, qui était
le douzième des apôtres, et par le fait que le Seigneur
souffrit sa Passion le douzième mois[1] : car ils veulent
qu'il ait prêché durant une seule année[a] après son

---

280 καὶ διὰ τοῦτο εἰρηκέναι τὸν Σωτῆρα · « Ἰῶτα ἓν ἢ μία
κεραία οὐ μὴ παρέλθῃ, ἕως ἂν πάντα γένηται[c]. »

| **3, 3.** | Τὸ δὲ περὶ τὸν δωδέκατον Αἰῶνα γεγονὸς πάθος
ὑποσημαίνεσθαι λέγουσι διὰ τῆς ἀποστασίας Ἰούδα, ὃς
284 δωδέκατος ἦν τῶν ἀποστόλων, καὶ ὅτι τῷ δωδεκάτῳ
μηνὶ ἔπαθεν · ἐνιαυτῷ γὰρ ἑνὶ[a] βούλονται αὐτὸν μετὰ τὸ

[Fr. gr. 1] 273 <ἐκ> Holl ‖ 279 αὐτῶν M ‖ σημαίνεσθαι λέγουσιν
Holl : σημαίνουσι λέγειν VM ‖ 283 διὰ τῆς ἀποστασίας ἰούδα
Holl : τῆς ἀποστασίας διὰ ἰούδαν (ἰούδα M) VM ‖ ὃς : ὡς VᵃᶜM ‖
284 post ἀποστόλων add. γενομένης προδοσίας δείκνυσθαι λέγουσιν
VM quod exclusit Holl

3, 2. a. cf. Lc 2, 42-46 ‖ b. cf. Matth. 10, 2. Lc 6, 13 ‖ c. Matth.
5, 18
3, 3. a. cf. Lc 4, 19. Is. 61, 2

eum post | baptisma praedicasse. Adhuc etiam in ea Hv 2
quae profluuium sanguinis patiebatur manifestissime
40 hoc significari : xii enim annis passam eam per Domini
aduentum esse sanatam, cum tetigisset fimbriam uesti- 4
menti eius [b], et propter hoc dixisse Saluatorem : *Quis me
tetigit* [c]? docentem discipulos quod factum esset inter
44 Aeonas mysterium et curationem passi Aeonis : per
illam enim quae passa est xii annis illa Virtus signifi-
catur, eo quod extenderetur et in immensum flueret 8
eius substantia, quemadmodum dicunt; et nisi tetigisset
48 uestimentum illius Filii, hoc est Veritatis primae Tetra-
dis, quae per fimbriam | manifestata est, aduenisset in Hv 2
omnem substantiam. Sed stetit [d] et quieuit a passione
per egressam Virtutem Filii [e]. Esse autem hunc Horon
52 uolunt, qui curauit eam et passionem separauit ab ea. 4

3, 38 baptismum S ‖ 39-40 hoc manif. ∾ S ‖ 40 duodecim ASε
‖ 41 sanatam : sana iam C ‖ comtetigisset C[ac] (cum- C²) ‖ 43 esset
CV : est AQSε ‖ inter : et inter C ‖ 44 passi aeonis : passi░onis
C[pc] (-ssiaeo- C *ante ras*) ‖ 45 duodecim *edd.* ‖ 46 in *om.* V ‖ 48
uestimentum]+ christi S ‖ illius filii hoc est *Gra.* : hoc est illius
filii ∾ Q *Mass.* hoc est illius filii qui est CV ASε ‖ ueritas S *Feu.*
‖ 49 manifesta *Hv* ‖ aduenisset *nos ex gr.*, *Gra. in n.* : -isse *codd.* ε
edd. ‖ 50 substantiam CV : subs- suam AQSε *edd.* ‖ 51 ueritatem C
(*rest.* uirtu- C²) ‖ hunc *codd.* : *forte leg. ex gr.* hanc ‖ horon *om.*
A (*suppl. s.l.* A²) ‖ 52 sep. pass. ∾ S

βάπτισμα αὐτοῦ κεκηρυχέναι. "Ετι τε ἐπὶ τῆς αἱμορ-
ροούσης σαφέστατα τοῦτο δηλοῦσθαι · δώδεκα γὰρ ἔτη
288 παθοῦσαν αὐτὴν ὑπὸ τῆς τοῦ Σωτῆρος παρουσίας τεθερα-
πεῦσθαι, ἁψαμένην τοῦ κρασπέδου αὐτοῦ, καὶ διὰ τοῦτο
εἰρηκέναι τὸν Σωτῆρα · « Τίς μου ἥψατο [b] ; » διδάσκοντα
τοὺς μαθητὰς τὸ γεγονὸς ἐν τοῖς Αἰῶσι μυστήριον καὶ
292 τὴν ἴασιν τοῦ πεπονθότος Αἰῶνος · ἡ γὰρ παθοῦσα
δώδεκα ἔτη ἐκείνη ἡ Δύναμις, ἐκτεινομένης αὐτῆς καὶ εἰς

baptême. Ce mystère est encore clairement manifesté
dans l'épisode de l'hémorroïsse. C'est en effet après
douze années de souffrances qu'elle fut guérie par la
venue du Sauveur[1], après avoir touché la frange de son
vêtement[b2], et c'est pourquoi le Sauveur dit : « Qui
m'a touché?[c] » enseignant par là à ses disciples le
mystère survenu parmi les Éons et la guérison de l'Éon
tombé en passion. Car celle qui souffrit ainsi douze ans,
c'était cette Puissance-là[3] : elle s'étendait et sa substance
s'écoulait dans l'infini, comme ils disent ; et si elle
n'avait touché le vêtement du Fils, c'est-à-dire la
Vérité[4] appartenant à la première Tétrade et signifiée
par la frange du vêtement, elle se fût dissoute dans
l'universelle Substance[5] ; mais elle s'arrêta[d] et se déga-
gea de sa passion : car la Vertu sortie du Fils[e] — laquelle
serait Limite, à ce qu'ils prétendent — guérit Sagesse et
sépara d'elle la passion[6].

ἄπειρον ῥεούσης τῆς οὐσίας, ὡς λέγουσιν · ⟨καὶ⟩ εἰ μὴ
ἔψαυσε τοῦ φορήματος τοῦ Υἱοῦ, τουτέστιν τῆς Ἀληθείας
296 τῆς πρώτης Τετράδος, ἥτις διὰ τοῦ κρασπέδου μεμή-
νυται, ἀνελύθη ἂν εἰς τὴν ⟨ὅλην⟩ οὐσίαν [αὐτῆς] · ἀλλὰ
ἔστη[d] καὶ ἐπαύσατο τοῦ πάθους · ἡ γὰρ ἐξελθοῦσα
Δύναμις τοῦ Υἱοῦ[e] − εἶναι δὲ [408] ταύτην τὸν Ὅρον
300 θέλουσιν − ἐθεράπευσεν αὐτὴν καὶ τὸ πάθος ἐχώρισεν
ἀπ' αὐτῆς.

[Fr. gr. 1] 286-287 αἱμορρούσης M ‖ 289 ἁψαμένην Holl : ἁψαμέ-
νης VM ‖ 294 ⟨καὶ⟩ nos ‖ 295 φρονήματος M ‖ τοῦ υἱοῦ Holl :
αὐτοῦ VM ‖ 297 εἰς : πρὸς V[ac]M ‖ ⟨ὅλην⟩ Holl ‖ [αὐτῆς] nos,
iuxta Holl in app. ‖ 299 τοῦ υἱοῦ Holl : τούτου VM ‖ ταύτης
V ‖ 300 ἐχώρισεν Holl : ἐχώρησενVM

3, 3. b. cf. Matth. 9, 20. Lc 8, 44 ‖ c. cf. Lc 8, 45 ‖ d. cf. Lc
8, 44 ‖ e. cf. Lc 8, 45-46

3, 4. Quod autem Saluatorem ex omnibus exsistentem [Hv
Omne esse per hoc responsum : *Omne masculinum
aperiens uuluam*[a], manifestari dicunt : qui cum Omnia
56 sit aperuit uuluam Excogitationis passi Aeonis, et
separata ea extra Pleroma, quam etiam secundam 8
Ogdoadam uocant, de qua paulo post dicemus. Et a
Paulo autem manifeste propter hoc dictum dicunt : *Et |
60 ipse est omnia*[b]. Et rursus : *Omnia in ipsum, et ex ipso* Hv 2
omnia[c]. Et iterum : *In ipso habitat omnis plenitudo
diuinitatis*[d]. Et illud : *Recapitulata esse omnia in Christo
per Deum*[e]. Sic interpretantur dicta, et quaecumque 4
64 alia sunt talia.

3, 5. ⋆Adhuc etiam de Horo suo, quem etiam plurimis
nominibus uocant, duas operationes habere eum osten-

3, 54 omne₁ V A²QS : omnem C ε   *om.* A ‖ omne₂ : omnem
Q ‖ 55 adaperiens S ‖ 56 sit : snt *(sic)* S ‖ uuluam]+ per S ‖
57 separata ea : separat ea CV   separatae *coni. Mass. in n.* ‖ quam :
quod ε ‖ secundum CV ‖ 58 ogdoadam *codd.* ε : -dem *Feu. edd.* ‖
quo V ‖ 60 in *om.* C *(rest.* C¹) ‖ 62 recapitalata C   -tulatur V ‖ 63
sic]+ et Sε *Feu.* ‖ 64 talia : alia AQSε (« *forte* talia » ε^{mg}) ‖ 65
pluribus *Gra. Hv*

Fr. arm. 1. — **3,** 65-74 adhuc — gladium, *Galata 54,* p. 1. —
Voir *Introd.,* p. 101.

65 suo : eorum ‖ etiam₂ *om.* ‖ plurimis : pluribus ‖ 66 eum :
in christo

| **3, 4.** | Τὸ δὲ ⟨τὸν⟩ Σωτῆρα τὸν ἐκ πάντων ὄντα τὸ
Πᾶν εἶναι διὰ τοῦ λόγου τούτου · « Πᾶν ἄρρεν διανοῖγον
304 μήτραν[a] », δηλοῦσθαι λέγουσιν · ὃς τὸ Πᾶν ὢν διήνοιξε
τὴν μήτραν τῆς Ἐνθυμήσεως τοῦ πεπονθότος Αἰῶνος
[καὶ] ἐξορισθείσης ἐκτὸς τοῦ Πληρώματος, ἣν δὴ καὶ
δευτέραν Ὀγδοάδα καλοῦσι, περὶ ἧς μικρὸν ὕστερον
308 ἐροῦμεν. Καὶ ὑπὸ τοῦ Παύλου δὲ φανερῶς διὰ τοῦτο
εἰρῆσθαι λέγουσι · « Καὶ αὐτός ἐστι τὰ πάντα[b] », καὶ

3, 4. Que le Sauveur, qui est issu de tous, soit le
« Tout », c'est, disent-ils, ce que montre la parole :
« Tout mâle ouvrant le sein... [a] ». Étant le Tout, ce
Sauveur ouvrit le sein de l'Enthymésis de l'Éon tombé
en passion, lorsqu'elle eut été bannie[1] du Plérôme. Cette
Enthymésis, ils l'appellent encore Seconde Ogdoade,
et nous en parlerons un peu plus loin. Paul lui aussi,
d'après eux, a manifestement en vue ce mystère,
lorsqu'il dit : « Il est toutes choses [b] » ; et encore :
« Toutes choses sont pour lui, et de lui viennent toutes
choses [c] » ; et encore : « En lui habite toute la plénitude
de la divinité [d] ». La parole « récapituler toutes choses
dans le Christ [e] » est également interprétée par eux de
cette manière[2], ainsi que toutes les autres paroles
semblables.

3, 5. De même encore[3], à propos de leur Limite,
qu'ils appellent aussi de plusieurs autres noms, ils
exposent qu'elle a deux activités, l'une qui consolide,

πάλιν · « Πάντα εἰς αὐτόν, καὶ ἐξ αὐτοῦ τὰ πάντα[c] »,
καὶ πάλιν · « Ἐν αὐτῷ κατοικεῖ πᾶν τὸ πλήρωμα τῆς
312 θεότητος [d] » · καὶ τὸ « ἀνακεφαλαιώσασθαι » δὲ « τὰ
πάντα ἐν τῷ Χριστῷ [διὰ τοῦ Θεοῦ][e] » ⟨οὕτως⟩ ἑρμηνεύουσιν εἰρῆσθαι, καὶ εἴ τινα ἄλλα τοιαῦτα.

| **3,** 5. | Ἔτι τε περὶ τοῦ Ὅρου αὐτῶν, ὃν δὴ καὶ πλείοσιν
316 ὀνόμασιν καλοῦσι, δύο ἐνεργείας ἔχειν αὐτὸν ἀποφαί-

[Fr. gr. 1] 302 ⟨τὸν⟩ Holl ‖ 303 τούτου nos : τοῦ VM ‖ 304 ὢν
om. M ‖ 306 [καὶ] nos ‖ 313 [διὰ τοῦ θεοῦ] nos ‖ ⟨οὕτως⟩ Holl ‖
315 ἔτι τε nos : ἔπειτα VM ‖ 316-317 ἀποφαίνονται Holl :
ἀποφαινόμενοι VM

3, 4. a. Lc 2, 23. Ex. 13, 2 ‖ b. Col. 3, 11 ‖ c. Rom. 11, 36 ‖
d. Col. 2, 9 ‖ e. Éphés. 1, 10

dunt, confirmatiuam et separatiuam : et secundum id qui- [Hv
68 dem quod confirmat et constabilit, Crucem esse ; secun- 8
dum id uero quod diuidit, Horon. Saluatorem autem sic
manifestasse operationes eius : et primo quidem confirmatiuam in eo quod dicit : *Qui non tollit crucem suam*
72 *et sequitur me discipulus meus esse non potest*[a], et iterum : 12
Tollens crucem, sequere me[b]; separatiuam autem in | eo Hv
quod dicit : *Non ueni mittere pacem, sed gladium*[c]. Et
Iohannem dicunt hoc ipsum manifestasse dicentem :
76 *Ventilabrum in manu eius emundare aream, et colliget*
frumentum in horreum suum, paleas autem comburet igni 4
inexstinguibili[d], et per hoc operationem Hori significasse : uentilabrum enim illud Crucem interpretantur
80 esse, quae scilicet consumit materialia omnia, quemad-

3, 68-69 quidem — id *om.* V (*rest. mg.* V²) ‖ 68 firmat *edd. a*
Feu. ‖ 69 id *om.* S ‖ diuidit : diuidi uidit Q ‖ 75 ioannem ε ‖ 76
emundare : et emundabit S^pc *Feu* (-dare S^ac) ‖ 78 hoc V S *Gra.*
Mass. : haec C AQ *Feu.* ‖ 79 interpretantur S *edd.* : -tatur CV AQε

[Fr. arm. 1] 67 separatiuam : diuisiuam ‖ quidem *om.* ‖ 68 confirmat : confirmant ‖ constabilit : constabiliunt ‖ esse : *lacuna* ‖ 69
uero : *lacuna* ‖ diuidit : diuidunt et separant ‖ autem *om.* ‖ sic
add. λέγουσι ‖ 70 eius : *lacuna* ‖ quidem *om.* ‖ 71 tollit : *lacuna* ‖
72 et₁ : *lacuna* ‖ esse non potest : οὐ δύναται εἶναι ‖ 72-73 et
iterum tollens : *lacuna* ‖ 73 sequere : sequatur ‖ autem *add.*
<αὐτοῦ> ‖ 74 non : *lacuna* ‖ sed : *lacuna*

νονται, τήν τε ἑδραστικὴν καὶ τὴν μεριστικήν · καὶ καθὸ
μὲν ἑδράζει καὶ στηρίζει, Σταυρὸν εἶναι, καθὸ δὲ μερίζει
καὶ διορίζει, Ὅρον. Τὸν δὲ Σωτῆρα οὕτως λέγουσι μεμηνυ-
320 κέναι τὰς ἐνεργείας αὐτοῦ · καὶ πρῶτον μὲν τὴν ἑδραστικὴν
ἐν τῷ εἰπεῖν · « Ὅς οὐ βαστάζει τὸν σταυρὸν αὐτοῦ καὶ
ἀκολουθεῖ μοι μαθητὴς ἐμὸς οὐ δύναται εἶναι[a] », καὶ
⟨πάλιν⟩ · « Ἄρας τὸν σταυρόν, ἀκολούθει μοι[b] », τὴν

l'autre qui sépare : en tant qu'elle consolide et affermit, elle est la « Croix » ; en tant qu'elle sépare et délimite, elle est la « Limite ». Le Sauveur, disent-ils, a indiqué ces activités de la manière suivante : d'abord celle qui consolide, lorsqu'il a dit : « Celui qui ne porte pas sa croix et ne me suit pas ne peut être mon disciple[a] », et encore : « Prenant ta croix, suis-moi[b] »[1] ; ensuite celle qui délimite, lorsqu'il a dit : « Je ne suis pas venu apporter la paix, mais le glaive[c]. » Jean, prétendent-ils, a indiqué cette même chose en disant : « Le van est dans sa main pour purifier[2] son aire, et il rassemblera le froment dans son grenier ; quant à la paille, il la brûlera dans un feu inextinguible[d]. » Ce texte indique l'opération de Limite, car, d'après leur interprétation, le van n'est autre que cette Croix, qui consume tous les éléments hyliques comme le feu consume la paille,

---

324 δὲ διοριστικὴν αὐτοῦ ἐν τῷ εἰπεῖν · « Οὐκ ἦλθον βαλεῖν εἰρήνην, ἀλλὰ μάχαιραν[c] ». Καὶ τὸν Ἰωάννην δὲ λέγουσιν αὐτὸ τοῦτο μεμηνυκέναι, εἰπόντα · « Τὸ πτύον ἐν τῇ χειρὶ αὐτοῦ διακαθᾶραι τὴν ἅλωνα, καὶ συνάξει τὸν σῖτον
328 εἰς τὴν ἀποθήκην αὐτοῦ, τὸ δὲ ἄχυρον κατακαύσει πυρὶ ἀσβέστῳ[d] », καὶ διὰ τούτου τὴν ἐνέργειαν τοῦ Ὅρου μεμηνυκέναι · πτύον γὰρ ἐκεῖνον τὸν Σταυρὸν ἑρμηνεύουσιν εἶναι, ὃν δὴ καὶ ἀναλίσκειν τὰ ὑλικὰ πάντα ὡς

[Fr. gr. 1] 317 καθὸ nos : καθὰ VM ‖ 319 τὸν : τὸ M ‖ δὲ σωτῆρα Holl : μὲν σταυρὸν VM ‖ 322 ἐμὸς om. M ‖ 323 ⟨πάλιν⟩ Holl ‖ post σταυρὸν add. αὐτοῦ VM quod exclusit Holl ‖ 327 διακαθᾶραι nos : διακαθαριεῖ VM ‖ 328 τὴν ἀποθήκην : ἀποθήκας V[ac]M ‖ 330 ἐκεῖνο V[ac]

3, 5. a. Lc 14, 27. Matth. 10, 38 ‖ b. Mc 10, 21 ‖ c. Matth. 10, 34 ‖ d. Matth. 3, 12. Lc 3, 17

modum paleas ignis, emundat autem eos qui saluantur, [Hv
sicut uentilabrum triticum. Paulum autem apostolum 8
et ipsum reminisci huius Crucis dicunt sic : *Verbum enim*
84 *crucis his qui pereunt stultitia est, his autem qui saluantur*
uirtus Dei[e] *;* et iterum : *Mihi autem non eueniat in nullo*
gloriari nisi in cruce Christi, per quem mihi mundus 12
crucifixus est et ego mundo[f].

88   **3, 6.** Talia igitur [tam] de Pleromate ipsorum et plasmate uniuersorum dicunt, adaptare cupientes ea quae
bene dicta sunt his quae male adinuenta sunt | ab ipsis. Hv
Et non solum autem ex euangelicis et apostolicis
92 temptant ostensiones facere, conuertentes interpreta-
tiones et adulterantes expositiones, sed etiam ex lege
et prophetis, cum quando multae parabolae et allegoriae 4
sint dictae et in multa trahi possint, ambiguum per expo-
96 sitionem propensius ad figmentum suum et dolose adap-

3, 81 igni CAQ ‖ 83 dicunt ... reminisci ∾ S ‖ crucis *om.* A ‖
dicunt *om.* C (*suppl. s.l.* C²) ‖ 85 euenia Q ‖ nullo C : ullo *cett.* ‖ 86
christi cruce ∾ ε *edd.* ‖ 88 [tam] de *nos* : tam de CVAQε tandem
de S (*omiserunt* tam *edd. a Feu.*) ‖ 88-89 plasmate : blaphemate V ‖
90 sunt *om.* V (*suppl.* V²) ‖ 91 euangelicis]+ paginis S ‖ 92 ten-
tant ε *edd.* ‖ 94 quando *codd.* ε *Sti.* : *om. edd.* ‖ allegoriae C^ac
codd. : -rice C² ‖ 95 possint *coni. Feu. Gra.* : possit *codd.* ε *Mass. Sti.*
‖ 95-96 expositiones S^ac ‖ 96 propensius : et p- CV ‖ dolos AQSε

---

332 ἄχυρα πῦρ, καθαίρειν [409] δὲ τοὺς σῳζομένους ὡς τὸ
πτύον τὸν σῖτον. Παῦλον δὲ τὸν ἀπόστολον καὶ αὐτὸν
ἐπιμιμνήσκεσθαι τούτου τοῦ Σταυροῦ λέγουσιν οὕτως ·
« Ὁ λόγος γὰρ ὁ τοῦ σταυροῦ τοῖς μὲν ἀπολλυμένοις
336 μωρία ἐστί, τοῖς δὲ σῳζομένοις δύναμις Θεοῦ[e] », καὶ
πάλιν · « Ἐμοὶ δὲ μὴ γένοιτο ἐν μηδενὶ καυχᾶσθαι, εἰ
μὴ ἐν τῷ σταυρῷ τοῦ Χριστοῦ, δι' οὗ ἐμοὶ κόσμος
ἐσταύρωται, κἀγὼ κόσμῳ[f] ».

340 | **3, 6.** | Τοιαῦτα μὲν οὖν περὶ τοῦ Πληρώματος αὐτῶν
καὶ τοῦ πλάσματος πάντων λέγουσιν, ἐφαρμόζειν βιαζό-

mais qui purifie les sauvés comme le van purifie le
froment. L'apôtre Paul lui aussi, disent-ils, fait mention
de cette Croix en ces termes : « Le Logos de la Croix est
folie pour ceux qui périssent, mais, pour ceux qui sont
sauvés, il est vertu de Dieu[e] » ; et encore : « Pour moi,
puissé-je ne me glorifier en rien, si ce n'est dans la Croix
du Christ, à travers laquelle le monde est crucifié pour
moi, et moi pour le monde[f] ! »[1].

3, 6. Voilà ce qu'ils disent au sujet de leur Plérôme
et de la formation des Éons[2], faisant violence aux belles
paroles des Écritures pour les adapter[3] à leurs scélé-
rates inventions. Et ce n'est pas seulement des
Évangiles et des écrits de l'Apôtre qu'ils s'efforcent de
tirer leurs preuves, en dénaturant les interprétations
et en faussant les exégèses, mais ils recourent aussi à
la Loi et aux prophètes[4] : comme il s'y rencontre nombre
de paraboles et d'allégories susceptibles d'être tirées
dans des sens multiples, ils accommodent l'ambiguïté de
celles-ci à leur fiction au moyen d'exégèses habiles et

μενοι τὰ καλῶς εἰρημένα τοῖς κακῶς ἐπινενοημένοις
ὑπ᾽ αὐτῶν · καὶ οὐ μόνον ἐκ τῶν εὐαγγελικῶν καὶ τῶν
344 ἀποστολικῶν πειρῶνται τὰς ἀποδείξεις ποιεῖσθαι, παρατρέποντες τὰς ἑρμηνείας καὶ ῥᾳδιουργοῦντες τὰς ἐξηγήσεις,
ἀλλὰ καὶ ἐκ νόμου καὶ προφητῶν, ἅτε πολλῶν παραβολῶν
καὶ ἀλληγοριῶν εἰρημένων καὶ εἰς πόλλὰ ἕλκεσθαι δυνα-
348 μένων, τὸ ἀμφίβολον διὰ τῆς ἐξηγήσεως [ἕτεροι δὲ]

[Fr. gr. 1] 334 ἐπιμνήσκεσθαι V^{ac}M ‖ 336 post σῴζομένοις add.
ἡμῖν V ‖ 341 πάντων Holl : πάντες VM ‖ ἐφορμίζειν V ‖ 347
ἕλκεσθαι Holl : ἕλκειν VM ‖ 348 [ἕτεροι δὲ] nos

3, 5. e. I Cor. 1, 18 ‖ f. Gal. 6, 14

tantes, in captiuitatem ducunt a ueritate eos qui non [Hv
firmam fidem in unum Deum Patrem omnipotentem et
in unum Iesum Christum Filium Dei conseruant.   8

4, 1. Ea uero quae extra Pleroma dicuntur ab eis
sunt talia : Enthymesin illius superioris Sophiae, quam
et Achamoth uocant, separatam a superiore Pleromate
4 cum passione dicunt, in umbrae | < et > uacuitatis locis Hv ³
deferuisse per necessitatem : extra enim lumen facta
est et extra Pleroma, informis et sine specie quasi
abortum, ideo quod nihil apprehendit. Misertum autem
8 eius superiorem Christum et per Crucem extensum, sua 4
uirtute formasse formam quae esset secundum substantiam tantum, sed non secundum agnitionem; et haec
operatum recurrere subtrahentem suam uirtutem et
12 reliquisse illam, uti sentiens passionem quae erga illam 8

4, 2 talia : alia AQS ‖ enthymesin ε : -mensin CA   -menssin V
enthimensim Q   enthimensi S ‖ 4 umbra A   umbratae ε ‖ et *coni.*
Feu. Gra. : *om. codd.* ε *Mass.* ‖ uacuitatis : uanitatis ε *Gra.* ‖
5 deferuisse C : deseruisse V AQSε   deferbuisse *Feu.* ‖ 6 extrema
V ‖ 7 abortus *edd.* ‖ quod CV : quia AQSε ‖ miserunt S ‖ 8 ostensum
CV ‖ 9 formam *codd.* : *forte leg. ex gr.* formationem ‖ est V

δεινῶς τῷ πλάσματι αὐτῶν καὶ δολίως ἐφαρμόζοντες,
αἰχμαλωτίζουσιν ἀπὸ τῆς ἀληθείας τοὺς μὴ ἑδραίαν τὴν
πίστιν εἰς ἕνα Θεὸν Πατέρα παντοκράτορα καὶ εἰς ἕνα [Κύ-
352 ριον] Ἰησοῦν Χριστὸν τὸν Υἱὸν τοῦ Θεοῦ διαφυλάσσοντας.

| 4, 1. | Τὰ δὲ ἐκτὸς τοῦ Πληρώματος λεγόμενα
ὑπ' αὐτῶν ἐστιν τοιαῦτα · τὴν Ἐνθύμησιν τῆς ἄνω Σοφίας,
ἣν καὶ Ἀχαμὼθ καλοῦσιν, ἀφορισθεῖσαν τοῦ Πληρώματος
356 σὺν τῷ πάθει λέγουσιν ἐν σκιᾶς καὶ κενώματος τόποις
ἐκβεβράσθαι κατὰ ἀνάγκην · ἔξω γὰρ φωτὸς ἐγένετο καὶ
Πληρώματος, ἄμορφος καὶ ἀνείδεος ὥσπερ ἔκτρωμα,
διὰ τὸ μηδὲν κατειληφέναι. Οἰκτείραντα δὲ αὐτὴν τὸν
360 Χριστὸν καὶ διὰ τοῦ Σταυροῦ ἐπεκταθέντα, τῇ ἰδίᾳ δυνάμει

artificieuses[1], et ils retiennent ainsi captifs loin de la
vérité ceux qui ne gardent pas solidement leur foi en
un seul Dieu Père tout-puissant et en un seul Jésus-
Christ[2], Fils de Dieu.

3. Avatars du déchet expulsé du Plérôme

Passion et guérison d'Achamoth.

4, 1. Voici maintenant les événements extérieurs au
Plérôme tels qu'ils les présentent. Lorsque l'Enthymésis
de la Sagesse d'en haut — Enthymésis qu'ils appellent
aussi « Achamoth » — eut été séparée du Plérôme[3] avec
la passion qui lui était inhérente, elle bouillonna,
disent-ils, dans les lieux de l'ombre et du vide : c'était
inévitable, puisqu'elle était exclue de la lumière et du
Plérôme, étant sans forme ni figure, à la manière d'un
avorton, pour n'avoir rien saisi. Le Christ eut alors
pitié d'elle. S'étendant sur la Croix, il forma Achamoth,
par sa propre vertu, d'une formation selon la substance
seulement, non d'une formation selon la gnose. Après
cette opération, il remonta, en rassemblant en lui sa
vertu, et abandonna Achamoth, afin que celle-ci,
prenant conscience de la passion qui était en elle par

μορφῶσαι μόρφωσιν τὴν κατ' οὐσίαν μόνον, ἀλλ' οὐ τὴν
κατὰ γνῶσιν · καὶ πράξαντα τοῦτο ἀναδραμεῖν, συστεί-
λαντα αὐτοῦ τὴν δύναμιν, καὶ καταλιπεῖν ⟨αὐτήν⟩,
364 ὅπως αἰσθομένη τοῦ περὶ αὐτὴν πάθους διὰ τὴν ἀπαλλαγὴν

[Fr. gr. 1] 349 δολίως : ῥαδίως V^{ac} ‖ 350 ἑδρασαίαν M ‖ 351 [κύριον]
nos ‖ 356 κενώματος Holl : σκηνώματος VM ‖ 359 δὲ Holl : τε
VM ‖ 360 ἐπεκτανθέντα V^{ac} ἐπικτανθέντα M ‖ 363 ⟨αὐτὴν⟩ Holl

esset per separationem Pleromatis, concupiscat | eorum Hv
quae meliora essent, habens aliquam odorationem
immortalitatis relictam in semetipsa a Christo et Spiritu
16 sancto. Quapropter et ipsam duobus nominibus uocari,
Sophiam paternaliter — pater enim eius Sophia uoca- 4
tur — et Spiritum sanctum ab eo qui est erga Christum
Spiritus. Formatam autem eam et sensatam factam,
20 statim autem euacuatam ab eo qui inuisibiliter cum ea
erat Verbo, hoc est Christo, in exquisitionem egressam
eius luminis quod se dereliquisset, et non potuisse appre- 8
hendere illud, quoniam coercebatur ab Horo. Et sic
24 Horon coercentem eam ne anterius irrueret dixisse :
Iao; unde | et Iao nomen factum dicunt. Cum non Hv
posset pertransire Horon, quoniam complexa fuerat
passionem et sola fuisset derelicta foris, omni parti
28 passionis succubuisse multifariae et variae exsistentis,
et passam eam tristitiam quidem, quoniam non appre- 4

4, 13 per *codd.* : *forte leg. ex gr.* propter ‖ 14 adoratio-
nem QS ‖ 15 semetipsa *edd.* : -sam CVAQε   -so S ‖ 19 autem :
ante ε   *om.* S ‖ 20 ea : eo S ‖ 21 egressam *edd.* : -ssa *codd.* ε ‖
22 reliquisset C ‖ potuisse *edd.* : -sset *codd.* ε ‖ 23 coercebatur
(-her-) AQSε : coherebatur CV (-herce- V^2) ‖ 24 coercentem V :
coher- C AQSε ‖ anterius : aduersarius ε ‖ 25 iao$_1$ *edd.* : iaoth C
A   ioath V   iam ioth Q   iaioth Sε ‖ iao$_2$ *edd.* : *praeter* iahoth Q
iaoth Q^{pc} *uar. sicut praec.* ‖ cum : et cum *edd.* ‖ 26 fuerit C (-rat C^1)
‖ 27 parte ε   patris S ‖ 28 passioni AQSε

τοῦ Πληρώματος ὀρεχθῇ τῶν διαφερόντων, [410] ἔχουσά
τινα ὀδμὴν ἀφθαρσίας ἐγκαταλειφθεῖσαν αὐτῇ ⟨ὑπὸ⟩ τοῦ
Χριστοῦ καὶ τοῦ ἁγίου Πνεύματος. Διὸ καὶ αὐτὴν τοῖς
368 ἀμφοτέροις ὀνόμασι καλεῖσθαι, Σοφίαν τε πατρωνυμικῶς
— ὁ γὰρ πατὴρ αὐτῆς Σοφία κλήζεται — καὶ Πνεῦμα
ἅγιον ἀπὸ τοῦ περὶ τὸν Χριστὸν Πνεύματος. Μορφωθεῖσαν
δὲ αὐτὴν καὶ ἔμφρονα γενηθεῖσαν, παραυτίκα δὲ κενωθεῖσαν

suite de la séparation d'avec le Plérôme, aspirât aux
réalités supérieures, ayant une certaine odeur d'incorruptibilité[1] laissée en elle par le Christ et l'Esprit Saint.
C'est d'ailleurs pourquoi elle porte ces deux noms :
Sagesse, du nom de son père — car son père s'appelle
Sagesse —, et Esprit Saint, du nom de l'Esprit qui était
aux côtés du Christ. Ainsi formée et devenue consciente,
mais vidée aussitôt du Logos — c'est-à-dire du Christ —
qui l'assistait invisiblement, elle s'élança à la recherche
de la Lumière qui l'avait abandonnée. Elle ne put toute-
fois la saisir, parce qu'elle en fut empêchée par Limite.
C'est alors que Limite, en s'opposant à elle dans son
élan vers l'avant, dit : « Iao ! » : c'est là, assurent-ils,
l'origine du nom Iao. Ne pouvant donc franchir Limite,
parce qu'elle était mêlée de passion, et se voyant
abandonnée, seule, au dehors, elle fut accablée sous
tous les éléments de cette passion qui était multiple et
diverse : elle éprouva de la tristesse, pour n'avoir pas
saisi la Lumière[2] ; de la crainte, à la perspective de voir

---

372 τοῦ ἀοράτως αὐτῇ συνόντος Λόγου, τουτέστιν τοῦ Χριστοῦ,
    ἐπὶ ζήτησιν ὁρμῆσαι τοῦ καταλιπόντος αὐτὴν φωτὸς
    καὶ μὴ δυνηθῆναι καταλαβεῖν αὐτὸ διὰ τὸ κωλυθῆναι
    ὑπὸ τοῦ Ὅρου. Καὶ ἐνταῦθα τὸν Ὅρον κωλύοντα αὐτὴν
376 τῆς εἰς τοὔμπροσθεν ὁρμῆς εἰπεῖν · « Ἰαώ » · ὅθεν τὸ
    Ἰαὼ ὄνομα γεγενῆσθαι φάσκουσι. Μὴ δυνηθεῖσαν δὲ
    διοδεῦσαι τὸν Ὅρον διὰ τὸ συμπεπλέχθαι τῷ πάθει καὶ
    μόνην ἀπολειφθεῖσαν ἔξω, παντὶ μέρει τοῦ πάθους ὑποπε-
380 σεῖν, πολυμεροῦς καὶ πολυποικίλου ὑπάρχοντος, καὶ
    παθεῖν λύπην μέν, ὅτι οὐ κατέλαβεν, φόβον δέ, μὴ καθάπερ

[Fr. gr. 1] 366 αὐτὴν V ‖ ‹ὑπὸ› Holl ‖ 371 δὲ Holl ‖ τε VM ‖ κενωθεῖσαν : καὶ ἑνωθεῖσαν V^ac ‖ 372 ἀοράτου V^pc ‖ 376 τὸ : τῷ M
‖ 379 μόνον M ‖ post πάθους add. καὶ M ‖ 380 πολυποικίλους
V^acM

hendit, timorem autem, ne quemadmodum illam lumen, [Hv
sic et uita relinqueret, consternationem autem super
32 haec, <in> ignorantia autem omnia. Et non quemad-
modum mater eius, | prima Sophia Aeon, demutationem Hv
in passionibus habuit, sed contrarietatem. Super haec
autem euenisse ei et alteram adfectionem conuersionis
36 ad eum qui uiuificauit.

4, 2. Eam collectionem et substantiam fuisse materiae 4
dicunt, ex qua hic mundus constat. De conuersione enim
mundi et Demiurgi omnem animam genesim accepisse,
40 de timore autem et tristitia reliqua initium habuisse :
a lacrimis enim eius factam uniuersam umidam substantiam, a risu autem lucidam, a tristitia autem et 8
pauore | corporalia mundi elementa; aliquando enim Hv
44 plorabat et tristis erat, quomodo dicunt, quod derelicta
sola esset in tenebris et in uacuo, aliquando autem in
cogitationem ueniens eius quod dereliquerat eam lumen 4
diffundebatur et ridebat, aliquando autem rursus
48 timebat, aliquando uero consternabatur et ecstasin
patiebatur.

4, 30-31 ne — autem *om.* AQSε || 30 illam : eam *edd. a Feu.* ||
32 hoc ε *Feu.* || < in > *coni.Hv* : *om. codd.* ε *edd.* || ignorantiam S
-rans *Feu.* || omnium S || 35 conuersationis ε || 37 eum S || 38 constat
om. V (*suppl. mg.* V²) || 39 genesin *edd. a Gra.* || 40 et]+ de V ||
41 enim : autem S *om.* Q (*suppl. s.l.* Q¹) || umidam C : hu- *cett.* ||
42 autem₂ *om.* S || 43 corporali Q || 46 relinquerat C derelinqueret
AS *(cf. 2Ls43)* || 47 rursus]+ et CV || 48 uero S : *om. cett.* || conster-
nabatur ε *edd.* : -nebatur *codd.* || extasin C Q extasim V AS

αὐτὴν τὸ φῶς οὕτω καὶ τὸ ζῆν ἐπιλίπῃ, ἀπορίαν τε ἐπὶ
τούτοις, ἐν ἀγνοίᾳ δὲ τὰ πάντα. Καὶ οὐ καθάπερ ἡ μήτηρ
384 αὐτῆς, ἡ πρώτη Σοφία Αἰών, ἑτεροίωσιν ἐν τοῖς πάθεσιν
εἶχεν, ἀλλὰ ἐναντιότητα. Ἐπισυμβεβηκέναι δ' αὐτῇ καὶ
ἑτέραν διάθεσιν, τὴν τῆς ἐπιστροφῆς ἐπὶ τὸν ζωοποιήσαντα.

| **4, 2.** | Ταύτην σύστασιν καὶ οὐσίαν τῆς ὕλης γεγενῆ-
388 σθαι λέγουσιν, ἐξ ἧς ὅδε ὁ κόσμος συνέστηκεν. Ἐκ μὲν
γὰρ τῆς ἐπιστροφῆς τὴν τοῦ κόσμου καὶ τοῦ Δημιουργοῦ

la vie lui échapper de la même manière que la Lumière ;
de l'angoisse, par-dessus cela ; et le tout, dans l'ignorance. A la différence de sa mère — la première Sagesse,
qui était un Éon —, Achamoth, au milieu de ces
passions, n'éprouva pas une simple altération, mais
une opposition des contraires. Survint alors en elle une
autre disposition, celle de la conversion vers celui qui
l'avait vivifiée.

4, 2. C'est ainsi que s'expliquent, disent-ils, l'origine[1]
et l'essence de la matière dont est formé ce monde :
de la conversion est issue toute l'âme du monde et du
Démiurge, tandis que de la crainte et de la tristesse est
dérivé tout le reste. En effet, des larmes d'Achamoth
provient toute l'humide substance ; de son rire, la
substance lumineuse ; de sa tristesse et de son saisissement, les éléments corporels du monde. Tantôt, en
effet, elle pleurait et s'attristait, comme ils disent, de ce
qu'elle avait été abandonnée, seule, dans les ténèbres
et le vide ; tantôt, au souvenir de la lumière qui l'avait
abandonnée, elle se détendait et riait ; tantôt encore,
elle était prise de crainte ; tantôt enfin, elle éprouvait
angoisse et égarement.

πᾶσαν ψυχὴν τὴν γένεσιν εἰληφέναι, ἐκ δὲ τοῦ φόβου καὶ
τῆς λύπης τὰ λοιπὰ τὴν ἀρχὴν ἐσχηκέναι · ἀπὸ γὰρ τῶν
392 δακρύων αὐτῆς γεγονέναι πᾶσαν ἔνυγρον οὐσίαν, ἀπὸ δὲ
τοῦ γέλωτος τὴν φωτεινήν, ἀπὸ δὲ τῆς λύπης καὶ ἐκπλήξεως τὰ σωματικὰ τοῦ κόσμου στοιχεῖα · ποτὲ μὲν γὰρ
ἔκλαιε καὶ ἐλυπεῖτο, ὡς λέγουσι, διὰ τὸ καταλελεῖφθαι
396 μόνην ἐν τῷ σκότει καὶ τῷ κενώματι, ποτὲ δὲ εἰς ἔννοιαν
ἤκουσα τοῦ καταλιπόντος αὐτὴν φωτὸς διεχεῖτο καὶ
ἐγέλα, ποτὲ δ' αὖ πάλιν ἐφοβεῖτο, ἄλλοτε δὲ διηπόρει
καὶ ἐξίστατο.

[Fr. gr. 1] 382 ἐπιλείπῃ M ‖ 384 πρώτη om. M ‖ 387 σύνταξιν M ‖
387-388 καὶ — λέγουσιν om. VᵃᶜM ‖ 388 ὅδε : ἤδη M ‖ 398 αὖ
πάλιν : αὐλεῖν M

4, 3. Et quid enim? Tragoedia multa est iam hic et [Hv 36
phantasia uniuscuiusque illorum aliter et aliter grauiter
52 exponentis ex quali passione et ex quali elemento 8
substantia generationem accepit. Quae etiam conue-
nienter uidentur mihi non omnes uelle in manifesto
docere, sed solos illos qui etiam grandes mercedes pro
56 talibus mysteriis praestare possunt. Non enim iam 12
dicunt similia illis de quibus Dominus noster dixit :
Gratis accepistis, gratis date[a], sed separata et portentuosa
et alta mysteria cum magno labore exquisita fallacibus.
60 Quis enim non eroget omnia quae sunt eius, uti
discat quoniam a lacrimis Enthymeseos [qui ex] 16
passi Aeonis maria et fontes et flumina et uniuersa
umida materia genera|tionem acceperunt, de risu autem Hv 37
64 eius lumen, de pauore autem et inconstabilitate corporalia mundi elementa?

4, 50 et quid *Gra.* & *Mass. in n.* : et quidem *codd.* ε *edd.*
ecquid *coni. Hv* ‖ enim *om.* S ‖ traiedia S ‖ 51 aliter₁ *om.* S ‖ 52
quali₂ : -le C ‖ 54 uidetur Q ‖ omnes *om.* Q ‖ in *om.* Qε ‖ 55 dicere
Q ‖ 57 dicunt *codd.* : *forte leg. ex gr.* haec sunt ‖ noster : non S
om. ε ‖ 61 enthymeseos (-meos S)] + qui ex AQSε qui est ex CV
quae est ex *edd.* ‖ 62 passi *nos,* cf. **3,** 56 : passione *codd.* ε *edd.* ‖
maria : maxima m- S ‖ 63 umida C : hu- *cett.* ‖ 64 inconstanti-
bilitate V ‖ 65 elimenta C

---

400 |**4, 3.** | Καὶ τί γάρ ; Τραγῳδία πολλὴ λοιπὸν ἐνθάδε
καὶ φαντασία [411] ἑνὸς ἑκάστου αὐτῶν ἄλλως καὶ ἄλλως
σοβαρῶς ἐκδιηγουμένου ἐκ ποταποῦ πάθους ⟨καὶ⟩ ἐκ
ποίου στοιχείου ἡ οὐσία τὴν γένεσιν εἴληφεν · ἃ καὶ
404 εἰκότως δοκοῦσί μοι μὴ ἅπαντας θέλειν ἐν φανερῷ
διδάσκειν, ἀλλ' ἢ μόνους ἐκείνους τοὺς καὶ μεγάλους
μισθοὺς ὑπὲρ τηλικούτων μυστηρίων τελεῖν δυναμένους.
Οὐκέτι γὰρ ταῦτα ὅμοια ἐκείνοις περὶ ὧν ὁ Κύριος ἡμῶν
408 εἴρηκε · « Δωρεὰν ἐλάβετε, δωρεὰν δότε[a] », ἀλλὰ ἀνακε-
χωρηκότα καὶ τερατώδη καὶ βαθέα μυστήρια μετὰ πολλοῦ

4, 3. Eh quoi ! C'est un spectacle peu banal, en vérité,
que celui de ces hommes expliquant pompeusement,
chacun à sa façon, de quelle passion, de quel élément la
matière tire son origine. Ces enseignements, ils ont bien
raison, me semble-t-il, de ne pas vouloir les livrer à tout
le monde au grand jour, mais seulement à ceux qui sont
capables de fournir de substantielles rémunérations
pour de si grands mystères. Car ces choses ne sont pas
pareilles[1] à celles dont notre Seigneur disait : « Vous
avez reçu gratuitement, donnez aussi gratuitement[a] » :
ce sont des mystères écartés, prodigieux, profonds,
découverts au prix d'un immense labeur par ces amis
du mensonge. Qui donc ne dépenserait toute sa fortune
pour apprendre que, des larmes de l'Enthymésis de
l'Éon tombé en passion, les mers, les sources, les
fleuves et toute la substance humide tirent leur origine ?
que, de son rire, vient la lumière ? que, de son saisissement et de son angoisse, sont issus les éléments corporels du monde ?

καμάτου περιγινόμενα τοῖς φιλοψευδέσι. Τίς γὰρ οὐκ
ἂν ἐκδαπανήσειε πάντα τὰ ὑπάρχοντα αὐτοῦ, ἵνα μάθῃ
412 ὅτι ἀπὸ τῶν δακρύων τῆς Ἐνθυμήσεως τοῦ πεπονθότος
Αἰῶνος θάλασσαι καὶ πηγαὶ καὶ ποταμοὶ καὶ πᾶσα ἔνυδρος
οὐσία τὴν γένεσιν εἴληφεν, ἐκ δὲ τοῦ γέλωτος αὐτῆς τὸ
φῶς καὶ ἐκ τῆς ἐκπλήξεως καὶ ἀμηχανίας τὰ σωματικὰ
416 τοῦ κόσμου στοιχεῖα ;

[Fr. gr. 1] 400 τραγῳδίας πολλῆς V^ac || λοιπὸν om. V^acM || ἐνθάδε
V^ac : ἦν ἐνθάδε V^pcM || 401 φαντασίας V^ac || 402 <καὶ> nos ||
404 εἰκότως : οὐκ ἀπεικότως M || 408 post ἀλλὰ add. καὶ V^ac ||
415 ἐκ τῆς om. V^ac

4, 3. a. Matth. 10, 8

4, 4. Volo autem aliquid et ego conferre fructificationi [Hv 3
eorum. Quoniam enim uideo dulces quidem quasdam 4
68 aquas, ut fontes et flumina et imbres et talia, quae
autem sunt in mari salsas, adinuenio non omnia a
lacrimis eius emissa, quoniam lacrimae salsae sunt
qualitate. Manifestum est igitur quoniam salsae aquae
72 haec sunt a lacrimis. Opinor autem eam in agonia et in 8
inconstantia grandi constitutam et sudasse. Vnde etiam
secundum argumentationem ipsorum suspicari oportet
fontes et flumina et si quae sunt aliae aquae dulces,
76 generationem habuisse a sudoribus eius. Non est enim
suadibile, cum sint unius qualitatis lacrimae, alteras 12
quidem salsas, alteras dulces aquas ex eis exisse. Hoc
autem magis suadibile, alteras quidem esse a lacrimis,
80 alteras uero a sudoribus. Quoniam autem et calidae et
austerae sunt quaedam aquae | in mundo, intellegere Hv 3
debes quid faciens et ex quo membro emisit has. Apti
sunt enim huiusmodi fructus argumento ipsorum.

4, 67 ipsorum S ‖ enim *om.* S ‖ 68 alia AQSε *Feu.* ‖ 69 falsas S
‖ adinuentiones S ‖ 70 falsae S ‖ 71 est *om.* V ‖ falsae S ‖ 72 haec
sunt CV S *(1Ls56)*: hae sunt Qε sunt hae ∽ A ‖ ea S ‖ agonia
Sε : -niam CV AQ ‖ 73 inconstantia *edd.* : -tiam CV instantia
AQSε ‖ et sudasse : exsud- S ‖ 75 sic C ‖ qua AQ ‖ aliae : alia
(expunct.) aliae S alia AQ ‖ aquae : ea quae AQ ‖ 80 a *om.* C ‖
callide C ‖ 81 austere C hausterae S ‖ quaedam sunt ∽ ε *edd.* ‖
82 debemus AQSε ‖ 83 huiuscemodi V huius S

| **4**, 4. | Βούλομαι δὲ καὶ αὐτὸς συνεισενεγκεῖν τι τῇ
καρποφορίᾳ αὐτῶν. Ἐπειδὴ γὰρ ὁρῶ τὰ μὲν γλυκέα
ὕδατα ὄντα, οἷον πηγὰς καὶ ποταμοὺς καὶ ὄμβρους καὶ
420 τὰ τοιαῦτα, τὰ δὲ ἐν ταῖς θαλάσσαις ἁλμυρά, ἐπινοῶ μὴ
πάντα ἀπὸ τῶν δακρύων αὐτῆς προβεβλῆσθαι, διότι τὸ
δάκρυον ἁλμυρὸν τῇ ποιότητι ὑπάρχει. Φανερὸν οὖν ὅτι
τὰ ἁλμυρὰ ὕδατα ταυτά ἐστι τὰ ἀπὸ τῶν δακρύων. Εἰκὸς
424 δὲ αὐτὴν ἐν ἀγωνίᾳ πολλῇ καὶ ἀμηχανίᾳ γεγονυῖαν καὶ

4, 4. Mais j'entends contribuer aussi, pour ma part, à leur « fructification ». Car je vois que certaines eaux sont douces : sources, fleuves, pluies, etc. ; par contre, les eaux des mers sont salées. Je réfléchis que toutes ne peuvent venir des larmes d'Achamoth, puisque les larmes ont comme propriété d'être salées. Il est donc évident que les eaux salées sont celles qui proviennent des larmes. Mais il est probable qu'Achamoth, dans la lutte violente et l'angoisse où elle s'est trouvée, a dû suer également. D'où l'on doit supposer, en allant dans le sens de leur thèse, que les sources, les fleuves et toutes les autres eaux douces tirent leur origine de ces sueurs. Car il n'est pas vraisemblable, les larmes n'ayant qu'une seule propriété, que d'elles proviennent à la fois les eaux salées et les eaux douces ; il est plus vraisemblable que les unes proviennent des larmes, et les autres des sueurs. Mais ce n'est pas tout : comme il existe encore dans le monde des eaux chaudes et âcres, tu dois comprendre ce qu'elle a fait pour les émettre et de quel organe elles sont sorties. De tels « fruits » s'accordent tout à fait avec leur thèse.

ἱδρωκέναι. Ἐντεῦθεν δὴ κατὰ τὴν ὑπόθεσιν αὐτῶν ὑπολαμβάνειν δεῖ πηγὰς καὶ ποταμοὺς καὶ εἴ τινα ἄλλα ὕδατα γλυκέα ὑπάρχει τὴν γένεσιν [μὴ] ἐσχηκέναι ἀπὸ
428 τῶν ⟨ἱδρώτων⟩ αὐτῆς · ἀπίθανον γάρ, μιᾶς ποιότητος οὔσης τῶν δακρύων, τὰ μὲν ἁλμυρά, τὰ δὲ γλυκέα ὕδατα ἐξ αὐτῶν προελθεῖν · τοῦτο δὲ πιθανώτερον, τὰ μὲν εἶναι ἀπὸ τῶν δακρύων, τὰ δὲ ἀπὸ τῶν ἱδρώτων. Ἐπειδὴ ⟨δὲ⟩
432 καὶ θερμὰ καὶ δριμέα τινὰ ὕδατά ἐστιν ἐν τῷ κόσμῳ, νοεῖν ὀφείλεις τί ποιήσασα καὶ ἐκ ποίου μορίου προήκατο ταῦτα · ἁρμόζουσι γὰρ τοιοῦτοι καρποὶ τῇ ὑποθέσει αὐτῶν.

[Fr. gr. 1] 427 [μὴ] Holl ‖ 428 ⟨ἱδρώτων⟩ Holl ‖ 429 ὕδατα om. Vᵃᶜ ‖ 430 ἐξ — πιθανώτερον om. VᵃᶜM ‖ 431 ⟨δὲ⟩ Holl ‖ 432 τινὰ om. VᵃᶜM ‖ τῷ om. M

84 **4, 5.** Cum igitur peragrasset omnem passionem Mater [Hv
ipsorum et uix cum elata esset, ad obsecrationem 4
conuersa est eius luminis quod dereliquerat eam, hoc
est Christi, dicunt : qui regressus in Pleroma, ipse
88 quidem, ut datur intellegi, pigritatus est secundo
descendere; Paracletum autem misit ad eam, hoc est
Saluatorem, praestante ei uirtutem omnem[a] Patre et 8
omnia sub potestate tradente, et Aeonibus autem simi-
92 liter, uti *in eo omnia conderentur, uisibilia et inuisibilia,*
Throni, Diuinitates, | *Dominationes*[b]. Mittitur autem ad Hv 3
eam cum coaetaneis suis Angelis. Hanc autem Achamoth
reueritam eum dicunt primo quidem coopertionem
96 imposuisse propter reuerentiam, deinde autem cum
uidisset eum cum uniuersa fructificatione sua adcucur- 4
risse ei, uirtute accepta de uisu eius. Et illum formasse
eam formationem quae est secundum agnitionem et

4, 85 cum elata : cumulata V ‖ 86 eius : huius Q ‖ derelinquerat S (*cf.* 46) ‖ eam : e⫸m C (*rest. s.l.* eam C¹) ‖ 88 pigritata
AQ ‖ 89 paracletum C ε : -cli- V QS -cly- A ‖ 90 uirtute S ‖
patre *edd.* : patris *codd.* ε ‖ 91 autem *om.* V ‖ 92 ut CV ‖ 94
coaetaneis : quo ⫸ etaneis C eo etaneis V ‖ acamoth C ahamoth
V ‖ 95 reuerita Q ‖ eum dicunt : d- eam A eam d- QSε ‖
coopertione CV cooperationem Sε ‖ 96 imposuisse]+ ei ε *Feu.*
‖ 97-98 accurrisse QSε accurrisset V ‖ 98-99 illum ... eam :
eum ... illam S

---

436 | **4, 5.** | Διοδεύσασαν οὖν πᾶν πάθος τὴν Μητέρα
αὐτῶν καὶ μόγις ὑπερκύψασαν ἐπὶ ἱκεσίαν τραπῆναι τοῦ
καταλιπόντος αὐτὴν φωτός, τουτέστιν τοῦ Χριστοῦ,
[412] λέγουσιν · ὃς ἀνελθὼν εἰς τὸ Πλήρωμα αὐτὸς μὲν
440 εἰκὸς ὅτι ὤκνησεν ἐκ δευτέρου κατελθεῖν, τὸν Παράκλητον
δὲ ἐξέπεμψεν ⟨πρὸς⟩ αὐτήν, τουτέστι τὸν Σωτῆρα, ἐνδόντος
αὐτῷ πᾶσαν τὴν δύναμιν[a] τοῦ Πατρὸς καὶ πάντα ὑπ' ἐξουσίαν παραδόντος καὶ τῶν Αἰώνων δὲ ὁμοίως, ὅπως « ἐν

4, 5. Lors donc que leur « Mère » fut ainsi passée par toutes les passions et qu'elle en eut émergé à grand-peine, elle se mit, disent-ils, à supplier la Lumière qui l'avait abandonnée, c'est-à-dire le Christ. Celui-ci, remonté au Plérôme, n'eut sans doute pas le courage de descendre une seconde fois. Il envoya vers elle le Paraclet, c'est-à-dire le Sauveur, tandis que le Père donnait à celui-ci toute vertu et livrait toutes choses[a] en son pouvoir et que les Éons faisaient de même, afin que « sur lui fussent fondées toutes choses, visibles et invisibles, les Trônes, les Divinités, les Seigneuries[1 b] ». Le Sauveur fut donc envoyé vers elle avec ses compagnons d'âge, les Anges. Saisie de crainte en sa présence, Achamoth, disent-ils, se couvrit d'abord d'un voile, par révérence ; puis, l'ayant regardé, lui et toute sa fructification, elle accourut vers lui et reçut de son apparition une vertu. Il la forma alors d'une formation selon la gnose et effectua la guérison de ses passions.

---

444 αὐτῷ τὰ πάντα κτισθῇ, τὰ ὁρατὰ καὶ τὰ ἀόρατα, Θρόνοι, Θεότητες, Κυριότητες[b] » · ἐκπέμπεται δὲ πρὸς αὐτὴν μετὰ τῶν ἡλικιωτῶν αὐτοῦ τῶν Ἀγγέλων. Τὴν δὲ Ἀχαμὼθ ἐντραπεῖσαν αὐτὸν λέγουσιν πρῶτον μὲν κάλυμμα ἐπι-
448 θέσθαι δι᾽ αἰδῶ, μετέπειτα δὲ ἰδοῦσαν αὐτὸν σὺν ὅλῃ τῇ καρποφορίᾳ αὐτοῦ προσδραμεῖν αὐτῷ, δύναμιν λαβοῦ-σαν ἐκ τῆς ἐπιφανείας αὐτοῦ. Κἀκεῖνον μορφῶσαι αὐτὴν μόρφωσιν τὴν κατὰ γνῶσιν καὶ ἴασιν τῶν παθῶν ποιήσασθαι

[Fr. gr. 1] 439 post ἀνελθὼν add. μὲν V ‖ 441 ἐκπέμψειν M ‖ <πρὸς> Holl ‖ 442 πάντα nos : πᾶν VM ‖ 443 δὲ ὁμοίως : δεόμενος V

4, 5. a. cf. Matth. 11, 27. Lc 10, 22 ‖ b. Col. 1, 16

100 curationem passionum fecisse eius, separantem eas ab [Hv 3
ea, et non eas neglexisse — nec enim erat possibile eas 8
exterminari quemadmodum | prioris, eo quod iam Hv 4ͼ
habilia et possibilia essent —, sed segregantem separatim
104 commiscuisse et coagulasse et de incorporali passione
in incorporalem materiam transtulisse eas; et sic apta-
bilitatem et naturam fecisse in eis, ut in congregationes 4
et corpora uenirent, uti fierent duae substantiae, una
108 quidem mala ex passionibus, | altera autem conuersionis Hv 4ͷ
passibilis, et propter hoc uirtute Saluatorem fabricasse
dicunt. Hanc autem Achamoth extra passionem factam
concepisse de gratulatione eorum quae cum eo sunt
112 luminum uisionem, hoc est Angelorum qui erant cum 4
eo, et delectatam in conceptu eorum peperisse fructus
secundum illius imaginem docent, partum spiritalem
secundum similitudinem factum satellitum Saluatoris.

4, 101 eas₁ *ex gr. Feu. Gra. Hv :* eum *codd.* ε *Mass. Sti.* ‖ possi-
bile erat ∞ V ‖ 102 priores VS *Feu.* ‖ 103 segregante Q ‖ separatum
Aᵃᶜ separauit ε ‖ 105 corporalem QSε ‖ et *om.* CV ‖ 107 uti : ut hi
CV ‖ 109 passibilis S *edd.* : -le CV AQε ‖ uirtute *edd.* : -tem
codd. ε ‖ 111 quae cum eo *Mass.* : quae cum C A quaecumque
V QSε *Feu. Gra.* ‖ 112 lumini C ‖ uisione CV S ‖ hoc : id Qε ‖
113 conceptu CV : conspectu AQSε *edd.* ‖ 114 docet CV ‖ partem
C ‖ 115 multitudinem S

452 αὐτῆς, χωρίσαντα αὐτὰ αὐτῆς, μὴ ἀμελήσαντα δὲ αὐτῶν
— οὐ γὰρ ἦν δυνατὸν ἀφανισθῆναι ⟨αὐτὰ⟩ ὡς τὰ τῆς
προτέρας, διὰ τὸ ἑκτικὰ ἤδη καὶ δυνατὰ εἶναι —, ἀλλ᾽ ἀπο-
κρίναντα χωρὶς συγχέαι καὶ πῆξαι καὶ ἐξ ἀσωμάτου
456 πάθους εἰς ἀσώματον [τὴν] ὕλην μεταβαλεῖν αὐτά·
εἶθ᾽ οὕτως ἐπιτηδειότητα καὶ φύσιν ἐμπεποιηκέναι αὐτοῖς,
ὥστε εἰς συγκρίματα καὶ σώματα ἐλθεῖν, πρὸς τὸ γενέσθαι
δύο οὐσίας, τὴν φαύλην ⟨ἐκ⟩ τῶν παθῶν, τήν τε ⟨ἐκ⟩
460 τῆς ἐπιστροφῆς ἐμπαθῆ· καὶ διὰ τοῦτο δυνάμει τὸν Σωτῆρα

Il les sépara d'elle, mais ne put les négliger, car il n'était
pas possible de les faire disparaître comme celles de la
première Sagesse, du fait qu'elles étaient déjà habi-
tuelles et vigoureuses. Il les mit donc à part, les mélan-
gea et les fit coaguler ; de passion incorporelle qu'elles
étaient, il les changea en matière incorporelle ; puis il
produisit en elles des propriétés et une nature, pour
leur permettre de former des combinaisons et des corps,
en sorte qu'il y eût deux substances, à savoir la mau-
vaise, qui est issue des passions, et celle provenant de
la conversion, qui est mêlée de passion[1] : c'est à cause
de tout cela qu'ils disent que le Sauveur a fait, d'une
manière virtuelle, œuvre de Démiurge[2]. Quant à
Achamoth, dégagée de sa passion, elle conçut, de joie,
la vision des Lumières qui étaient avec le Sauveur,
c'est-à-dire des Anges qui l'accompagnaient ; devenue
grosse à leur vue[3], elle enfanta, enseignent-ils, des
« fruits » à l'image de ces Anges[4], autrement dit un
enfantement pneumatique à la ressemblance des gardes
du corps du Sauveur.

δεδημιουργηκέναι φάσκουσι. Τὴν δὲ Ἀχαμώθ ἐκτὸς τοῦ
πάθους γενομένην, [καὶ] συλλαβοῦσαν τῇ χαρᾷ τῶν σὺν
αὐτῷ φώτων τὴν θεωρίαν, τουτέστιν τῶν Ἀγγέλων τῶν
464 μετ᾽ αὐτοῦ, καὶ ἐγκισσήσασαν ⟨εἰς⟩ αὐτούς, κεκυηκέναι
καρποὺς κατὰ τὴν ⟨ἐκείνων⟩ εἰκόνα διδάσκουσι, κύημα
πνευματικὸν καθ᾽ ὁμοίωσιν γεγονὸς τῶν δορυφόρων τοῦ
Σωτῆρος.

[Fr. gr. 1] 452 post χωρίσαντα add. δ᾽ V ‖ 453 δυνατὸν Holl :
δυνατὰ VM ‖ ⟨αὐτὰ⟩ Holl ‖ 455 χωρὶς nos : χωρὶς εἰς Vac χωρήσεις
τοῦ Vpc χωρήσει τοῦ M ‖ 456 [τὴν] Holl ‖ 457 εἰσπεποιηκέναι
M ‖ 459 ⟨ἐκ₁⟩ Holl ‖ ⟨ἐκ₂⟩ Holl in app. ‖ 461 δὲ : τε V ‖ 462
[καὶ] Holl ‖ σὺν Holl : ἐν VM ‖ 464 ἐγκισσησαν VacM ‖ ⟨εἰς⟩
nos ‖ 465 ⟨ἐκείνων⟩ εἰκόνα nos : εἰκόνα ⟨αὐτῶν⟩ Holl ‖ 466
γεγονὸς τῶν Vpc : γεγονὸς Vac γεγονότων M

5, 1. Tria igitur haec cum subsistant secundum eos, 8 [Hv
unum quidem ex passione, quod erat materia, alterum
uero de conuersione, | quod erat animale, alterum uero Hv 42
4 quod enixa est, quod est spiritale, sic conuersa est in
formationem ipsorum. Sed spiritale quidem non potuisse
eam formare, quoniam eiusdem substantiae ei erat.
Conuersam autem in formationem eius quae facta erat 4
8 de conuersione eius animalis substantiae, emisisse
quoque a Saluatore doctrinas. Et primo quidem formasse
eam de animali substantia dicunt Deum Patrem et
Saluatorem et Regem omnium eiusdem substantiae ei, 8
12 hoc est animalium, quas dextras uocant, et eorum
quae ex passione et ex materia, quas sinistras[a] dicunt.
Ea enim quae post eum sunt eum dicunt formasse,
latenter motum a Matre sua. Vnde et Metropatorem et
16 Apatorem et Demiurgum eum et Patrem uocant, dextro- 12

5, 1 subsistent CV ‖ 3 erat *om.* QS ‖ animalem Q ‖ 4 quod
enixa : qui de nixa A[ac] ‖ 7 conuersam *edd.* : -sa *codd.* ε ‖ autem
om. V ‖ formatione C ‖ 9 a *om.* V ‖ 11 eius AQSε ‖ 12 hoc : id ε ‖
15 et₁ *om.* ε ‖ 15-16 et apatorem *om.* CV ‖ 16 patrem CV : fratrem
AQSε

468 | **5, 1.** | Τριῶν οὖν ἤδη τούτων ὑποκειμένων κατ᾽ αὐτούς,
τοῦ μὲν ἐκ τοῦ πάθους, ὃ ἦν ὕλη, τοῦ δὲ ἐκ τῆς ἐπιστροφῆς,
ὃ ἦν τὸ ψυχικόν, τοῦ δὲ ὃ [413] ἀπεκύησεν, τουτέστιν
τὸ πνευματικόν, οὕτως ἐτράπη ἐπὶ τὴν μόρφωσιν αὐτῶν.
472 Ἀλλὰ τὸ μὲν πνευματικὸν μὴ δεδυνῆσθαι αὐτὴν μορφῶσαι,
ἐπειδὴ ὁμοούσιον ὑπῆρχεν αὐτῇ · τετράφθαι δὲ ἐπὶ τὴν
μόρφωσιν τῆς γενομένης ἐκ τῆς ἐπιστροφῆς αὐτῆς
ψυχικῆς οὐσίας προβαλεῖν τε τὰ παρὰ τοῦ Σωτῆρος
476 μαθήματα. Καὶ πρῶτον μεμορφωκέναι αὐτὴν ἐκ τῆς
ψυχικῆς οὐσίας λέγουσι τὸν ⟨Θεὸν καὶ⟩ Πατέρα καὶ
Βασιλέα πάντων, τῶν τε ὁμοουσίων αὐτῷ, τουτέστιν τῶν
ψυχικῶν, ἃ δὴ δεξιὰ καλοῦσι, καὶ τῶν ἐκ τοῦ πάθους καὶ
480 τῆς ὕλης, ἃ δὴ ἀριστερὰ[a] λέγουσι · πάντα γὰρ τὰ

Genèse du Démiurge.

5, 1. Il existait donc dès lors trois éléments, d'après eux : l'élément provenant de la passion, c'est-à-dire la matière ; l'élément provenant de la conversion, c'est-à-dire le « psychique » ; enfin l'élément enfanté par Achamoth, c'est-à-dire le « pneumatique ». Achamoth se tourna alors vers la formation de ces éléments. Cependant elle n'avait pas le pouvoir de former l'élément pneumatique, puisque cet élément lui était consubstantiel. Elle se tourna donc vers la formation de la substance issue de sa conversion, c'est-à-dire de la substance psychique, et elle produisit au dehors les enseignements reçus du Sauveur[1]. En premier lieu, disent-ils, elle forma, de cette substance psychique, celui qui est le Dieu, le Père et le Roi[2] de tous les êtres, tant de ceux qui lui sont consubstantiels, c'est-à-dire des psychiques, qu'ils appellent la « droite », que de ceux qui sont issus de la passion et de la matière et qu'ils nomment la « gauche[a] » : car, pour ce qui est de tous les êtres venus après lui, c'est lui, disent-ils, qui les a formés, mû à son insu par la Mère. C'est pourquoi ils l'appellent « Mère-Père », « Sans Père », « Démiurge » et

---

μετ' αὐτὸν φάσκουσιν ⟨αὐτὸν⟩ μεμορφωκέναι, λεληθότως κινούμενον ὑπὸ τῆς Μητρός · ὅθεν καὶ Μητροπάτορα καὶ Ἀπάτορα καὶ Δημιουργὸν αὐτὸν καὶ Πατέρα καλοῦσι,

[Fr. gr. 1] 471-472 οὕτως — πνευματικὸν om. M ‖ 473 post ὑπῆρχεν add. οὕτως ἐτράπη ἐπὶ τὴν μόρφωσιν αὐτῶν · ἀλλὰ τὸ μὲν πνευματικὸν μὴ δεδυνῆσθαι αὐτὴν μορφῶσαι, ἐπειδὴ ὁμοούσιον ὑπῆρχεν M ‖ 474 τῆς γενομένης om. M ‖ 477 ⟨θεὸν καὶ⟩ nos, iuxta Holl in app. ‖ 478 αὐτῶν VᵃᶜM ‖ 480 λέγουσι : καλοῦσι V ‖ 481 μετ' : κατ' V ‖ ⟨αὐτὸν⟩ Holl

---

5, 1. a. cf. Matth. 25, 33

rum quidem Patrem dicentes eum, hoc est psychicorum, [Hv 4⁰
sinistrorum uero, hoc est, hylicorum, Demiurgum,
omnium autem Regem. Hanc enim Enthymesin uolen-
20 tem in honorem Aeonum omnia facere, imagines dicunt 16
fecisse ipsorum, magis autem Saluatorem | per ipsam. Hv 43
Et ipsam quidem imaginem inuisibilis Patris conseruasse
incognitam a Demiurgo, hunc autem Vnigeniti Filii,
24 reliquorum uero Aeonum eos qui ab hoc facti sunt
Angeli et Archangeli. 4

5, 2. Patrem itaque et Deum dicunt factum eorum
quae sunt extra Pleroma, Fabricatorem esse omnium
28 psychicorum et hylicorum. Separantem enim duas
substantias confusas et de incorporalibus corporalia
facientem, fabricasse quae sunt caelestia et terrena, et 8
factum hylicorum et psychicorum, dextrorum et sinis-

5, 17 hoc : id ε ‖ physicorum Q ‖ 18 sinistrorum — hylicorum
om. Q ‖ hoc : id ε ‖ 19 enthimesint (-sim V) CV ‖ 20 aeonum hon-
∽ ε *edd.* ‖ imagines *edd. ex gr.* : -nem *codd.* ε ‖ 22 imaginem Q :
in imagine *cett. & edd.* ‖ 23 incognita Q ‖ hanc AQSε ‖ unigenitum
ε ‖ filii *edd.* : filium *codd.* ε ‖ 24 aeonem C ‖ eos : conseruasse eos S ‖
ab : ad S ‖ 27 pleroma *edd.* : pleromata *codd.* ε ‖ omnium *om.* S ‖
28 phychicorum C   phisic- Q ‖ et hylicorum : et ylaicorum (hy-
Qᵖᶜ) Q   *om.* S ‖ 29 incorporabilibus Q ‖ 30 terrestria S ‖ 31 phisi-
corum Q

---

484 τῶν μὲν δεξιῶν Πατέρα λέγοντες αὐτόν, τουτέστιν τῶν
ψυχικῶν, τῶν δὲ ἀριστερῶν, τουτέστιν τῶν ὑλικῶν,
Δημιουργόν, συμπάντων δὲ Βασιλέα. Τὴν γὰρ Ἐνθύμησιν
ταύτην βουληθεῖσαν εἰς τιμὴν τῶν Αἰώνων τὰ πάντα
488 ποιῆσαι, εἰκόνας λέγουσι πεποιηκέναι αὐτῶν, μᾶλλον
δὲ τὸν Σωτῆρα δι᾽ αὐτῆς. Καὶ αὐτὴν μὲν τὴν εἰκόνα τοῦ
ἀοράτου Πατρὸς τετηρηκέναι μὴ γινωσκομένην ὑπὸ τοῦ
Δημιουργοῦ, τοῦτον δὲ τοῦ Μονογενοῦς Υἱοῦ, τῶν δὲ

« Père » ; ils le disent Père des êtres de droite, c'est-à-
dire des psychiques, Démiurge des êtres de gauche,
c'est-à-dire des hyliques, et Roi des uns et des autres.
Car cette Enthymésis, disent-ils, ayant résolu de faire
toutes choses en l'honneur des Éons, fit des images de
ceux-ci, ou plutôt le Sauveur les fit par son entremise.
Elle-même offrit l'image[1] du Père invisible, du fait
qu'elle n'était pas connue du Démiurge ; de son côté,
le Démiurge offrit l'image du Fils Monogène, comme
offrirent l'image des autres Éons les Archanges et les
Anges faits par le Démiurge.

Genèse de l'univers.

5, 2. Le Démiurge, disent-ils, devint donc Père et
Dieu des êtres extérieurs au Plérôme, puisqu'il était[2]
l'Auteur de tous les êtres psychiques et hyliques. Il
sépara en effet l'une de l'autre ces deux substances qui
se trouvaient mêlées ensemble et, d'incorporelles
qu'elles étaient, il les fit corporelles ; il fabriqua alors
les êtres célestes et les êtres terrestres et devint
Démiurge des psychiques et des hyliques, de ceux de

---

492 λοιπῶν Αἰώνων τοὺς ὑπὸ τούτου γεγονότας Ἀρχαγγέλους
τε καὶ Ἀγγέλους.

| 5, 2. | Πατέρα οὖν καὶ Θεὸν λέγουσιν αὐτὸν γεγονέναι
τῶν ἐκτὸς τοῦ Πληρώματος, Ποιητὴν ὄντα πάντων ψυχικῶν
496 τε καὶ ὑλικῶν. Διακρίναντα γὰρ τὰς δύο οὐσίας συγκεχυ-
μένας καὶ ἐξ ἀσωμάτων σωματοποιήσαντα, δεδημιουργηκέναι τά τε οὐράνια καὶ τὰ γήϊνα, καὶ γεγονέναι ὑλικῶν
καὶ ψυχικῶν, δεξιῶν καὶ ἀριστερῶν Δημιουργόν, κούφων

[Fr. gr. 1] 484 τῶν₂ om. M ‖ 485 τῶν₂ om. M ‖ 489 τὴν εἰκόνα
nos, iuxta Holl in app. : ἐν εἰκόνι VM ‖ 492 τούτου Holl : τούτων
VM ‖ 495 τῶν : τὸν M ‖ 499 ἀριστερῶν : δι' ἀριστερῶν Vᵃᶜ

32 trorum Fabricatorem, leuium et grauium, | sursum Hv 4
aduolantium et deorsum deuergentium. Septem quoque
caelos fecisse, super quos Demiurgum esse dicunt. Et
propter hoc Ebdomadam uocant eum, Matrem autem
36 Achamoth Ogdoada, seruantem numerum primogenitae 4
et primariae Pleromatis Ogdoadis. Septem autem caelos,
quos intellectuales esse dicunt, | Angelos autem eos Hv 4⁵
tradunt, et Demiurgum et ipsum Angelum, Deo autem
40 similem, quemadmodum et Paradisum, supra tertium
caelum exsistentem, uirtute Archangelum <quartum>
dicunt esse, et ab hoc aliquid accepisse Adam conuer- 4
satum in eo.

44 **5, 3.** Haec autem Demiurgum dicunt a semetipso
quidem putasse in totum fabricasse, fecisse autem ea
Achamoth : caelum enim fecisse nescientem Caelum,
et hominem plasmasse ignorantem Hominem, terram
48 autem ostendisse non scientem Terram, et in omnibus 8

5, 33 demergentium AQSε ‖ 35 edomadam Q hebdo- ε ‖ 36
ogdoadam S ‖ 38 eos *om.* S ‖ 40 et : ex AᵃᶜSᵃᶜ ‖ super CV ‖ 41
uirtute *Mass. ex gr.* : -tem *codd.* ε ‖ archangeli ε ‖ < quartum >
edd. a Feu. : *om. codd.* nun ε *sic legens pro* ιvum *(iuxta Mass.)* ‖
44 hoc V ‖ 45 toto S ‖ 47 blasphemasse CV ‖ 48 non scientem :
nescientem S

---

500 καὶ βαρέων, ἀνωφερῶν καὶ κατωφερῶν. Ἑπτὰ γὰρ οὐρανοὺς
κατεσκευακέναι, ὧν ἐπάνω τὸν Δημιουργὸν εἶναι λέγουσιν.
Καὶ διὰ τοῦτο Ἑβδομάδα καλοῦσιν αὐτόν, τὴν δὲ Μητέρα
τὴν Ἀχαμὼθ Ὀγδοάδα, ἀποσῴζουσαν τὸν ἀριθμὸν τῆς
504 ἀρχεγόνου καὶ πρώτης τοῦ Πληρώματος Ὀγδοάδος. Τοὺς
δὲ ἑπτὰ οὐρανοὺς [οὐκ] εἶναι νοερούς φασιν, Ἀγγέλους
δὲ αὐτοὺς ὑποτίθενται, καὶ τὸν Δημιουργὸν δὲ καὶ αὐτὸν
Ἄγγελον, Θεῷ δὲ ἐοικότα, ὡς καὶ τὸν Παράδεισον, [414]
508 ὑπὲρ τρίτον οὐρανὸν ὄντα, τέταρτον Ἀρχάγγελον λέγουσι

droite et de ceux de gauche, de ceux qui sont légers et
de ceux qui sont lourds, de ceux qui se portent vers le
haut et de ceux qui se portent vers le bas. Il disposa
en effet sept Cieux, au-dessus desquels il se tient lui-
même, à les en croire. C'est pourquoi ils l'appellent
« Hebdomade », tandis qu'ils donnent le nom d'« Ogdoade » à la Mère, c'est-à-dire à Achamoth, qui présente
ainsi le nombre de la fondamentale et primitive
Ogdoade, celle du Plérôme. Ces sept Cieux sont, selon
eux, de nature intelligente[1] : ce sont des Anges, enseignent-ils. Le Démiurge lui aussi est un Ange, mais
semblable à un Dieu. De même le Paradis, situé
au-dessus du troisième Ciel, est, disent-ils, le quatrième
Archange par sa vertu, et Adam reçut quelque chose de
lui, lorsqu'il y séjourna.

5, 3. Toutes ces créations, assurent-ils, le Démiurge
s'imagina qu'il les produisait de lui-même, mais en
réalité il ne faisait que réaliser les productions d'Achamoth[2]. Il fit un ciel sans connaître de Ciel, modela un
homme sans connaître l'Homme, fit apparaître une
terre sans connaître la Terre[3], et ainsi pour toutes choses :

δυνάμει ὑπάρχειν καὶ ἀπὸ τούτου τι εἰληφέναι τὸν Ἀδὰμ
διατετριφότα ἐν αὐτῷ.

| 5, 3. | Ταῦτα δὲ τὸν Δημιουργὸν φάσκουσιν ἀφ' ἑαυτοῦ
512 μὲν ᾠῆσθαι κατασκευάζειν, πεποιηκέναι δ' αὐτὰ τῆς
Ἀχαμὼθ προβαλλούσης · οὐρανὸν ⟨γὰρ⟩ πεποιηκέναι
μὴ εἰδότα Οὐρανόν, καὶ ἄνθρωπον πεπλακέναι ἀγνοοῦντα τὸν Ἄνθρωπον, γῆν τε δεδειχέναι μὴ ἐπιστά-

[Fr. gr. 1] 501 λέγουσιν εἶναι ∽ M ‖ 503 τῆς : τοὺς V ‖ 504 πρώτης : πρὸ τῆς V ‖ 505 [οὐκ] Holl ‖ νοερούς nos : νοητούς VM
‖ 508 ἄγγελον V ‖ 512 μὲν ᾠῆσθαι : μὴ νενοῆσθαι M ‖ 513 ⟨γὰρ⟩
Holl ‖ 514-515 πεπλακέναι — ἄνθρωπον om. Vᵃᶜ

sic dicunt ignorasse eum figuras eorum quae faciebat [Hv 45]
et ipsam Matrem, semetipsum autem putasse omnia
esse. Causam autem ei fuisse Matrem eius talis opera-
52 tionis dicunt, quae sic uoluerit producere eum, caput 12
quidem et initium suae substantiae, | dominum autem Hv 46
uniuersae operationis. Hanc autem Matrem et Ogdoadam uocant et Sophiam et Terram et Hierusalem et
56 Spiritum sanctum et Dominum masculiniter. Habere
autem Medietatis locum eam et esse quidem super 4
Demiurgum, subtus autem siue extra Pleroma usque
ad finem.

60 5, 4. Quoniam quidem materialem substantiam ex
tribus passionibus constare dicunt, timore et tristitia
et aporia, de timore quidem et de conuersione animalia 8
subsistentiam accipisse : de conuersione quidem Demiur-
64 gum uolunt genesim habuisse, de timore autem reliquam
omnem animalem substantiam mutorum animalium et
hominum. Et propter hoc superiorem eum exsistentem
praescire quae sunt spiritalia, et se putasse solum | 12

5, 50 semetipsum autem : et sem- Qε ‖ 51-52 operationis codd.
ε : opinationis coni. Mass, apud quem, p. 25, u. notam ‖ 52 si V
‖ uoluit S ‖ 54-55 ogdoadem edd. ‖ 56 sanctum sp. ∽ V ‖ 57 eum ε
‖ 58 suptus C Q ‖ 62 animalia : aliam S ‖ 63 substantiam S ‖
accipisse C : accep- cett. & edd. ‖ 64 genesim codd. ε : -sin edd. a
Gra. ‖ autem om. Q ‖ 67 se : de se S

516 μενον τὴν Γῆν · καὶ ἐπὶ πάντων οὕτως λέγουσιν ἠγνοηκέναι
αὐτὸν τὰς ἰδέας ὧν ἐποίει καὶ αὐτὴν τὴν Μητέρα, αὐτὸν
δὲ μόνον ᾠῆσθαι πάντα εἶναι. Αἰτίαν δ' αὐτῷ γεγονέναι
τὴν Μητέρα τῆς οἰήσεως ταύτης φάσκουσι, τὴν οὕτω
520 βουληθεῖσαν προαγαγεῖν αὐτόν, κεφαλὴν μὲν καὶ ἀρχὴν
τῆς ἰδίας οὐσίας, κύριον δὲ τῆς ὅλης πραγματείας.
Ταύτην δὲ τὴν Μητέρα καὶ Ὀγδοάδα καλοῦσι καὶ Σοφίαν
καὶ Γῆν καὶ Ἱερουσαλὴμ καὶ ἅγιον Πνεῦμα καὶ Κύριον
524 ἀρσενικῶς · ἔχειν δὲ τὸν τῆς Μεσότητος τόπον αὐτὴν καὶ

il ignora, disent-ils, les modèles des êtres qu'il faisait.
Il ignora jusqu'à la Mère elle-même : il s'imagina être
tout à lui seul. La cause d'une telle présomption[1] de
sa part fut, disent-ils, la Mère, qui décida de le produire
comme Tête et Principe de sa substance à lui et comme
Seigneur de toute l'œuvre de fabrication[2]. Cette Mère,
ils l'appellent aussi Ogdoade, Sagesse, Terre, Jérusalem,
Esprit Saint, ainsi que Seigneur au masculin. Elle
occupe le lieu de l'« Intermédiaire » : elle est au-dessus
du Démiurge, mais au-dessous et en dehors du Plérôme,
du moins jusqu'à la consommation finale.

5, 4. La substance hylique est donc, selon eux, issue
de trois passions : crainte, tristesse et angoisse. En
premier lieu, de la crainte et de la conversion sont issus
les êtres psychiques[3] : de la conversion, prétendent-ils,
le Démiurge tire son origine, tandis que de la crainte
provient le reste de la substance psychique, à savoir
les âmes des animaux sans raison, des bêtes fauves et
des hommes. C'est pour ce motif que le Démiurge, trop
faible pour connaître[4] ce qui est pneumatique, se crut

εἶναι ὑπεράνω μὲν τοῦ Δημιουργοῦ, ὑποκάτω δὲ ἢ ἔξω
τοῦ Πληρώματος μέχρι συντελείας.

| 5, 4. | Ἐπεὶ οὖν τὴν ὑλικὴν οὐσίαν ἐκ τριῶν παθῶν
528 συστῆναι λέγουσι, φόβου τε καὶ λύπης καὶ ἀπορίας, ἐκ
μὲν τοῦ φόβου καὶ τῆς ἐπιστροφῆς τὰ ψυχικὰ τὴν σύστασιν
εἰληφέναι · ἐκ μὲν τῆς ἐπιστροφῆς τὸν Δημιουργὸν
βούλονται τὴν γένεσιν ἐσχηκέναι, ἐκ δὲ τοῦ φόβου τὴν
532 λοιπὴν πᾶσαν ψυχικὴν ὑπόστασιν, ὡς ψυχὰς ἀλόγων
ζῴων καὶ θηρίων καὶ ἀνθρώπων. ⟨Καὶ⟩ διὰ τοῦτο ἀτονώ-
τερον αὐτὸν ὑπάρχοντα πρὸς τὸ γινώσκειν τὰ πνευματικά,

[Fr. gr. 1] 517 αὐτὸν — μητέρα om. M ‖ 520 προαγαγεῖν : προσα-
γαγεῖν M (error typogr. in app. Holl) ‖ 526 τοῦ : τούτου M ‖
532 λύπην M ‖ 533 ⟨καὶ⟩ Holl ‖ 534 τὰ Holl : τινὰ VM

68 Deum et per prophetas dixisse : *Ego Deus, et praeter me* Hv 4
nemo[a]. De tristitia autem spiritalia malitiae[b] docent
facta : unde et diabolum genesim habuisse, quem et
Cosmocratorem[c] uocant, et daemonia et omnem spiri- 4
72 talem malitiae substantiam. Sed | Demiurgum quidem Hv 44
psychicum filium Matris suae dicunt, Cosmocratorem
uero creaturam Demiurgi; et Cosmocratorem quidem
intellegere ea quae sunt super eum, quoniam sit spiritalis
76 malitia, Demiurgum uero ignorare, cum sit animalis. 4
Habitare Matrem quidem ipsorum in eo qui sit caelestis
locus, hoc est in Medietate, Demiurgum uero in eo qui
sit in caelo locus, hoc est Ebdomade, Cosmocratorem
80 uero in eo qui sit secundum nos mundo. De expaues- 8
centia uero et aporia, quasi de uesaniori, corporalia,
quemadmodum praediximus, mundi elementa facta

5, 68 dixisse V : se dixisse *cett.* ‖ 69 malitia S ‖ 70 genesin
edd. a Gra. ‖ et₂]+ eos *expunct.* V ‖ 71 quosmocratorem C ‖ 72 mi-
litiae C[ac] ‖ 73 psychycum Q psisichum S ‖ filium *iter.* AQSε ‖
74 creaturam *edd.* : creatorem *codd.* ε ‖ 75 supra *edd.* ‖ 77 quidem matrem ∽ S ‖ caelestis *codd.* : *forte leg. ex gr.* supercaelestis,
cf. Gra. Mass. Sti. Hv in n. ‖ 78 in medietate : immediate V[ac] ‖ 79
ebdomade CV QS : ebdomada A hebdomade ε ‖ 80 sit : sic S ‖
mundo ε : mundum CV AQ mundus S ‖ 81 uesaniore S

αὐτὸν νενομικέναι μόνον εἶναι Θεὸν καὶ διὰ τῶν προφητῶν
536 εἰρηκέναι · « Ἐγὼ Θεός, πλὴν ἐμοῦ οὐδείς[a]. » Ἐκ δὲ τῆς
λύπης τὰ πνευματικὰ τῆς πονηρίας[b] διδάσκουσι γεγονέναι · ὅθεν ⟨καὶ⟩ τὸν διάβολον τὴν γένεσιν ἐσχηκέναι,
ὃν καὶ Κοσμοκράτορα[c] καλοῦσι, καὶ τὰ δαιμόνια [καὶ
540 τοὺς ἀγγέλους] [415] καὶ πᾶσαν τὴν πνευματικὴν τῆς
πονηρίας ὑπόστασιν. Ἀλλὰ τὸν μὲν Δημιουργὸν υἱὸν
ψυχικὸν τῆς Μητρὸς αὐτῶν λέγουσι, τὸν δὲ Κοσμοκράτορα
κτίσμα τοῦ Δημιουργοῦ · καὶ τὸν μὲν Κοσμοκράτορα
544 γινώσκειν τὰ ὑπὲρ αὐτόν, ὅτι πνεῦμά ἐστι τῆς πονηρίας,
τὸν δὲ Δημιουργὸν ἀγνοεῖν, ἅτε ψυχικὸν ὑπάρχοντα.

seul Dieu et dit par la bouche des prophètes : « C'est moi
qui suis Dieu, et en dehors de moi il n'en est point
d'autre [a]. » En deuxième lieu, de la tristesse sont issus,
enseignent-ils, les « esprits du mal [b] » : c'est d'elle que
tirent leur origine le Diable, qu'ils appellent aussi
« Maître du monde [c] », les démons [1] et toute la substance
pneumatique du mal. Mais, disent-ils, tandis que le
Démiurge est le fils psychique de leur Mère, le Maître
du monde est la créature du Démiurge ; néanmoins ce
Maître du monde connaît ce qui est au-dessus de lui,
parce qu'il est un « esprit » du mal, tandis que le
Démiurge l'ignore, étant de nature psychique. Leur
Mère réside dans le lieu supracéleste [2], c'est-à-dire dans
l'Intermédiaire ; le Démiurge réside dans le lieu céleste,
c'est-à-dire dans l'Hebdomade ; quant au Maître du
monde, il habite dans notre monde. En troisième lieu,
du saisissement et de l'angoisse sont issus, comme de ce
qu'il y avait de plus pesant, les éléments corporels du

Οἰκεῖν δὲ τὴν Μητέρα αὐτῶν εἰς τὸν ὑπερουράνιον τόπον,
τουτέστιν ἐν τῇ Μεσότητι, τὸν Δημιουργὸν δὲ εἰς τὸν
548 ἐπουράνιον τόπον, τουτέστιν ἐν τῇ Ἑβδομάδι, τὸν ⟨δὲ⟩
Κοσμοκράτορα ἐν τῷ καθ' ἡμᾶς κόσμῳ. Ἐκ δὲ τῆς
ἐκπλήξεως καὶ ἀμηχανίας ὡς ἐκ στασιμωτέρου τὰ σωμα-
τικά, καθὼς προείπαμεν, τοῦ κόσμου στοιχεῖα γεγονέναι ·

[Fr. gr. 1] 535-537 αὐτὸν — πνευματικά om. M ‖ 537 λοιπῆς Vᵖᶜ ‖
538 <καὶ> Holl ‖ 539-540 [καὶ τοὺς ἀγγέλους] nos ‖ 542 ψυχικὸν om. Vᵖᶜ ‖ 543 κτίσμα — κοσμοκράτορα om. M ‖ 544
πνεῦμά ἐστι : πνεύματος M ‖ 548 ὑπερουράνιον V ‖ τόπον om. V
‖ <δὲ> Holl ‖ 549 κοσμοκράτορα : παντοκράτορα M ‖ 550 στασιμωτέρου : τοῦ ἀσημοτέρου V

5, 4. a. Is. 45, 5 ; 46, 9 ‖ b. Éphés. 6, 12 ‖ c. cf. ibid.

esse : terram uero secundum expauescentiae statum, [Hv 48
84 aquam uero secundum timoris motum, aerem uero secun-
dum materiae fixionem; ignem uero omnibus his inesse | 12
mortem et corruptelam, quemadmodum et ignorantiam Hv 49
omnibus tribus passionibus inabsconsam docent.

88 **5, 5.** Cum fabricasset igitur mundum, fecit et hominem choicum[a], non autem ab hac arida terra, sed ab 4
inuisibili substantia et ab effusibili et fluida materia
accipientem : et in hunc insufflasse[b] psychicum defi-
92 niunt. Et hunc esse secundum imaginem et similitudinem[c] factum : secundum imaginem quidem hylicum
esse, proximum quidem, sed non eiusdem substantiae 8
esse Deo; secundum similitudinem uero psychicum,
96 unde et spiritum uitae[d] substantiam eius dictam, cum
sit ex spiritali defluitione. Post deinde circumdatam

5, 84 motum : locum *(expunct.)* motum Q   modum S ‖ 85 materiae V Sε : -riem C   -riei AQ   maestitiae *coni.* Mass. ‖ uero]+
secundum *cancell.* V ‖ 86 ignorantiam : -tia in V ‖ 88 ig. fabric.
∽ A ‖ et *om.* A ‖ 89 chicum C ‖ 90 inuisibilis C ‖ effusili A   efflu-
sili S ‖ 91 psycichum A   phsychum Q   psisichum S ‖ 91-92 diffiniunt V difi- Q ‖ 92 secundum : per S ‖ 93 factum]+ ph'□□□
Q ‖ 93-95 secundum — deo *om.* Q ‖ 95 uero *om.* S ‖ 97 defluxione V

---

552 γῆν μὲν κατὰ τὴν ἐκπλήξεως στάσιν, ὕδωρ δὲ κατὰ τὴν
φόβου κίνησιν, ἀέρα δὲ κατὰ τὴν λύπης πῆξιν · τὸ δὲ
πῦρ ἄπασιν αὐτοῖς ἐμπεφυκέναι θάνατον καὶ φθοράν,
ὡς καὶ τὴν ἄγνοιαν τοῖς τρισὶ πάθεσιν ἐγκεκρύφθαι
556 διδάσκουσι.

| **5, 5.** | Δημιουργήσαντα δὴ τὸν κόσμον, πεποιηκέναι
καὶ τὸν ἄνθρωπον τὸν χοϊκόν[a], οὐκ ἀπὸ ταύτης δὲ τῆς
ξηρᾶς γῆς, ἀλλ' ἀπὸ τῆς ἀοράτου οὐσίας, ἀπὸ τοῦ
560 κεχυμένου καὶ ῥευστοῦ τῆς ὕλης λαβόντα, καὶ εἰς τοῦτον
ἐμφυσῆσαι[b] τὸν ψυχικὸν διορίζονται. Καὶ τοῦτον εἶναι

monde, ainsi que nous l'avons déjà dit : la fixité du saisissement a donné la terre ; le mouvement de la crainte a donné l'eau ; la coagulation de la tristesse[1] a donné l'air ; quant au feu, il est implanté dans tous ces éléments comme leur mort et leur corruption, de même que l'ignorance, enseignent-ils, se trouvait cachée dans les trois passions.

Genèse de l'homme.

5, 5. Lorsque le Démiurge eut ainsi fabriqué le monde, il fit aussi l'homme « choïque [a][2] », qu'il tira, non de cette terre sèche, mais de la substance invisible, de la fluidité et de l'inconsistance de la matière[3]. Dans cet homme, déclarent-ils, il insuffla [b] ensuite l'homme psychique. Tel est l'homme qui fut fait « selon l'image et la ressemblance [c] ». Selon l'image d'abord : c'est l'homme hylique, proche de Dieu[4], mais sans lui être consubstantiel. Selon la ressemblance ensuite : c'est l'homme psychique. De là vient que la substance de ce dernier est appelée « esprit de vie [d] », car elle provient d'un écoulement spirituel. Puis, en dernier lieu, disent-

---

τὸν κατ᾽ εἰκόνα καὶ ὁμοίωσιν [c] γεγονότα, καὶ κατ᾽ εἰκόνα
μὲν τὸν ὑλικὸν ὑπάρχειν, παραπλήσιον μέν, ἀλλ᾽ οὐχ
564 ὁμοούσιον ὄντα τῷ Θεῷ, κατ᾽ ὁμοίωσιν δὲ τὸν ψυχικόν,
ὅθεν καὶ πνεῦμα ζωῆς [d] τὴν οὐσίαν αὐτοῦ εἰρῆσθαι, ἐκ
πνευματικῆς ἀπορροίας οὖσαν. Ὕστερον δὲ περιτεθεῖσθαι

[Fr. gr. 1] 552 γῆν Holl : τὴν VM || 553 φόβου : τοῦ φόβου V[ac] τοῦ
φόβου τῶν δακρύων V[pc] || δὲ₁ Holl : τε VM || 557 δὴ : δὲ M ||
565 ὅθεν : ὁ θεὸς M

5, 5. a. cf. Gen. 2, 7. I Cor. 15, 47 || b. cf. Gen. 2, 7 || c. cf. Gen. 1, 26 || d. cf. Gen. 2, 7

dicunt ei | dermatinam tunicam[e] : hanc autem sensi- Hv 5
bilem carnem esse uolunt.

100 **5, 6.** Partum uero Matris ipsorum, quae est Achamoth,
quem secundum inspectionem eorum Angelorum qui
sunt erga Saluatorem generauit, exsistentem eiusdem 4
substantiae Matri suae spiritalem, et ipsum enim igno-
104 rasse Demiurgum dicunt, et latenter depositum esse
in eum, nesciente eo, uti per eum in eam quae ab eo |
esset animam seminatum et in materiale hoc corpus, Hv 5
gestatum quoque uelut in utero in his et amplificatum,
108 paratum fiat ad susceptionem perfectae Rationis. Latuit
igitur, quemadmodum dicunt, Demiurgum conseminatus 4
insufflationi eius[a] a Sophia spiritalis homo inenarrabili
uirtute et prouidentia. Quemadmodum enim Matrem
112 suam ignorauit, sic et semen eius : quod etiam ipsum
Ecclesiam esse dicunt, exemplum superioris Ecclesiae.
Et hunc esse in semetipsis hominem uolunt, uti habeant 8

5, 98 dermatinam *edd.* : adamantinam *codd.* ε ‖ hanc *edd.* :
hunc CV ASε nunc Q ‖ 100 matricis CV ‖ 102 ergo S ‖ 103 substantiae : distantiae S ‖ matri *edd.* : matris *codd.* ε ‖ spiritalem *edd.* :
-lis *codd.* ε ‖ 105 eo₂ : ea ε ‖ 107 et : et in V ‖ 109 cum semina-
tus V ‖ 110 insufflationi : in subflatione ε ‖ 111 et]+ sapientia
cancell. V ‖ enim *om.* V ‖ 112 ipsum]+ et Q ‖ 113 ecclesiae
]+site V ‖ 114 esset Q

λέγουσιν αὐτῷ τὸν δερμάτινον χιτῶνα[e]· τοῦτο δὲ τὸ
568 αἰσθητὸν σαρκίον εἶναι θέλουσι.

| **5, 6.** | Τὸ δὲ κύημα τῆς Μητρὸς αὐτῶν τῆς ᾿Αχαμώθ,
ὃ κατὰ τὴν θεωρίαν τῶν περὶ τὸν Σωτῆρα ᾿Αγγέλων ἀπεκύησεν, ὁμοούσιον ὑπάρχον τῇ Μητρὶ [416] πνευματικόν,
572 καὶ αὐτὸ ἠγνοηκέναι τὸν Δημιουργὸν λέγουσι, καὶ
λεληθότως κατατεθεῖσθαι εἰς αὐτὸν μὴ εἰδότος αὐτοῦ, ἵνα
δι᾿ αὐτοῦ εἰς τὴν ἀπ᾿ αὐτοῦ ψυχὴν σπαρὲν καὶ εἰς τὸ
ὑλικὸν τοῦτο σῶμα, κυοφορηθέν ⟨τε⟩ ἐν τούτοις καὶ
576 αὐξηθέν, ἕτοιμον γένηται πρὸς ὑποδοχὴν τοῦ τελείου

ils, l'homme fut enveloppé de la « tunique de peau[e] » :
à les en croire, ce serait l'élément charnel perceptible
par les sens.

5, 6. Quant à l'enfantement qu'avait produit leur
Mère, c'est-à-dire Achamoth, en contemplant les Anges
qui entouraient le Sauveur, il était consubstantiel à
celle-ci, donc pneumatique : c'est pourquoi il resta,
disent-ils, lui aussi, ignoré du Démiurge. Il fut déposé
secrètement dans le Démiurge, à l'insu de celui-ci, afin
d'être semé par son entremise dans l'âme qui provien-
drait de lui, ainsi que dans le corps hylique : ainsi porté
dans ces éléments comme dans une sorte de sein, il
pourrait y prendre de la croissance et devenir prêt pour
la réception du Logos parfait[1]. Ainsi donc, comme ils
disent, le Démiurge n'aperçut pas l'« homme pneumatique[2] » semé par Sagesse à l'intérieur même de son
souffle[a] à lui par l'effet d'une puissance et d'une providence inexprimables. Comme il avait ignoré la Mère,
il ignora la semence de celle-ci. Cette semence, disent-ils
encore, c'est l'« Église », figure de l'Église d'en haut.
Tel est l'homme qu'ils prétendent exister en eux, de

⟨Λόγου⟩. Ἔλαθεν οὖν, ὥς φασι, τὸν Δημιουργὸν ὁ
συγκατασπαρεὶς τῷ ἐμφυσήματι αὐτοῦ ὑπὸ τῆς Σοφίας
πνευματικὸς ἄνθρωπος ἀρρήτῳ ⟨δυνάμει καὶ⟩ προνοίᾳ.
580 Ὡς γὰρ τὴν Μητέρα ἠγνοηκέναι, οὕτω καὶ τὸ σπέρμα
αὐτῆς · ὃ δὴ καὶ αὐτὸ Ἐκκλησίαν εἶναι λέγουσιν, ἀντίτυπον
τῆς ἄνω Ἐκκλησίας. Καὶ τοῦτο εἶναι τὸν ἐν αὐτοῖς
ἄνθρωπον ἀξιοῦσιν, ὥστε ἔχειν αὐτοὺς τὴν μὲν ψυχὴν ἀπὸ

[Fr. gr. 1] 568 θέλουσι : λέγουσι V ǁ 570 σωτῆρα : ἀέρα M ǁ 571
ὑπάρχοντα M ǁ 572 αὐτὸν V ǁ 575 ⟨τε⟩ Holl ǁ 577 ⟨λόγου⟩ Holl
ǁ 579 ⟨δυνάμει καὶ⟩ Holl ǁ 582 τοῦτο Holl : τότε V τὸ M

5, 5, e. cf. Gen. 3, 21
5, 6, a. cf. Gen. 2, 7

animam quidem a Demiurgo, corpus autem a limo, et [Hv 51
116 carneum a materia, spiritalem uero hominem a matre
Achamoth.

6, 1. Cum sint igitur tria, alterum materiale, quod
etiam sinistrum uocant, ex necessitate perire dicunt, 12
quippe cum nullam spirationem incorruptelae recipere
4 possit; animale uero, quod etiam dextrum appellant,
cum sit medium spiritalis et materialis, | illuc redigi, Hv 52
quocumque declinauerit; spiritale uero emissum esse,
uti hic animali coniunctum formetur, coeruditum ei in
8 conuersatione. Et hoc dicunt esse sal et lumen mundi[a].
Opus enim erat animali sensibilibus disciplinis. Ob quam 4
causam et mundum fabricatum dicunt, et Saluatorem
autem ad hoc uenisse animale, quia suae potestatis est,
12 ut id saluet. Quae enim saluaturus erat, eorum primitias

5, 116 carnem Aε
6, 1 sunt ε ‖ tria edd. iuxta u.g. 5, 1 ; 8, 62... : tres codd. ε &
1Ls22 ‖ 3 quippe cum : qui peccatum CV ‖ nullam : in illam V ‖
sperationem Q separationem ε (spir- ε^mg) ‖ 3-4 possit recipere
∞ S ‖ 4 animale ε edd. : -lem codd. ‖ dextrum edd. : dextram
codd. ε ‖ 5 illuc om. V ‖ 6 spiritale edd. : -lem codd. in -lem ε ‖
8 hoc om. A (suppl. s.l. A²) ‖ esse dicunt ∞ AQSε ‖ sal CV : sol Q
solem ASε salem Feu. ‖ 9 erat enim ∞ ε edd. ‖ 10 fabricatum :
fabrica tunc Q -tum esse ε Feu. ‖ 11 autem om. QSε ‖ animalem
V ε ‖ 12 id : idem V

584 τοῦ Δημιουργοῦ, τὸ δὲ σῶμα ἀπὸ τοῦ χοός, καὶ τὸ σαρκικὸν
ἀπὸ τῆς ὕλης, τὸν δὲ πνευματικὸν ἄνθρωπον ἀπὸ τῆς
Μητρὸς τῆς Ἀχαμώθ.

| 6, 1. | Τριῶν οὖν ὄντων, τὸ μὲν ὑλικόν, ὃ καὶ ἀριστερὸν
588 καλοῦσι, κατὰ ἀνάγκην ἀπόλλυσθαι λέγουσιν, ἅτε
μηδεμίαν ἐπιδέξασθαι πνοὴν ἀφθαρσίας δυνάμενον · τὸ
δὲ ψυχικόν, ὃ καὶ δεξιὸν προσαγορεύουσιν, ἅτε μέσον
ὂν τοῦ τε πνευματικοῦ καὶ τοῦ ὑλικοῦ, ἐκεῖσε χωρεῖν,
592 ὅπου ἂν καὶ τὴν πρόσκλισιν ποιήσηται · τὸ δὲ πνευματικὸν
ἐκπεπέμφθαι, ὅπως ἐνθάδε τῷ ψυχικῷ συζυγὲν μορφωθῇ,

sorte qu'ils tiennent leur âme du Démiurge, leur corps
du limon, leur enveloppe charnelle de la matière et leur
homme pneumatique de leur Mère Achamoth.

Mission du « Sauveur » dans le monde.

6, 1. Il existe donc, disent-ils, trois éléments : l'un,
hylique, qu'ils appellent aussi « de gauche », périra
inéluctablement, incapable qu'il est de recevoir aucun
souffle d'incorruptibilité ; l'autre, psychique, qu'ils
nomment aussi « de droite », tenant le milieu entre le
pneumatique et l'hylique, ira du côté où il aura penché ;
quant à l'élément pneumatique, il a été envoyé afin que,
conjoint au psychique, il reçoive ici-bas sa « formation »,
étant instruit avec ce psychique durant son séjour en
lui. C'est cet élément pneumatique, prétendent-ils, qui
est « le sel » et « la lumière du monde[a] ». Il fallait aussi,
en effet, pour l'élément psychique, des enseignements
sensibles[1]. C'est pour cette raison, disent-ils, que le
monde a été constitué et que, d'autre part, le Sauveur
est venu en aide à ce psychique, puisque celui-ci est
doué de libre arbitre, afin de le sauver. Car il a pris,
disent-ils, les prémices de ce qu'il devait sauver :

συμπαιδευθὲν αὐτῷ ἐν τῇ ἀναστροφῇ. Καὶ τοῦτ' εἶναι
λέγουσι τὸ ἅλας καὶ τὸ φῶς τοῦ κόσμου[a] · ἔδει γὰρ τῷ
596 ψυχικῷ καὶ αἰσθητῶν παιδευμάτων. Διὸ καὶ κόσμον
κατεσκευάσθαι λέγουσι, καὶ τὸν Σωτῆρα δὲ ἐπὶ τοῦτο
παραγεγονέναι τὸ ψυχικόν, ἐπεὶ καὶ αὐτεξούσιόν ἐστιν,
ὅπως αὐτὸ σώσῃ. Ὧν γὰρ ἤμελλε σώζειν, τὰς ἀπαρχὰς

[Fr. gr. 1] 584 σαρκίον M ‖ 589 ἐπιδείξασθαι V ‖ 592 πρόσκλισιν
Holl : πρόσκλησιν VM ‖ 595 λέγουσι : θέλουσι V[pc] ‖ 595-596 τῷ
ψυχικῷ Holl : τῶν ψυχικῶν VM ‖ 596 διὸ : δι' ὢν V[pc] ‖ 599
ἔμελλε M

6, 1. a. cf. Matth. 5, 13-14

eum suscepisse dicunt : ab Achamoth quidem spiritale, [Hv 5
a Demiurgo autem indutum psychicum, id est animalem, 8
Christum, a dispositione autem circumdatum corpus,
16 animalem habens substantiam, paratum uero inenarra-
bili arte ut et uisibile et palpabile et passibile fieret.
Et hylicum autem | nihil omnino suscepit : non enim Hv 53
esse hylicon capacem salutis. Consummationem uero
20 futuram, cum formatum et perfectum fuerit scientia
omne spiritale, hoc est homines qui perfectam agnitio-
nem habent de Deo et hi qui ab Achamoth initiati sunt 4
mysteria : esse autem hos semetipsos dicunt.

24 **6, 2.** Erudiuntur autem psychica, id est animalia,
psychici, id est animales, homines, qui per operationem
et fidem nudam firmantur et non perfectam | agnitionem Hv 54
habent : esse autem hos nos, qui sumus ab Ecclesia,
28 dicunt. Quapropter et nobis quidem necessariam esse
bonam conuersationem respondent — aliter enim
impossibile esse saluari —, semetipsos autem non per 4

6, 13 achamot Q ‖ 14 physicum Q ‖ 19 hylicum *edd.* ‖ 20 cum
formatum : conformatum V S ‖ 23 hos ε *edd.* : hoc *codd.* ‖ semetipsum S ‖ 24 psychicam Q   physicam A   psichiam S ‖ 25 phichici
A   psichici S ‖ homines *om.* V (*suppl. s.l.* V²) ‖ per *om.* S ‖ 27
hoc S ‖ summus C ‖ 30 autem *om.* Q

600 αὐτὸν εἰληφέναι φάσκουσιν, ἀπὸ μὲν τῆς Ἀχαμὼθ τὸ
πνευματικόν, ἀπὸ δὲ τοῦ Δημιουργοῦ ἐνδεδύσθαι τὸν
ψυχικὸν Χριστόν, ἀπὸ δὲ τῆς οἰκονομίας περιτεθεῖσθαι
σῶμα, ψυχικὴν ἔχον οὐσίαν, κατεσκευασμένον δὲ ἀρρήτῳ
604 τέχνῃ πρὸς τὸ καὶ ὁρατὸν καὶ ψηλαφητὸν καὶ παθητὸν
γενέσθαι · καὶ ὑλικὸν [417] δὲ οὐδ᾽ ὁτιοῦν εἰληφέναι
λέγουσιν αὐτόν · μὴ γὰρ εἶναι τὴν ὕλην δεκτικὴν σωτηρίας.
Τὴν δὲ συντέλειαν ἔσεσθαι, ὅταν μορφωθῇ καὶ τελειωθῇ
608 γνώσει πᾶν τὸ πνευματικόν, τουτέστιν οἱ πνευματικοὶ
ἄνθρωποι οἱ τὴν τελείαν γνῶσιν ἔχοντες περὶ Θεοῦ καὶ

d'Achamoth, il a reçu l'élément pneumatique ; par le
Démiurge, il a été revêtu du Christ psychique ; enfin,
du fait de l'« économie », il s'est vu entourer d'un corps
ayant une substance psychique, mais organisé avec un
art inexprimable de manière à être visible, palpable et
passible ; quant à la substance hylique, il n'en a pas
pris la moindre parcelle, disent-ils, car la matière n'est
pas capable de salut. La consommation finale aura lieu
lorsqu'aura été « formé » et rendu parfait par la « gnose »
tout l'élément pneumatique, c'est-à-dire les hommes
pneumatiques, ceux qui possèdent la gnose parfaite
concernant Dieu et ont été initiés aux mystères
d'Achamoth : ces hommes-là, ce sont eux-mêmes,
assurent-ils.

6, 2. Par contre, ce sont des enseignements psychiques
qu'ont reçus les hommes psychiques, ceux qui sont
affermis par le moyen des œuvres et de la foi nue et qui
n'ont pas la gnose parfaite : ces hommes-là, disent-ils,
ce sont ceux qui appartiennent à l'Église[1], c'est-à-dire
nous. C'est pourquoi, déclarent-ils, une bonne conduite
est pour nous indispensable : sans quoi, point de possi-
bilité de salut. Quant à eux, ce n'est pas par les œuvres,

⟨τὰ⟩ τῆς Ἀχαμώθ μεμυημένοι μυστήρια · εἶναι ⟨δὲ⟩
τούτους ⟨ἑαυτοὺς⟩ ὑποτίθενται.

612 | **6, 2.** | Ἐπαιδεύθησαν δὲ τὰ ψυχικὰ οἱ ψυχικοὶ ἄνθρω-
ποι, οἱ δι᾿ ἔργων καὶ πίστεως ψιλῆς βεβαιούμενοι καὶ μὴ
τὴν τελείαν γνῶσιν ἔχοντες · εἶναι δὲ τούτους ⟨τοὺς⟩ ἀπὸ
τῆς Ἐκκλησίας ἡμᾶς λέγουσι. Διὸ καὶ ἡμῖν μὲν ἀναγκαῖον
616 εἶναι τὴν ἀγαθὴν πρᾶξιν ἀποφαίνονται – ἄλλως γὰρ
ἀδύνατον σωθῆναι –, αὐτοὺς δὲ μὴ διὰ πράξεως ἀλλὰ

[Fr. gr. 1] 603 ἔχων M ‖ 604 τὸ : τῷ V ‖ ὁρατὸν : ἀόρατον Vᵖᶜ ‖
605 γεγενῆσθαι Vᵖᶜ ‖ δὲ om. Vᵃᶜ ‖ 610 <τὰ> Holl ‖ μεμυημένους
VᵖᶜM ‖ <δὲ> Holl ‖ 611 <ἑαυτοὺς> Holl ‖ 612 δὲ Holl : γὰρ
Vᵖᶜ om. VᵃᶜM ‖ 614 <τοὺς> nos, iuxta Holl in app.

operationem sed eo quod sint naturaliter spiritales [Hv
32 omnimodo saluari dicunt. Quemadmodum enim choicum
impossibile est salutem percipere — non enim esse illum
capacem salutis dicunt —, sic iterum quod spiritale
— quod semetipsos esse uolunt — impossibile esse 8
36 corruptelam | percipere, licet in quibuscumque fuerint Hv 5
factis. Quemadmodum enim aurum in caeno depositum
non amittit decorem suum, sed suam naturam custodit,
cum caenum nihil nocere auro possit, sic et semetipsos 4
40 dicunt, licet in quibuscumque materialibus operibus
sint, nihil semetipsos noceri neque amittere spiritalem
substantiam.

6, 3. Quapropter et intimorate omnia quae uetantur
44 hi qui sunt ipsorum perfecti operantur, de quibus 8
Scripturae confirmant quoniam *qui faciunt ea regnum
Dei non hereditabunt*[a]. Etenim idolothyta indifferenter

6, 31 sunt ε *Feu.* ‖ 32 omnino A (-modo A²) ‖ choycum AQ
coycum S ‖ 33 esse illum *om.* S ‖ 34 dicunt *iter.* V ‖ 37 facti AQSε
‖ positum A (dep- A¹) ‖ 38 admittit C ‖ 39 caenum]+ enim V ‖
auro nocere ∾ SªSᵇ ‖ sic et : s A (*suppl.* A²) si et Q ‖ 40-41
sint operibus ∾ V ‖ 46 idolothyta ε : idolotyta CV ydolothita
A ydolotica QSᵇ hydolotica Sª

διὰ τὸ φύσει πνευματικοὺς εἶναι πάντῃ τε καὶ πάντως
σωθήσεσθαι δογματίζουσιν. Ὡς γὰρ τὸ χοϊκὸν ἀδύνατον
620 σωτηρίας μετασχεῖν – οὐ γὰρ εἶναι δεκτικὸν αὐτῆς
λέγουσιν αὐτό –, οὕτως πάλιν τὸ πνευματικόν, ὃ αὐτοὶ
εἶναι θέλουσιν, ἀδύνατον φθορὰν καταδέξασθαι, κἂν
ὁποίαις συγκαταγένωνται πράξεσιν. Ὃν γὰρ τρόπον
624 χρυσὸς ἐν βορβόρῳ κατατεθεὶς οὐκ ἀποβάλλει τὴν
καλλονὴν αὐτοῦ, ἀλλὰ τὴν ἰδίαν φύσιν διαφυλάττει, τοῦ
βορβόρου μηδὲν ἀδικῆσαι δυναμένου τὸν χρυσόν, οὕτω
δὴ καὶ αὐτοὺς λέγουσι, κἂν ἐν ὁποίαις ὑλικαῖς πράξεσι

mais du fait de leur nature pneumatique, qu'ils seront
absolument et de toute façon sauvés. De même que
l'élément « choïque » ne peut avoir part au salut — car
il n'a pas en lui, disent-ils, la capacité réceptive de ce
salut —, de même l'élément pneumatique, qu'ils
prétendent constituer, ne peut absolument pas subir
la corruption, quelles que soient les œuvres en lesquelles
ils se trouvent impliqués. Comme l'or, déposé dans la
fange, ne perd pas son éclat mais garde sa nature,
la fange étant incapable de nuire en rien à l'or, ainsi
eux-mêmes, disent-ils, quelles que soient les œuvres
hyliques où ils se trouvent mêlés, n'en éprouvent aucun
dommage et ne perdent pas leur substance pneumatique.

6, 3. Aussi bien les plus « parfaits » d'entre eux
commettent-ils impudemment toutes les actions défen-
dues, celles dont les Écritures affirment que « ceux qui
les font ne posséderont point l'héritage du royaume de
Dieu[a] ». Ils mangent sans discernement les viandes

---

628 καταγένωνται, μηδὲν αὐτοὺς παραϐλάπτεσθαι μηδὲ ἀπο-
ϐάλλειν τὴν πνευματικὴν ὑπόστασιν.

| **6,** 3. | Διὸ δὴ καὶ τὰ ἀπειρημένα πάντα ἀδεῶς οἱ
τελειότατοι πράττουσιν αὐτῶν, περὶ ὧν αἱ γραφαὶ διαϐε-
632 ϐαιοῦνται τοὺς ποιοῦντας αὐτὰ βασιλείαν Θεοῦ μὴ
κληρονομήσειν[a]. Καὶ γὰρ εἰδωλόθυτα ἀδιαφόρως ἐσθίουσι,

[Fr. gr. 1] 618 φύσ⫽⫽ Vᵃᶜ ‖ πνευματικοὺς om. Vᵃᶜ ‖ 621 αὐτὸ
Holl : αὐτοί VM ‖ post πνευματικόν add. θέλουσιν V ‖ ὃ Holl : οἱ
VM ‖ 622 θέλουσιν del. Vᵖᶜ ‖ 627 δὴ nos : δὲ VM ‖ κἂν : καὶ M
‖ ὁποίαις Holl : ποίαις V ποίαις ἂν M ‖ 630 ἀπειρημένα Vᵖᶜ :
εἰρημένα Vᵃᶜ προειρημένα M ‖ 633 κληρονομῆσαι M ‖ ἀδιαφόρως
Holl : διαφόρως VM

6, 3. a. Gal. 5, 21

manducant, nihil inquinari ab his putantes, et in omnem [Hv
48 diem festum ethnicorum pro uoluntate in honorem idolo- 12
rum factum primi conueniunt, uti in nihilo quidem
abstineant quod est apud Deum et apud homines
odiosum muneris homicidiale | spectaculum. Quidam Hv
52 autem et carnis uoluptatibus insatiabiliter inseruientes,
carnalia carnalibus, spiritalia spiritalibus reddi dicunt.
Et quidam quidem ex ipsis clam eas mulieres quae
discunt ab eis doctrinam hanc corrumpunt; quemad- 4
56 modum multae saepe ab his suasae, post conuersae
mulieres ad Ecclesiam Dei cum reliquo errore et hoc
confessae sunt. Alii uero et manifeste, ne quidem eru-
bescentes, quascumque adamauerint mulieres, has a
60 a uiris suis abstrahentes, suas nuptas fecerunt. Alii uero 8
ualde modeste initio, quasi cum sororibus fingentes
habitare, procedente tempore manifestati sunt, grauida
sorore a fratre facta.

6, 47 manducant S[b] cett. : comedunt S[a] ‖ 48 honorem nos ex
gr. et de more interpr. : honore codd. ε ‖ 48-49 idolorum edd. ex
gr. : eorum codd. ε ‖ 49 ut AQSε ‖ in om. CV ‖ 51 odiosum edd. :
otiosum codd. ε ‖ homicidale C ‖ 52 carnem Q ‖ 53 reddi S[a] cett. :
reddere S[b] ‖ 54 clam ex ipsis A ‖ 55-56 quemadmodum om. Q ‖
56 multae om. V (suppl. mg. V²) ‖ 57 dei om. V (suppl. s.l. V²)
‖ cum dei ∽ S ‖ 61 modeste : modes C

μηδὲν μολύνεσθαι ὑπ' αὐτῶν ἡγούμενοι, καὶ ἐπὶ πᾶσαν
ἑορτάσιμον [418] τῶν ἐθνῶν τέρψιν εἰς τιμὴν τῶν εἰδώλων
636 γινομένην πρῶτοι συνίασιν, ὡς μηδὲ τῆς παρὰ Θεῷ καὶ
ἀνθρώποις μεμισημένης [τῆς] τῶν θηριομάχων καὶ μονο-
μαχίας ἀνδροφόνου θέας ἀπέχεσθαι ἐνίους αὐτῶν. Οἱ δὲ
καὶ ταῖς τῆς σαρκὸς ἡδοναῖς κατακόρως δουλεύοντες,
640 τὰ σαρκικὰ τοῖς σαρκικοῖς τὰ πνευματικὰ τοῖς πνευματικοῖς ἀποδίδοσθαι λέγουσιν. Καὶ οἱ μὲν αὐτῶν λάθρα
τὰς διδασκομένας ὑπ' αὐτῶν τὴν διδαχὴν ταύτην γυναῖκας
διαφθείρουσιν, ὡς πολλάκις ὑπ' ἐνίων αὐτῶν ἐξαπατη-

offertes aux idoles, estimant n'être aucunement souillés par elles. Ils sont les premiers à se mêler à toutes les réjouissances auxquelles donnent lieu les fêtes païennes[1] célébrées en l'honneur des idoles. Certains d'entre eux ne s'abstiennent pas même des spectacles sanguinaires, en horreur à Dieu et aux hommes, où des gladiateurs luttent contre des bêtes ou combattent entre eux[2]. Il en est qui, se faisant jusqu'à la satiété les esclaves des plaisirs charnels, paient, comme ils disent, le tribut du charnel à ce qui est charnel et le tribut du pneumatique à ce qui est pneumatique[3]. Les uns ont secrètement commerce avec les femmes qu'ils endoctrinent, comme l'ont fréquemment avoué, avec leurs autres erreurs, des femmes séduites par certains d'entre eux et revenues ensuite à l'Église de Dieu. D'autres, procédant ouvertement et sans la moindre pudeur, ont arraché à leurs maris, pour se les unir en mariage, les femmes dont ils s'étaient épris. D'autres encore, après des débuts pleins de gravité, où ils feignaient d'habiter avec des femmes comme avec des sœurs, ont vu, avec le temps, leur fraude éventée, la sœur étant devenue enceinte par le fait de son prétendu frère.

---

644 θεῖσαι, ἔπειτα ἐπιστρέψασαι γυναῖκες εἰς τὴν Ἐκκλησίαν
τοῦ Θεοῦ, σὺν τῇ λοιπῇ πλάνῃ καὶ τοῦτο ἐξωμολογήσαντο ·
οἱ δὲ καὶ κατὰ τὸ φανερὸν ἀπερυθριάσαντες, ὧν ἂν
ἐρασθῶσι γυναικῶν, ταύτας ἀπ' ἀνδρῶν ἀποσπάσαντες,
648 ἰδίας γαμετὰς ἡγήσαντο · ἄλλοι δ' αὖ πάλιν σεμνῶς
κατ' ἀρχάς, ὡς μετὰ ἀδελφῶν προσποιούμενοι συνοικεῖν,
προϊόντος τοῦ χρόνου ἠλέγχθησαν, ἐγκύμονος τῆς
ἀδελφῆς ὑπὸ τοῦ ἀδελφοῦ γενηθείσης.

[Fr. gr. 1] 634 μηδὲ V ‖ 637 [τῆς] Holl ‖ 639 ταῖς om. VᵃᶜM ‖ 640 post σαρκικοῖς add. καὶ V ‖ 647 γυναικῶν om. M ‖ ἀποσπόντες M ‖ 648 ἰδίας om. M

64 **6, 4.** Et alia multa odiosa et irreligiosa facientes, nos [Hv 56
quidem, qui per timorem Dei timemus etiam usque in 12
mentibus nostris et sermonibus peccare, arguunt quasi
idiotas et nihil scientes; semetipsos extollunt, perfectos
68 uocantes et semina electionis. Nos enim in usu gratiam
accipere dicunt, quapropter | et auferri a nobis; seme- Hv 57
tipsos autem proprie possidere, desursum ab inenarrabili
et innominabili synzygia descendentem habere gratiam,
72 et proptera adici eis[a]. Quapropter ex omni modo
oportere eos semper synzygiae meditari mysterium. Et 4
hoc suadent insensibilibus his sermonibus dicentes sic :
Quicumque in saeculo est[b] et uxorem non amat, ut ei
76 coniungatur, non est de ueritate[c] et non transiet in
ueritatem; qui autem de saeculo est[d], mixtus mulieri, 8
non transit in ueritatem, quoniam in concupiscentia

6, 65 per *codd.* : *om.* S *forte leg. ex gr.* propter ‖ usque :
hucusque A[ac] ‖ 68 usum A ‖ 71 innominabilis C ignominabili S ‖
synzygia A C[pc] : synzyagia C synzyrgia V syngizya Q synzigia S syzygia ε *edd.* ‖ 72 adici eis : dici eis C (adi- C[a]) adi-
ciens S ‖ ex CV AQε : et A[a]S ‖ 73 synzygiae C A : synzyrgiae V
synthygyae Q synrigiae S syzygiae ε *edd.* ‖ meditari : emen-
dari (-re V) CV ‖ 76 coniugatutur C[ac] ‖ 76-77 in uer. et non
tr. ∽ S

---

652 | **6, 4.** | Καὶ ἄλλα δὲ πολλὰ μυσαρὰ καὶ ἄθεα πράσσον-
τες, ἡμῶν μέν, διὰ τὸν φόβον τοῦ Θεοῦ φυλασσομένων
καὶ μέχρις ἐννοίας καὶ λόγου ἁμαρτεῖν, κατατρέχουσιν
ὡς ἰδιωτῶν καὶ μηδὲν ἐπισταμένων, ἑαυτοὺς δὲ ὑπερυψοῦσι,
656 τελείους ἀποκαλοῦντες καὶ σπέρματα ἐκλογῆς. Ἡμᾶς
μὲν γὰρ ἐν χρήσει τὴν χάριν λαμβάνειν λέγουσι, διὸ καὶ
ἀφαιρεθήσεσθαι αὐτήν· αὐτοὺς δὲ ἰδιόκτητον ἄνωθεν
ἀπὸ τῆς ἀρρήτου καὶ ἀνονομάστου συζυγίας κατελη-
660 λυθυῖαν ἔχειν τὴν χάριν, καὶ διὰ τοῦτο προστεθήσεσθαι
αὐτοῖς[a]. Διὸ καὶ ἐκ παντὸς τρόπου δεῖν αὐτοὺς ἀεὶ τὸ
τῆς συζυγίας μελετᾶν μυστήριον. Καὶ τοῦτο πείθουσι

6, 4. Et alors qu'ils commettent beaucoup d'autres
infamies et impiétés, nous, qui par crainte de Dieu nous
gardons de pécher même en pensée ou en parole, nous
nous voyons traiter par eux de gens simples et qui ne
savent rien, cependant qu'ils s'exaltent eux-mêmes
au delà de toute mesure, se décernant les titres de
« parfaits » et de « semence d'élection ». Nous, à les en
croire, nous n'avons reçu la grâce que pour un simple
usage : c'est pourquoi elle nous sera ôtée. Mais eux,
c'est en toute propriété qu'ils possèdent cette grâce
qui est descendue d'en haut, de l'ineffable et innommable syzygie : aussi leur sera-t-elle ajoutée [a1]. Telle est
la raison pour laquelle ils doivent sans cesse et de toute
manière s'exercer au mystère de la syzygie. Et voici ce
qu'ils font croire aux insensés, en leur disant en propres
termes : « Quiconque est ' dans le monde [b] ', s'il n'a pas
aimé une femme de manière à s'unir à elle, n'est pas
' de la Vérité [c] ' et ne passera pas dans la Vérité ; mais
celui qui est ' du monde [d] ', s'il s'est uni à une femme,
ne passera pas davantage dans la Vérité, parce que
c'est dans la concupiscence qu'il s'est uni à cette

τοὺς ἀνοήτους, αὐταῖς λέξεσι λέγοντες οὕτως · ὃς ἂν ἐν
664 κόσμῳ γενόμενος [b] γυναῖκα οὐκ ἐφίλησεν, ὥστε αὐτῇ
κραθῆναι, οὐκ ἔστιν ἐξ ἀληθείας [c] καὶ οὐ χωρήσει εἰς
ἀλήθειαν · ὁ δὲ ἀπὸ κόσμου ὤν [d], [μὴ] κραθεὶς γυναικί,
οὐ χωρήσει εἰς ἀλήθειαν, διὰ τὸ ἐν ἐπιθυμίᾳ κραθῆναι [419]

[Fr. gr. 1] 652 μυσερὰ V[ac]M ‖ 653 μέν : δέ M ‖ 657 μὲν om. V[ac]M
‖ 658 αὐτήν nos : αὐτῆς VM ‖ 659 συνζυγίας V[ac] ‖ 659-660 συγ-
καταλελῃθυῖαν V ‖ 662 συνζυγίας V[ac] ‖ 664-665 αὐτῇ κραθῆναι nos : αὐτὴν κρατηθῆναι VM ‖ 666 [μὴ] Holl ‖ κραθεὶς
nos : κρατηθεὶς VM ‖ 667-668 κραθῆναι γυναικί nos : κρατηθῆναι γυναικός VM

6, 4. a. cf. Lc 19, 26 ‖ b. Jn **17,** 11 ‖ c. Jn 18, 37 ‖ d. Jn 17, 14-16

mixtus est mulieri. Quapropter nobis quidem, quos | [Hv 5
80 psychicos uocant et de saeculo esse dicunt, necessariam Hv 5‹
continentiam et bonam operationem, uti per eam uenia-
mus in Medietatis locum; sibi autem, spiritalibus et
perfectis uocatis, nullo modo. Non enim operatio in 4
84 Pleroma inducit, sed semen quod est inde pusillum
quidem emissum, hic autem perfectum factum.

7, 1. Cum autem uniuersum semen perfectum fuerit,
Achamoth quidem Matrem ipsorum transire de Medietatis loco dicunt, et intra Pleroma introire, et recipere 8
4 sponsum suum Saluatorem, qui est ex omnibus factus,
uti synzygia fiat Saluatoris et Sophiae, quae est Acha-
moth. Et hoc esse sponsum et sponsam ᵃ : nym|phonem ᵇ Hv 5‹
uero uniuersum Pleroma. Spiritales uero exspoliatos
8 animas et spiritus intellectuales factos, inapprehensibi-

6, 80 psychicos uocant et : psychico suo cantet AQS ‖ 85 quidem emissum CV : quid emissum A   quidem missum A²QᵃᶜS
qui demissum (?)Qᵖᶜ   quidem demissum ε
7, 2 ab achamoth V   achamot A ‖ 5 synzygia CA : synzyrgia V
syngia Q   synzigia S   syzygia ε edd. ‖ est om. S ‖ 6 nymphonem
C : mym- V   sym- AQSε ‖ 7 spoliatos Q

668 γυναικί. Διὰ τοῦτο ἡμῖν μέν, οὓς ψυχικοὺς ὀνομάζουσι
καὶ ἐκ κόσμου εἶναι λέγουσι, [καὶ] ἀναγκαίαν εἶναι τὴν
ἐγκράτειαν καὶ ἀγαθὴν πρᾶξιν, ἵνα δι᾽ αὐτῆς ἔλθωμεν
εἰς τὸν τῆς Μεσότητος τόπον, αὐτοῖς δέ, πνευματικοῖς
672 τε καὶ τελείοις καλουμένοις, μηδαμῶς · οὐ γὰρ πρᾶξις
εἰς Πλήρωμα εἰσάγει, ἀλλὰ τὸ σπέρμα τὸ ἐκεῖθεν νήπιον
μὲν ἐκπεμπόμενον, ἐνθάδε ⟨δὲ⟩ τελειούμενον.

| 7, 1. | Ὅταν δὲ πᾶν τὸ σπέρμα τελειωθῇ, τὴν μὲν
676 Ἀχαμὼθ τὴν Μητέρα αὐτῶν μεταστῆναι τοῦ τῆς Μεσότητος
τόπου λέγουσι καὶ ἐντὸς Πληρώματος εἰσελθεῖν καὶ
ἀπολαβεῖν τὸν νυμφίον αὐτῆς τὸν Σωτῆρα, τὸν ἐκ πάντων

femme[1]. » Pour nous donc, qu'ils appellent psychiques
et qu'ils disent être « du monde », la continence et les
œuvres bonnes sont nécessaires afin que nous puissions,
grâce à elles, parvenir au lieu de l'Intermédiaire ; mais
pour eux, qui se nomment « pneumatiques » et « parfaits », il n'en est pas question, car ce ne sont pas les
œuvres qui introduisent dans le Plérôme, mais la
« semence » qui, envoyée de là-haut toute petite, se
perfectionne ici-bas.

Sort final des trois substances et précisions diverses.

7, 1. Lors donc que toute la semence aura atteint
sa perfection, Achamoth leur Mère quittera, disent-ils,
le lieu de l'Intermédiaire et fera son entrée dans le
Plérôme ; elle recevra alors pour époux le Sauveur issu
de tous les Éons, de sorte qu'il y aura syzygie du Sauveur et de Sagesse-Achamoth. Ce sont là l'« Époux » et
l'« Épouse[a] », et la chambre nuptiale[b] sera le Plérôme
tout entier. Quant aux pneumatiques, ils se dépouille-
ront de leurs âmes et, devenus esprits de pure intelli-

γεγονότα, ἵνα συζυγία γένηται τοῦ Σωτῆρος καὶ τῆς
680 Σοφίας τῆς Ἀχαμώθ. Καὶ τοῦτο εἶναι νυμφίον καὶ νύμφην[a],
νυμφῶνα[b] δὲ τὸ πᾶν Πλήρωμα. Τοὺς δὲ πνευματικοὺς
ἀποδυσαμένους τὰς ψυχὰς καὶ πνεύματα νοερὰ γενομένους,

[Fr. gr. 1] 668 ἡμῖν μέν, οὓς nos : οὖν ἡμᾶς καλοὺς VM ‖ 669 ἐκ
κόσμου : ἐγκόσμους M ‖ [καὶ] Holl ‖ εἶναι Holl : ἡμῖν VM ‖ 672
πράξεις γὰρ ∞ M ‖ 673 πλήρωμα εἰσάγει : πληρώσεις ἄγει M ‖
674 μὲν om. V ‖ <δὲ> Holl ‖ 679 συνζυγία V^{ac} ‖ 680 τοῦτο : τοῦ
V^{ac}M

7, 1. a. cf. Jn 3, 29 ‖ b. cf. Matth. 9, 15

liter et inuisibiliter intra Pleroma ingressos, sponsas [Hv
reddi his qui circa Saluatorem sunt Angelis. Demiurgum 4
uero transire et ipsum in Matris suae Sophiae locum,
12 hoc est in Medietatem. Iustorum quoque animas refrige-
rare et ipsas in Medietatis loco. Nihil enim psychicum
intra Pleroma transire. His autem factis ita, is qui latet 8
in mundo ignis exardescens et comprehendens uniuersam
16 materiam consumit, et ipsum simul consumptum abire
in id, ut iam non sit. Demiurgum autem nihil horum
cognouisse ostendunt ante Saluatoris aduentum. |

7, 2. ⋆Sunt autem qui dicunt emisisse eum et Christum Hv
20 filium suum, sed et animalem, et de hoc per prophetas
locutum esse. Esse autem hunc qui per Mariam transierit, quemadmodum aqua per tubum transit, et in 4
hunc in baptismate descendisse illum qui esset de

7, 9 inter S ‖ ingressus AQS ‖ 13 psychicum Vε : sychicum
C   psychycum (psi-S) QS physicum A ‖ 14 is om. AQS ‖ 15 et
om. AQSε ‖ 16 consumet S ‖ consuptum A ‖ 17 ut iam : utinam
CV ‖ sit : sinit CV (sit post ras. Cˣ) ‖ 19 et om. AQSε ‖ 20 et₁
om. AQSε ‖ 21 loquutus C ‖ 21-22 transierint (n₂ expunct.) S ‖
22 tubum : cribuum S ‖ 23 discendisse C

Fr. syr. 1. — 7, 19-22 sunt — transit : Brit. Mus. Add.
12157, f. 127ᵛ, col. 2, — Voir Introd., p. 109.

19 et om. ‖ 20 et₁ om. ‖ de hoc : per eum ‖ 21-22 transierit :
transiit

ἀκρατήτως καὶ ἀοράτως ἐντὸς Πληρώματος εἰσελθόντας,
684 νύμφας ἀποδοθήσεσθαι τοῖς περὶ τὸν Σωτῆρα ᾿Αγγέλοις.
Τὸν δὲ Δημιουργὸν μεταβῆναι καὶ αὐτὸν εἰς τὸν τῆς
Μητρὸς Σοφίας τόπον, τουτέστιν ἐν τῇ Μεσότητι, τάς τε
τῶν δικαίων ψυχὰς ἀναπαύσεσθαι καὶ αὐτὰς ἐν τῷ τῆς
688 Μεσότητος τόπῳ · μηδὲν γὰρ ψυχικὸν ἐντὸς Πληρώματος

gence, ils entreront de façon insaisissable et invisible
à l'intérieur du Plérôme, pour y être donnés[1] à titre
d'épouses aux Anges qui entourent le Sauveur. Le
Démiurge changera de lieu, lui aussi : il passera dans
celui de sa Mère Sagesse, c'est-à-dire dans l'Intermédiaire. Les âmes des « justes », elles aussi, auront leur
repos dans le lieu de l'Intermédiaire, car rien de
psychique n'ira à l'intérieur du Plérôme. Cela fait, le
feu qui est caché dans le monde jaillira, s'enflammera et,
détruisant toute la matière, sera consumé avec elle et
s'en ira au néant[2]. Le Démiurge, assurent-ils, n'a rien su
de tout cela avant la venue du Sauveur.

7, 2. Il en est qui disent que le Démiurge a émis
également un « Christ » en qualité de fils, mais un
Christ psychique comme lui ; c'est de ce Christ qu'il a
parlé par les prophètes ; c'est lui qui est passé à travers
Marie, comme de l'eau à travers un tube, et c'est sur lui
que, lors du baptême, est descendu sous forme de

χωρεῖν. Τούτων δὲ γενομένων οὕτως, τὸ ἐμφωλεῦον τῷ
κόσμῳ πῦρ ἐκλάμψαν καὶ ἐξαφθὲν καὶ κατεργασάμενον
πᾶσαν ὕλην συναναλωθήσεσθαι αὐτῇ καὶ εἰς τὸ μηκέτ᾽
692 εἶναι χωρήσειν διδάσκουσι. Τὸν δὲ Δημιουργὸν μηδὲν
τούτων ἐγνωκέναι ἀποφαίνονται πρὸ τῆς τοῦ Σωτῆρος
παρουσίας.

| 7, 2. | Εἰσὶ δὲ οἱ λέγοντες προβαλέσθαι αὐτὸν καὶ
696 Χριστὸν υἱὸν ἴδιον, ἀλλὰ καὶ ψυχικόν, ⟨καὶ⟩ περὶ τούτου
διὰ τῶν προφητῶν λελαληκέναι. Εἶναι δὲ τοῦτον τὸν διὰ
Μαρίας διοδεύσαντα, καθάπερ ὕδωρ διὰ σωλῆνος ὁδεύει,
καὶ εἰς τοῦτον ἐπὶ τοῦ βαπτίσματος κατελθεῖν ἐκεῖνον
700 τὸν ἀπὸ τοῦ Πληρώματος ἐκ πάντων Σωτῆρα ἐν εἴδει

[Fr. gr. 1] 687 ἀναπαύεσθαι M ‖ 690 ἐκλάμψαν (λαμψ sup. ras.)
V : ἐκάλυψεν M ‖ 696 ⟨καὶ⟩ Holl ‖ 700 ἐν om. V^{ac}

24 Pleromate ex omnibus Saluatorem in figura columbae[a]; [Hv
   fuisse autem in eo et illud quod est ab Achamoth
   semen spiritale. ★Dominum igitur nostrum ex quattuor
   his compositum fuisse | dicunt, seruantem typum primo- Hv 6
28 genitae et primae Quaternationis; de spiritali, quod erat
   ab Achamoth; et de animali, quod erat de Demiurgo;
   et de dispositione, quod erat factum inenarrabili arte;
   et de Saluatore, quod erat illa quae descendit in eum 4
32 columba. Et hunc quidem impassibilem perseuerasse
   — non enim possibile erat pati eum, cum esset incomprehensibilis et inuisibilis — et propter hoc ablatum
   esse, cum traheretur ad | Pilatum, illum qui depositus Hv 6
36 erat in eum Spiritus Christi. Sed ne id quidem quod a
   Matre erat semen passum esse dicunt : impassibile
   enim et illud, quippe spiritale et inuisibile etiam ipsi
   Demiurgo. Passus est autem secundum hos animalis 4

7, 28 quaternationis CV² : -ternionis V AQSε ‖ 30 in enarra-
bili S ‖ 35 traheretur *edd. praeter Gra.* : traderetur *codd.* ε *Gra.*
‖ pylatum V A ‖ 38 illum CV ‖ inuisibili C

Fr. arm. 2. — **7**, 26-44 dominum — dicunt, *Galata 54*, p. 1. —
Voir *Introd.*, p. 101.

26 igitur *om.* ‖ 27 compositum fuisse : factum ‖ seruantem *add.*
in se ‖ 27-28 primogenitae : primitiuae ‖ 29 et de : *lacuna* ‖
30 factum : κατεσκευασμένον ‖ 31 erat — eum : *lacuna* ‖ 32 quidem
om. ‖ 34 inuisibilis : impassibilis ‖ 34-35 ablatum esse *add.* prompte
‖ 35 traheretur : ducerent eum ‖ <depositus> ‖ 36 eum : eo ‖
christi : sanctus ‖ ne id quidem : neque id ‖ 37 erat : factum
erat ‖ 38 enim *add.* est ‖ 39 autem *add.* λοιπόν ‖ 39-40 secundum
— christus : is qui secundum eos animalis christus est

περιστερᾶς[a] · γεγονέναι δὲ ἐν αὐτῷ καὶ τὸ ἀπὸ τῆς Ἀχαμὼθ
σπέρμα πνευματικόν. Τὸν οὖν Κύριον ἡμῶν ἐκ τεσσάρων
τούτων σύνθετον γεγονέναι φάσκουσιν, [420] ἀποσῴζοντα
704 τὸν τύπον τῆς ἀρχεγόνου καὶ πρώτης Τετρακτύος, ἔκ τε

colombe ᵃ le Sauveur appartenant au Plérôme et issu
de tous les Éons ; en lui s'est encore trouvée la semence
pneumatique issue d'Achamoth. C'est ainsi que, à les en
croire, notre Seigneur a été composé de quatre
éléments, conservant ainsi la figure de la fondamentale
et primitive Tétrade : l'élément pneumatique, venant
d'Achamoth ; l'élément psychique, venant du Démiurge ;
l'élément de l'« économie », organisé avec un art inexprimable ; le Sauveur enfin, c'est-à-dire la colombe qui
descendit sur lui. Ce Sauveur est demeuré impassible :
il ne pouvait en effet souffrir, étant insaisissable et
invisible. C'est pourquoi, tandis que le Christ était
amené à Pilate, son Esprit, qui avait été déposé en lui,
lui fut enlevé¹. Il y a plus : même la semence provenant
de la Mère n'a pas souffert, disent-ils, car elle aussi
était impassible, en tant que pneumatique et invisible
au Démiurge lui-même². N'a donc souffert, en fin de

τοῦ πνευματικοῦ, ὃ ἦν ἀπὸ τῆς Ἀχαμώθ, καὶ ἐκ τοῦ
ψυχικοῦ, ὃ ἦν ἀπὸ τοῦ Δημιουργοῦ, καὶ ἐκ τῆς οἰκονομίας,
ὃ ἦν κατεσκευασμένον ἀρρήτῳ τέχνῃ, καὶ ἐκ τοῦ Σωτῆρος,
708 ὃ ἦν ⟨ἡ⟩ κατελθοῦσα εἰς αὐτὸν περιστερά. Καὶ τοῦτον
μὲν ἀπαθῆ διαμεμενηκέναι — οὐ γὰρ ἐνεδέχετο παθεῖν
αὐτόν, ἀκράτητον καὶ ἀόρατον ὑπάρχοντα —, καὶ διὰ
τοῦτο ἦρθαι, προσαγομένου αὐτοῦ τῷ Πιλάτῳ, τὸ εἰς
712 αὐτὸν κατατεθὲν Πεῦμα Χριστοῦ. Ἀλλ' οὐδὲ τὸ ἀπὸ τῆς
Μητρὸς σπέρμα πεπονθέναι λέγουσιν · ἀπαθὲς γὰρ
καὶ αὐτό, ἅτε πνευματικὸν καὶ ἀόρατον καὶ αὐτῷ τῷ
Δημιουργῷ. Ἔπαθεν δὲ λοιπὸν ὁ κατ' αὐτοὺς ψυχικὸς

[Fr. gr. 1] 703 ἀποσῴζοντα Holl : αὐτὸ σῴζοντα VM ‖ 708 ⟨ἡ⟩ Holl
‖ 711 τὸ : τὸν M ‖ 714 ἅτε nos, iuxta Holl in app. : τὸ VM ‖ 714-
715 αὐτῷ τῷ δημιουργῷ : τὸ τοῦ δημιουργοῦ M ‖ 715 κατ' αὐτοὺς ὁ
∾ V

7, 2. a. cf. Matth. 3, 16. Lc 3, 22

40 Christus et ille qui ex dispositione fabricatus in mysterio, [Hv
uti ostendat per eum Mater typum superioris Christi,
illius qui extensus est Cruci et formauit Achamoth
formationem secundum substantiam : omnia enim haec 8
44 exempla illorum esse dicunt.

7, 3. Eas uero quae habuerunt semen id quod est ab
Achamoth animas meliores dicunt fuisse quam reliquas :
quapropter et plus eas dilectas a Demiurgo, non sciente
48 causam, sed a semetipso putante esse tales. Quapropter 12
et in prophetas, aiunt, distri|buebat eas et sacerdotes Hv 6
et reges. Et multa de hoc semine dicta per prophetas
exponunt, quippe cum altioris naturae esset; multa
52 autem et Matrem de superioribus dixisse dicunt, sed et
per hunc, et per eas quae ab hoc factae sunt animae. 4
Ac deinceps diuidunt prophetias, aliquid quidem a

7, 41 ut AQSε ‖ ostendit S ‖ 46 meliores]+ esse ε ‖ 47 qui propter S ‖ scientes S ‖ 48 putante esse *edd. a Feu.* : putant esse CV
putantes se AQSε ‖ 49 eos V ‖ 50 per *om.* V ‖ 51 cum : eum Sε
‖ naturae esset : n. esse ε esse n. S ‖ 53 ab : per Qᵃᶜ ‖ facta S
‖ 54 prophetas S

[Fr. arm. 2] 40 fabricatus *add.* est ‖ in mysterio : μυστηριωδῶς ‖ 41 per eum : ei ‖ 42 cruci : in cruce ‖ 43 formationem secundum substantiam : eam formationem quae secundum substantiam
est ‖ 44 exempla : typi ‖ esse : sunt

716 Χριστὸς καὶ ὁ ἐκ τῆς οἰκονομίας κατεσκευασμένος μυστηριωδῶς, ἵν' ἐπιδείξῃ ⟨δι'⟩ αὐτοῦ ἡ Μήτηρ τὸν τύπον τοῦ
ἄνω Χριστοῦ, ἐκείνου τοῦ ἐπεκταθέντος τῷ Σταυρῷ καὶ
μορφώσαντος τὴν Ἀχαμὼθ μόρφωσιν τὴν κατ' οὐσίαν·
720 πάντα γὰρ ταῦτα τύπους ἐκείνων εἶναι λέγουσι.

| 7, 3. | Τὰς δὲ ἐσχηκυίας τὸ σπέρμα τῆς Ἀχαμὼθ
ψυχὰς ἀμείνους λέγουσι γεγονέναι τῶν λοιπῶν· διὸ καὶ

compte, que leur prétendu Christ psychique et celui
qui fut constitué par l'« économie » : ce double élément
a souffert « en mystère »[1], afin que, à travers lui, la
Mère manifestât la figure du Christ d'en haut, qui
s'étendit sur la Croix et qui forma Achamoth d'une
formation selon la substance. Car, disent-ils, toutes les
choses d'ici-bas sont les figures de celles de là-haut.

7, 3. Les âmes qui possédaient la semence venant
d'Achamoth étaient, disent-ils, meilleures que les
autres : c'est pourquoi le Démiurge les aimait davantage, ne sachant pas la raison de cette supériorité, mais
s'imaginant qu'elles étaient telles grâce à lui. Aussi les
mettait-il au rang des prophètes, des prêtres et des rois.
Et beaucoup de paroles, expliquent-ils, furent dites par
cette semence parlant par l'organe des prophètes, car
elle était d'une nature plus élevée. Mais la Mère elle aussi
en dit un grand nombre, prétendent-ils, concernant
les choses d'en haut, et même il en est beaucoup qui
vinrent par le Démiurge et par les âmes que fit celui-ci[2].
C'est ainsi qu'en fin de compte ils découpent les pro-

πλέον τῶν ἄλλων ἠγαπῆσθαι ὑπὸ τοῦ Δημιουργοῦ, μὴ
724 εἰδότος τὴν αἰτίαν, ἀλλὰ παρ' αὐτοῦ λογιζομένου εἶναι
τοιαύτας. Διὸ καὶ εἰς προφήτας, φασίν, ἔτασσεν αὐτὰς
καὶ ἱερεῖς καὶ βασιλεῖς. Καὶ πολλὰ ὑπὸ τοῦ σπέρματος
τούτου εἰρῆσθαι διὰ τῶν προφητῶν ἐξηγοῦνται, ἅτε
728 ὑψηλοτέρας φύσεως ὑπάρχοντος, πολλὰ δὲ καὶ τὴν
Μητέρα περὶ τῶν ἀνωτέρω εἰρηκέναι λέγουσιν, ἀλλὰ
καὶ διὰ τούτου καὶ τῶν ὑπὸ τούτου γενομένων ψυχῶν.
Καὶ λοιπὸν τέμνουσι τὰς προφητείας, τὸ μέν τι ἀπὸ τῆς

[Fr. gr. 1] 716 καὶ om. V^{ac} ‖ 717 <δι'> Holl ‖ 722 post ἀμείνους
add. εἶναι V ‖ 725 φησίν M ‖ ἔτασεν M ‖ 727 ἐξηγεῖσθαι V^{ac}
‖ 728 ὑπάρχοντας V^{ac} ὑπαρχούσας V^{pc} ‖ 730 ψυχῶν V^{pc} : χῶν
V^{ac}M

Matre dictum docentes, aliquid a semine, aliquid autem [Hv
56 ab ipso Demiurgo. Et Iesum tantumdem aliquid quidem
<a> Saluatore dixisse, aliquid a Matre, aliquid a 8
Demiurgo, quemadmodum ostendemus procedente nobis
sermone.

60 **7, 4.** Demiurgum autem, quippe ignorantem quae
essent super eum, moueri quidem in his quae dicuntur,
contempsisse uero ea, aliam atque aliam causam
putantem, quam spiritus qui prophetat, habens et ipse | 12
64 suam aliquam motionem, siue hominem, siue perplexio- Hv e
nem peiorum, et sic ignorantem conseruasse usque ad
aduentum Saluatoris. Cum uenisset autem Saluator,
didicisse eum ab eo omnia dicunt, et in gaudium ei 4
68 cessisse cum omni uirtute sua, et eum esse illum in
Euangelio centurionem, dicentem Saluatori : *Et ego
enim sub mea potestate habeo milites et seruos, et quod
iussero, faciunt*ᵃ. Perfecturum autem eum eam quae
72 secundum ipsum est mundi creationem, usque ad id 8

7, 55 docentes *codd.* : *forte leg. ex gr.* uolentes ‖ 56 quidem
om. S ‖ 57 <a> saluatore *Mass. in n.* : saluatorem *codd.* ε ‖
61 esset Qᵃᶜ ‖ 62 eam S ‖ 65 ignorantes Qᵃᶜ ‖ 68 cecsisse Cᵃᶜ
forte leg. ex gr. accessisse ‖ illum *om.* V (*rest. mg. post* eum V²)
‖ 70 potestate mea ∽ Qε *edd.* ‖ habe C ‖ 71 iussero : ▨ssam S
iussum S²ᵐᵍ ‖ 72 id *om.* V (*suppl. s.l.* V²)

_____

732 Μητρὸς εἰρῆσθαι θέλοντες, τὸ δέ τι ἀπὸ τοῦ σπέρματος, τὸ
δέ τι ἀπὸ τοῦ Δημιουργοῦ. 'Αλλὰ καὶ τὸν 'Ιησοῦν
ὡσαύτως τὸ μέν τι ἀπὸ τοῦ Σωτῆρος εἰρηκέναι, τὸ δέ τι
ἀπὸ τῆς Μητρός, τὸ δέ τι ἀπὸ τοῦ Δημιουργοῦ, καθὼς
736 ἐπιδείξομεν προϊόντος ἡμῖν τοῦ λόγου.

| **7, 4.** | Τὸν δὲ Δημιουργόν, ἅτε ἀγνοοῦντα τὰ ὑπὲρ
αὐτόν, κινεῖσθαι μὲν ἐπὶ τοῖς λεγομένοις, καταπεφρονη-
κέναι δὲ αὐτῶν, ἄλλοτε ἄλλην αἰτίαν νομίσαντα, [421]
740 ἢ τὸ πνεῦμα τὸ προφητεῦον, ἔχον καὶ αὐτὸ ἰδίαν τινὰ
κίνησιν, ἢ τὸν ἄνθρωπον, ἢ τὴν προσπλοκὴν τῶν χειρόνων,

phéties, affirmant qu'une partie d'entre elles émane
de la Mère, une autre, de la semence, une autre enfin,
du Démiurge. De même encore pour Jésus : certaines
paroles de lui viendraient du Sauveur, d'autres, de la
Mère, d'autres enfin, du Démiurge, comme nous le
montrerons dans la suite de notre exposé.

7, 4. Le Démiurge, qui ignorait les réalités situées
au-dessus de lui, était bien remué par les paroles en
question ; cependant il n'en fit aucun cas, leur attribuant tantôt une cause, tantôt une autre, soit[1] l'esprit
prophétique, qui a lui aussi son propre mouvement,
soit l'homme, soit un mélange d'éléments inférieurs.
Il demeura[2] dans cette ignorance jusqu'à la venue du
Sauveur. Lorsque vint le Sauveur, le Démiurge, disent-
ils, apprit de lui toutes choses et, tout joyeux, se rallia
à lui avec toute son armée. C'est lui le centurion de
l'Évangile qui déclare au Sauveur : « Et moi aussi, j'ai
sous mon pouvoir des soldats et des serviteurs ; et tout
ce que je commande, ils le font[a]. » Il accomplira l'« économie » qui concerne le monde[3], jusqu'au temps requis,

καὶ οὕτως ἀγνοοῦντα διατετελεκέναι ἄχρι τῆς παρουσίας
τοῦ Σωτῆρος. Ἐλθόντος δὲ τοῦ Σωτῆρος, μαθεῖν αὐτὸν
744 παρ' αὐτοῦ πάντα λέγουσιν καὶ ἄσμενον αὐτῷ προσχω-
ρῆσαι μετὰ πάσης τῆς δυνάμεως αὐτοῦ, καὶ αὐτὸν εἶναι
τὸν ἐν τῷ Εὐαγγελίῳ ἑκατόνταρχον, λέγοντα τῷ Σωτῆρι ·
« Καὶ γὰρ ἐγὼ ὑπὸ τὴν ἐμαυτοῦ ἐξουσίαν ἔχω στρατιώτας
748 καὶ δούλους, καὶ ὃ ἐὰν προστάξω, ποιοῦσι[a]. » Τελέσειν
δὲ αὐτὸν τὴν κατὰ τὸν κόσμον οἰκονομίαν μέχρι τοῦ

[Fr. gr. 1] 736 ἐπιδείξομεν : ἐπιδείξωμεν ἔτι M ‖ 741 χειρόνων Holl :
χειρῶν VM ‖ 743 σωτῆρος₁ Holl : κυρίου Vᵖᶜ om. VᵃᶜM ‖ ἐλθόντος δὲ τοῦ om. VᵃᶜM ‖ 744 καὶ om. VᵃᶜM ‖ 744-745 προσ-
χωρῆσαι Holl : προσχωρήσαντα VM ‖ 749 αὐτῶν Vᵃᶜ

7, 4. a. Matth. 8, 9. Lc 7, 8

tempus quod oportet, maxime autem propter Ecclesiae [Hv 6
diligentiam atque curam, et propter agnitionem praepa-
rati praemii, quoniam in locum Matris transibit.

76   **7,** 5. Hominum autem tria genera dicunt, spiritalem, 12
psychicum, choicum, quemadmodum fuit Cain, Abel,
Seth, ut | ostendant et ex his tres naturas, iam non secun- Hv 65
dum unumquemque, sed secundum genus. Et choicum
80 quidem in corruptelam abire; animale uero, si meliora
elegerit, in loco Medietatis refrigeraturum, si uero peiora, 4
transire et ipsum ad similia; spiritalia uero inseminat
Achamoth ex illo tempore usque nunc, propter quod et
84 animae erudientur quidem hic : et semina enutrita,
quoniam pusilla emittantur, post deinde perfectione
digna habita, sponsas reddi Saluatoris Angelis respon- 8
dent, animabus eorum ex necessitate in Medietate cum
88 Demiurgo | refrigeraturis in aeternum. Et ipsas autem Hv 66

7, 76-77 hominum — cain *om.* S ǁ 77 phisicum (phy- Q) AQ
ǁ choycum Q ǁ chaym Q   chain ε ǁ 78 et *om.* S ǁ ex *om.*
Q ǁ his :
illis S ǁ 79 choicum : coytum S ǁ 80 abire : habere S ǁ animale
Mass. ex gr. : -lem *codd.* ε *Feu. Gra.* ǁ si meliora : similiora S ǁ
81-82 elegerit — similia *om.* QS ǁ 83 achamot V ǁ ex : in C^{s1}V ǁ
84 semine nutrita CV ǁ 85 quoniam *codd.* : quia ε *edd.* ǁ pusille
mittantur CV ǁ perfectionem ε ǁ 86 digna *edd. ex gr.* : digne *codd.* ε ǁ
sponsas]+ saluatoris *cancell.* V ǁ 88 et *om.* S^b

δέοντος καιροῦ, μάλιστα δὲ διὰ τὴν τῆς Ἐκκλησίας
ἐπιμέλειαν καὶ διὰ τὴν ἐπίγνωσιν τοῦ ἑτοιμασθέντος αὐτῷ
752 ἐπάθλου, ὅτι εἰς τὸν τῆς Μητρὸς τόπον χωρήσει.

   | **7,** 5. | Ἀνθρώπων δὲ τρία γένη ὑφίστανται, πνευμα-
τικόν, ψυχικόν, χοϊκόν, καθὼς ἐγένοντο Κάϊν, Ἄβελ,
Σήθ, καὶ ἐκ τούτων τὰς τρεῖς φύσεις, οὐκέτι καθ' ἕνα,
756 ἀλλὰ κατὰ γένος. Καὶ τὸ μὲν χοϊκὸν εἰς φθορὰν χωρεῖν ·
καὶ τὸ ψυχικόν, ἐὰν τὰ βελτίονα ἕληται, ἐν τῷ τῆς
Μεσότητος τόπῳ ἀναπαύσεσθαι, ἐὰν δὲ τὰ χείρω, χωρήσειν

à cause surtout de l'Église dont il a la charge, mais aussi
à cause de la connaissance qu'il a de la récompense qui
lui est préparée, à savoir son futur transfert dans le
lieu de la Mère.

7, 5. Ils posent comme fondement trois races d'hommes : pneumatique, psychique et choïque[1], selon ce que
furent Caïn, Abel et Seth : car, à partir de ces derniers,
ils veulent établir l'existence des trois natures, non plus
dans un seul individu, mais dans l'ensemble de la race
humaine. L'élément choïque ira à la corruption.
L'élément psychique, s'il choisit le meilleur, aura son
repos dans le lieu de l'Intermédiaire ; mais, s'il choisit le
pire, il ira retrouver, lui aussi, ce à quoi il se sera rendu
semblable. Quant aux éléments pneumatiques que
sème Achamoth depuis l'origine jusqu'à maintenant
dans des âmes « justes », après avoir été instruits et
nourris ici-bas[2] — car c'est tout petits qu'ils sont
envoyés — et après avoir été ensuite jugés dignes de
la « perfection », ils seront donnés à titre d'épouses,
affirment-ils, aux Anges du Sauveur, cependant que
leurs âmes iront de toute nécessité, dans l'Intermédiaire,
prendre leur repos avec le Démiurge, éternellement.

καὶ αὐτὸ πρὸς τὰ ὅμοια · τὰ δὲ πνευματικά, ἃ ἐγκατα-
760 σπείρει ἡ Ἀχαμὼθ ἔκτοτε ἕως τοῦ νῦν δικαίαις ψυχαῖς,
παιδευθέντα ἐνθάδε καὶ ἐκτραφέντα, διὰ τὸ νήπια
ἐκπέμπεσθαι, ὕστερον τελειότητος ἀξιωθέντα, νύμφας
ἀποδοθήσεσθαι τοῖς τοῦ Σωτῆρος Ἀγγέλοις δογματίζουσι,
764 τῶν ψυχῶν αὐτῶν κατ' ἀνάγκην ἐν Μεσότητι μετὰ τοῦ
Δημιουργοῦ ἀναπαυσομένων εἰς τὸ παντελές. Καὶ αὐτὰς

[Fr. gr. 1] 751 καὶ : ἀλλὰ καὶ V ‖ 755 ἓν V^pc ‖ 757 τὰ : τε M ‖ 758
ἀναπαύεσθαι V^pc ‖ 759-760 ἃ ἐγκατασπείρει Holl : ἃ ἂν κατα-
σπείρῃ (ἃ ἂν sup. ras.) V ἐγκατασπείρει M ‖ 761 τραφέντα M
‖ 762 ἐκπεπέμφθαι V ‖ 765 ἀναπαυσομένων nos : ἀναπαυσαμέ-
νων VM

animas rursus subdiuidentes, dicunt quasdam quidem [Hv 6
natura bonas, quasdam autem natura malas : et bonas
quidem has esse quae capaces seminis fiunt, alias uero 4
92 natura nequam numquam capere illud semen.

8, 1. Cum sit igitur tale illorum argumentum, quod
neque prophetae praedicauerunt, neque Dominus docuit,
neque apostoli tradiderunt, quod abundantius gloriantur
4 plus quam ceteri cognouisse, de eis quae non sunt scripta 8
legentes et, quod solet dici, de harena resticulas nectere
adfectantes, fide digne aptare conantur his quae dicta
sunt, uel parabolas dominicas, uel dic|tiones propheticas, Hv 67
8 aut sermones apostolicos, uti figmentum illorum non
sine teste esse uideatur, ordinem quidem et textum
Scripturarum supergredientes et quantum in ipsis est
soluentes membra ueritatis. Transferunt autem et 4
12 transfingunt, et alterum ex altero facientes, seducunt

7, 90 bonas CVSªSᵇ : malas AQε («bonas *legendum arbitror* ›
εᵐᵍ) ‖ 92 nequam numquam Sᵇ *cett.* : nequaquam Sª
  8, 3 quod CVε : quid ASªSᵇ quia Q ‖ abundantius ε : ha-
codd. ‖ 4 cogn. ceteri ∾ V ‖ 5 dicere Cªᶜ ‖ harena SªSᵇ *cett.* : *sscr.*
aranea Sª *2*ª *m. ut uid.* ‖ 6 digna AQSªSᵇε ‖ 7 uel₁ *om.* Sᵇ ‖ 8 ut
AQSªSᵇε ‖ 9 uideantur (n *expunct.* A) AQ ‖ textum : ceycum Sª ‖
10 supergredientes ε *Feu.* ‖ 12 transfigunt ε ‖ et — seducunt *iter.* Q

δὲ τὰς ψυχὰς πάλιν ὑπομερίζοντες λέγουσιν ἃς μὲν φύσει
ἀγαθάς, ἃς δὲ φύσει πονηράς · καὶ τὰς μὲν ἀγαθὰς ταύτας
768 εἶναι τὰς δεκτικὰς τοῦ σπέρματος γινομένας, τὰς δὲ
φύσει πονηρὰς μηδέποτε ἂν ἐπιδέξασθαι ἐκεῖνο τὸ σπέρμα.

| 8, 1. | [422] Τοιαύτης δὲ τῆς ὑποθέσεως αὐτῶν οὔσης,
ἣν οὔτε προφῆται ἐκήρυξαν οὔτε ὁ Κύριος ἐδίδαξεν οὔτε
772 ἀπόστολοι παρέδωκαν, ἣν περισσοτέρως αὐχοῦσιν πλεῖον
τῶν ἄλλων ἐγνωκέναι, ἐξ ἀγράφων ἀναγινώσκοντες καὶ
τὸ δὴ λεγόμενον ἐξ ἄμμου σχοινία πλέκειν ἐπιτηδεύοντες,
ἀξιοπίστως προσαρμόζειν πειρῶνται τοῖς εἰρημένοις ἤτοι

Les âmes elles-mêmes, disent-ils, se subdivisent en deux
catégories : celles qui sont bonnes par nature et celles
qui sont mauvaises par nature. Les âmes bonnes sont
celles qui ont une capacité réceptive par rapport à la
semence ; au contraire, celles qui sont mauvaises par
nature ne peuvent en aucune façon recevoir cette
semence.

Exégèses gnostiques.

8, 1. Telle est leur doctrine, que ni les prophètes
n'ont prêchée, ni le Seigneur n'a enseignée, ni les
apôtres n'ont transmise, et dont ils se vantent d'avoir
reçu la connaissance plus excellemment que tous les
autres hommes. Tout en alléguant des textes étrangers
aux Écritures[1] et tout en s'employant, comme on dit,
à tresser des cordes avec du sable, ils ne s'en efforcent
pas moins d'accommoder à leurs dires, d'une manière
plausible[2], tantôt des paraboles du Seigneur, tantôt
des oracles de prophètes, tantôt des paroles d'apôtres,
afin que leur fiction ne paraisse pas dépourvue de
témoignage. Ils bouleversent l'ordonnance et l'enchaî-
nement des Écritures et, autant qu'il dépend d'eux,
ils disloquent les membres de la vérité. Ils transfèrent
et transforment, et, en faisant une chose d'une autre,

---

776 παραβολὰς κυριακὰς ἢ ῥήσεις προφητικὰς ἢ λόγους
ἀποστολικούς, ἵνα τὸ πλάσμα αὐτῶν μὴ ἀμάρτυρον
εἶναι δοκῇ, τὴν μὲν τάξιν καὶ τὸν εἱρμὸν τῶν γραφῶν
ὑπερβαίνοντες καὶ ὅσον ἐφ' ἑαυτοῖς λύοντες τὰ μέλη
780 τῆς ἀληθείας. Μεταφέρουσι δὲ καὶ μεταπλάττουσι καὶ

[Fr. gr. 1] 766 δὲ nos : μὲν VM ‖ 770 τοιαύτης : incipit fragm.
Ephrem ; cf. *Introd.* p. 78 ‖ 772 περισσοτέρως Holl : περὶ τῶν
ὅλων VM Ephr. ‖ 774 σχοινίον Ephr. ‖ 775 ἀξιόπιστα Ephr.
‖ 779 ὅσον : οἷον M

multos ex his quae aptant ex dominicis eloquiis male [Hv
composito phantasmati. *Quomodo si quis regis imaginem bonam fabricatam diligenter ex gemmis pretiosis
16 a sapiente artifice, soluens subiacentem hominis figuram 8
transferat gemmas illas, et reformans faciat ex his
formam canis uel uulpiculae, et hanc male dispositam,
dehinc confirmet et dicat hanc esse regis illam imaginem
20 bonam quam sapiens | artifex fabricauit, ostendens Hv 6
gemmas quae bene quidem a primo artifice in regis
imaginem compositae erant, male uero a posteriore in
canis figuram translatae sunt, et per gemmarum phan-
24 tasiam decipiat idiotas qui comprehensionem regalis 4
formae non habeant et suadeat quoniam haec turpis

8, 13 ex₂ *forte seclud. ex gr.* ‖ dominis A ‖ malo Sᵇ ‖ 14-15 *forte
leg. ex gr.* imagine bona fabricata ‖ 18 uulpiculae C Q : -pe- C²VA
SᵃSᵇε ‖ 19 conformet AQSᵃSᵇε ‖ et dicat : dedicat Q ‖ 21 bonae C
‖ quidem a primo : primo quidem V ‖ 22 imaginem V : -nae C   -ne
AQSᵃSᵇε ‖ composita A ‖ malae C ‖ 23 figura Sᵃ ‖ et *om.* Sᵇ ‖ 24
decipiat *edd.* : -ant *codd.* ε ‖ 25 habebant Sᵃ ‖ suadeant AQSᵃSᵇε

Fr. syr. 2. — 8, 14-29 quomodo — dei : *Brit. Mus. Add.
12157,* f. 199ʳ, col. 1-2. — Voir *Introd.,* p. 109

14 quis : quis enim ‖ 15 bonam *om.* ‖ gemmis pretiosis : lapillis
pulchris ‖ 16 sapiente : perito ‖ 17 gemmas : lapillos ‖ 17 reformans :
aliter disponat atque ‖ 18 uulpiculae : uulpis ‖ dispositam : fabricatam ‖ 20 bonam : pulchram ‖ fabricauit : fabricauerat ‖ 21
gemmas : lapillos ‖ 23 figuram : formam ‖ gemmarum : lapillorum
‖ 24 decipiat : uestiget ‖ idiotas : ineruditos ‖ 25 et : et illis

ἄλλο ἐξ ἄλλου ποιοῦντες ἐξαπατῶσι πολλοὺς τῇ τῶν
ἐφαρμοζομένων κυριακῶν λογίων κακοσυνθέτῳ φαντασίᾳ.
Ὅνπερ τρόπον εἴ τις, βασιλέως εἰκόνος καλῆς κατεσκευασ-
784 μένης ἐπιμελῶς ἐκ ψηφίδων ἐπισήμων ὑπὸ σοφοῦ τεχνίτου,

ils séduisent nombre d'hommes par le fantôme inconsis-
tant qui résulte des paroles du Seigneur ainsi accom-
modées. Il en est comme de l'authentique portrait d'un
roi qu'aurait réalisé avec grand soin un habile artiste
au moyen d'une riche mosaïque. Pour effacer les traits
de l'homme, quelqu'un bouleverse alors l'agencement
des pierres, de façon à faire apparaître l'image, mala-
droitement dessinée, d'un chien ou d'un renard. Puis
il déclare péremptoirement que c'est là l'authentique
portrait du roi effectué par l'habile artiste. Il montre
les pierres — celles-là mêmes que le premier artiste
avait adroitement disposées pour dessiner les traits
du roi, mais que le second vient de transformer vilaine-
ment en l'image d'un chien —, et, par l'éclat de ces
pierres, il parvient à tromper les simples, c'est-à-dire
ceux qui ignorent les traits du roi, et à les persuader
que cette détestable image de renard est l'authentique

λύσας τὴν ὑποκειμένην τοῦ ἀνθρώπου ἰδέαν, μετενέγκοι
τὰς ψηφῖδας ἐκείνας καὶ μεθαρμόσοι καὶ ποιήσοι μορφὴν
κυνὸς ἢ ἀλώπεκος καὶ ταύτην φαύλως κατεσκευασμένην,
788 ἔπειτα διορίζοιτο καὶ λέγοι ταύτην εἶναι τὴν τοῦ βασιλέως
ἐκείνην εἰκόνα τὴν καλήν, ἣν ὁ σοφὸς τεχνίτης κατε-
σκεύασεν, δεικνὺς τὰς ψηφῖδας τὰς καλῶς ὑπὸ τοῦ τεχνίτου
τοῦ πρώτου εἰς τὴν τοῦ βασιλέως εἰκόνα συντεθείσας,
792 κακῶς δὲ ὑπὸ τοῦ ὑστέρου εἰς κυνὸς μορφὴν μετενεχθείσας,
καὶ διὰ τῆς τῶν ψηφίδων φαντασίας μεθοδεύοι τοὺς
ἀπειροτέρους τοὺς κατάληψιν βασιλικῆς μορφῆς οὐκ
ἔχοντας καὶ πείθοι ὅτι αὕτη ἡ σαπρὰ τῆς ἀλώπεκος ἰδέα

[Fr. gr. 1] 782 κακοσυνθέτων M ‖ φαντασίᾳ : σοφίᾳ Vᵖᶜ ‖ 783-784
εἰκόνα καλὴν κατεσκευασμένην Ephr. ‖ 786 καὶ ποιήσοι : ποιήσας
Ephr. ‖ 787 ταύτης ... κατεσκευασμένης Ephr. ‖ 788 τοῦ om.
M ‖ 789 εἰκόνα ἐκείνην ∾ Ephr. ‖ 790 καλὰς Ephr. ‖ 791 συν-
τελεσθείσας Ephr. ‖ 792 ὑστέρου : δευτέρου Ephr. ‖ 794
μορφῆς βασιλικῆς ∾ Ephr. ‖ 795 αὐτὴ M

uulpiculae figura illa est bona regis imago : eodem modo [Hv
et hi anicularum fabulas[a] adsuentes, post deinde sermones
28 et dictiones et parabolas hinc inde auferentes, adaptare 8
uolunt fabulis suis eloquia Dei. Et quanta quidem his
quae sunt intra Pleroma aptant, diximus.

8, 2. Quanta autem de his, quae extra Pleroma sunt
32 ipsorum ad suos insinuare conantur ex Scripturis, sunt 12
talia. Dominum in nouissimis mundi temporibus[a]
propter hoc uenisse ad passionem dicunt, ut ostendat
quae circa nouissimum Aeonum facta est passionem,
36 et per hunc finem manifestet finem eius quae est circa
Aeonas dispositionis. Duodecim autem annorum uirgi- 16
nem illam archisynagogi filiam, quam insistens Dominus
a mortuis | eliberauit[b], typum esse narrant Achamoth, Hv

8, 26 uulpiculae CQ : -pe- C²V Aε -pecula SᵃSᵇ || 27 hi ani-
cularum : iaculorum Q ianicularum Qᵖᶜ ihanicularum Sᵃ || adsu-
entes CV : assumentes AQSᵃSᵇε *Feu. Gra.* || 27-28 post — aufe-
rentes *om.* Q || 28 afferentes SᵃSᵇε || adaptare : ut aptare AQε ||
29 uolunt *om.* V (*suppl.* V²) || 30 quae *nos ex gr. (Mass. in n.,
Hv in hamulis)* : qui *codd.* ε *edd.* || 31 de *forte seclud. ex gr.* || quae
nos (iisdem auct. ac praeced.) : qui *codd.* ε *edd.* || 32 suas C ||
34 ostendant AQS || 35 aeonum *edd. ex gr.* : aeonem CV AQSε
|| 38 archisynagogi V A : -chysy- C -chisi- QS || 39 eliberauit
C *(2Ls66)* : liberauit *cett. & edd. nonne ex gr. leg.* excitauit?
|| typum]+ autem CV || narrant esse ∽ CV

[Fr. syr. 2] 26 uulpiculae figura : uulpis forma || bona : pulchra ||
27 sermones : sententias || 28 auferentes : excerpentes

796 ἐκείνη ἐστὶν ἡ καλὴ τοῦ βασιλέως εἰκών · τὸν αὐτὸν δὴ
τρόπον καὶ οὗτοι γραῶν μύθους[a] συγκαττύσαντες, ἔπειτα
ῥήματα καὶ λέξεις καὶ παραβολὰς ὅθεν καὶ ποθὲν ἀπο-
σπῶντες, ἐφαρμόζειν βούλονται τοῖς μύθοις αὐτῶν τὰ
800 λόγια τοῦ Θεοῦ. Καὶ ὅσα μὲν ⟨τοῖς⟩ ἐντὸς τοῦ Πληρώματος
ἐφαρμόζουσιν, εἰρήκαμεν.

portrait du roi. C'est exactement de la même façon que
ces gens-là, après avoir cousu ensemble des contes de
vieilles femmes[a], arrachent ensuite de-ci de-là des
textes, des sentences, des paraboles, et prétendent
accommoder à leurs fables les paroles de Dieu. Nous
avons relevé déjà les passages scripturaires qu'ils
accommodent aux événements survenus dans le Plérôme.

8, 2. Voici maintenant les textes qu'ils tentent
d'appliquer[1] aux événements survenus hors du Plérôme.
Le Seigneur, disent-ils, vint à sa Passion dans les
derniers temps du monde[a] pour montrer la passion
survenue dans le dernier des Éons et pour faire
connaître, par sa fin à lui, quelle fut la fin de la production des Éons[2]. La fillette de douze ans, fille du
chef de la synagogue, que le Seigneur, debout près
d'elle, éveilla d'entre les morts[b], était, expliquent-ils,

| **8, 2.** | Ὅσα δὲ καὶ τοῖς ἐκτὸς τοῦ Πληρώματος αὐτῶν
προσοικειοῦν πειρῶνται ἐκ τῶν γραφῶν, ἔστιν τοιαῦτα.
804　Τὸν Κύριον ἐν τοῖς ἐσχάτοις τοῦ κόσμου χρόνοις[a] [423]
διὰ τοῦτο ἐληλυθέναι ἐπὶ τὸ πάθος λέγουσιν, ἵν' ἐπιδείξῃ
τὸ περὶ τὸν ἔσχατον τῶν Αἰώνων γεγονὸς πάθος καὶ
δι' αὐτοῦ τοῦ τέλους ἐμφήνῃ τὸ τέλος τῆς περὶ τοὺς
808　Αἰῶνας πραγματείας. Τὴν δὲ δωδεκαετῆ παρθένον ἐκείνην,
τὴν τοῦ ἀρχισυναγώγου θυγατέρα, ἣν ἐπιστὰς ὁ Κύριος
ἐκ νεκρῶν ἤγειρεν[b], τύπον εἶναι διηγοῦνται τῆς Ἀχαμώθ,

[Fr. gr. 1] 796 ἐστὶν ἐκείνη ⁓ Ephr. ‖ 797 συγκαττύουσι Ephr. ‖
797-798 ἔπειτα — παραβολάς : διά τε ῥημάτων καὶ λέξεων
καὶ παραβολῶν Ephr. ‖ 799 μεθαρμόζειν Ephr. ‖ ἑαυτῶν Ephr.
‖ 800 θεοῦ : desinit fragm. Ephr. ‖ <τοῖς> Holl ‖ ἐντὸς : ἐν
τοῖς V ‖ 804 κύριον : χριστὸν M ‖ 806 αἰώνων : ἀγώνων M ‖
808 δὲ om. M

8, 1. a. cf. I Tim. 4, 7
8, 2. a. cf. I Pierre 1, 20 ‖ b. cf. Lc 8, 41-42

40 quam extensus Christus eorum figurauit et ad sensibili- [Hv ᴇ
    tatem adduxit eius quod dereliquerat eam luminis.
    Quoniam autem ei manifestauit semetipsum Saluator
    exsistenti extra Pleroma in abortionis parte, Paulum 4
44 dicunt dixisse in prima ad Corinthios epistola : *Nouissime*
    *autem tamquam abortiuo uisus est et mihi*ᶜ. Et illam
    quae est cum coaetaneis Saluatoris aduentatio ad
    Achamoth, similiter manifestasse eum in eadem epistola 8
48 dicentem : *Oportere mulierem uelamen habere in capite*
    *propter Angelos*ᵈ. Et quoniam | aduentante Saluatore Hv 7(
    ad eam, propter uerecundiam uelamen imposuit Acha-
    moth in faciem suam ᵉ. Et passiones autem, quas passa
52 est, significasse Dominum dicunt : in hoc quidem, quod
    [derelicta est a lumine in eo cum] dicit in cruce : *Deus* 4
    meus, Deus meus, ut quid me dereliquisti ᶠ? manifestasse
    eum quoniam derelicta est a lumine Sophia et prohibita

8, 40 quem S ‖ 41 derelinquerat S *(2Ls43)* ‖ 42 autem ei : et S
‖ semetipsum ε *edd.* : -sam *codd.* ‖ 42 saluatorem AQε   -re S ‖ 42-
43 exsistenti saluator ∾ V ‖ parte *edd. in n. ex gr.* : partu *codd.* ε
edd. in tx. ‖ paulum]+ autem AQSε ‖ 44 chorintios A   chorin-
thios C ‖ nouissime *edd.* : -mo *codd.* ε ‖ 45 tamquam *om.* S ‖
illa AQSε ‖ 46 aduentatio *codd.* ε : -nem *edd.* ‖ 47 manifestasse :
-tum esse S ‖ eum : cum AQ   *om.* S ‖ 48 dicente AQSε ‖ 49 et *om.*
S ‖ adueniente S ‖ 51 autem *om.* S ‖ 53 derelicta — cum *seclusi-*
mus ex gr. pp. ditt. ex infra 55 ‖ in eo *om.* Q (*suppl. s.l.* Q¹) ‖ 54
deus *iter.* C ‖ derelinquisti S ‖ 55 esset AQSε

    ἦν ἐπεκταθεὶς ὁ Χριστὸς αὐτῶν ἐμόρφωσεν καὶ εἰς αἴσθησιν
812 ἤγαγε τοῦ καταλιπόντος αὐτὴν φωτός. Ὅτι δὲ αὐτῇ
    ἐπέφανεν ὁ Σωτήρ, ἐκτὸς οὔσῃ τοῦ Πληρώματος ἐν
    ἐκτρώματος μοίρᾳ, τὸν Παῦλον λέγουσιν εἰρηκέναι ἐν τῇ
    πρώτῃ πρὸς Κορινθίους · « Ἔσχατον δὲ πάντων ὡσπερεὶ
816 τῷ ἐκτρώματι ὤφθη κἀμοίᶜ. » Τήν τε μετὰ τῶν ἡλικιωτῶν
    τοῦ Σωτῆρος παρουσίαν πρὸς τὴν Ἀχαμὼθ ὁμοίως
    πεφανερωκέναι αὐτὸν ἐν τῇ αὐτῇ ἐπιστολῇ εἰπόντα ·
    « Δεῖ τὴν γυναῖκα κάλυμμα ἔχειν ἐπὶ τῆς κεφαλῆς διὰ

la figure d'Achamoth, que leur Christ, étendu au-dessus
d'elle, forma et amena à la conscience de la Lumière
qui l'avait abandonnée. Que le Sauveur soit apparu
à Achamoth tandis qu'elle était hors du Plérôme et
encore à l'état d'avorton, Paul, disent-ils, l'affirme
dans sa première épître aux Corinthiens par ces mots :
« En tout dernier lieu, il s'est montré à moi aussi,
comme à l'avorton[c]. » Cette venue vers Achamoth du
Sauveur escorté de ses compagnons d'âge est pareillement révélée par Paul dans cette même épître, lorsqu'il
dit que « la femme doit avoir un voile sur la tête à cause
des Anges[d] ». Et que, au moment où le Sauveur venait
vers elle, Achamoth se soit couverte d'un voile par
révérence, Moïse l'a fait connaître en se couvrant la
face d'un voile[e][1]. Quant aux passions subies par
Achamoth, le Seigneur, assurent-ils, les a manifestées.
Ainsi, en disant sur la croix[2] : « Mon Dieu, mon Dieu,
pourquoi m'as-tu abandonné?[f] », il a fait connaître
que Sagesse avait été abandonnée par la lumière et

820 τοὺς Ἀγγέλους[d]. » Καὶ ὅτι ἥκοντος τοῦ Σωτῆρος πρὸς
αὐτὴν δι' αἰδῶ κάλυμμα ἐπέθετο ἡ Ἀχαμώθ, Μωσέα
πεποιηκέναι φανερόν, κάλυμμα θέμενον ἐπὶ τὸ πρόσωπον
αὐτοῦ[e]. Καὶ τὰ πάθη δὲ αὐτῆς ἃ ἔπαθεν ἐπισεσημειῶσθαι
824 τὸν Κύριον φάσκουσιν, καὶ ἐν μὲν τῷ εἰπεῖν ἐν τῷ σταυρῷ ·
« Ὁ Θεός μου, ⟨ὁ Θεός μου⟩, εἰς τί ἐγκατέλιπές με[f] ; »
μεμηνυκέναι αὐτὸν ὅτι ἀπελείφθη ἀπὸ τοῦ φωτὸς ἡ Σοφία

[Fr. gr. 1] 811 ἐπεκτανθεὶς M ‖ αὐτῶν : αὐτὸν V^{pc} om. V^{ac} ‖ 815
ὡσπερεὶ : ὡς περὶ M ‖ 820 ἥκοντος : ἧκον τοὺς M ‖ 824 καὶ
— σταυρῷ Holl : ἐν τῷ σταυρῷ καὶ ἐν μὲν τῷ εἰπεῖν VM ‖
825 ⟨ὁ θεός μου⟩ nos

8, 2. c. I. Cor. 15, 8 ‖ d. I Cor. 11, 10 ‖ e. cf. Ex. 34, 33-35. II
Cor. 3, 13 ‖ f. Matth. 27, 46. Ps. 21, 2

56 est ab Horo in priora impetum facere; taedium autem [Hv
eius, in eo quod dixisset : *Quam tristis est anima mea* [g] *!* 8
timorem autem, in eo quod dixerit : *Pater, si possibile
est, transeat a me calix* [h]*;* et aporiam autem, id est cons-
60 ternationem, similiter in eo quod dixerit : *Et quid dicam
nescio* [i]*.*

8, 3. Tria autem genera hominum <sic> ostendisse
docent eum : hylicum quidem in eo quod responderit 12
64 dicenti : *Sequar te:* | *Non habet Filius hominis ubi caput* Hv 7
reclinet [a]*;* animale autem in eo quod dixerit dicenti :
*Sequar te, permitte autem mihi ire et renuntiare domes-
ticis: Nemo super aratrum manum imponens et in poste-
68 riora respiciens aptus est regno caelorum* [b]*:* hunc enim 4
dicunt de mediis esse, et illum autem similiter qui multas
partes iustitiae confitebatur se fecisse, post deinde

8, 56 oro C ‖ 58 eum V ‖ dixit V ‖ posibile C ‖ 59 calix]+
iste Sε ‖ autem *om.* S ‖ 60 in eo *om.* Q ‖ 62 <sic> *coni. Gra. in
n. ex gr.* : *om. codd.* ε *edd.* ‖ 63 docent : dicunt S ‖ hylicum (?)
Q[ac]   hylychum S ‖ 65 animale *edd.* : -les *codd.* ε ‖ 66 mihi autem
∞ V ‖ ire *om.* S ‖ 67 manum AQε : manus CV   *om.* S ‖ 67-68 resp.
in post. ∞ S ‖ 68 nunc Q ‖ enim *nos ex gr.* : autem *codd.* ε *edd.* ‖ 69
autem *om.* S

καὶ ἐκωλύθη ὑπὸ τοῦ Ὅρου τῆς εἰς τοὔμπροσθεν ὁρμῆς,
828 τὴν δὲ λύπην αὐτῆς ἐν τῷ εἰπεῖν · « Περίλυπός ἐστιν ἡ
ψυχή μου [g] », τὸν δὲ φόβον ἐν τῷ εἰπεῖν · « Πάτερ, εἰ
δυνατόν, παρελθέτω ἀπ' ἐμοῦ τὸ ποτήριον [h] », καὶ τὴν
ἀπορίαν δὲ ὡσαύτως ἐν τῷ εἰρηκέναι · « Καὶ τί εἴπω
832 οὐκ οἶδα [i]. »

| **8, 3.** | Τρία δὲ γένη ἀνθρώπων οὕτως δεδειχέναι
διδάσκουσιν αὐτόν · τὸ μὲν ὑλικὸν ἐν τῷ ἀποκριθῆναι τῷ
λέγοντι · « Ἀκολουθήσω σοι » « Οὐκ ἔχει ὁ Υἱὸς τοῦ
836 ἀνθρώπου ποῦ τὴν κεφαλὴν κλίνῃ [a] » · τὸ δὲ ψυχικὸν
ἐν τῷ εἰρηκέναι [424] τῷ εἰπόντι · « Ἀκολουθήσω σοι,

arrêtée par Limite dans son élan vers l'avant ; il a fait connaître la tristesse de cette même Sagesse, en disant : « Mon âme est accablée de tristesse[g] »[1] ; sa crainte, en disant : « Père, si c'est possible, que la coupe passe loin de moi ![h] » ; son angoisse, de même, en disant : « Que dirai-je ? Je ne le sais[i] ».

8, 3. Le Seigneur, enseignent-ils, a fait connaître trois races d'hommes de la manière suivante. Il a indiqué la race hylique, lorsque, à celui qui lui disait : « Je te suivrai », il répondait : « Le Fils de l'homme n'a pas où reposer sa tête[a]. » Il a désigné la race psychique, lorsque, à celui qui lui disait : « Je te suivrai, mais permets-moi d'aller d'abord faire mes adieux à ceux de ma maison », il répondait : « Quiconque, ayant mis la main à la charrue, regarde en arrière n'est pas propre au royaume des cieux[b]. » Cet homme, prétendent-ils, était de l'Intermédiaire. De même celui qui confessait avoir accompli les multiples devoirs de la « justice », mais qui refusa ensuite de suivre le Sauveur, vaincu

---

ἐπίτρεψον δέ μοι πρῶτον ἀποτάξασθαι τοῖς οἰκείοις »
« Οὐδεὶς ἐπ᾽ ἄροτρον τὴν χεῖρα ἐπιβαλὼν καὶ εἰς τὰ
840 ὀπίσω βλέπων εὔθετός ἐστιν [ἐν] τῇ βασιλείᾳ τῶν οὐρανῶν[b] » — τοῦτον γὰρ λέγουσι τῶν μέσων εἶναι · κἀκεῖνον
δὲ ὡσαύτως τὸν τὰ πλεῖστα μέρη τῆς δικαιοσύνης ὁμολογή-
σαντα πεποιηκέναι, ἔπειτα μὴ θελήσαντα ἀκολουθῆσαι,

[Fr. gr. 1] 833 δὲ om. V[ac] ‖ 840 [ἐν] nos ‖ 841 τῶν μέσων Holl :
τὸν μέσον VM

8, 2. g. Matth. 26, 38 ‖ h. Matth. 26, 39 ‖ i. Jn 12, 27
8, 3. a. Matth. 8, 19-20. Lc 9, 57-58 ‖ b. Lc 9, 61-62

noluisse sequi, sed a diuitiis uictum, uti ne fieret perfec- [Hv 2
72 tus[c], et hunc de psychico genere fuisse uolunt; spiritale 8
uero in eo quod dicit : *Remitte mortuos sepelire mortuos
suos, tu autem uade et adnuntia regnum Dei*[d], et Zacchaeo
publicano dicens : *Properans descende, quoniam hodie
76 in domo tua oportet me manere*[e]. Et fermenti parabolam, 12
quod mulier abscondisse dicitur in farinae | sata tria[f], Hv 7?
tria genera manifestare dicunt. Mulierem quidem
Sophiam dici docent; farinae uero sata tria, tria genera
80 hominum, spiritale, animale, choicum. Fermentum uero
ipsum Saluatorem dictum dicunt. Et Paulum autem 4
manifeste dixisse choicos, animales, spiritales. Alibi
quidem : *Qualis choicus, tales et choici*[g]. Alibi autem :
84 *Animalis homo non percipit quae sunt Spiritus*[h]. Alibi

8, 71 noluisse (*forte leg. ex gr.* nolentem) : uoluisse AS[ac] ‖ ut
AQSε ‖ 72 physicho A   psichyco Q ‖ fuis C (-sse C[a]) ‖ nolunt S ‖
spiritale *edd.* : -lem *codd.* ε *Gra.* ‖ 74 zacchaeo (-h⸗eo) C : zacheo
V AQSε ‖ 75 properans *om.* AQSε ‖ quoniam : quia Q ‖ hodie
om. CV ‖ 76 et]+ in ε *Feu.* ‖ 77 dicitur *om.* CV ‖ 78 dicunt]+ ut
ostendant — finem eius (*e supra* 34-36) *scriba ipso apponente* ua
(?) *super* ut *et* erat *super* eius S ‖ 78-79 mulierem — docent *om.*
CV ‖ 81 dictum *om.* S ‖ dicunt *codd.* : *forte leg. ex gr.* docent ‖
et *om.* S ‖ 82 coycos Q   choycos S ‖ 82-83 alibi quidem qualis *om.*
AQSε (*coni.* qualis ε[mg]) ‖ 83 choicos A[apc] choycus S ‖ coyci Q
choyci S ‖ 84 animales C (-lis C[x]) ‖ pepercit (p₁ *expunct.*?) C ‖
84-86 alibi — spiritus *om.* C

---

844 ἀλλὰ ὑπὸ πλούτου ἡττηθέντα πρὸς τὸ μὴ τέλειον
γενέσθαι[c], καὶ τοῦτον τοῦ ψυχικοῦ γένους γεγονέναι
θέλουσι − · τὸ δὲ πνευματικὸν ἐν τῷ εἰπεῖν · « Ἄφες
τοὺς νεκροὺς θάψαι τοὺς ἑαυτῶν νεκρούς · σὺ δὲ πορευθεὶς
848 διάγγελλε τὴν βασιλείαν τοῦ Θεοῦ[d] », καὶ Ζακχαίῳ τῷ
τελώνῃ εἰπών · « Σπεύσας κατάβηθι, ὅτι σήμερον ἐν τῷ
οἴκῳ σου δεῖ με μεῖναι[e] » · τούτους γὰρ πνευματικοῦ
γένους καταγγέλλουσι γεγονέναι. Καὶ τὴν τῆς ζύμης
852 παραβολήν, ἣν ἡ γυνὴ ἐγκεκρυφέναι λέγεται εἰς ἀλεύρου
σάτα τρία[f], τὰ τρία γένη δηλοῦν λέγουσι · γυναῖκα μὲν
γὰρ τὴν Σοφίαν λέγεσθαι διδάσκουσιν, ἀλεύρου δὲ σάτα

par une richesse qui l'empêcha de devenir « parfait[c1] »,
celui-là aussi, disent-ils, faisait partie de la race psychique. Quant à la race pneumatique, le Seigneur l'a
signifiée par ces paroles : « Laisse les morts ensevelir
leurs morts ; pour toi, va et annonce le royaume de
Dieu[d] », ainsi que par ces mots adressés à Zachée le
publicain : « Hâte-toi de descendre, car il faut que je
loge aujourd'hui dans ta maison[e]. » Ces hommes,
proclament-ils, appartenaient à la race pneumatique[2].
Même la parabole du ferment qu'une femme est dite
avoir caché dans trois mesures de farine[f] désigne,
selon eux, les trois races : la femme, enseignent-ils,
c'est Sagesse ; les trois mesures de farine sont les trois
races d'hommes, pneumatique, psychique et choïque ;
quant au ferment, c'est le Sauveur lui-même. Paul,
lui aussi, parle en termes précis de choïques, de psychiques et de pneumatiques. Il dit quelque part : « Tel
fut le choïque, tels sont aussi les choïques[g]. » Et ailleurs :
« L'homme psychique ne reçoit pas les choses de
l'Esprit[h]. » Et ailleurs encore : « Le pneumatique juge

τρία τὰ τρία γένη τῶν ἀνθρώπων, πνευματικόν, ψυχικόν,
856 χοϊκόν · ζύμην δὲ αὐτὸν τὸν Σωτῆρα εἰρῆσθαι διδάσκουσι.
Καὶ τὸν Παῦλον ⟨δὲ⟩ διαρρήδην εἰρηκέναι χοϊκούς,
ψυχικούς, πνευματικούς, ὅπου μέν · «Οἷος ὁ χοϊκός,
τοιοῦτοι καὶ οἱ χοϊκοί[g]», ὅπου δέ · «Ψυχικὸς ἄνθρωπος
860 οὐ δέχεται τὰ τοῦ Πνεύματος[h]», ὅπου δέ · «Πνευματικὸς

[Fr. gr. 1] 848-849 ζακχαίῳ τῷ τελώνῃ nos : ἐπὶ ζακχαίου τοῦ
τελώνου VM ‖ 850 τούτου V^{ac}M ‖ 852 ἡ om. M ‖ 854 δὲ om. V^{ac}
‖ 855 τρία₁ om. V ‖ τὰ τρία om. M ‖ 857 ⟨δὲ⟩ Holl ‖ 859 post
ψυχικὸς add. δὲ V

8, 3. c. cf. Matth. 19, 16-22 ‖ d. Matth. 8, 22. Lc 9, 60 ‖ e.
Lc 19, 5 ‖ f. cf. Matth. 13, 33. Lc 13, 20-21 ‖ g. I Cor. 15, 48 ‖
h. I Cor. 2, 14

autem : *Spiritalis examinat omnia*[1]. *Animalis* autem [Hv
non percipit quae sunt Spiritus, de Demiurgo dictum 8
dicunt, qui cum psychicus sit non cognouerit neque
88 Matrem spiritalem exsistentem neque semen eius neque
eos qui sunt in Pleromate Aeones. Quoniam autem
eorum quos saluaturus erat Saluator initia accepit, 12
Paulum dixisse : *Et si delibatio sancta, et massa*[j], deliba-
92 tionem quidem quod est spiritale dictum docentes,
consparsionem autem nos, hoc est psychicam | Eccle- Hv 7
siam, cuius substantiam adsumpsisse dicunt eum et cum
semetipso erexisse, quoniam erat ipse fermentum.

96 **8, 4.** Et quoniam errauit Achamoth extra Pleroma
et formata est a Christo et quaesita est a Saluatore, 4
manifestare eum dicunt in eo quod dixit semetipsum
uenisse ad eam quae errasset ouem[a]. Ouem enim erran-
100 tem Matrem suam referunt dici, ex qua eam quae sit
hic uolunt esse seminatam Ecclesiam; errorem autem
eam quae est extra Pleroma in omnibus passionibus 8

8, 85 spiritalis : -tus S ‖ 86 de *om.* V (*suppl.* V²) ‖ dimiurgo
C ‖ 87 physichus A ‖ 90 quos *edd.* : qui CV AΩε *uac.* S ‖ 92
doc. dictum ∾ S ‖ 93 consparsionem C : -psionem V -parsiones
A -psiones QS -persiones ε (p = par *uel* per) ‖ hoc : id Ωε ‖ phy-
sicam A ‖ 94 eum *om.* V (*suppl.* V²) ‖ 98 manifeste CV ‖ 99 ad : ob
V *om.* C ‖ ouem₂ : quem AQ ‖ 99-100 enarrantem Q

ἀνακρίνει τὰ πάντα[1] »· τὸ δὲ « Ψυχικὸς οὐ δέχεται τὰ
τοῦ Πνεύματος » ἐπὶ τοῦ Δημιουργοῦ φασιν εἰρῆσθαι,
ὃν ψυχικὸν ὄντα μὴ ἐγνωκέναι μήτε τὴν Μητέρα πνευμα-
864 τικὴν οὖσαν μήτε τὸ σπέρμα αὐτῆς μήτε τοὺς ἐν τῷ
Πληρώματι Αἰῶνας. Ὅτι δὲ ὢν ἤμελλε σώζειν ὁ Σωτήρ,
τούτων τὰς ἀπαρχὰς ἀνέλαβεν, τὸν Παῦλον εἰρηκέναι ·
« Καὶ εἰ ἡ ἀπαρχὴ ἁγία, καὶ τὸ φύραμα[j] », ἀπαρχὴν
868 μὲν τὸ πνευματικὸν εἰρῆσθαι διδάσκοντες, φύραμα δὲ
ἡμᾶς, τουτέστιν τὴν ψυχικὴν Ἐκκλησίαν, ἧς τὸ φύραμα

de tout[i]. » La phrase « Le psychique ne reçoit pas les choses de l'Esprit » vise, d'après eux, le Démiurge, lequel, étant psychique, ne connaît ni la Mère, qui est pneumatique, ni la semence de celle-ci, ni les Éons du Plérôme. Paul affirme encore que le Sauveur a assumé les prémices de ce qu'il allait sauver : « Si les prémices sont saintes, dit-il, la pâte l'est aussi[j] ». Les prémices, enseignent-ils, c'est l'élément pneumatique ; la pâte, c'est nous, c'est-à-dire l'Église psychique ; cette pâte, disent-ils, le Sauveur l'a assumée et l'a soulevée avec lui[1], car il était le ferment.

8, 4. Qu'Achamoth se soit égarée hors du Plérôme, ait été formée par le Christ et cherchée par le Sauveur, c'est, disent-ils, ce que celui-ci a signifié en déclarant qu'il était venu vers la brebis égarée[a]. Cette brebis égarée, expliquent-ils, c'est leur Mère, de laquelle ils veulent qu'ait été semée l'Église d'ici-bas ; l'égarement de cette brebis, c'est son séjour hors du Plérôme, au

---

ἀνειληφέναι λέγουσιν αὐτὸν καὶ ἐν αὐτῷ συνανεσταλκέναι, ἐπειδὴ ἦν αὐτὸς ζύμη.

872 | 8, 4. | [425] Καὶ ὅτι ἐπλανήθη ἡ Ἀχαμὼθ ἐκτὸς τοῦ Πληρώματος καὶ ἐμορφώθη ὑπὸ τοῦ Χριστοῦ καὶ ἀνεζητήθη ὑπὸ τοῦ Σωτῆρος, μηνύειν αὐτὸν λέγουσιν ἐν τῷ εἰπεῖν αὐτὸν ἐληλυθέναι ἐπὶ τὸ πεπλανημένον ⟨πρόβατον⟩[a].

876 Πρόβατον μὲν γὰρ πεπλανημένον τὴν Μητέρα αὐτῶν ἐξηγοῦνται λέγεσθαι, ἐξ ἧς τὴν ὧδε θέλουσιν ἐσπάρθαι Ἐκκλησίαν · πλάνην δὲ τὴν ἐκτὸς Πληρώματος ἐν ⟨πᾶσι⟩

[Fr. gr. 1] 861 post ψυχικὸς add. δὲ V ‖ 864 τῷ om. M ‖ 865 δὲ ὢν Holl : ἰδὼν VM ‖ 866 τὸν om. M ‖ 867 εἰ : ἦν V ‖ 869 ἧς : εἰς M ‖ 870 συνανεστακέναι M ‖ 875 ⟨πρόβατον⟩ Holl ‖ 878 ⟨πᾶσι⟩ Holl

---

8, 3. i. I Cor. 2, 15 ‖ j. Rom. 11, 16
8, 4, a. cf. Matth. 18, 12-13. Lc 15, 4-7

immorationem, ex quibus factam materiam tradunt. [Hv

104 Mulierem autem illam quae mundat domum et inuenit
dragmam[b] superiorem Sophiam narrant dici : quae
cum perdidisset Intentionem suam, post deinde, mun-
datis omnibus per Saluatoris aduentum, inuenit eam, 12
108 quoniam et haec restituitur secundum eos intra Ple-
roma. | Symeon autem eum qui *in manus suas accepit* Hv
Christum et gratias egit Deo et dixit : Nunc remittis seruum
tuum, Domine, secundum sermonem tuum in pace[c],
112 typum esse Demiurgi dicunt, qui ueniente Saluatore 4
didicit transpositionem suam et gratias egit Bytho. Et
per Annam, quae in Euangelio dicitur *septem annis cum*
uiro uixisse, reliquum autem omne tempus uidua
116 perseuerasse, donec uidisset Saluatorem et agnouisset
eum et loqueretur de eo omnibus[d], manifestissime 8
Achamoth significari dicunt : quae cum ad modicum
uidisset tunc Saluatorem cum coaetaneis suis, | postero Hv
120 omni tempore perseuerans in Medietate sustinebat eum,

8, 103 minorationem V ‖ 105 drachmam *edd. a Feu.* ‖ 107
inuenit : in AQSε ‖ 109 simeon Qε ‖ manu sua CV ‖ 113 et₂
om. S ‖ 114 annam]+ autem CV AS ‖ septem V QSε : vii C A
‖ 115 uiro]+ suo S ‖ uidia C uiduam S ‖ 117 de eo : deo Q   de S ‖
118 quem AQSε ‖ 119 t. sal. uidisset ∽ S ‖ 120 medietate]+ ait V

τοῖς πάθεσι διατριβήν, ἐξ ὧν γεγονέναι τὴν ὕλην ὑπο-
880 τίθενται. Τὴν δὲ γυναῖκα τὴν σαροῦσαν τὴν οἰκίαν καὶ
εὑρίσκουσαν τὴν δραχμὴν[b] τὴν ἄνω Σοφίαν διηγοῦνται
λέγεσθαι, ἥτις ἀπολέσασα τὴν Ἐνθύμησιν αὐτῆς, ὕστερον
καθαρισθέντων πάντων διὰ τῆς τοῦ Σωτῆρος παρουσίας
884 εὑρίσκει αὐτήν, διὰ τὸ καὶ ταύτην ἀποκαθίστασθαι
κατ᾽ αὐτοὺς ἐντὸς Πληρώματος. Συμεῶνα ⟨δὲ⟩ τὸν εἰς
τὰς ἀγκάλας λαβόντα τὸν Χριστὸν καὶ εὐχαριστήσαντα
τῷ Θεῷ καὶ εἰπόντα · « Νῦν ἀπολύεις τὸν δοῦλόν σου,
888 Δέσποτα, κατὰ τὸ ῥῆμά σου ἐν εἰρήνη[c] », τύπον εἶναι
τοῦ Δημιουργοῦ λέγουσιν, ὃς ἐλθόντος τοῦ Σωτῆρος
ἔμαθε τὴν μετάθεσιν αὐτοῦ καὶ ηὐχαρίστησε τῷ Βυθῷ.

sein de toutes les passions d'où ils prétendent qu'est
sortie la matière. Quant à la femme qui balaie sa
maison et retrouve sa drachme[b], c'est, expliquent-ils,
la Sagesse d'en haut, qui a perdu son Enthymésis,
mais qui, plus tard, lorsque toutes choses auront été
purifiées par la venue du Sauveur, la retrouvera : car,
à les en croire, cette Enthymésis doit être rétablie un
jour à l'intérieur du Plérôme. Siméon, qui reçut dans
ses bras le Christ et rendit grâces à Dieu en disant :
« Maintenant tu laisses ton serviteur s'en aller, ô Maître,
selon ta parole, dans la paix[c] », est, selon eux, la figure
du Démiurge, qui, à la venue du Sauveur, apprit son
changement de lieu et rendit grâces à l'Abîme. Quant à
Anne la prophétesse, qui est présentée dans l'Évangile
comme ayant vécu sept années avec son mari et ayant
persévéré tout le reste du temps dans son veuvage,
jusqu'au moment où elle vit le Sauveur, le reconnut et
parla de lui à tout le monde[d], elle signifie manifestement Achamoth, qui, après avoir vu jadis durant un
bref moment le Sauveur avec ses compagnons d'âge,
demeure ensuite tout le reste du temps dans l'Inter-

Καὶ διὰ τῆς Ἄννας τῆς ἐν τῷ Εὐαγγελίῳ κηρυσσομένης
892 προφήτιδος ἔπτα ἔτη μετὰ ἀνδρὸς ἐζηκυίας, τὸν δὲ λοιπὸν
ἅπαντα χρόνον χήρας μεμενηκυίας, ἄχρις οὗ τὸν Σωτῆρα
ἰδοῦσα ἐπέγνω αὐτὸν καὶ ἐλάλει περὶ αὐτοῦ πᾶσι[d], φανερώτατα τὴν Ἀχαμὼθ μηνύεσθαι διορίζονται, ἥτις πρὸς
896 ὀλίγον ἰδοῦσα ⟨τότε⟩ τὸν Σωτῆρα μετὰ τῶν ἡλικιωτῶν
αὐτοῦ, τῷ λοιπῷ χρόνῳ παντὶ μένουσα ἐν τῇ Μεσότητι

[Fr. gr. 1] 879 διατρίβειν V^{pc} ‖ 884 διὰ τὸ nos : διὸ VM ‖ 885 ⟨δὲ⟩
Holl ‖ 887 θεῷ Holl : χριστῷ VM ‖ 889 ὅς : ὡς V ‖ 890 καὶ
om. M ‖ 894 ἐπέγνω (ἐ sup. ras.) V : ἐπιγνῷ M ‖ 895 μηνῦσθαι
M ‖ ἥτις : εἴτις V ‖ 896 ⟨τότε⟩ Holl

8, 4. b. cf. Lc 15, 8-10 ‖ c. Lc 2, 29 ‖ d. cf. Lc 2, 36-38

quando iterum ueniat et reponat eam suae coniugationi. [Hv

Et nomen autem eius significatum a Saluatore in eo

quod dixerit : *Iustificata est Sapientia a filiis eius*[e], et 4

124 a Paulo autem sic : *Sapientiam autem loquimur perfectis*[f].

Et coniugationes autem quae sunt intra Pleroma Paulum

dixisse dicunt in uno ostendentem; de ea enim coniuga-

tione quae est secundum hanc vitam scribens ait : *Hoc* 8

128 *enim mysterium magnum est, dico autem in Christo et*

Ecclesia[g].

8, 5. Adhuc autem Iohannem discipulum Domini

docent primam Ogdoadem et omnium generationem

132 significasse ipsis dictionibus. Itaque Principium quod- 12

dam subiecit quod primum | factum est a Deo, quod Hv

etiam [nunc uocat, et] Filium[a] et Vnigenitum Deum[b] uo-

8, 122 autem *om.* S ‖ eius : suis S ‖ 124 a *om.* V ‖ loquitur V ‖
inter perfectos S ‖ 125 et *om.* S ‖ autem]+ eius S ‖ paulum :
paulatim S ‖ 126 dicuntur C ‖ 127 est *om.* AQSε ‖ 131 ogdoadam
VS ‖ 132 itaque : ita qui et CV ‖ 134 etiam *om.* S ‖ nunc uocat et
seclusimus ex gr. ‖ nunc *codd.* ε[mg] : me ε nun *edd. iuxta Erasmi*
coniect. (de perturb. huius textus u. not. iustif.) ‖ deum *codd.* :
domini V[pc] ε *edd.* ‖ uocat₂ *om.* S

προσεδέχετο αὐτόν, πότε πάλιν ἐλεύσεται καὶ ἀποκατα-
στήσει αὐτὴν τῇ αὐτῆς συζυγίᾳ. Καὶ τὸ ὄνομα δὲ αὐτῆς
900 μεμηνῦσθαι ὑπὸ τοῦ Σωτῆρος ἐν τῷ εἰρηκέναι · « Καὶ
ἐδικαιώθη ἡ Σοφία ἀπὸ τῶν τέκνων αὐτῆς[e] », καὶ ὑπὸ
Παύλου δὲ οὕτως · « Σοφίαν δὲ λαλοῦμεν ἐν τοῖς τελείοις[f]. » Καὶ τὰς συζυγίας δὲ τὰς ἐντὸς Πληρώματος τὸν
904 Παῦλον εἰρηκέναι φάσκουσιν ἐπὶ ἑνὸς δείξαντα · περὶ
γὰρ τῆς περὶ τὸν βίον συζυγίας γράφων ἔφη · « Τὸ
μυστήριον τοῦτο μέγα ἐστίν, ἐγὼ δὲ λέγω εἰς Χριστὸν
καὶ τὴν Ἐκκλησίαν[g].

908 | 8, 5. | [426] Ἔτι δὲ Ἰωάννην τὸν μαθητὴν τοῦ Κυρίου

médiaire, attendant qu'il revienne et l'établisse dans
sa syzygie. Son nom a été indiqué par le Sauveur en
cette parole : « La Sagesse a été justifiée par ses
enfants[e] », et par Paul en ces termes : « Nous parlons
de Sagesse parmi les parfaits[f]. »[1] De même encore, les
syzygies existant à l'intérieur du Plérôme, Paul les
aurait fait connaître en manifestant l'une d'entre elles ;
parlant en effet du mariage d'ici-bas, il dit : « Ce mystère
est grand : je veux dire, en référence au Christ et à
l'Église[g]. »

8, 5. Ils enseignent encore que Jean, le disciple du
Seigneur, a fait connaître la première Ogdoade. Voici
leurs propres paroles. — Jean, le disciple du Seigneur,
voulant exposer la genèse de toutes choses[2], c'est-à-dire
la façon dont le Père a émis toutes choses, pose à la base
un certain « Principe », qui est le premier engendré de
Dieu, celui qu'il appelle encore « Fils[a] » et « Dieu
Monogène[b] »[3] et en qui le Père a émis toutes choses de

διδάσκουσι τὴν πρώτην Ὀγδοάδα μεμηνυκέναι, αὐταῖς
λέξεσι λέγοντες οὕτως. Ἰωάννης ὁ μαθητὴς τοῦ Κυρίου,
βουλόμενος εἰπεῖν τὴν τῶν ὅλων γένεσιν, καθ' ἣν τὰ
912 πάντα προέβαλεν ὁ Πατήρ, Ἀρχήν τινα ὑποτίθεται τὸ
πρῶτον γεννηθὲν ὑπὸ τοῦ Θεοῦ, ὃ δὴ καὶ Υἱὸν[a] καὶ
Μονογενῆ Θεὸν[b] κέκληκεν, ἐν ᾧ τὰ πάντα ὁ Πατὴρ

[Fr. gr. 1] 899 συνζυγία V[ac] ‖ 903 συνζυγίας V[ac] ‖ 904 ἐπὶ ἑνὸς :
ἐπιεικῶς M ‖ 905 συνζυγίας V[ac] ‖ 908 δὲ Holl : τε VM ‖ 914
post μονογενῆ add. καὶ V[pc] ‖ ᾧ : τῷ M

8, 4. e. Lc 7, 35 ‖ f. I Cor. 2, 6 ‖ g. Éphés. 5, 32
8, 5. a. Jn 1, 34.49 ; 3, 18 ; passim ‖ b. Jn 1, 18

cat, in quo omnia Pater praemisit seminaliter. Ab hoc au- [Hv 76
136 tem ait Verbum emissum et in eo omnem Aeonum subs- 4
tantiam, quam ipsum postea formauit Verbum. Quoniam
igitur de prima genesi dicit, bene a Principio, hoc est
a Filio, et Verbo doctrinam facit. Dicit autem sic : *In*
140 *Principio erat Verbum, et Verbum erat apud Deum, et*
*Deus erat Verbum: hoc erat in Principio apud Deum*c. 8
Prius distinguens in tria, Deum et Principium et Verbum,
iterum | ea uniuit, uti et emissionem ipsorum utro- Hv 77
144 rumque ostendat, id est Filii et Verbi, et eam quae est
ad inuicem simul et ad Patrem unionem. In Patre enim
et ex Patre Principium, in Principio autem et ex Prin- 4
cipio Verbum. Bene igitur dixit : *In Principio erat*
148 *Verbum* : erat enim in Filio. *Et Verbum erat apud Deum* :
etenim Principium. *Et Deus erat Verbum*, consequenter :
quod enim ex Deo natum est Deus est. *Hic enim erat*
in Principio apud Deum : ostendit emissionis ordinem. 8

8, 135 pater praemisit CV : p. dimisit AQε   dimisit p. S   pa-
ter [pr̄ (= pater)] emisit *mallet Hv post Gra. in n.* || ab hoc *edd.*
ex gr. : adhuc *codd.* ε || 136 ait *nos ex gr.* : aiunt *codd.* ε *edd.* ||
omnem *codd.* εmg : communem ε || aeonem CV || 138 hoc : id Q ||
139 uerbo doct. a filio et ∾ S || facti CV || 142 in *codd.* : *forte*
seclud. ex gr. || 143 ea *om.* AQSε || 146 autem *om.* V (*suppl.* V²) ||
149 principium : in principio AQSε || 150 natus S

προέβαλε σπερματικῶς. Ὑπὸ δὲ τούτου φησὶ τὸν Λόγον
916 προβεβλῆσθαι καὶ ἐν αὐτῷ τὴν ὅλην τῶν Αἰώνων οὐσίαν,
ἣν αὐτὸς ὕστερον ἐμόρφωσεν ὁ Λόγος. Ἐπεὶ οὖν περὶ
πρώτης γενέσεως λέγει, καλῶς ἀπὸ τῆς Ἀρχῆς, τουτέστιν
τοῦ Υἱοῦ, καὶ τοῦ Λόγου τὴν διδασκαλίαν ποιεῖται.
920 Λέγει δὲ οὕτως · « Ἐν Ἀρχῇ ἦν ὁ Λόγος, καὶ ὁ Λόγος
ἦν πρὸς τὸν Θεόν, καὶ Θεὸς ἦν ὁ Λόγος · οὗτος ἦν ἐν
Ἀρχῇ πρὸς τὸν Θεόν*c*.» Πρότερον διαστείλας τὰ τρία,
Θεὸν καὶ Ἀρχὴν καὶ Λόγον, πάλιν αὐτὰ ἑνοῖ, ἵνα καὶ
924 τὴν προβολὴν ἑκατέρων αὐτῶν δείξῃ, τοῦ τε Υἱοῦ καὶ

façon séminale. Par ce Principe, dit Jean, a été émis
le « Logos » et, en lui, la substance entière des Éons, que
le Logos a lui-même formée par la suite. Puisque Jean
parle de la première genèse, c'est à juste titre qu'il
commence son enseignement par le Principe ou Fils et
par le Logos. Il s'exprime ainsi : « Dans le Principe
était le Logos, et le Logos était tourné vers Dieu, et
le Logos était Dieu ; ce Logos était dans le Principe,
tourné vers Dieu[c].» D'abord il distingue trois termes :
Dieu, le Principe et le Logos ; ensuite il les unit. C'est
afin de montrer, d'une part, l'émission de chacun des
deux termes, à savoir le Fils et le Logos ; de l'autre,
l'unité qu'ils ont entre eux en même temps qu'avec
le Père. Car, dans le Père et venant du Père est le
Principe ; dans le Principe et venant du Principe est
le Logos. Jean s'est donc parfaitement exprimé lorsqu'il
a dit : « Dans le Principe était le Logos » : le Logos était
en effet dans le Fils. « Et le Logos était tourné vers
Dieu » : le Principe l'était en effet, lui aussi. « Et le
Logos était Dieu » : simple conséquence, puisque ce qui
est né de Dieu est Dieu. « Ce Logos était dans le Principe, tourné vers Dieu » : cette phrase révèle l'ordre de

τοῦ Λόγου, καὶ τὴν πρὸς ἀλλήλους ἅμα καὶ [τὴν] πρὸς
τὸν Πατέρα ἕνωσιν. Ἐν γὰρ τῷ Πατρὶ καὶ ἐκ τοῦ Πατρὸς
ἡ Ἀρχή, ἐν δὲ τῇ Ἀρχῇ καὶ ἐκ τῆς Ἀρχῆς ὁ Λόγος.
928 Καλῶς οὖν εἶπεν · « Ἐν Ἀρχῇ ἦν ὁ Λόγος » · ἦν γὰρ
ἐν τῷ Υἱῷ. « Καὶ ὁ Λόγος ἦν πρὸς τὸν Θεόν » · καὶ γὰρ
ἡ Ἀρχή. « Καὶ Θεὸς ἦν ὁ Λόγος », ἀκολούθως · τὸ γὰρ
ἐκ Θεοῦ γεννηθὲν Θεός ἐστιν. « Οὗτος ἦν ἐν Ἀρχῇ πρὸς
932 τὸν Θεόν » · ἔδειξε τὴν τῆς προβολῆς τάξιν. « Πάντα

[Fr. gr. 1] 916 θυσίαν V[ac]M ‖ 919 υἱοῦ Holl : θεοῦ VM ‖ 921
οὕτως V ‖ 925 [τὴν] nos, iuxta Holl in app.

8, 5. c. Jn 1, 1-2

152 *Omnia per ipsum facta sunt et sine ipso factum est nihil*[d] :   [Hv
  omnibus enim his qui post eum sunt Aeonibus forma-
  tionis et generationis causa Verbum factum est. *Sed*   12
  quod factum est in eo, inquit, *Vita est*[e] : | hic enim synzy-   Hv 7
156 gias manifestauit : omnia enim ait per ipsum facta,
  Vitam autem in ipso. Haec ergo quae in eo facta
  est proximior est quam ea quae per ipsum facta sunt :
  cum ipso est enim, et per ipsum fructificat. Quoniam   4
160 infert : *Et Vita erat lux Hominum*[f]. Homines autem
  nunc et Ecclesiam simili nomine significauit, uti per
  unum nomen manifestet synzygiae communionem : ex
  Logo enim et Zoe Homo generatur et Ecclesia. Lumen
164 autem dixit Hominum Vitam, quoniam illuminati sunt   8
  ab ea, quod est formatum et manifestatum. Hoc autem

8, 153 sunt *om.* C (*suppl. mg.* C[a]) ‖ 154 et generationis *om.* CV
‖ 155 hic enim ε : hic est C AQS   hinc est V ‖ 155-156 synzigias C
synzu- V   zynzy- AQ[pc]   zinzy- Q[ac]   zinzi- S   syzy- ε ‖ 156 facta]
+ sunt V ε ‖ 157 uitam *nos ex gr.* : uita *codd.* ε *edd.* ‖ 160 homines *codd.* ε *Feu.* : -nem *edd. a Gra. ex gr.* ‖ autem : *forte leg.* dicens
ex gr. ‖ 161 et : secundum et S ‖ ut AQSε ‖ 162 synzigiae C AS
synzugiae V (-zi-V[a])   sygiae *(expunct)* zyngiae Q   syzygiae ε ‖
163 logo AQSε : longo C lo∥gon C[pc]   logon V ‖ enim : autem
V ‖ 165 ea : eo S

  δι' αὐτοῦ ἐγένετο, καὶ χωρὶς αὐτοῦ ἐγένετο οὐδὲ ἕν[d] » ·
  πᾶσι γὰρ τοῖς μετ' αὐτὸν Αἰῶσι μορφώσεως καὶ γενέσεως
  αἴτιος ὁ Λόγος ἐγένετο. 'Αλλ' « ὃ γέγονεν ἐν αὐτῷ »,
936 φησί, « Ζωή ἐστιν[e] ». 'Ενθάδε καὶ συζυγίαν ἐμήνυσεν ·
  τὰ μὲν γὰρ ὅλα ἔφη δι' αὐτοῦ γεγενῆσθαι, τὴν δὲ Ζωὴν
  ἐν αὐτῷ. Αὕτη οὖν ἡ ἐν αὐτῷ γενομένη οἰκειοτέρα ἐστὶν
  [ἐν αὐτῷ] τῶν δι' αὐτοῦ γενομένων · σύνεστι γὰρ αὐτῷ
940 καὶ δι' αὐτοῦ καρποφορεῖ. 'Επειδὴ γὰρ ἐπιφέρει · « Καὶ

l'émission. « Toutes choses ont été faites par son entremise, et sans lui rien n'a été fait ^d » : en effet, pour tous
les Éons qui sont venus après lui, le Logos a été cause
de formation et de naissance[1]. Mais Jean poursuit :
« Ce qui a été fait en lui est la Vie^e. » Par là, il indique
une syzygie. Car toutes choses, dit-il, ont été faites par
son entremise seulement, mais la Vie l'a été en lui.
Celle-ci, qui a été faite en lui, lui est donc plus intime
que ce qui n'a été fait que par son entremise : elle lui est
unie et fructifie grâce à lui. Jean ajoute en effet : « Et
la Vie était la Lumière des Hommes[f][2] ». Ici, en disant
« Hommes », il indique, sous ce même nom, l'« Église »,
afin de bien montrer, par l'emploi d'un seul nom, la
communion de syzygie : car de Logos et Vie proviennent
Homme et Église. Jean appelle la Vie « la Lumière des
Hommes », parce que ceux-ci ont été illuminés par elle,
autrement dit formés et manifestés. C'est aussi ce que

ἡ Ζωὴ [427] ἦν τὸ φῶς τῶν Ἀνθρώπων^f », Ἀνθρώπους
εἰπὼν ἄρτι καὶ τὴν Ἐκκλησίαν ὁμωνύμως [τῷ Ἀνθρώπῳ]
ἐμήνυσεν, ὅπως διὰ τοῦ ἑνὸς ὀνόματος δηλώσῃ τὴν τῆς
944 συζυγίας κοινωνίαν · ἐκ γὰρ τοῦ Λόγου καὶ τῆς Ζωῆς
Ἄνθρωπος γίνεται καὶ Ἐκκλησία. Φῶς δὲ εἶπεν τῶν
Ἀνθρώπων τὴν Ζωὴν διὰ τὸ πεφωτίσθαι αὐτοὺς ὑπ' αὐτῆς,
ὃ δή ἐστι μεμορφῶσθαι καὶ πεφανερῶσθαι. Τοῦτο δὲ καὶ

[Fr. gr. 1] 934 μορφώσεως nos : μορφῆς VM ‖ 936 συνζυγίαν V^{ac} ‖
937 αὐτοῦ Holl : ἑαυτοῦ VM ‖ ζωὴν om. M ‖ 939 [ἐν αὐτῷ] nos
‖ 940 καρποφορεῖν V ‖ 941 ἡ om. M ‖ ἀνθρώπους nos : ἄνθρωπον
VM ‖ 942 [τῷ ἀνθρώπῳ] nos ‖ 943 ὀνόματος : νοήματος M ‖ 944
συνζυγίας V^{ac} ‖ κοινωνίαν V^{pc} : ὀνομασίαν V^{ac}M

8, 5. d. Jn 1, 3 ‖ e. Jn 1, 3-4 ‖ f. Jn 1, 4

134   ADVERSVS HAERESES

et Paulus dicit : *Omne enim quod manifestatur lumen* [Hv 78
est [g]. Quoniam igitur Vita manifestauit et generauit
168 Hominem et Ecclesiam, lumen dicta est eorum. Aperte 12
igitur manifestauit Iohannes per sermones hos et alia
et Quaternationem secundam, Logon et Zoen, Anthropon
et Ecclesiam. Sed et primam significauit Tetradam.
172 Narrans enim de Saluatore et docens omnia quae | extra Hv 79
Pleroma sunt per eum formata, fructum quoque esse
eum dicens intra Pleroma. Etenim *lumen* dixit illum
quod in tenebris lucet et non comprehenditur[h] ab eis,
176 quoniam omnia quae facta sunt ex passione formans 4
ignoratus est ab eis. Et Filium et Veritatem et Vitam
dicit eum et Verbum carnem factum, cuius gloriam
uidimus, ait, et erat gloria eius qualis erat Vnigeniti,
180 quae a Patre data est ei, plena Gratia et Veritate. Dicit | Hv 80
autem sic : *Et Verbum caro factum est, et habitauit in*
nobis, et uidimus gloriam eius, gloriam quasi Vnigeniti

8, 166 et *om.* S ‖ 168 et *om.* C ‖ 168-171 lumen — ecclesiam
om. A ‖ 168 est est C ‖ 170 quaternionem ε ‖ secundum CV ‖ 171
tetradam *codd.* ε : -dem *edd.* ‖ 172 saluatorem C ‖ docens *codd.* :
forte leg. ex gr. dicens ‖ 173 form. per eum ∽ S ‖ 173-174 eum
esse ∽ AQε ‖ 174 eum dicens : *forte leg. ex gr.* dicit eum ‖ dicens
om. A (*suppl. s.l.* A¹) ‖ 177 ueritatem : uerbum ε ‖ 179 qualis erat :
quasi AQSε ‖ unigenite A ‖ 180 plena *codd.* ε *Feu. Gra.* : plenum *Mass. Sti.*

948 ὁ Παῦλος λέγει · « Πᾶν γὰρ τὸ φανερούμενον φῶς ἐστιν [g]. »
Ἐπεὶ τοίνυν ἡ Ζωὴ ἐφανέρωσε καὶ ἐγέννησε τόν τε
Ἄνθρωπον καὶ τὴν Ἐκκλησίαν, φῶς εἴρηται αὐτῶν.
Σαφῶς οὖν δεδήλωκεν ὁ Ἰωάννης διὰ τῶν λόγων τούτων
952 τά τε ἄλλα καὶ τὴν Τετράδα τὴν δευτέραν, Λόγον καὶ
Ζωήν, Ἄνθρωπον καὶ Ἐκκλησίαν. Ἀλλὰ μὴν καὶ τὴν
πρώτην ἐμήνυσε Τετράδα. Διηγούμενος γὰρ περὶ τοῦ
Σωτῆρος καὶ λέγων πάντα τὰ ἐκτὸς τοῦ Πληρώματος
956 δι' αὐτοῦ μεμορφῶσθαι, καρπὸν εἶναί φησιν αὐτὸν παντὸς
τοῦ Πληρώματος. Καὶ γὰρ φῶς εἴρηκεν αὐτὸν τὸ ἐν τῇ

dit Paul : « Tout ce qui est manifesté est Lumière ^g. »
Puis donc que la Vie a manifesté et engendré l'Homme
et l'Église, elle est appelée leur Lumière. Ainsi, par ces
paroles, Jean a clairement montré, entre autres choses,
la deuxième Tétrade : Logos et Vie, Homme et Église.
Mais il a indiqué aussi la première Tétrade. Car, parlant
du « Sauveur » et disant que tout ce qui est hors du
Plérôme a été formé par lui, il dit du même coup que
ce Sauveur est le fruit de tout le Plérôme[1]. Il l'appelle
en effet la « Lumière », celle qui brille dans les ténèbres
et qui n'a pas été saisie par elles ^h, parce que, tout en
harmonisant tous les produits de la passion, il est resté
ignoré de ceux-ci. Ce Sauveur, Jean l'appelle encore
« Fils », « Vérité », « Vie », « Logos qui s'est fait chair » :
nous avons vu sa gloire, dit-il, et sa gloire était telle
qu'était celle du Monogène, celle qui avait été donnée
par le Père à celui-ci, remplie de « Grâce » et de « Vérité ».
Voici les paroles de Jean[2] : « Et le Logos s'est fait chair,
et il a habité parmi nous, et nous avons vu sa gloire,
gloire comme celle que le Monogène tient du Père,

σκοτίᾳ φαινόμενον καὶ μὴ καταληφθὲν ὑπ' αὐτῆς ^h, ἐπειδὴ
πάντα τὰ γενόμενα ἐκ τοῦ πάθους ἁρμόσας ἠγνοήθη
960 ὑπ' αὐτῶν. Καὶ Υἱὸν δὲ καὶ 'Αλήθειαν καὶ Ζωὴν λέγει
αὐτὸν καὶ Λόγον σάρκα γενόμενον · οὗ τὴν δόξαν ἐθεασάμεθα, φησί, καὶ ἦν ἡ δόξα αὐτοῦ οἵα ἦν ἡ τοῦ Μονογενοῦς,
ἡ ὑπὸ τοῦ Πατρὸς δοθεῖσα αὐτῷ, πλήρης Χάριτος καὶ
964 'Αληθείας. Λέγει δὲ οὕτως · « Καὶ ὁ Λόγος σὰρξ ἐγένετο,
καὶ ἐσκήνωσεν ἐν ἡμῖν, καὶ ἐθεασάμεθα τὴν δόξαν αὐτοῦ,

[Fr. gr. 1] 949 ἡ ζωή om. V^{ac}M ‖ 950 εἴρηται αὐτῶν Holl :
εἰρῆσθαι αὐτόν VM ‖ 953 ἄνθρωπον : καὶ ἄνθρωπον V ‖ 958 κατα-
λειφθὲν V ‖ 960 αὐτῆς V

8, 5. g. Éphés. 5, 13 ‖ h. cf. Jn 1, 5

a Patre, plenum Gratia et Veritate[1]. Diligenter igitur [Hv
184 primam ostendit Quaternationem, Patrem dicens et 4
Gratiam et Monogenen et Veritatem. Sic Iohannes de
prima et Matre omnium Aeonum Ogdoade dixit :
Patrem enim dixit et Gratiam et Monogenen et Veri-
188 tatem et Verbum et Vitam et Hominem et Ecclesiam.
Et Ptolomaeus quidem ita.   8

9, 1. Vides igitur, dilectissime, adinuentionem, qua
utentes seducunt semetipsos, calumniantes Scripturis,
finctionem suam ex eis constare adnitentes. Propter hoc
4 enim et ipsas eorum ap|posui astutias et dictiones, uti Hv
ex eis consideres malitiam inuentionis et nequitiam
erroris[a]. Primo enim si propositum esset Iohanni illam
quae susum est Octonationem ostendere, ordinem
8 custodisset utique emissionis, et primam Quaternatio- 4

8, 183 plenum AS *Mass. Sti.* : plena CV Qε *Feu. Gra. (u.
not. iustif.)* ‖ 184 ost. primam ∽ Qε ‖ quaternionem A ‖ 185 monogenem V ‖ 186 matre omnium : matremonium C matrem
omnium V ‖ 187 dixit : ait CV ‖ monogenem CV ‖ 189 ptholo-
maeus V   ptolemaeus ε *edd.* ‖ ita : aita C[ac]
9, 1 adinuentionem : in a- C[ac] ‖ 2 calumpniantes CV AS ‖
3 finctionem C : fict- *cett. & edd.* ‖ eis *om.* V ‖ 4 adposuit CV ‖
dilectiones (le *expunct.*) V ‖ ut AQSε ‖ 7 quae *om.* Q ‖ susum
scripsi : usum C[ac]V   usus C[2pc]   sursum AQSε ‖ octoem V (-ona-
tion- V[2]) ‖ ostendere CV A[2]ε : -ret AQS ‖ 8 utique : et utique C ‖
emissiones C

δόξαν ὡς Μονογενοῦς παρὰ Πατρός, πλήρης Χάριτος
καὶ Ἀληθείας[1]. » Ἀκριβῶς οὖν καὶ τὴν πρώτην ἐμήνυσε
968 Τετράδα, Πατέρα εἰπὼν καὶ Χάριν καὶ [τὸν] Μονογενῆ
καὶ Ἀλήθειαν[1]. Οὕτως ὁ Ἰωάννης περὶ τῆς πρώτης καὶ
Μητρὸς τῶν ὅλων Αἰώνων Ὀγδοάδος εἴρηκε · Πατέρα γὰρ
εἴρηκε καὶ Χάριν καὶ Μονογενῆ καὶ Ἀλήθειαν καὶ Λόγον

remplie de Grâce et de Vérité¹.¹ » C'est donc avec
exactitude que Jean a indiqué aussi la première Tétrade :
Père et Grâce, Monogène et Vérité. C'est ainsi qu'il a
parlé de la première Ogdoade, Mère de tous les Éons :
il a nommé le Père et la Grâce, le Monogène et la
Vérité, le Logos et la Vie, l'Homme et l'Église. — Ainsi
s'exprime Ptolémée².

9, 1. Tu vois donc, cher ami, à quels artifices ils
recourent pour se duper eux-mêmes, malmenant les
Écritures et s'efforçant de donner par elles de la consis-
tance à leur fiction. C'est pourquoi j'ai rapporté leurs
termes mêmes³, pour que tu puisses constater la four-
berie de leurs artifices et la perversité de leurs erreurs ᵃ.
Tout d'abord, en effet, si Jean s'était proposé d'indiquer
l'Ogdoade d'en haut, il aurait conservé l'ordre des
émissions : la première Tétrade étant la plus vénérable,

---

972 καὶ Ζωὴν καὶ Ἄνθρωπον καὶ Ἐκκλησίαν. ⟨Καὶ ὁ μὲν
Πτολεμαῖος οὕτως⟩.

| 9, 1. | Ὁρᾷς ⟨οὖν⟩, ἀγαπητέ, τὴν μέθοδον, ᾗ χρώμενοι
φρεναπατῶσιν ἑαυτούς, ἐπηρεάζοντες ταῖς γραφαῖς, τὸ
976 πλάσμα αὐτῶν ἐξ αὐτῶν συνιστάνειν πειρώμενοι. [428]
Διὰ τοῦτο γὰρ καὶ αὐτὰς παρεθέμην αὐτῶν τὰς λέξεις,
ἵνα ἐξ αὐτῶν κατανοήσῃς τὴν πανουργίαν τῆς μεθοδείας
καὶ τὴν πονηρίαν τῆς πλάνης ᵃ. Πρῶτον μὲν γὰρ εἰ
980 προέκειτο Ἰωάννῃ τὴν ἄνω Ὀγδοάδα μηνῦσαι, τὴν τάξιν
ἂν τετηρήκει τῆς προβολῆς καὶ τὴν πρώτην Τετράδα

[Fr. gr. 1] 968 [τὸν] Holl ‖ 972-973 ⟨καὶ₄ — οὕτως⟩ nos ‖ 974
⟨οὖν⟩ nos ‖ ᾗ : οἷ Vᵃᶜ ‖ 975 τὰς γραφὰς Vᵖᶜ ‖ 977 αὐτὰς : αὐτὸς
M ‖ 980 Ἰωάννην V ‖ μηνύσει Vᵃᶜ μηνύσειν Vᵖᶜ

8, 5. i. Jn 1, 14
9, 1. a. cf. Éphés. 4, 14

nem, cum sit uenerabilior, quemadmodum dicunt, in [Hv
primis utique posuisset nominibus, et sic adiunxisset
secundam, uti per ordinem nominum ordo ostenderetur
12 Octonationis, et non utique post tantum interuallum 8
quasi oblitus, dein recommemoratus, in nouissimo
primae memoratus fuisset Quaternationis. Deinde autem
et coniugationes significare uolens, et Ecclesiae non
16 praetermisisset nomen, sed aut et in reliquis coniuga-
tionibus contentus fuisset masculorum appellatione, 12
similiter cum possent et illa simul subaudiri, ut unitatem
per omnia esset custodiens, | aut si reliquorum coniuga- Hv
20 tiones enumerabat, et Anthropi, id est Hominis, utique
manifestasset coniugem et utique non remisisset de
diuinatione nos accipere nomen ipsius.

9, 2. Manifesta igitur expositionis eorum transfinctio. 4
24 Iohanne enim unum Deum omnipotentem et unum
Vnigenitum Christum Iesum adnuntiante per quem

9, 10 nominibus et sic adiunxisset *om.* CV ‖ 11 ut AQSε ‖
13 dein recommemoratus C : deinde comm- V de re comm-
AQSε ‖ 13-14 in — memoratus *om.* CV ‖ 14 quaternionis ε ‖ 16
praetermisset C^{ac} ‖ et *om.* CV S ‖ 16-17 coniugationis S ‖ 18
subaudiri simul ∞ S ‖ 19 esset per omnia ∞ S ‖ 20 anthroypi S ‖
21 remississet C reminisset AQε (-isi-ε^{mg}) reunisset S ‖ 23 transfinctio C : -fict- *cett.* ‖ 24 iohannem AQ ‖ omnipotentem *Gra. &
Mass. in n. ex gr.* : exponente *codd.* ε

σεβασμιωτάτην οὖσαν, καθὼς λέγουσιν, ἐν πρώτοις ἂν
τεθείκει τοῖς ὀνόμασι καὶ οὕτως ἐπεζεύχει τὴν δευτέραν,
984 ἵνα διὰ τῆς τάξεως τῶν ὀνομάτων ἡ τάξις δειχθῇ τῆς
Ὀγδοάδος, καὶ οὐκ ἂν μετὰ τοσοῦτον διάστημα ὡς
ἐκλελησμένος, ἔπειτα ἀναμνησθείς, ἐπ᾽ ἐσχάτῳ τῆς
πρώτης ἐμέμνητο Τετράδος. Ἔπειτα δὲ καὶ τὰς συζυγίας
988 σημᾶναι θέλων, καὶ τὸ τῆς Ἐκκλησίας οὐκ ἂν παρέλιπεν

comme ils disent, il l'aurait mise en place avec les
premiers noms et lui aurait rattaché la seconde Tétrade,
afin de faire voir par l'ordre des noms l'ordre des Éons
de l'Ogdoade ; et ce n'est pas après un si long moment,
comme s'il l'avait oubliée et s'en était ensuite ressou-
venu, qu'il aurait, tout à la fin, mentionné la première
Tétrade. En second lieu, s'il avait voulu signifier les
syzygies, il n'aurait pas passé sous silence le nom de
l'Église : en effet, ou bien il devait se contenter, dans
les autres syzygies aussi, de nommer les Éons masculins,
les Éons féminins pouvant être sous-entendus, et cela
afin de garder parfaitement l'unité ; ou bien, s'il passait
en revue les compagnes[1] des autres Éons, il devait
indiquer aussi la compagne de l'Homme, au lieu de
nous laisser deviner son nom.

9, 2. La fausseté de leur exégèse saute donc aux yeux.
En fait, Jean proclame un seul Dieu tout-puissant et
un seul Fils unique, le Christ Jésus, par l'entremise de

ὄνομα, ἀλλ' ἢ καὶ ἐπὶ τῶν λοιπῶν συζυγιῶν ἠρκέσθη
τῇ τῶν ἀρρένων προσηγορίᾳ, ὁμοίως δυναμένων κἀκείνων
συνυπακούεσθαι, ἵνα τὴν ἑνότητα διὰ πάντων ᾖ πεφυλακώς,
992 ⟨ἤ⟩, εἰ τῶν λοιπῶν τὰς συζύγους κατέλεγε, καὶ τὴν τοῦ
Ἀνθρώπου ἂν μεμηνύκει σύζυγον καὶ οὐκ ἂν ἀφῆκεν ἐκ
μαντείας ἡμᾶς λαμβάνειν τοὔνομα αὐτῆς.

| **9, 2.** | Φανερὰ οὖν ἡ τῆς ἐξηγήσεως ⟨αὐτῶν⟩ παρα-
996 ποίησις. Τοῦ γὰρ Ἰωάννου ἕνα Θεὸν παντοκράτορα καὶ
ἕνα Μονογενῆ Χριστὸν Ἰησοῦν κηρύσσοντος, δι' οὗ τὰ

[Fr. gr. 1] 984 δειχθήσεται M ‖ 985 ὡς om. V^ac ‖ 986 ἐπ' : ἐν M ‖
987 συνζυγίας V^ac ‖ 989 ἀλλ' ἢ : ἀλλὰ V^acM ‖ συνζυγιῶν V^ac ‖
992 <ἤ> Holl ‖ 993 σύνζυγον V^ac ‖ 995 <αὐτῶν> Holl ‖ 997
ἰησοῦν χριστὸν ∽ M

omnia facta esse[a] dicit, hunc Verbum Dei[b], hunc Vnige-   [Hv 82]
nitum[c], hunc Factorem omnium, hunc Lumen uerum
28 illuminans omnem hominem[d], hunc mundi Fabricato-   8
rem[e], hunc in sua uenisse[f], hunc eundem carnem factum
et inhabitasse in nobis[g], hi transuertentes secundum
uerisimile expositionem, alterum quidem Monogenen
32 uolunt esse secundum emissionem, quem scilicet et   12
Principium uocant, alterum autem Soterem, id est
Saluatorem, fuisse uolunt, et alterum Logon, id est
Verbum, filium Monogenus, id est Vnigeniti, et alterum
36 Christum ad emendationem Pleromatis emissum. Et
unumquodque eorum quae dicta sunt auferentes a   16
ueritate et abutentes nominibus, in suam argumenta-
tionem | transtulerunt, uti secundum eos in tantis   Hv 83
40 Iohannes Domini Iesu Christi memoriam non fecerit.
Si enim Patrem dixit et Charin et Monogenen et
Alethian et Logon et Zoen et Anthropon et Ecclesiam,   4

9, 26 hunc₂ *iter.* S ‖ 30 habitasse in nobis ε   in n. hab. V ‖ 31
uerisimile *in n. Gra. in tx. Mass. ex gr.* : -lem *codd.* ε ‖ 31-33 quidem — alterum *om.* V (*suppl. mg.* V² *scribens* enim *pro* quidem)
‖ 31 monogenem *edd.* ‖ 32 quam ε ‖ 33 soterem : sotherem Q
sothoron sacerdotem S ‖ 35 monogenus ε (*genitiu. ut. infra* autogenus **29,** 29 ; *cf. Introd. p.* 12) : monogenos *codd.*   -nis *edd.* ‖ 36
christum]+ id est Qε ‖ 38 nominibus : a nom- S ‖ 39 ut AQSε ‖ 39-
40 ioh. in tantis ∞ S ‖ 40 christi iesu ∞ C Q ‖ 41 dixisset AQSε ‖
42 alethian CV ε : aletian A   alatian Q   alethiam S

πάντα γεγονέναι[a] λέγει, τοῦτον Λόγον Θεοῦ[b], τοῦτον
Μονογενῆ[c], τοῦτον πάντων Ποιητήν, τοῦτον Φῶς ἀληθινὸν
1000 φωτίζον πάντα ἄνθρωπον[d], τοῦτον κόσμου Ποιητήν[e],
τοῦτον εἰς τὰ ἴδια ἐληλυθότα[f], τοῦτον αὐτὸν σάρκα
γεγονότα καὶ ἐσκηνωκότα ἐν ἡμῖν[g], οὗτοι παρατρέποντες
κατὰ τὸ πιθανὸν τὴν ἐξήγησιν, ἄλλον μὲν τὸν Μονογενῆ
1004 θέλουσιν εἶναι κατὰ τὴν προβολήν, ὃν δὴ καὶ Ἀρχὴν

qui tout a été fait [a] ; c'est lui le Verbe de Dieu [b], lui le
Fils unique [c], lui l'Auteur de toutes choses, lui la vraie
Lumière éclairant tout homme [d], lui l'Auteur du cos-
mos [e] ; c'est lui qui est venu dans son propre domaine [f],
lui-même qui s'est fait chair et a habité parmi nous [g].
Ces gens-là, au contraire, faussant par leurs arguties
captieuses l'exégèse du texte, veulent que, selon
l'émission, autre soit le Monogène, qu'ils appellent aussi
le Principe, autre le Sauveur, autre encore le Logos,
fils du Monogène, autre enfin le Christ, émis pour le
redressement du Plérôme. Détournant chacune des
paroles de l'Écriture de sa vraie signification et usant
des noms d'une manière arbitraire, ils les ont trans-
posés dans le sens de leur système, à telle enseigne que,
d'après eux, dans un texte aussi considérable, Jean
n'aurait même pas fait mention du Seigneur Jésus-
Christ. Car, en mentionnant le Père et la Grâce, le
Monogène et la Vérité, le Logos et la Vie, l'Homme et

καλοῦσιν, ἄλλον δὲ τὸν Σωτῆρα γεγονέναι θέλουσι, καὶ
ἄλλον τὸν Λόγον υἱὸν τοῦ Μονογενοῦς, καὶ ἄλλον τὸν
Χριστὸν εἰς ἐπανόρθωσιν τοῦ Πληρώματος προβεβλημένον.
1008 Καὶ ἓν ἕκαστον τῶν εἰρημένων ἄραντες ἀπὸ τῆς ἀληθείας,
καταχρησάμενοι τοῖς ὀνόμασιν, εἰς τὴν ἰδίαν ὑπόθεσιν
μετήνεγκαν, ὥστε κατ' αὐτοὺς ἐν τοῖς τοσούτοις τὸν
Ἰωάννην τοῦ Κυρίου Ἰησοῦ Χριστοῦ μνείαν μὴ ποιεῖσθαι.
1012 Εἰ γὰρ Πατέρα [429] εἴρηκε καὶ Χάριν καὶ Μονογενῆ καὶ
Ἀλήθειαν καὶ Λόγον καὶ Ζωὴν καὶ Ἄνθρωπον καὶ
Ἐκκλησίαν, κατὰ τὴν ἐκείνων ὑπόθεσιν περὶ τῆς πρώτης

[Fr. gr. 1] 998 λόγον nos : υἱὸν VM ‖ 1000 φωτίζον Holl :
φωτίζοντα VM ‖ 1002 καὶ ἐσκηνωκότα om. V^{ac}M ‖ 1011 μὴ om. V

9, 2. a. cf. Jn 1, 3 ‖ b. cf. Jn 1, 1 ‖ c. cf. Jn 1, 18 ‖ d. cf. Jn 1, 9
‖ e. cf. Jn 1, 10 ‖ f. cf. Jn 1, 11 ‖ g. cf. Jn 1, 14

secundum illorum argumentationem de prima Ogdoade [Hv 8
44 dixit, in qua nondum Iesus, nondum Christus Iohannis
magister. Quia autem non de synzygiis ipsorum Apostolus dixit, sed de Domino nostro Iesu Christo, quem et
Verbum scit esse Dei, idem ipse fecit manifestum. 8
48 Recapitulans enim de eo Verbo quod ei in principio[h]
dictum est, insuper exponit : *Et Verbum caro factum
est, et inhabitauit in nobis*[i]. Secundum autem illorum
argumentationem, non Verbum caro factum est, quod
52 quidem nec uenit umquam extra Pleroma, sed qui ex 12
omnibus factus est et sit posterior Verbo Saluator. |

9, 3. ⋆Discite igitur, insensati, quoniam Iesus qui passus Hv 84
est pro nobis[a], qui inhabitauit in nobis[b], idem ipse est
56 Verbum Dei. Si enim alius ex Aeonibus pro nostra salute
caro factus est, aestimandum erat de altero dixisse 4

9, 43 illorum *om.* QS ‖ 44 nundum$_{1.2}$V (nodum$_1$ *ut uid.* V^a) ‖ 45
quia V ε : qui C AQS ‖ synzygiis C : sinzu- V synzi- AQ sinzi- S
syzy- ε *edd.* ‖ 46 dixerit V ‖ 47 fecit]+ esse CV ‖ 49 et : quod CV
‖ 50 habitauit ASε ‖ autem *om.* C ‖ 52 non S ‖ 53 est *om.* CV
Mass. ‖ 53 sit : sic S ‖ 55 habitauit S ‖ est$_2$: est et V ‖ 57 est
om. QS ‖ ex timandum C Q

Fr. arm. 3. — 9, 54-71 discite — nobis, *Galata 54*, p. 1-2. —
Voir *Introd.*, p. 101.

54 insensati : o insensati ‖ 55 idem : ille ‖ 56 alius *add.* quidam ‖ 57 aestimandum : et aestimandum ‖ <altero>

Ὀγδοάδος εἴρηκεν, ἐν ᾗ οὐδέπω Ἰησούς, οὐδέπω Χριστὸς
1016 ὁ τοῦ Ἰωάννου διδάσκαλος. Ὅτι δὲ οὐ περὶ τῶν συζυγιῶν
αὐτῶν ὁ Ἀπόστολος εἴρηκεν, ἀλλὰ περὶ τοῦ Κυρίου ἡμῶν
Ἰησοῦ Χριστοῦ, ὃν καὶ Λόγον οἶδεν ⟨εἶναι⟩ τοῦ Θεοῦ,
αὐτὸς πεποίηκε φανερόν. Ἀνακεφαλαιούμενος γὰρ περὶ

l'Église, Jean aurait, suivant leur système, mentionné
simplement la première Ogdoade, en laquelle ne se
trouve point encore Jésus, point encore le Christ, le
Maître de Jean. En réalité, ce n'est point de leurs
syzygies que parle l'Apôtre, mais de notre Seigneur
Jésus-Christ, qu'il sait être le Verbe de Dieu. Et Jean
lui-même nous montre qu'il en est bien ainsi. Revenant
en effet à Celui dont il a dit plus haut qu'il était au commencement, c'est-à-dire au Verbe [h][1], il ajoute cette pré-
cision : « Et le Verbe s'est fait chair, et il a habité
parmi nous[i]. » Selon leur système, au contraire, ce n'est
pas le Logos qui s'est fait chair, puisqu'il n'est même
jamais sorti du Plérôme, mais bien le Sauveur, qui est
issu de tous les Éons et est postérieur au Logos[2].

9, 3. Apprenez donc, insensés, que Jésus, qui a
souffert pour nous[a], qui a habité parmi nous[b], ce Jésus
même est le Verbe de Dieu. Si quelque autre parmi les
Éons s'était fait chair pour notre salut, on pourrait

1020 τοῦ εἰρημένου αὐτῷ ἄνω ἐν ἀρχῇ Λόγου[h], ἐπεξηγεῖται ·
« Καὶ ὁ Λόγος σὰρξ ἐγένετο, καὶ ἐσκήνωσεν ἐν ἡμῖν[i]. »
Κατὰ δὲ τὴν ἐκείνων ὑπόθεσιν οὐχ ὁ Λόγος σὰρξ ἐγένετο,
ὅς γε οὐδὲ ἦλθέν ποτε ἐκτὸς Πληρώματος, ἀλλὰ ὁ ἐκ
1024 πάντων γεγονὼς καὶ μεταγενέστερος τοῦ Λόγου Σωτήρ.

| **9, 3.** | Μάθετε οὖν, ἀνόητοι, ὅτι Ἰησοῦς ὁ παθὼν ὑπὲρ
ἡμῶν[a], ὁ κατασκηνώσας ἐν ἡμῖν[b], οὗτος αὐτός ἐστιν ὁ
Λόγος τοῦ Θεοῦ. Εἰ μὲν γὰρ ἄλλος τις τῶν Αἰώνων ὑπὲρ
1028 τῆς ἡμῶν αὐτῶν σωτηρίας σὰρξ ἐγένετο, εἰκὸς ἦν περὶ

[Fr. gr. 1] 1016 δὲ οὐ : οὐδὲ M ‖ συνζυγιῶν V[ac] ‖ 1018 <εἶναι>
nos ‖ 1020 ἐν om. V[ac]M ‖ 1023 ὅς γε : ὥστε M ‖ 1024 πάντων
γεγονὼς καὶ Holl : τῆς οἰκονομίας VM

9, 2. h. cf. Jn 1, 1 ‖ i. Jn 1, 14
9, 3. a. cf. I Pierre 2, 21 ‖ b. cf. Jn 1, 14

144   ADVERSVS HAERESES

Apostolum. Si autem Verbum Patris qui descendit, ipse [Hv 8
est et qui ascendit[c], ab uno Deo Vnigenitus Filius,
60 secundum Patris placitum incarnatus pro hominibus,
non de alio aliquo neque de Ogdoade Iohannes sermonem
fecit, sed de Domino Iesu Christo. Neque enim Verbum 8
secundum eos principaliter caro factum est. Dicunt |
64 enim Sotera induisse corpus animale de dispositione Hv 8[
aptatum inenarrabili prouidentia ut uisibile et palpabile
fieret. ★Caro autem est illa uetus de limo secundum
Adam facta plasmatio a Deo, quam uere factum Verbum 4
68 Dei manifestauit Iohannes. Et soluta est illorum prima
et primogenita Octonatio. Cum enim unus et idem
ostenditur Logos et Monogenes et Zoe et Phos et Soter

9, 60 hominibus : omnibus ε ‖ 62 christo iesu ∽ C QS ‖ 63 caro
om. Q ‖ 64 enim *om.* S ‖ sother Q sothera S ‖ dispotione C ‖ 65
inenarrabile C (-li C²) ‖ uisibili . . . palpabili Q   -is... -is S ‖ 66 est
om. V (*suppl. s.l.* V²) ‖ est autem ∽ CV² Qε *edd.* ‖ 67 qua ε ‖ 70
ostendatur V ‖ phos ε *edd.* : fos CV AQ   fosnus S ‖ sother QS

[Fr. arm. 3] 58 ipse : idem ‖ 59 uno : unico ‖ 61 iohannes
sermonem : sermonem iohannes ∽ ‖ 62 domino *om.* ‖ 64 induisse : induentem ‖ 65 ut : *lacuna* ‖ 66 illa *om.* ‖ de limo : terrena ‖ 67 a deo quam : *lacuna* ‖ factum : factum esse ‖ 68 et
add. iterum ‖ 69 <primogenita> ‖ 69-71 cum — incarnatus :
uno enim et eodem ostenso uerbo et unigenit <o> uita luce et
salute et christo filio dei et eodem hoc incarnato

Fr. syr. 3. — **9,** 66-72 Caro — compago : *Brit. Mus. Add.*
12157, f. 200ᵛ, col. 2. — Voir *Introd.*, p. 109.

68 manifestauit (ἐμήνυσεν) : commemorauit (ἐμνημόνευσεν)

ἄλλου εἰρηκέναι τὸν Ἀπόστολον · εἰ δὲ ὁ Λόγος [ὁ] τοῦ
Πατρὸς ὁ καταβὰς αὐτός ἐστιν καὶ ὁ ἀναβάς[c], ὁ τοῦ μόνου

admettre que l'Apôtre parle d'un autre ; mais si Celui
qui est descendu et remonté[c] est le Verbe du Père, le
Fils unique du Dieu unique, incarné pour les hommes
selon le bon plaisir du Père, alors Jean ne parle ni d'un
autre ni d'une prétendue Ogdoade, mais bien du
Seigneur Jésus-Christ. Car, d'après eux, le Logos ne
s'est pas à proprement parler fait chair : le Sauveur,
disent-ils, s'est revêtu d'un corps psychique provenant
de l'« économie » et disposé par une providence inexprimable de façon à être visible et palpable. Mais, leur
répondrons-nous, la chair est ce modelage de limon
effectué par Dieu en Adam à l'origine, et c'est cette
chair-là même que, au dire de Jean, le Verbe de Dieu
est en toute vérité devenu. Et par là s'écroule leur
primitive et fondamentale Ogdoade. Car, une fois prouvé
que le Logos, le Monogène, la Vie, la Lumière, le Sau-

Θεοῦ Μονογενὴς Υἱός, κατὰ τὴν τοῦ Πατρὸς εὐδοκίαν
1032 σαρκωθεὶς ὑπὲρ ἀνθρώπων, οὐ περὶ ἄλλου τινὸς οὐδὲ
περὶ 'Ογδοάδος τὸν λόγον ⟨ὁ 'Ιωάννης⟩ πεποίηται, ἀλλ'
ἢ περὶ τοῦ Κυρίου 'Ιησοῦ Χριστοῦ. Οὐδὲ γὰρ ὁ Λόγος
κατ' αὐτοὺς προηγουμένως σὰρξ γέγονεν. Λέγουσι γὰρ
1036 τὸν Σωτῆρα ἐνδύσασθαι σῶμα ψυχικὸν ἐκ τῆς οἰκονομίας
κατεσκευασμένον ἀρρήτῳ προνοίᾳ πρὸς τὸ ὁρατὸν γενέσθαι καὶ ψηλαφητόν. Σὰρξ δέ ἐστιν ἡ ἀρχαία ἐκ τοῦ χοῦ
κατὰ τὸν 'Αδὰμ [ἡ] γεγονυῖα πλάσις ὑπὸ τοῦ Θεοῦ, ἣν
1040 ἀληθῶς γεγονέναι τὸν Λόγον τοῦ Θεοῦ ἐμήνυσεν ὁ
'Ιωάννης. Καὶ λέλυται αὐτῶν ἡ πρώτη καὶ ἀρχέγονος
'Ογδοάς. Ἑνὸς γὰρ καὶ τοῦ αὐτοῦ δεικνυμένου Λόγου καὶ
Μονογενοῦς καὶ Ζωῆς καὶ Φωτὸς καὶ Σωτῆρος καὶ Χριστοῦ

[Fr. gr. 1] 1029 [ὁ] Holl ‖ 1033 ⟨ὁ ἰωάννης⟩ Holl ‖ ἐμπεποίηται
V ‖ 1035 γὰρ Holl : δὲ VM ‖ 1039 [ἡ] Holl ‖ 1040 ὁ om. VᵃᶜM

9, 3. c. cf. Éphés. 4, 10. Jn 3, 13

et Christus Filius Dei, et hic idem incarnatus pro nobis, [Hv
72 soluta est Octonationis illorum compago. Hac autem 8
soluta, decidit illorum omnis argumentatio, quam falso
nomine somniantes infamant Scripturas ad propriam
argumentationem confingendam.

76 **9, 4.** Post deinde dictiones et nomina dispersim posita
colligentes, transferunt, sicut praediximus, ex eo quod 12
est secun|dum naturam in id quod est contra naturam, Hv 8
similia facientes his qui controuersias sibimetipsis
80 quaslibet proponunt, post deinde conantur ex homericis
uersibus meditari eas, ita ut idiotae putent ex illa 4
temporali declamata controuersia Homerum uersus
fecisse et multi abducantur per compositam consequen-
84 tiam uersuum, ne forte haec sic Homerus fecerit.
Quemadmodum Herculen ab Eurystheo ad eum qui
apud inferos est canem missum ex homericis uersibus 8

9, 71 christus]+ et *edd. in n. a Gra.* ‖ 73 omnia C ‖ 74 infamant *om.* AQ (*suppl. mg.* A²) ‖ 76 nomina : omnia Vᵃᶜ ‖ 77 trans-
feruntur C ‖ 80 ex *edd. in n.* : et *codd.* ε *edd. in tx.* ‖ omericis
CAQ (ho-C²) ‖ 81 putant S ‖ 82 homerus AQ ‖ 82-83 fecisse
uersus ∾ S ‖ 83 abducantur *edd. in n. a Gra.* : -cuntur CV
AQε *edd. in tx.*   adducuntur S ‖ 84 nec V ‖ sit Q ‖ 85 quemadmodum *om.* S ‖ herculen C : -em *cett.* ‖ euristheo CV Q euristeo
AS

[Fr. syr. 3] 71 Filius : et Filius ‖ hic *om.* ‖ 72 illorum *om.*

1044 καὶ Υἱοῦ Θεοῦ, καὶ τούτου αὐτοῦ σαρκωθέντος ὑπὲρ
ἡμῶν, λέλυται ἡ τῆς Ὀγδοάδος ⟨αὐτῶν⟩ σκηνοπηγία.
[430] Ταύτης δὲ λελυμένης, διαπέπτωκεν αὐτῶν πᾶσα
ἡ ὑπόθεσις, ἣν ψευδῶς ὀνειρώττοντες κατατρέχουσι τῶν
1048 γραφῶν.
Ἰδίαν ⟨γὰρ⟩ ὑπόθεσιν ἀναπλασάμενοι, | **9, 4.** | ἔπειτα
λέξεις καὶ ὀνόματα σποράδην κείμενα συλλέγοντες,

veur, le Christ et le Fils de Dieu sont un seul et même
être, lequel précisément s'est incarné pour nous, c'en
est fait de tout l'échafaudage de leur Ogdoade. Et,
celle-ci réduite en miettes, c'est tout leur système qui
s'effondre, ce songe vain pour la défense duquel ils
malmènent les Écritures.

Car, après avoir forgé de toutes pièces leur système,
9, 4. ils rassemblent ensuite des textes et des noms
épars et, comme nous l'avons déjà dit, ils les font passer
de leur signification naturelle à une signification qui
leur est étrangère[1]. Ils font comme ces auteurs qui se
proposent le premier sujet venu, puis s'escriment à le
traiter avec des vers qu'ils tirent des poèmes d'Homère.
Les naïfs alors s'imaginent qu'Homère a composé des
vers sur ce sujet tout nouveau ; beaucoup de gens s'y
laissent prendre à cause de la suite bien ordonnée des
vers et se demandent si Homère ne serait pas effectivement l'auteur du poème. Voici comment, avec des vers
d'Homère, on a pu décrire l'envoi d'Héraclès par
Eurysthée vers le chien de l'Hadès — rien ne nous

μεταφέρουσι, καθὼς προειρήκαμεν, ἐκ τοῦ κατὰ φύσιν
1052 εἰς τὸ παρὰ φύσιν, ὅμοια ποιοῦντες τοῖς ὑποθέσεις τὰς
τυχούσας αὐτοῖς προβαλλομένοις, ἔπειτα πειρωμένοις
ἐκ τῶν Ὁμήρου ποιημάτων μελετᾶν αὐτάς, ὥστε τοὺς
ἀπειροτέρους δοκεῖν ἐπ᾽ ἐκείνης τῆς ἐξ ὑπογύου μεμελετη-
1056 μένης ὑποθέσεως Ὅμηρον τὰ ἔπη πεποιηκέναι καὶ πολλοὺς
συναρπάζεσθαι διὰ τῆς τῶν ἐπῶν συνθέτου ἀκολουθίας,
μὴ ἄρα ταῦθ᾽ οὕτως Ὅμηρος εἴη πεποιηκώς. Ὡς ὁ τὸν
Ἡρακλέα ὑπὸ Εὐρυσθέως ἐπὶ τὸν ἐν τῷ Ἅιδῃ κύνα πεμπό-
1060 μενον διὰ τῶν Ὁμηρικῶν στίχων γράφων οὕτως — οὐδὲν

[Fr. gr. 1] 1045 <αὐτῶν> Holl ‖ 1047 ἡ om. Vᵃᶜ ‖ ψευδῶς : πᾶς
ἀψευδῶς (vel πᾶσα ψευδῶς ?) M ‖ 1049 <γὰρ> nos ‖ 1058 ὡς ὁ
om. M ‖ 1059 post ἡρακλέα add. τὸν M

scribens ita — nihil enim prohibet exempli gratia [Hv
88 commemorari et horum, cum sit similis et eadem utrisque
argumentatio — :

Versus Homeri

Haec ubi dicta dedit, emisit limine flentem
92 Herculem inuictum, magnarum non inscium rerum, 12
Eurystheus natus Sthenelo prosapia Persei, |
Ducturum ex Erebo canem atri Ditis ad auras. Hv
Vadit at ille, uelut leo nutritus montibus acer,
96 Vrbem per mediam; noti simul omnes abibant
Et senes et pueri et nondum nuptae puellae, 4
Plorantes multum, ac si mortem iret ad ipsam.
Mercurius praemittit et caesia Pallas euntem :
100 Fratrem etenim sciebat quatenus dolor exagitaret.

Quis non ex simplicibus abripiatur ab huiusmodi uersibus 8
et putet sic illos Homerum in hoc argumento fecisse?

9, 90 uersus homeri *sicut alicuius capituli tit.* CV S *in tx. sine
peculiari distinctione* AQ : *om.* ε *edd.* (ε *tamen in mg. de re lectorem
admonet primusque lineis uersus distinxit*) ‖ 91 lumine C S ‖ 93
eristeus C   euristeus AQS (-th- Q²) ‖ sthenelo ε : threnelo CV AQ
steleno S ‖ perse V ‖ 94 erebo Q : aerebo CV   cerebro A   herebo
Sε ‖ atri ditis Sε : atriduditis C   atrudictis V   atruditis A   atrii
ditis Q ‖ aures A ‖ 95 at ille : ad illud C   at illud V ‖ 97 peri C
(pueri C²) ‖ nundum V ‖ 98 si]+ in S ‖ irent ε ‖ ad : ac QS   at ε ‖
ipse AQSε ‖ 99 et caesia pallas : et casia pellas V   ecclesia pallas A
‖ 101 non : nos CV ‖ arripiatur V S

γὰρ κωλύει παραδείγματος χάριν ἐπιμνησθῆναι καὶ
τούτων, ὁμοίας καὶ τῆς αὐτῆς οὔσης ἐπιχειρήσεως τοῖς
ἀμφοτέροις — ·

1064 Ὣς εἰπὼν ἀπέπεμπε δόμων βαρέα στενάχοντα
φῶθ' Ἡρακλῆα, μεγάλων ἐπιίστορα ἔργων,
Εὐρυσθεύς, Σθενέλοιο πάις Περσηιάδαο
ἐξ Ἐρέβευς ἄξοντα κύνα στυγεροῦ Ἀίδαο.
1068 Βῆ ῥ' ἴμεν, ὥς τε λέων ὀρεσίτροφος ἀλκὶ πεποιθώς,

empêche de recourir à pareil exemple, puisqu'il s'agit
d'une tentative de tout point identique dans l'un et
l'autre cas — :

Ayant ainsi parlé, il congédiait, malgré ses lourds
[sanglots (Od. 10, 76),
le noble Héraclès, auteur d'exploits fameux (Od. 21,
[26) :
Eurysthée, fils de Sthénélos le Perséide (Il. 19, 123),
le chargeait de ramener de l'Érèbe le chien du cruel
[Hadès (Il. 8, 368).
Il partit, tel un lion nourri dans les montagnes et
[confiant dans sa force (Od. 6, 130),
prestement, à travers la ville. Ses amis, tous ensemble,
[le suivaient (Il. 24, 327),
ainsi que les jeunes filles, les jeunes gens et les
[vieillards infortunés (Od. 11, 38),
poussant de plaintives lamentations, comme s'il
[marchait à la mort (Il. 24, 328).
Hermès l'accompagnait, ainsi qu'Athèna aux yeux
[pers (Od. 11, 626),
car ils savaient dans leur cœur quelle peine éprouvait
[leur frère[1] (Il. 2, 409).

Quel est le naïf qui ne se laisserait prendre par ces vers
et ne croirait qu'Homère les a composés tels quels pour

καρπαλίμως ἀνὰ ἄστυ, φίλοι δ' ἅμα πάντες ἕποντο,
νύμφαι τ' ἠίθεοί τε πολύτλητοί τε γέροντες,
οἴκτρ' ὀλοφυρόμενοι, ὡς εἰ θανατόνδε κιόντα.
1072 Ἑρμείας δ' ἀπέπεμπεν ἰδὲ γλαυκῶπις Ἀθήνη ·
ᾔδεε γὰρ κατὰ θυμὸν ἀδελφεὸν ὡς ἐπονεῖτο.

Τίς οὐκ ἂν τῶν ἀπανούργων συναρπαγείη ὑπὸ τῶν ἐπῶν
τούτων καὶ νομίσειεν οὕτως αὐτὰ Ὅμηρον ἐπὶ ταύτης

[Fr. gr. 1] 1064 ἄπεμπε V^ac ‖ 1068 λέων : λέω M ‖ 1069 ἅμα :
ἀνὰ V ‖ 1072 δ' ἀπέπεμπεν : διαπέμπεν M ‖ ἰδὲ : ἠδὲ V ‖ 1075
post αὐτὰ add. εἰπεῖν M

Qui autem scit homerica, cognoscet quidem uersus, [Hv
104 argumentum autem non cognoscet, sciens quoniam
aliquid quidem eorum est de Vlixe dictum, aliud uero 12
de Hercule, aliud uero de Priamo, aliud de Menelao et
Agamemnone. Si autem tulerit illos et unumquemque
108 suo libro reddiderit, auferet de medio praesens | argu- Hv 8
mentum. Sic autem et qui regulam ueritatis immobilem
apud se habet, quem per baptismum accepit, haec
quidem quae sunt ex Scripturis nomina et dictiones et
112 parabolas cognoscet, blasphemum autem illorum argu- 4
mentum non cognoscet. Etenim si gemmas agnoscet,
sed uulpem pro regali imagine non recipiet. Vnumquemque autem sermonum reddens suo ordini et
116 aptans | ueritatis corpusculo, denudabit et insubstan- Hv 8
tiuum ostendet figmentum ipsorum.

9, 5. Quoniam autem scenae huic deest redemptio,
uti quis mimum ipsorum explicans destructorem sermo-

9, 105 est : etiam ε ‖ ulixe *codd.* : ulysse ε ‖ edictum V ‖ 106
aliud₂ *codd.* ε : aliud uero *Gra. Hv* ‖ 107 agamenone S ‖ 108
redibit S ‖ auferet ε *edd.* : -ert *codd.* ‖ 110 quem C *(cf. Introd.
p. 23)* : quam *cett. & edd.* ‖ 112 parabolae S ‖ autem *om.* A
(suppl. s.l. A²*)* ‖ 112-113 arg. illorum ∽ S ‖ 113 agnoscet AQSε ‖
115 sermonem V ‖ reddans Q ‖ 116 denudauit AQε -dat S ‖ 117
ostendet S : -dit CV AQε ‖ 118 autem *om.* A *(suppl. s.l.* A²*)* ‖ 119
ut AQSε ‖ mimum AQ : simum CV minimum ε mīmū (mini-
mum? *uel* mimmum) S ‖ destructore Q ‖ 119-120 sermonet V

1076 τῆς ὑποθέσεως πεποιηκέναι ; Ὁ δ᾿ ἔμπειρος τῆς Ὁμηρικῆς
ὑποθέσεως ἐπιγνώσεται ⟨μὲν τὰ ἔπη, τὴν δὲ [431] ὑπόθεσιν
οὐκ ἐπιγνώσεται⟩, εἰδὼς ὅτι τὸ μέν τι αὐτῶν ἐστι περὶ
Ὀδυσσέως εἰρημένον, τὸ δὲ περὶ αὐτοῦ τοῦ Ἡρακλέος,
1080 τὸ δὲ περὶ Πριάμου, τὸ δὲ περὶ Μενελάου καὶ Ἀγαμέμνονος ·
ἄρας δὲ αὐτὰ καὶ ἓν ἕκαστον ἀποδοὺς τῇ ἰδίᾳ, ἐκποδὼν
ποιήσει τὴν ὑπόθεσιν. Οὕτω δὲ καὶ ὁ τὸν κανόνα τῆς
ἀληθείας ἀκλινῆ ἐν ἑαυτῷ κατέχων, ὃν διὰ τοῦ βαπτίσ-
1084 ματος εἴληφεν, τὰ μὲν ἐκ τῶν γραφῶν ὀνόματα καὶ τὰς

traiter ce sujet ? Celui qui est versé dans les récits
homériques pourra reconnaître les vers, il ne reconnaîtra
pas le sujet traité : il sait fort bien que tel de ces vers
se rapporte à Ulysse, tel autre à Héraclès lui-même, tel
autre à Priam, tel autre encore à Ménélas et à Agamem-
non. Et s'il prend ces vers pour restituer chacun d'eux
à son livre originel, il fera disparaître le sujet en question.
Ainsi en va-t-il de celui qui garde inébranlablement en
soi la Règle de vérité qu'il a reçue par son baptême : il
pourra reconnaître les noms, les phrases et les paraboles
provenant des Écritures, il ne reconnaîtra pas le système
blasphématoire inventé par ces gens-là. Il reconnaîtra
les pierres de la mosaïque, mais il ne prendra pas la
silhouette du renard pour le portrait du Roi. En
replaçant chacune des paroles dans son contexte et en
l'ajustant au corps de la vérité, il mettra à nu leur
fiction et en démontrera l'inconsistance.

9, 5. Puisqu'à ce vaudeville il ne manque que le
dénouement[1], c'est-à-dire que quelqu'un mette le point

λέξεις καὶ τὰς παραβολὰς ἐπιγνώσεται, τὴν δὲ βλάσφημον
ὑπόθεσιν αὐτῶν οὐκ ἐπιγνώσεται. Καὶ γὰρ εἰ τὰς
ψηφῖδας γνωρίσει, ἀλλὰ τὴν ἀλώπεκα ἀντὶ τῆς βασιλικῆς
1088 εἰκόνος οὐ παραδέξεται · ἓν ἕκαστον δὲ τῶν εἰρημένων
ἀποδοὺς τῇ ἰδίᾳ τάξει καὶ προσαρμόσας τῷ τῆς ἀληθείας
σωματίῳ, γυμνώσει καὶ ἀνυπόστατον ἐπιδείξει τὸ πλάσμα
αὐτῶν.

1092 | **9, 5.** | 'Επειδὴ ⟨δὲ⟩ τῇ σκηνῇ ταύτῃ λείπει ἡ ἀπόλυσις,
ἵνα τις τὸν μῖμον αὐτῶν περαιώσας τὸν ἀνασκευάζοντα

[Fr. gr. 1] 1076-1077 πεποιηκέναι — ὑποθέσεως om. V^{ac}M ‖
1077 ἐπιγνώσεται : ἐπεὶ γνώσεται M ‖ 1077-1078 ⟨μὲν τὰ ἔπη,
τὴν δὲ ὑπόθεσιν οὐκ ἐπιγνώσεται⟩ Holl ‖ 1081 ἄρας : ὁρᾶς M ‖
1086 αὐτῶν nos : ταύτην VM ‖ 1090 ἐπιδεῖξαι M ‖ 1092 ⟨δὲ⟩
Holl ‖ ἀπόλυσις nos : ἀπολύτρωσις VM

120 nem inferat, bene habere putauimus ostendere primo 4 [Hv
in quibus ipsi patres huius fabulae discrepant aduersus
se inuicem, quasi qui sint ex uariis spiritibus erroris.
Et ex hoc enim diligenter cognoscere est, et ex osten-
124 sione, eam firmam quae ab Ecclesia praedicatur ueri- 8
tatem et ab iis id quod confingitur falsiloquium. |

9, 122 spiritalibus AQSε ‖ 123 et₁ *om.* S ‖ agnoscere C ‖ 125
confingitur C : fing- V AQSε *edd.*

λόγον ἐπενέγκῃ, καλῶς ἔχειν ὑπελάβομεν ἐπιδεῖξαι
πρότερον ἐν οἷς οἱ πατέρες αὐτοὶ τοῦδε τοῦ μύθου διαφέ-
1096 ρονται πρὸς ἀλλήλους, ὡς ἐκ διαφόρων πνευμάτων τῆς
πλάνης ὄντες. Καὶ ἐκ τούτου γὰρ ἀκριβέστατα συνιδεῖν

final à leur farce en y adjoignant une réfutation en règle, nous croyons nécessaire de souligner avant toute autre chose les points sur lesquels les pères de cette fable diffèrent entre eux, inspirés qu'ils sont par différents esprits d'erreur. Déjà par là, en effet, il sera possible de saisir exactement, avant même que nous n'en fournissions la démonstration[1], et la solide vérité proclamée par l'Église[2] et le mensonge échafaudé par ces gens-là.

ἔσται, καὶ πρὸ τῆς ἀποδείξεως, τὴν βεβαίαν ὑπὸ τῆς Ἐκκλησίας κηρυσσομένην ἀλήθειαν καὶ τὴν ὑπὸ τούτων
1100 παραπεποιημένην ψευδηγορίαν.

[Fr. gr. 1] 1094 ἐπενέγκῃ Holl : ἐπενεγκεῖν V ἐπενέγκει M ‖ 1095 μύθου : θυμοῦ V ‖ 1098 τὴν βεβαίαν nos : βεβαίαν τὴν VM

10, 1. ⋆Ecclesia enim per uniuersum orbem usque ad Hv 9
fines terrae seminata, et ab apostolis et discipulis eorum
accepit eam fidem quae est in unum Deum Patrem
4 omnipotentem, *qui fecit caelum et terram et mare et* 4
omnia quae in eis sunt[a], et in unum Christum Iesum
Filium Dei, incarnatum[b] pro nostra salute, et in Spiri-
tum Sanctum, qui per prophetas praedicauit | dispo- Hv 9
8 sitiones Dei et aduentum et eam quae est ex Virgine

10, 1 *hic inserunt codd.* & ε *titulum capituli* II *de quo uide in
init. libri* ‖ 2 et]+ a C AQ ‖ 3 deum *om.* V ‖ 4 et₂ *om.* ε ‖ 5 iesum
christum ∽ ε

Fr. arm. 4. — **10,** 1-16 ecclesia — ei, *Galata 54*, p. 2. — Voir
Introd., p. 101.

1 ecclesia enim *om.* ‖ universum orbem : omnem terram ‖ 2
<et₁> ‖ 3 accepit : <accipiens> ‖ 3-5 eam — sunt : in unum
deum omnipotentem qui (qui *in lacuna*) fecit caelos et terram
et quae in eis facturae fidem ‖ 6 incarnatum : qui incarnatus
est ‖ 7-8 dispositiones : dispositionem ‖ 8 dei *om.*

Fr. arm. 4 bis. — **10,** 1-31 ecclesia — os : Timothée Élure,
Réfutation de la doctrine de Chalcédoine (Jordan, p. 7-8). — Cf.
Introd., p. 105.

1 ecclesia enim : sancta ecclesia quamuis ‖ orbem : sit mundum
‖ 2 fines : terminos ‖ et₁ *om.* ‖ 3-5 eam — sunt : (eam quae est)
<in> unum deum patrem omnipotentem facientem caelum et
terram mare et omnia (quae) in eis (sunt) fidem ‖ 5 christum
iesum : dominum iesum christum ‖ 7 qui — praedicauit : per
prophetas praedicantem

DEUXIÈME PARTIE

UNITÉ DE LA FOI DE L'ÉGLISE
ET VARIATIONS DES SYSTÈMES HÉRÉTIQUES

1. Unité de la foi de l'Église

Les données de la foi.

10, 1. En effet, l'Église, bien que dispersée dans le
monde entier jusqu'aux extrémités de la terre, ayant
reçu des apôtres et de leurs disciples la foi en un seul
Dieu, Père tout-puissant, « qui a fait le ciel et la terre
et la mer et tout ce qu'ils contiennent[a] », et en un seul
Christ Jésus, le Fils de Dieu, qui s'est incarné[b] pour notre
salut, et en l'Esprit Saint, qui a proclamé par les prophètes les « économies »[1], la venue, la naissance du sein

| 10, 1. | Ἡ μὲν γὰρ Ἐκκλησία, καίπερ καθ᾽ ὅλης τῆς
οἰκουμένης ἕως περάτων τῆς γῆς διεσπαρμένη, παρά τε
τῶν ἀποστόλων καὶ τῶν ἐκείνων μαθητῶν παραλαβοῦσα
1104 τὴν εἰς ἕνα Θεὸν Πατέρα παντοκράτορα « τὸν πεποιηκότα
τὸν οὐρανὸν καὶ τὴν γῆν καὶ τὴν θάλασσαν καὶ πάντα
τὰ ἐν αὐτοῖς[a] » πίστιν, καὶ εἰς ἕνα Χριστὸν Ἰησοῦν τὸν
Υἱὸν τοῦ Θεοῦ τὸν σαρκωθέντα[b] ὑπὲρ τῆς ἡμετέρας
1108 σωτηρίας, καὶ εἰς Πνεῦμα ἅγιον τὸ διὰ τῶν προφητῶν
κεκηρυχὸς τὰς οἰκονομίας καὶ τὴν ἔλευσιν καὶ τὴν ἐκ τῆς

[Fr. gr. 1] 1102 τε nos : δὲ VM ‖ 1105 τὴν θάλασσαν nos : τὰς
θαλάσσας VM ‖ 1109 κεκηρυχὸς : καὶ κηρυχῶς M ‖ τὰς ἐλεύσεις V

10, 1. a. Ex. 20, 11. Ps. 145, 6. Act. 4, 24 ; 14, 15 ‖ b. cf. Jn 1, 14

generationem et passionem et resurrectionem a mortuis [Hv
et in carne in caelos ascensionem[c] dilecti[d] Iesu Christi
Domini nostri et de caelis in gloria Patris[e] aduentum 4
12 eius ad *recapitulanda uniuersa*[f] et resuscitandam omnem
carnem humani generis, ut Christo Iesu Domino nostro
et Deo et Saluatori et Regi secundum placitum[g] Patris
inuisibilis[h] *omne genu curuet caelestium et terrestrium et* 8
16 *infernorum et omnis lingua confiteatur*[i] ei, et iudicium
iustum[j] in omnibus faciat, *spiritalia* quidem *nequitiae*[k]
et angelos transgressos atque apostatas factos et impios
et iniustos et iniquos et blasphemos homines in aeternum
20 ignem mittat[l], iustis autem et aequis[m] et praecepta eius 12

10, 10 in₂ *om.* S ‖ ascensione Q ‖ 12 resuscitandum S ‖ 13 ut :
in S ‖ 13-14 nostro et *om.* Q (*suppl. mg.* Q²) ‖ 14 et₂ *om.* C ‖ 15 cor-
ruet Cᵃᶜ curuetur ε ‖ et₁ *om.* Sε ‖ 15-16 et infernorum *om.* CV A
‖ 17 fac. in omn. ∾ S ‖ spiritali CV ‖ 19 blasphemos]+ et AQ
‖ 20 mittet S

[Fr. arm. 4] 9 et₁ *add.* omnem ‖ 10 ascensionem : adsumptio-
nem (ἀνάληψις) ‖ 11 nostri *om.* ‖ 13 humani generis : omnis
humanitatis ‖ ut : et ut ‖ 15-16 et infernorum *om.*

[Fr. arm. 4 bis] 10 in carne : carnalem ‖ ascensionem : ad-
sumptionem ‖ iesu christi : filii christi iesu ‖ 13 humani generis :
omnis humanitatis ‖ christo iesu : iesu christo ∾ ‖ 17 iustum :
iustitiae ‖ 17 faciat *add.* <ut> ‖ quidem *om.* ‖ 18 apostatas :
in apostasia ‖ 19 homines : hominum ‖ 20 iustis... aequis : sanctis...
iustis

Παρθένου γέννησιν καὶ τὸ πάθος καὶ τὴν ἔγερσιν ἐκ
νεκρῶν καὶ τὴν ἔνσαρκον εἰς τοὺς οὐρανοὺς ἀνάληψιν[c]
1112 τοῦ ἠγαπημένου[d] Χριστοῦ Ἰησοῦ τοῦ Κυρίου ἡμῶν καὶ
τὴν ἐκ [432] τῶν οὐρανῶν ἐν τῇ δόξῃ τοῦ Πατρὸς[e]

de la Vierge, la Passion, la résurrection d'entre les morts
et l'enlèvement[c] corporel dans les cieux du bien-aimé[d1]
Christ Jésus notre Seigneur et sa parousie du haut des
cieux dans la gloire du Père[e], pour « récapituler toutes
choses[f] » et ressusciter toute chair de tout le genre
humain, afin que devant le Christ Jésus notre Seigneur,
notre Dieu, notre Sauveur et notre Roi, selon le bon
plaisir[g] du Père invisible[h], « tout genou fléchisse au
ciel, sur la terre et dans les enfers et que toute langue »
le « confesse[i] », et qu'il rende sur tous un juste jugement[j],
envoyant au feu éternel[l] les « esprits du mal[k] » et les
anges prévaricateurs et apostats, ainsi que les hommes
impies, injustes, iniques et blasphémateurs, et accor-
dant au contraire la vie, octroyant l'incorruptibilité et
procurant la gloire éternelle[q] aux justes, aux saints[m],

παρουσίαν αὐτοῦ ἐπὶ τὸ « ἀνακεφαλαιώσασθαι τὰ πάντα[f] »
καὶ ἀναστῆσαι πᾶσαν σάρκα πάσης ἀνθρωπότητος, ἵνα
1116 Χριστῷ Ἰησοῦ τῷ Κυρίῳ ἡμῶν καὶ Θεῷ καὶ Σωτῆρι καὶ
Βασιλεῖ κατὰ τὴν εὐδοκίαν τοῦ Πατρὸς τοῦ ἀοράτου[h]
« πᾶν γόνυ κάμψῃ ἐπουρανίων καὶ ἐπιγείων καὶ κατα-
χθονίων καὶ πᾶσα γλῶσσα ἐξομολογήσεται[i] » αὐτῷ καὶ
1120 κρίσιν δικαίαν[j] ἐν τοῖς πᾶσι ποιήσηται, « τὰ » μὲν « πνευματικὰ τῆς πονηρίας[k] » καὶ ἀγγέλους τοὺς παραβεβηκότας
καὶ ἐν ἀποστασίᾳ γεγονότας καὶ τοὺς ἀσεβεῖς καὶ ἀδίκους
καὶ ἀνόμους καὶ βλασφήμους τῶν ἀνθρώπων εἰς τὸ
1124 αἰώνιον πῦρ πέμψῃ[l], τοῖς δὲ δικαίοις καὶ ὁσίοις[m] καὶ

[Fr. gr. 1] 1119 ἐξομολογήσεται V[ac]M ‖ 1120 ἅπασι V[ac]

10, 1. c. cf. Lc 9, 51 ‖ d. cf. Éphés. 1, 6 ‖ e. cf. Matth. 16, 27 ‖
f. Éphés. 1, 10 ‖ g. cf. Éphés. 1, 9 ‖ h. cf. Col. 1, 15 ‖ i. Phil. 2,
10-11 ‖ j. cf. Rom. 2, 5 ‖ k. Éphés. 6, 12 ‖ l. cf. Matth. 18, 8 ; 25,
41 ‖ m. cf. Tite 1, 8 ‖ q. *pag. seq.*

seruantibus[n] et in dilectione eius perseuerantibus[o], [Hv
quibusdam quidem ab initio[p], quibusdam autem ex
paenitentia, uitam donans incorruptelam loco muneris
24 conferat et claritatem aeternam[q] circumdet. | **10, 2**. Hanc Hv
praedicationem cum acceperit et hanc fidem, quemad-
modum praediximus, Ecclesia, et quidem in uniuersum
mundum disseminata, diligenter custodit quasi unam
28 domum inhabitans, et similiter credit his uidelicet quasi 4
unam animam habens et unum cor[a], et consonanter
haec praedicat et docet et tradit quasi unum possidens
os.

32 Nam etsi in mundo loquelae dissimiles sunt, sed
tamen uirtus traditionis una et eadem est. Et neque
hae quae in Germania sunt fundatae Ecclesiae aliter 8
credunt aut aliter tradunt, neque hae quae in Hiberis
36 sunt, neque hae quae in | Celtis, neque hae quae in Hv

10, 21 et — perseuerantibus *om*. CV ‖ 24 *post* circumdet
inserunt codd. & ε *tit*. cap[11] III *de quo uide in init. libri* ‖ 26 in *om*.
CV S ‖ 29 consonanter *om*. S ‖ 30 tradet C A[ac]Q ‖ 31 os : eos V[ac] ‖
33-34 neque hae : neque S *om*. AQ ‖ 34 germinia C (-ma- C[2])
‖ 35 credant C AQ ‖ haec S ‖ 36 hae ... hae : haec ... haec S

[Fr. arm. 4 bis] 22 quidem *om*. ‖ 23-24 loco muneris conferat
om. ‖ 24 aeternam *om*. ‖ circumdet : praeparet ‖ 25 cum acceperit : περιειληφυῖα ‖ 26 et quidem : quamuis ‖ 28 his : < illis > ‖
uidelicet *om*. ‖ 29 habens et unum : et idem habens ‖ 30 unum
possidens os : < unum > os possidens

τὰς ἐντολὰς αὐτοῦ τετηρηκόσι[n] καὶ ἐν τῇ ἀγάπῃ αὐτοῦ
διαμεμενηκόσι[o], τοῖς ⟨μὲν⟩ ἀπ᾽ ἀρχῆς[p], τοῖς δὲ ἐκ
μετανοίας, ζωὴν χαρισάμενος ἀφθαρσίαν δωρήσηται καὶ
1128 δόξαν αἰωνίαν[q] περιποιήσῃ —, | **10, 2**. | τοῦτο τὸ κήρυγμα
παρειληφυῖα καὶ ταύτην τὴν πίστιν, ὡς προέφαμεν, ἡ

à ceux qui auront gardé ses commandements[n] et qui seront demeurés dans son amour[o], les uns depuis le début[p], les autres depuis leur conversion — : **10, 2.** ayant donc reçu cette prédication et cette foi, ainsi que nous venons de le dire, l'Église, bien que dispersée dans le monde entier, les garde avec soin, comme n'habitant qu'une seule maison, elle y croit d'une manière identique, comme n'ayant qu'une seule âme et qu'un même cœur[a], et elle les prêche, les enseigne et les transmet d'une voix unanime, comme ne possédant qu'une seule bouche.

Car, si les langues diffèrent à travers le monde, le contenu[1] de la Tradition est un et identique. Et ni les Églises établies en Germanie n'ont d'autre foi ou d'autre Tradition, ni celles qui sont chez les Ibères, ni celles qui sont chez les Celtes, ni celles de l'Orient,

---

᾿Εκκλησία, καίπερ ἐν ὅλῳ τῷ κόσμῳ διεσπαρμένη, ἐπιμελῶς φυλάσσει ὡς ἕνα οἶκον οἰκοῦσα, καὶ ὁμοίως
132 πιστεύει τούτοις ὡς μίαν ψυχὴν καὶ τὴν αὐτὴν ἔχουσα καρδίαν[a], καὶ συμφώνως ταῦτα κηρύσσει καὶ διδάσκει καὶ παραδίδωσιν ὡς ἓν στόμα κεκτημένη.

Καὶ γὰρ ⟨εἰ⟩ αἱ κατὰ τὸν κόσμον διάλεκτοι ἀνόμοιαι,
136 ἀλλ' ἡ δύναμις τῆς παραδόσεως μία καὶ ἡ αὐτή. Καὶ οὔτε αἱ ἐν Γερμανίαις ἱδρυμέναι ᾿Εκκλησίαι ἄλλως πεπιστεύκασιν ἢ ἄλλως παραδιδόασιν οὔτε ἐν ταῖς ᾿Ιβηρίαις οὔτε ἐν Κελτοῖς οὔτε κατὰ τὰς ἀνατολὰς οὔτε

[Fr. gr. 1] 1126 ⟨μὲν⟩ Holl ‖ post δὲ add. καὶ V ‖ 1132 μία M ‖ 1135 ⟨εἰ⟩ nos ‖ 1136 ἡ om. Vᵃᶜ

10, 1. n. cf. Jn 14, 15 ‖ o. cf. Jn 15, 10 ‖ p. cf. Jn 15, 27 ‖ q. cf. II Tim. 2, 10. I Pierre 5, 10
10, 2. a. cf. Act. 4, 32

Oriente, neque hae quae in Aegypto, neque hae quae [Hv
in Libya, neque hae quae in medio mundi sunt cons-
titutae; sed sicut sol, creatura Dei, in uniuerso mundo
40 unus et idem est, sic et lumen, praedicatio ueritatis, 4
ubique lucet[b] | et illuminat omnes homines[c] qui uolunt Hv
ad cognitionem ueritatis uenire[d]. Et neque is qui ualde
praeualet in sermone ex his qui praesunt Ecclesiis alia
44 quam haec sunt dicet — nemo enim super magistrum
est[e] —, neque infirmus in dicendo deminorabit traditio- 4
nem : cum enim una et eadem fides sit, neque is qui
multum de ea potest dicere ampliat neque is qui minus
48 deminorat[f].

10, 3. Plus autem aut minus secundum prudentiam
nosse quosdam [intellegentiam] non in eo quod argu- 8
mentum immutetur efficitur et alius Deus excogitetur
52 praeter Fabricatorem et Factorem et Nutritorem huius
uniuersitatis, quasi non ipse | sufficiat nobis, aut alius Hv

---

10, 37 hae₁ C² ε : *om.* CV AQ   haec S ‖ aegipto C Q   egi- S ‖
hae₂ *om.* S ‖ 38 libya ε : libia C QS   lybia V A ‖ hae *om.* S ‖ 39
creatore AQ ‖ 40 unus *om.* V (*suppl.* V²) ‖ 42 cogitationem Q ‖
neque is : ne quis QS ‖ 43 quae S ‖ 43-45 alia — est *om.* C (*suppl.*
mg. infer. C²) ‖ 43 aliam AQ ‖ 44 docet S ‖ 45 neque : que C (ne- C³) ‖
47 amplius AQSε ‖ neque : atque AQ ‖ 48 deminorat : -auit Q ‖
49 *hic inserunt codd.* & ε *tit. cap*¹¹ ¹¹¹¹ *de quo u. in init. libri* ‖ 50 intellegentiam (*codd.* ε) *seclusimus cum pl. edd. in n. propter interpolat.* :
-tium S[b] ‖ 51 immutetur : mut- ε minuitur aut V

1140 ἐν Αἰγύπτῳ οὔτε ἐν Λιβύῃ οὔτε αἱ κατὰ μέσα τοῦ κόσμου
ἱδρυμέναι · ἀλλ' ὥσπερ ὁ ἥλιος, τὸ κτίσμα τοῦ Θεοῦ, ἐν
ὅλῳ τῷ κόσμῳ εἷς καὶ ὁ αὐτός, οὕτω καὶ τὸ φῶς, τὸ κήρυγμα
τῆς ἀληθείας, πανταχῇ φαίνει[b] καὶ φωτίζει πάντας ἀνθρώ-
1144 πους[c] τοὺς βουλομένους εἰς ἐπίγνωσιν ἀληθείας ἐλθεῖν[d].
Καὶ οὔτε ὁ πάνυ δυνατὸς ἐν λόγῳ τῶν ἐν ταῖς Ἐκκλησίαις
προεστώτων ἕτερα τούτων ἐρεῖ — οὐδεὶς γὰρ ὑπὲρ τὸν
διδάσκαλον[e] — οὔτε ὁ ἀσθενὴς ἐν τῷ λόγῳ ἐλαττώσει τὴν

de l'Égypte, de la Lybie, ni celles qui sont établies au
centre du monde ; mais, de même que le soleil, cette
créature de Dieu, est un et identique dans le monde
entier, de même cette lumière qu'est la prédication de
la vérité brille[b] partout et illumine tous les hommes[c]
qui veulent « parvenir à la connaissance de la vérité[d] ».
Et ni le plus puissant en discours parmi les chefs des
Églises ne dira autre chose que cela — car personne
n'est au-dessus du Maître[e] —, ni celui qui est faible en
paroles n'amoindrira cette Tradition : car, la foi étant
une et identique, ni celui qui peut en disserter abondamment n'a plus, ni celui qui n'en parle que peu n'a
moins[f1].

Les questions théologiques.

10, 3. Le degré plus ou moins grand de science
n'apparaît pas dans le fait de changer la doctrine elle-
même et d'imaginer faussement un autre Dieu en
dehors de Celui qui est le Créateur, l'Auteur et le
Nourricier de cet univers, comme s'il ne nous suffisait

1148 παράδοσιν · μιᾶς γὰρ καὶ τῆς αὐτῆς πίστεως οὔσης, οὔτε
ὁ ⟨τὸ⟩ πολὺ περὶ αὐτῆς δυνάμενος εἰπεῖν ἐπλεόνασεν
οὔτε ὁ τὸ ὀλίγον ἠλαττόνησεν[f].

| **10, 3.** | [433] Τὸ δὲ πλεῖον ἢ ἔλαττον κατὰ σύνεσιν
1152 εἰδέναι τινὰς οὐκ ἐν τῷ τὴν ὑπόθεσιν αὐτὴν ἀλλάσσειν
γίνεται καὶ ἄλλον Θεὸν παρεπινοεῖν παρὰ τὸν Δημιουργὸν
καὶ Ποιητὴν καὶ Τροφέα τοῦδε τοῦ παντός, ὡς μὴ ἀρκου-

[Fr. gr. 1] 1149 ⟨τὸ⟩ nos ‖ 1154 τρομφέα V[pc] ρομφέα V[ac]

10, 2. b. cf. Jn 1, 5 ‖ c. cf. Jn 1, 9 ‖ d. I Tim. 2, 4 ‖ e. cf.
Matth. 10, 24 ‖ f. cf. II Cor. 8, 15. Ex. 16, 18

Christus, aut alius Monogenes, sed in eo quod omnia [Hv
quae in parabolis dicta sunt exquirere et adiungere
56 ueritatis argumento et in eo uti instrumentum et dispositionem Dei in genere humano factam enarret; et 4
quoniam magnanimus exstitit Deus et in transgressorum
angelorum apostasia et in inobaudientia hominum,
60 edisserere; et quare alia quidem temporalia, alia uero
aeterna, et quaedam caelestia, quaedam terrena unus 8
et idem <Deus> fecit, adnuntiare; et quare | cum Hv 9
inuisibilis <sit>, apparuit prophetis Deus non in una
64 forma, sed aliis aliter, adesse; et quare testamenta multa
tradita humano generi, adnuntiare, ✶et quis sit uniuscuiusque testamentorum character, docere; et quare *conclu-* 4
sit omnia in incredulitatem Deus ut uniuersis misereatur[a],
68 exquirere; et quare *Verbum* Dei *caro factum est*[b] et

10, 56 uti : ut AQε *om.* S ‖ 57 enarrat *Hv* ‖ 59 aposia Q ‖ 60
edissere QS ‖ 60-62 temporalia — et₁ *om.* V (*suppl. mg. inf.* V²)
‖ 62 <deus> *coni. edd. in n. ex gr.* : *om. codd.* ε *edd. in tx.* ‖ 63
uisibilis S ‖ 63 <sit> *Feu. : om. codd.* ε ‖ deus S : dei *cett.* ‖ 65 quis
sit ε : quisit C qui⫶sit V qui sit AQ quid sit S ‖ 67 in *om.* S ‖
incredulitate S ‖ ut : et VQ

Fr. arm. 5. — **10,** 65-71 et quis — adnuntiare, *Galata 54,*
p. 2-3. — Voir *Introd.,* p. 101.

66 docere : oportet docere ‖ <conclusit> ‖ 67 incredulitatem :
incredulitate

μένους τούτῳ, ἢ ἄλλον Χριστὸν ἢ ἄλλον Μονογενῆ,
1156 ἀλλὰ ἐν τῷ τὰ ὅσα ἐν παραβολαῖς εἴρηται προσεπεξεργά-
ζεσθαι καὶ συνοικειοῦν τῇ τῆς ἀληθείας ὑποθέσει, καὶ ἐν
τῷ τήν τε πραγματείαν καὶ τὴν οἰκονομίαν τοῦ Θεοῦ τὴν
ἐπὶ τῇ ἀνθρωπότητι γενομένην ἐκδιηγεῖσθαι· καὶ ὅτι
1160 ἐμακροθύμησεν ὁ Θεὸς ἐπί τε τῇ τῶν παραβεβηκότων
ἀγγέλων ἀποστασίᾳ καὶ ἐπὶ τῇ παρακοῇ τῶν ἀνθρώπων
σαφηνίζειν· καὶ διὰ τί τὰ μὲν πρόσκαιρα τὰ δὲ αἰώνια

pas, ou un autre Christ, ou un autre Fils unique. Mais
voici en quoi se prouve la science d'un homme : dégager
l'exacte signification des paraboles et faire ressortir
leur accord avec la doctrine de vérité[1] ; exposer la
manière dont s'est réalisé le dessein salvifique de Dieu[2]
en faveur de l'humanité ; montrer que Dieu a usé de
longanimité et devant l'apostasie des anges rebelles et
devant la désobéissance des hommes ; faire connaître
pourquoi un seul et même Dieu a fait des êtres temporels
et des êtres éternels, des êtres célestes et des êtres terrestres ; comprendre[3] pourquoi ce Dieu, alors qu'il était invisible, est apparu aux prophètes, et cela non pas sous
une seule forme, mais aux uns d'une manière et aux
autres d'une autre ; indiquer pourquoi plusieurs Testa-
ments ont été octroyés à l'humanité et enseigner quel
est le caractère propre de chacun d'eux ; chercher à
savoir exactement pourquoi « Dieu a enfermé toutes
choses dans la désobéissance pour faire à tous miséri-
corde[a] » ; publier dans une action de grâces pourquoi
« le Verbe » de Dieu « s'est fait chair[b] » et a souffert sa

---

καὶ τὰ μὲν οὐράνια τὰ δὲ ἐπίγεια εἷς καὶ ὁ αὐτὸς Θεὸς
1164 πεποίηκεν ἀπαγγέλλειν · καὶ διὰ τί ἀόρατος ὢν ἐφάνη
τοῖς προφήταις ὁ Θεὸς οὐκ ἐν μιᾷ ἰδέᾳ, ἀλλὰ ἄλλως
ἄλλοις, συνίειν · καὶ διὰ τί διαθῆκαι πλείους γεγόνασι
τῇ ἀνθρωπότητι μηνύειν · καὶ τίς ἑκάστης τῶν διαθηκῶν
1168 ὁ χαρακτὴρ διδάσκειν · καὶ διὰ τί « συνέκλεισε πάντα
εἰς ἀπείθειαν ὁ Θεὸς ἵνα τοὺς πάντας ἐλεήσῃ[a] » ἐξερευνᾶν ·
καὶ διὰ τί « ὁ Λόγος » τοῦ Θεοῦ « σὰρξ ἐγένετο[b] » καὶ

[Fr. gr. 1] 1155 τούτους V ‖ 1157 οἰκειοῦν V ‖ ἀληθείας nos :
πίστεως VM ‖ 1158 τὴν₂ om. V ‖ 1159 γινομένην V ‖ 1163 τὰ
μὲν οὐράνια om. M ‖ 1166 συνείη M

10, 3. a. Rom. 11, 32 ‖ b. Jn 1, 14

passus est, gratias agere; et quare in nouissimis tempo- [Hv 9
ribus aduentus Filii Dei, hoc est in fine apparuit et non
in initio, adnuntiare; et de fine et de futuris quae- 8
72 cumque posita sunt in Scripturis reuoluere; et quare
desperatas*c* gentes coheredes et concorporatas et participes*d* sanctorum fecit Deus, non tacere; et quemad-
modum *mortalis haec* caro | *induet immortalitatem et* Hv 97
76 *corruptibile incorruptelam*e, adnuntiare; et quemadmodum factus est *qui non erat populus populus, et non
dilecta dilecta*f, et quemadmodum *plures filii eius quae
deserta est magis quam eius quae habet uirum*g, praeco- 4
80 nare. In talibus enim et in similibus eis exclamauit
Apostolus : *O altitudo diuitiarum et sapientiae et agnitionis Dei ! quam inscrutabilia iudicia eius et inuestigabiles
uiae eius*h. Sed non in eo ut supra Creatorem et Fabri- 8
84 catorem Matrem eius et illorum, Enthymesin Aeonis

10, 70 apparuerit ε ‖ 72 possita C ‖ 73 desperatas Sε : -tae CV AQ
‖ corporatas C AQε ‖ 73-74 conparticipes S ‖ 74 et *om.* AQSε ‖
77 non₂ C²V Sε : *om.* C AQ ‖ 78 quemadmodum : quem adunauit
AQS ‖ filios S ‖ 79 habebat S ‖ 79-80 praeconiare ε ‖ 80 eis *om.*
AQSε ‖ 81 et₁ *om.* Qε ‖ 84 matrem eius *om.* AQSε ‖ enthymesim Q
enthimes in CV

[Fr. arm. 5] 70-71 et non in initio : principium

ἔπαθεν εὐχαριστεῖν · καὶ διὰ τί ἐπ' ἐσχάτων τῶν καιρῶν
1172 ἡ παρουσία τοῦ Υἱοῦ τοῦ Θεοῦ, τουτέστιν ἐν τῷ τέλει
ἐφάνη ἡ Ἀρχή, ἀπαγγέλλειν · καὶ περὶ τοῦ τέλους καὶ
τῶν μελλόντων ὅσα τε κεῖται ἐν ταῖς γραφαῖς ἀναπτύσσειν ·
καὶ τί ὅτι τὰ ἀπεγνωσμένα*c* ἔθνη « συγκληρονόμα καὶ
1176 σύσσωμα καὶ συμμέτοχα*d* » τῶν ἁγίων πεποίηκεν ὁ Θεὸς
μὴ σιωπᾶν · καὶ πῶς « τὸ θνητὸν τοῦτο » σαρκίον « ἐνδύ-
σεται ἀθανασίαν καὶ τὸ φθαρτὸν ἀφθαρσίαν*e* » διαγγέλλειν ·
πῶς τε ἐγένετο « ὁ οὐ λαὸς λαὸς καὶ ἡ οὐκ ἠγαπημένη

Passion[1] ; faire connaître pourquoi la venue du Fils de
Dieu a eu lieu dans les derniers temps, autrement dit
pourquoi Celui qui est le Principe n'est apparu qu'à la
fin[2] ; déployer tout ce qui est contenu dans les Écritures
au sujet de la fin et des réalités à venir ; ne pas taire
pourquoi, alors qu'elles étaient sans espérance[c], Dieu
a fait « les nations cohéritières, concorporelles et copar-
ticipantes[d] » des saints ; publier comment « cette chair
mortelle revêtira l'immortalité, et cette chair corruptible, l'incorruptibilité[e] » ; proclamer comment « celui
qui n'était pas un peuple est devenu[3] un peuple et
celle qui n'était pas aimée est devenue aimée[f] », et
comment « les enfants de la délaissée sont devenus plus
nombreux que les enfants de celle qui avait l'époux[g] ».
C'est à propos de ces choses et d'autres semblables que
l'Apôtre s'est écrié : « O profondeur de la richesse, de
la sagesse et de la science de Dieu ! Que ses jugements
sont insondables et ses voies impénétrables![h] » Il ne
s'agit donc pas d'imaginer faussement au-dessus du
Créateur et Démiurge une « Mère » de celui-ci et de ces
gens-là — Mère qui serait l'Enthymésis d'un Éon

1180 ἠγαπημένη[f] » καὶ πῶς « πλείονα τῆς ἐρήμου τὰ τέκνα
μᾶλλον ἢ τῆς ἐχούσης τὸν ἄνδρα[g] » κηρύσσειν — ἐπὶ
τούτων γὰρ καὶ ἐπὶ τῶν ὁμοίων αὐτοῖς ἐπεβόησεν ὁ Ἀπόστολος · « Ὦ βάθος πλούτου καὶ σοφίας καὶ γνώσεως
1184 Θεοῦ · ὡς ἀνεξερεύνητα τὰ κρίματα αὐτοῦ καὶ ἀνεξιχνίαστοι
αἱ ὁδοὶ αὐτοῦ[h] » —, ἀλλ᾽ οὐκ ἐν τῷ ὑπὲρ τὸν Κτίστην καὶ
Δημιουργὸν Μητέρα τούτου καὶ αὐτῶν, Ἐνθύμησιν

[Fr. gr. 1] 1171 τῶν om. M ‖ 1175 τί : ἔτι M ‖ 1176 σύνσωμα M ‖
1179 ἐγένετο ὁ nos : ἐρεῖ ὁ V ἐρεῖς M ‖ 1186 τούτου Holl : τούτων
VM ‖ αὐτῶν Holl : αὐτὸν M αὐτοῦ V

10, 3. c. cf. Éphés. 2, 12 ‖ d. Éphés. 3, 6 ‖ e. cf. I Cor. 15,
54 ‖ f. cf. Osée 2, 25. Rom. 9, 25 ‖ g. cf. Is. 54, 1. Gal. 4, 27 ‖ h.
Rom. 11, 33

errantis adinuenires et ad tantam peruenires blasphe-   [Hv
miam, neque in eo quod est super hanc rursus Pleroma,
aliquando quidem xxx, aliquando uero innumerabiles
88 multitudines Aeonum mentiri, quemadmodum dicunt   12
hi qui uere sunt deserti a diuina sententia magistri,
cum ea quae est Ecclesia uniuersa unam et eandem
fidem habeat in uniuerso mundo, quemadmodum
92 praediximus. |

11, 1. Videamus nunc et horum inconstantem senten-   Hv 9
tiam, cum sint duo uel tres, quemadmodum de eisdem
non eadem dicunt, sed et nominibus et rebus contraria
4 respondent. Qui enim est primus ab ea quae dicitur   4
gnostica haeresis antiquas in suum | characterem   Hv 9
doctrinas transferens Valentinus, sic definiuit Dualitatem quandam innominabilem, cuius quidem aliquid
8 uocari Inenarrabile, aliud autem Sigen. Post deinde ex

10, 85 erratis C ‖ aduenires CV ‖ tantum A^ac ‖ peruenire
AQε ‖ 87-88 innumerabilis multitudinis S ‖ 89 a codd. : forte del.
‖ sententia codd. : forte leg. ex gr. scientia ‖ 90 ecclesia iter. S ‖
eadem C ‖ 91 habeat S : -ant cett. ‖ huniuerso C
    11, 1 hic inserunt codd. & ε tit. cap^ii v de quo u. in init. libri ‖
inconstantem]+ ueritatem ut uid. (cancell.) Q ‖ 3 non]+ de Q ‖
6 transferentes (-te- expunct.) A ‖ definit AQ   diffinit Sε ‖ 6-7
dualitatem : d. secundam ε   d. emissam et s.l. secundam (ex
infra 9) utrumque cancell. Q ‖ 7-8 uocari aliquid ∾ V   al. uocare
AQε

Αἰῶνος πεπλανημένου, παρεπινοεῖν καὶ εἰς τοσοῦτον
1188 ἥκειν [434] βλασφημίας, οὐδὲ ⟨ἐν⟩ τῷ ὑπὲρ ταύτην
πάλιν Πλήρωμα, τότε μὲν τριάκοντα, νῦν δὲ ἀνήριθμον
φῦλον Αἰώνων, ἐπιψεύδεσθαι, καθὼς λέγουσιν οὗτοι οἱ
ἀληθῶς ἔρημοι θείας συνέσεως διδάσκαλοι, τῆς οὔσης
1192 Ἐκκλησίας πάσης μίαν καὶ τὴν αὐτὴν πίστιν ἐχούσης
εἰς πάντα τὸν κόσμον, καθὼς προέφαμεν.

| **11, 1.** | Ἴδωμεν νῦν καὶ τὴν τούτων ἄστατον γνώμην,

égaré — et d'en venir à un tel excès de blasphème, ni
d'imaginer derechef au-dessus d'elle un Plérôme qui
contiendrait tantôt trente Éons, tantôt une tribu
innombrable d'Éons. Car ainsi s'expriment ces maîtres
vraiment dépourvus de science[1] divine, cependant que
toute la véritable Église possède une seule et même foi
à travers le monde entier, ainsi que nous l'avons dit.

2. Variations des systèmes hérétiques

Diversité des doctrines professées par les Valentiniens.

11, 1. Voyons maintenant la doctrine instable de ces
gens et comment, dès là qu'ils sont deux ou trois, non
contents de ne pouvoir dire les mêmes choses à propos
des mêmes objets, ils se contredisent les uns les autres
dans la pensée comme dans les mots. Le premier d'entre
eux, Valentin, empruntant les principes de la secte dite
« gnostique », les a adaptés au caractère propre de son
école[2]. Voici donc de quelle manière il a précisé son système[3]. Il existait une Dyade innommable, dont un terme
s'appelle l'Inexprimable et l'autre le Silence. Par la

─────────────

δύο που καὶ τριῶν ὄντων πῶς περὶ τῶν αὐτῶν οὐ τὰ αὐτὰ
1196 λέγουσιν, ἀλλὰ τοῖς πράγμασιν καὶ τοῖς ὀνόμασιν ἐναντία
ἀποφαίνονται. Ὁ μὲν γὰρ πρῶτος, ἀπὸ τῆς λεγομένης
Γνωστικῆς αἱρέσεως τὰς ἀρχὰς εἰς ἴδιον χαρακτῆρα
διδασκαλείου μεθαρμόσας, Οὐαλεντῖνος, οὕτως ὡρίσατο ·
1200 Εἶναι Δυάδα ⟨τινὰ⟩ ἀνονόμαστον, ἧς τὸ μέν τι καλεῖσθαι
Ἄρρητον, τὸ δὲ Σιγήν · ἔπειτα ἐκ ταύτης τῆς Δυάδος

[Fr. gr. 1] 1188 ⟨ἐν⟩ Holl ‖ τῷ nos : τὸ Vᵖᶜ τὸν VᵃᶜM ‖ 1189
τριάκοντα Holl : ἕνα VM ‖ ἀνήρυθμον M ‖ 1192 πάσης om. VᵃᶜM
‖ 1199 ὡρίσατο nos : ἐξηροφόρησεν (ἐξηφόρησεν M) ὁρισάμενος
VM ‖ 1200 ⟨τινὰ⟩ Holl

hac | Dualitate secundam Dualitatem emissam, cuius Hv ▮
aliud quidem Patrem uocat, aliud autem Alethian. Ex
hac autem Quaternatione fructificari Logon et Zoen,
12 Anthropon et Ecclesiam. Esse autem hanc Octonationem 4
primam. Et a Logo quidem et Zoe decem Virtutes dicit
emissas, sicut praediximus. Ab Anthropo autem et
Ecclesia xii, ex quibus unam discedentem et destitutam
16 reliquam dispositionem fecisse. Terminos autem duos
adhibet : unum quidem inter Bythum et Pleroma, 8
determinantem natos Aeones ab infecto Patre, alterum
uero separantem illorum Matrem a Pleromate. Et
20 Christum autem non ab his qui sunt in Pleromate Aeonibus emissum, sed a Matre foris [autem] facta secundum 12
memoriam meliorum enixum esse cum quadam umbra.
Et hunc quidem, quippe cum esset masculus, abscidisse
24 a semetipso umbram et regressum in Pleroma. Matrem

11, 9 secundum C ‖ 10 aliud₁ : aliquid S ‖ uocant AQSε ‖ aliud₂ :
aliquid AQSε ‖ alethiam S   -theiam *edd.* ‖ 11 quaternione AQSε ‖
zoe A ‖ 13 zoei C ‖ x CV ‖ 13-14 dicit emissas : d. dimissas Q
d. demissas ε   dimissas dixit S ‖ 15 discedente CV ‖ 17 bithun C
bylthum (l *expunct.*) Q ‖ et]+ de C ‖ 18 determinantem : de
termino autem ε ‖ aeones : errores Q   eonis S ‖ ab : et ε ‖ 19
illorum : illum nus AQSε ‖ matre AQSε ‖ et *om.* S ‖ 21 a matre :
matrem V ‖ autem (*codd.* ε) *seclusimus ex gr. cum edd. praeter Hv* ‖
factam V ‖ 22 enixum *nos iuxta sensum (u. not. apud Feu.)* :
enixam CV ASε *edd.*   emissam Q ‖ 23 quippe *om.* S ‖ abscidisset
AQS ‖ 24 in : a AQ   ad Sε

δευτέραν Δυάδα προβεβλῆσθαι, ἧς τὸ μέν τι Πατέρα
ὀνομάζει, τὸ δὲ ᾿Αλήθειαν · ἐκ δὲ τῆς Τετράδος ταύτης
1204 καρποφορεῖσθαι Λόγον καὶ Ζωήν, ῎Ανθρωπον καὶ ᾿Εκκλη-
σίαν, εἶναί τε ταύτην ᾿Ογδοάδα πρώτην. Καὶ ἀπὸ μὲν τοῦ
Λόγου καὶ τῆς Ζωῆς δέκα Δυνάμεις λέγει προβεβλῆσθαι,
καθὼς προειρήκαμεν · ἀπὸ δὲ τοῦ ᾿Ανθρώπου καὶ τῆς

suite, cette Dyade a émis une deuxième Dyade, dont
un terme se nomme le Père et l'autre la Vérité. Cette
Tétrade a produit comme fruit le Logos et la Vie,
l'Homme et l'Église : et voilà l'Ogdoade première. Du
Logos et de la Vie sont émanées dix Puissances, comme
nous l'avons déjà dit ; de l'Homme et de l'Église sont
émanées douze autres Puissances, dont l'une, après
avoir quitté le Plérôme et être tombée dans la déchéance,
a fait le reste de l'œuvre de fabrication. Valentin pose
deux Limites : l'une, située entre l'Abîme et le restant
du Plérôme, sépare les Éons engendrés du Père inengendré, tandis que l'autre sépare leur Mère du Plérôme.
Le Christ n'a pas été émis par les Éons du Plérôme :
c'est la Mère qui, lorsqu'elle s'est trouvée hors du
Plérôme, l'a enfanté selon le souvenir qu'elle avait
gardé des réalités supérieures, non cependant sans une
certaine ombre. Comme ce Christ était masculin, il
retrancha de lui-même cette ombre et remonta dans le

1208 Ἐκκλησίας δώδεκα, ὧν μίαν ἀποστᾶσαν καὶ ὑστερήσασαν
τὴν λοιπὴν πραγματείαν πεποιῆσθαι. Ὅρους τε δύο
ὑπέθετο, ἕνα μὲν μεταξὺ τοῦ Βυθοῦ καὶ τοῦ λοιποῦ
Πληρώματος, διορίζοντα τοὺς γεννητοὺς Αἰῶνας ἀπὸ τοῦ
1212 ἀγεννήτου Πατρός, ἕτερον δὲ τὸν ἀφορίζοντα αὐτῶν τὴν
Μητέρα ἀπὸ τοῦ Πληρώματος. Καὶ τὸν Χριστὸν δὲ οὐκ
ἀπὸ τῶν ἐν τῷ Πληρώματι Αἰώνων προβεβλῆσθαι, ἀλλὰ
ὑπὸ τῆς Μητρὸς ἔξω γενομένης κατὰ τὴν μνήμην τῶν
1216 κρειττόνων ἀποκεκυῆσθαι μετὰ σκιᾶς τινος. Καὶ τοῦτον
μέν, ἅτε ἄρρενα ὑπάρχοντα, ἀποκόψαντα ἀφ' ἑαυτοῦ
τὴν σκιὰν ἀναδραμεῖν εἰς τὸ Πλήρωμα. Τὴν δὲ Μητέρα

[Fr. gr. 1] 1211 γεννητοὺς Holl : γενετοὺς VM ‖ 1212 ἀγεννήτου
Holl : ἀγενήτου VM ‖ 1215 μνήμην Holl : γνώμην VM

autem subrelictam sub umbra, euacuatam | autem HV 1
spiritali substantia, alterum filium emisisse. Et hunc
esse Demiurgum, quem et omnipotentem dicit eorum
28 quae ei subiacent. Coemissum autem ei et sinistrum
Principem, similiter his qui dicentur a nobis falsi 4
nominis Gnostici. Et Iesum autem aliquando quidem
ab eo qui separatus a Matre eorum et coadunatus est
32 cum reliquis emissum dicit, hoc est a Theleto, aliquando
autem ab eo qui recucurrit sursum in Pleroma, hoc est
a Christo, aliquando autem ab Anthropo et Ecclesia. 8
Et Spiritum autem sanctum a Veritate dicit emissum
36 in examinationem et fructificationem Aeonum, inuisibiliter in eos introeuntem, per quem Aeones fructifi-
carent folia Veritatis. Haec quidem ille. 12

11, 2. *Secundus autem primam Ogdoadem sic tradidit
40 dicens Quaternationem esse dextram et Quaternationem

11, 25 sub *codd.* : *forte leg. ex gr.* cum ‖ umbra euacuatam :
-bre ua- A -brae ua- (a_1 *expunct.*) Q -bra ua- Sε ‖ 26 spiritali :
a sp- CV ‖ 28 sinistram C ‖ 29 similiter *edd. in n. ex gr.* : similem
codd. ε *edd. in tx.* ‖ 32 hoc : id Qε ‖ teleto ε ‖ 33 recurrit ε ‖
sursum *om.* Q ‖ 35 et *om.* S ‖ 37 per quem *iter.* Q ‖ 38 folia (φύλλα)
lat. : φυτά *gr.* ‖ 40 quaternationem$_1$: -nionem AQSε ‖ quater-
nationem$_2$: -nionem ASε

ὑπολειφθεῖσαν μετὰ τῆς σκιᾶς κεκενωμένην τε τῆς πνευμα-
1220 τικῆς ὑποστάσεως ἕτερον υἱὸν προενέγκασθαι, καὶ τοῦτον
εἶναι τὸν Δημιουργόν, ὅν καὶ παντοκράτορα λέγει τῶν
ὑποκειμένων. Συμπροβεβλῆσθαι δὲ αὐτῷ [435] καὶ ἀριστερὸν Ἄρχοντα ἐδογμάτισεν ὁμοίως τοῖς ῥηθησομένοις
1224 ὑφ' ἡμῶν ψευδωνύμοις Γνωστικοῖς. Καὶ τὸν Ἰησοῦν ⟨δὲ⟩
ποτὲ μὲν ἀπὸ τοῦ συσταλέντος ἀπὸ τῆς Μητρὸς αὐτῶν
συναναχυθέντος ⟨τε⟩ τοῖς ὅλοις προβεβλῆσθαί φησι,
τουτέστιν τοῦ Θελητοῦ, ποτὲ δὲ ἀπὸ τοῦ ἀναδραμόντος
1228 εἰς τὸ Πλήρωμα, τουτέστιν τοῦ Χριστοῦ, ποτὲ δὲ ἀπὸ τοῦ
Ἀνθρώπου καὶ τῆς Ἐκκλησίας. Καὶ τὸ Πνεῦμα δὲ
τὸ ἅγιον ὑπὸ τῆς Ἀληθείας φησὶ προβεβλῆσθαι εἰς

Plérôme. La Mère alors, abandonnée avec l'ombre et
vidée de la substance pneumatique, émit un autre fils :
c'est le Démiurge, maître tout-puissant de ce qui est
au-dessous de lui. En même temps que lui fut émis un
Archonte de la gauche, décrète Valentin à l'instar des
« Gnostiques » au nom menteur dont nous parlerons
plus loin[1]. Quant à Jésus, il le fait dériver tantôt de
l'Éon qui s'est séparé de la Mère et s'est réuni aux
autres, c'est-à-dire de Thelètos, tantôt de celui qui est
remonté au Plérôme, c'est-à-dire du Christ, tantôt
encore de l'Homme et de l'Église. Quant à l'Esprit
Saint, il dit qu'il a été émis par la Vérité[2] pour la
probation et la fructification des Éons : il entre en eux
d'une manière invisible et, par lui, les Éons fructifient
en rejetons de Vérité. Telle est la doctrine de Valentin[3].

11, 2. Secundus enseigne que la première Ogdoade
comprend une Tétrade de droite et une Tétrade de

ἀνάκρισιν καὶ καρποφορίαν τῶν ᾿Αιώνων, ἀοράτως εἰς
1232 αὐτοὺς εἰσίον · δι' οὗ τοὺς ᾿Αιῶνας καρποφορεῖν τὰ
φυτὰ τῆς ᾿Αληθείας. ⟨Ταῦτα μὲν ἐκεῖνος⟩.

[Fr. gr. 1] 1222 προβεβλῆσθαι V^ac M ‖ 1222-1223 ἄριστον V ‖ 1224
ψευδωνύμως V ‖ ⟨δὲ⟩ Holl ‖ 1225 συνσταλέντος M ‖ 1226 ⟨τε⟩
Holl ‖ 1230 ἀληθείας Holl : ἐκκλησίας VM ‖ 1233 post ἀληθείας
add. πεπλήρωται (πεπλήρωνται M) τὰ εἰρηναίου κατὰ οὐαλεντίνων
VM ‖ ⟨ταῦτα μὲν ἐκεῖνος⟩ nos

Fr. gr. 2. — ÉPIPHANE, *Pan.*, *haer.* 32, 1 (Holl I, 439,
7-14), VM. HIPPOLYTE, *Elenchos* VI, 38 (Wendl. 168, 7-11),
P. — Voir *Introd.* p. 85.

| **11,** 2. | Σεκοῦνδος δὲ τὴν πρώτην ᾿Ογδοάδα οὕτως
παραδίδωσι, λέγων Τετράδα εἶναι δεξιὰν καὶ Τετράδα

Fr. gr. 2. — 1-2 δὲ — λέγων nos : cf. textus integros VMP
in *not. justif. P. 173, n. 1.* ‖ 2 τετράδα εἶναι P : εἶναι ... τετράδα
VM

sinistram, | et lumen et tenebras; et discedentem autem Hv
<et> destitutam Virtutem non a xxx Aeonibus dicit
fuisse, sed a fructibus eorum.

44   **11**, 3. *Alius uero quidam, qui et clarus est magister
ipsorum, | in maius sublime et quasi in maiorem agni- Hv
tionem extensus, primam Quaternationem dixit sic :
Est quidem ante omnes Proarche proanennoetos et
48 inenarrabilis et innominabilis, quam ego Monotetam 4
uoco. Cum hac Monoteta est Virtus, quam et | ipsam Hv
uoco Henotetam. Haec Henotes et Monotes, cum sint
unum, emiserunt, cum nihil emiserint, Principium

11, 41 et₃ *om.* S ‖ discedentem *edd.* : descen- *codd.* ε ‖ 42 <et>
ex gr. Gra. in n. Mass. in tx. : *om. codd.* ε ‖ a Sε : *om.* CV AQ ‖
triginta ε *edd.* ‖ 43 ipsorum CV ‖ 44 quidam : -dem AQ   *om.* S ‖
45 in₁ : et S ‖ 45-46 cognitionem V ‖ 46 quaternionem AQSε ‖ 47
quidem *codd.* : *forte leg. ex gr.* quaedam (*cf. infra* 69) ‖ proanennoetos V ε : -noetes C -noemi AQ   proanonen noemi S ‖ 48 monotetam CV AS : -thetam Q -tetem ε ‖ 49 hac : hec V ‖ monoteta
CV AS : -theta Q   -tete ε ‖ 50 henotetam AQᵖᶜ(-the-Q)S : -tatam
CV -tetem ε ‖ haec *om.* Aε ‖ *post* henot. *iter. et exp.* cum hac
monotheta Q ‖ henotes C ε : hemotes V henotetes A   enotes
Q henothetes S ‖ monotes CV Aε : mōtē *sic* Q   monotetes S ‖
51 nihil *codd.* : *forte leg. ex gr.* non (*cf. infra* 74)

ἀριστεράν, καὶ φῶς καὶ σκότος · καὶ τὴν ἀποστᾶσαν
4 δὲ καὶ ὑστερήσασαν Δύναμιν οὐκ ἀπὸ τῶν τριάκοντα
Αἰώνων λέγει γεγενῆσθαι, ἀλλ' ἀπὸ τῶν καρπῶν αὐτῶν.

[Fr. gr. 2] 3 καὶ₁ P : τὴν μὲν μίαν VM ‖ καὶ₂ P : τὴν δὲ ἄλλην VM
‖ καὶ τὴν P : τὴν δὲ VM ‖ 4 δὲ P : τε VM ‖ οὐκ P : μὴ εἶναι
VM ‖ 5 λέγει γεγενῆσθαι P : *om.* VM ‖ ἀπὸ — αὐτῶν P : μετὰ
τοὺς τριάκοντα αἰῶνας VM

gauche : l'une est Lumière, l'autre, Ténèbres. Quant à
la Puissance qui s'est séparée du Plérôme et a subi la
déchéance, elle ne provient pas des trente Éons, mais
de leurs fruits[1].

11, 3. Un autre, qui est chez eux un maître réputé,
« s'étend » vers une gnose plus haute et plus « gnostique »
et décrit la première Tétrade de la manière suivante[2] :
Il existe avant toutes choses un Pro-Principe pro-
inintelligible, inexprimable et innommable, que j'appelle
« Unicité ». Avec cette Unicité coexiste une Puissance
que j'appelle encore « Unité ». Cette Unité et cette
Unicité, étant un, ont émis, sans émettre, un Principe

Fr. gr. 3. — ÉPIPHANE, *Pan.*, *haer.* 32, 5 (Holl I, 445,
6-15), VM. HIPPOLYTE, *Elenchos* VI, 38 (Wendl. 168, 11 -
169, 2), P. — Voir *Introd.* p. 86.

| **11, 3.** | ῎Αλλος δέ τις, ⟨ὁ καὶ⟩ ἐπιφανὴς διδάσκαλος
αὐτῶν, ἐπὶ τὸ ὑψηλότερον καὶ γνωστικώτερον ἐπεκτεινόμενος, τὴν πρώτην Τετράδα λέγει οὕτως · ῎Εστι τις
4 πρὸ πάντων Προαρχὴ προανεννόητος, ἄρρητός τε καὶ
ἀνονόμαστος, ἣν ἐγὼ Μονότητα καλῶ. Ταύτῃ τῇ Μονότητι
συνυπάρχει Δύναμις, ἣν καὶ αὐτὴν ὀνομάζω ῾Ενότητα.
Αὕτη ἡ ῾Ενότης ἥ τε Μονότης, ἅτε ἓν οὖσαι, προήκαντο
8 μὴ προέμεναι ᾿Αρχὴν τῶν πάντων νοητήν, ἀγέννητόν τε

Fr. gr. 3. — 1-2 ἄλλος — αὐτῶν P : φασὶ δὲ καὶ οὗτοι ὡς VM ‖
1 ⟨ὁ καὶ⟩ nos ‖ 2-3 ἐπὶ — τετράδα om. P ‖ ἐπεκτεινόμενος nos :
-μενοι VM ‖ 3 λέγει οὕτως nos : οὕτως λέγει ∞ P om. VM ‖ 3-4
ἔστι — προαρχὴ VM : ἣν ἡ πρώτη ἀρχὴ P ‖ 4 προανεννόητος
VM : ἀννενόητος P ‖ ἄρρητός τε VM : ἄρεντος δὲ P ‖ 5 ἐγὼ VM :
om. P ‖ καλῶ Holl : καλεῖ P ἀριθμῶ VM ‖ τῇ μονότητι VM :
δὲ P ‖ 6 συνυπάρχει δύναμις VM : συνυπάρχειν δύναμιν P ‖ καὶ
αὐτὴν VM : om. P ‖ ὀνομάζω VM : ὀνομάζει P ‖ 7 ἐνότης
VᵖᶜMP : ἐνώτης Vᵃᶜ ‖ ἥ τε VM : εἴτε P ‖ 8 τῶν nos : ἐπὶ VMP
‖ νοητὴν VM : νοητῶν P ‖ ἀγέννητον VᵃᶜM : ἀγένητον VᵖᶜP

52 omnium noeten et agenneton et aoraton, quam Archen [Hv 1
sermo Monada uocat. Cum hac Monada est Virtus 4
eiusdem substantiae ei, quam et eam uoco Hen. Hae
autem Virtutes, id est Mono|tes et Henotes et Monas Hv 10
56 et Hen, emiserunt reliquas emissiones Aeonum.

11, 4. *Iu iu! et pheu pheu! Tragicum uere dicere
oportet super hanc nominum factionem et tantam
audaciam, quemadmodum sine rubore mendacio suo 4
60 nomina posuit. In eo enim quod dicit : Est ante omnia
Proarche proanennoetos, quam ego Monoteta uoco, et
iterum : Cum hac Monoteta est Virtus, quam et ipsam
uoco Henotetam, manifestum quoniam figmenta sunt
64 quaecumque ab eo dicta sunt confessus est, <et> 8

11, 52 noeten AS *(forma graeco adsimulata)* : noetem Q   noethen
CV   noeton ε *edd.* ‖ agenneton *edd.* : ageneton C ASε   agenton V
agineton Q ‖ et₂ *om.* ε ‖ aoraton V QSε : aoroton C   acraton A ‖
archen ε : arche C AQS   archae (a₂ *expunct. et cancell.*) V ‖ 53
monada₁ V AQSε : monoda (-v-*graec.*) C ‖ hac : ha⫽c C ‖ monada₂
codd. : monade ε ‖ 54 ei *om.* CV ‖ haec V S ‖ 55 est *om.* V ‖ monotes :
-tetes S ‖ henotes ε : thenotes CV   enotes AQ   benotetes S ‖
55-56 monas et hen (en Cᵃᶜ) CV ε : monaseten S   monosethen
AQ ‖ 57 uero Q ‖ 58 fictionem V Sε ‖ et : ei ε ‖ 60 in eo : nemo
AQSε ‖ 61 proarche ε : pro arches CV AQS ‖ proanennoetos ε :
proanenoetos AQS   proane noeatos C   -nocatos V ‖ monoteta C
AQSε : montetam (-nat-Vᵃ) V ‖ 62 monoteta CV AS : -theta Q
-tete ε ‖ 63 henotetam *nos (cf.* 55) : enotetam *codd.*   henotetem ε ‖
manifestum]+ est CV   *forte leg. ex gr.* manifestissime ‖ 64 <et>
Gra. & Mass. in n. ex gr. : *om. codd.* ε *edd. in tx.*

καὶ ἀόρατον, ἣν Ἀρχὴν ὁ λόγος Μονάδα καλεῖ. Ταύτῃ
τῇ Μονάδι συνυπάρχει Δύναμις ὁμοούσιος αὐτῇ, ἣν καὶ
αὐτὴν ὀνομάζω τὸ Ἕν. Αὗται ⟨δὲ⟩ αἱ Δυνάμεις, ἥ τε
12 Μονότης καὶ Ἑνότης Μονάς τε καὶ τὸ Ἕν προήκαντο
τὰς λοιπὰς προβολὰς τῶν Αἰώνων.

[Fr. gr. 3] 9 ἀρχὴν ὁ λόγος om. P ‖ 10 μονάδι VM : δυνάμει P ‖
αὐτῇ ἣν VM : αὕτη ἦν P ‖ 11 ὀνομάζω VM : ὀνομάζων P ‖
⟨δὲ⟩ nos> ‖ post αἱ add. τέσσαρες P ‖ 11-12 ἥ — ἓν om. P ‖
13 προβολὰς τῶν αἰώνων VM : τῶν αἰώνων προσβολάς P

de toutes choses[1], intelligible, inengendré et invisible,
Principe que le langage appelle « Monade ». Avec cette
Monade coexiste une Puissance de même substance
qu'elle, que j'appelle encore l'« Un ». Et ces Puissances,
à savoir l'Unicité, l'Unité, la Monade et l'Un, ont émis
le reste des Éons.

11, 4. Ah ! ah ! hélas ! hélas ! Il est bien permis,
en vérité, de pousser cette exclamation tragique devant
une pareille fabrication de noms, devant l'audace de
cet homme apposant impudemment des noms sur ses
mensongères inventions. Car en disant : « Il existe avant
toutes choses un Pro-Principe pro-inintelligible que
j'appelle Unicité », et : « Avec cette Unicité coexiste
une Puissance que j'appelle encore Unité », il avoue de
la façon la plus claire que toutes ses paroles ne sont
qu'une fiction et que lui-même appose sur cette fiction des

Fr. gr. 4. — ÉPIPHANE, *Pan.*, *haer.* 32, 6 (Holl I, 445,
20 - 446, 11), VM. — Voir *Introd.* p. 86.

| 11, 4. | Ἰοὺ ἰοὺ καὶ φεῦ φεῦ. Τὸ τραγικὸν ὡς ἀληθῶς
ἐπειπεῖν ἔστιν ἐπὶ τῇ τοιαύτῃ ὀνοματοποιΐᾳ καὶ τῇ τοσαύτῃ
τόλμῃ, ὡς ἀπερυθριάσας τῷ ψεύσματι αὐτοῦ ὀνόματα
4 τέθεικεν. Ἐν γὰρ τῷ λέγειν · « Ἔστι τις πρὸ πάντων
Προαρχὴ προανεννόηι ος, ἣν ἐγὼ Μονότητα καλῶ », καὶ
πάλιν · « Ταύτῃ τῇ Μονότητι συνυπάρχει Δύναμις, ἣν καὶ
αὐτὴν ὀνομάζω Ἑνότητα », σαφέστατα ὅτι τε πλάσμα
8 ἐστὶ τὰ ὑπ' αὐτοῦ εἰρημένα ὡμολόγηκε καὶ ὅτι αὐτὸς

Fr. gr. 4. — 1 post τραγικὸν add. γὰρ V ‖ 2 ὀνοματοποιΐᾳ nos :
συμφορᾷ τῶν τὰ γελοιώδη ταῦτα γεγραφότων τῆς τοιαύτης ὀνομα-
τοποιΐας VM ‖ 3 ὀνόματα Holl : ὄνομα VM ‖ 4-5 πρὸ πάντων
προαρχὴ nos : προαρχὴ πρὸ πάντων ∾ VM ‖ 5 μονότητα Holl :
μονάδα VM ‖ 6 μονότητι Holl : μονάδι VM ‖ 7 ὀνομάζω ἑνότητα Holl : ἑνότητα ὀνομάζω ∾ VM ‖ 8 ἐστὶ τὰ ὑπ' αὐτοῦ nos :
αὐτοῦ ἐστι τὰ VM

quoniam ipse nomina posuit figmento quae a nemine [Hv 1
altero posita sunt : qui nisi haec auderet, hodie veritas
secundum eum non habuisset nomen. Nihil igitur
68 prohibet et alterum quendam in tali argumento sic 12
praefinire nomina : Est | quaedam Proarche regalis, Hv 10
proanennoetos, proanypostatos, Virtus proprocylindomene. Cum illa autem est Virtus, quam ego Cucurbitam
72 uoco. Cum hac Cucurbita est Virtus, quam et ipsam
uoco Perinane. Haec Cucurbita et Perinane, cum 4
sint unum, emiserunt, cum non emisissent, fructum in
omnibus uisibilem, manducabilem et dulcem, quem
76 fructum sermo Cucumerem uocat. Cum hoc Cucumere
est Virtus eiusdem potestatis ei, quam et ipsam Peponem[a] 8
uoco. Haec Virtutes, Cucurbita et Perinane et Cucumis
et Pepo, emiserunt reliquam multitudinem Valentini
80 deliriosorum Peponum. Si enim eum sermonem qui de
uniuersis fit transfigurari in primam Quaternationem
oportet et quemadmodum uult aliquis ipse ponere 12
nomina, quis prohibet his nominibus uti multo credibi-
84 lioribus et in usu positis et ab omnibus cognitis?

11, 65 finiendo C[ac] (figmento C[a]) ‖ 66 altero : alio S *forte leg.
ex gr.* <prius> altero *Gra. in n.* ‖ audiret AQS ‖ 67 nomen *ex gr.
Hv in hamulis* : nomina *codd.* ε *edd.* ‖ 67-69 nihil — nomina *om.* A
‖ 70 proanennoetos ε : -nenoetas CV   -nenotetos A   -nenoetos Q
peranenoetos S ‖ proanypostatos CV Aε : -ani- Q   perany- S ‖
70-71 proprocylindomene C Qε : -cylyn- V A   perpersysindemene
S ‖ 71-72 ego — quam *om.* AQSε ‖ 72 cucurbita]+ autem *edd.
a Feu.* ‖ quem C (-am C[2]) ‖ 74-76 in — fructum *om.* AQSε ‖ 77 ei
C ε : et AQ   *om.* V S ‖ ipse S ‖ poponem C (pepo- C[3]) ‖ 78 uocat
S ‖ haec CV S *(1 Ls56)* : hae AQε *edd.* ‖ cucumis *edd. a Feu.* :
cucumeris *codd.* ε ‖ 80 deliriosorum ε : deleriosorum C A   deleri-
siorum Q delirosorum S derisorem V ‖ peponum ε : paeponorum
CV AQS ‖ 81 sit S ‖ quaternionem AQSε ‖ 83 uti *nos* : utique
CV   ut AQS   et ε ‖ 84 hominibus V Q (omn- Q[pc])

noms que personne d'autre n'a employés jusque-là.
Sans son audace, la vérité n'aurait donc point encore
aujourd'hui de nom, à l'en croire ! Mais alors, rien n'empêche qu'un autre inventeur, traitant le même sujet,
définisse ses termes de la façon suivante[1] : Il existe un
certain Pro-Principe royal, pro-dénué-d'intelligibilité,
pro-dénué-de-substance et pro-pro-doté-de-rotondité,
que j'appelle « Citrouille »[2]. Avec cette Citrouille coexiste
une Puissance que j'appelle encore « Supervacuité »[3].
Cette Citrouille et cette Supervacuité, étant un, ont
émis, sans émettre, un Fruit visible de toutes parts,
comestible et savoureux, Fruit que le langage appelle
« Concombre ». Avec ce Concombre coexiste une Puissance de même substance qu'elle[4], que j'appelle encore
« Melon [a] »[5]. Ces Puissances, à savoir Citrouille, Supervacuité, Concombre et Melon, ont émis tout le reste
de la multitude des Melons délirants de Valentin. Car,
s'il faut accommoder le langage commun à la première
Tétrade et si chacun choisit les noms qu'il veut, qui
empêcherait de se servir de ces derniers termes[6],
beaucoup plus dignes de créance, passés dans l'usage
et connus de tous ?

ὀνόματα τέθεικε τῷ πλάσματι ὑπὸ μηδενὸς πρότερον ἄλλου
τεθειμένα, ὃς εἰ μὴ ταῦτα τετολμήκει, οὐκ ἂν ⟨σήμερον⟩
ἡ ἀλήθεια ⟨κατ' αὐτὸν⟩ εἶχεν ὄνομα. Οὐδὲν οὖν κωλύει
12 καὶ ἄλλον τινὰ ἐπὶ τῆς αὐτῆς ὑποθέσεως οὕτως ὁρίσασθαι
ὀνόματα.

[Fr. gr. 4] 10 ὃς εἰ μὴ nos : καὶ σαφές ἐστιν ὅτι αὐτὸς VM ‖
τετολμήκει nos : τετόλμηκεν ὀνοματοποιῆσαι, καὶ εἰ μὴ παρῆν
τῷ βίῳ αὐτός VM ‖ ⟨σήμερον⟩ nos ‖ 11 ⟨κατ' αὐτὸν⟩ nos

11, 4. a. cf. Nombr. 11, 5

11, 5. *Alii autem rursus ipsorum primam et arche- [Hv
gonon Octonationem his nominibus nominauerunt : 16
primum Proarchen, | deinde Anennoeton, tertiam autem Hv ᴵ
88 Arreton, et quartam Aoraton; et de prima quidem
Proarche emissum esse primo et quinto loco Archen,
ex Anennoeto secundo et sexto loco Acatalempton, et 4
de Arreto autem tertio et septimo loco Anonomaston,
92 de Aorato autem quarto et octauo loco Agenneton,
pleroma hoc primae Ogdoadis. Has uolunt Virtutes
fuisse ante Bythum et Sigen, uti perfectorum perfectiores
appareant et gnosticorum magis gnostici [ueri]. Ad quos 8
96 iuste quis hoc dicat : O pepones, sophistae uituperabiles,
et non uiri. Etenim de ipso | Bytho uariae sunt senten- Hv ᴵ

11, 85 rusus A || 87 anennoeton AQε : anennoethon CV   anne-
noeten *(expunct.)* anenoeten S || tertium S || 88 arreton CV ASᵖᶜ
ε : arretton Q   areton *(expunct.)* Sᵃᶜ arrheton *edd. a Feu.* ||
aoraton : oraton V || 89 proarche : per archen S || 90 anennoeto
C QᵖᶜSᵖᶜ ε : anen noetho V Q   anennoteo A   anēnoeto *expunct.*
Sᵃᶜ || secundo et sexto ε : ·ɪɪ·&·v· CV   ɪɪ & vɪ AQ   2º et sexto
S || acatalempton AQS : achale mithon (ta *sup.* a₂) C   achathale
mithon V   acatalepton ε *edd.* || 91 arreto CV ASε : arrepto Q
arrheto *edd. a Feu.* || autem *om.* CV S || tertio et septimo ε : ɪɪɪ
et vɪɪ CV AQ   tertio et vɪɪº S || ananomaston AQS || 92 orato V
|| quarto et octauo ε : ɪɪɪɪ et vɪɪɪ CV A   quatuor et vɪɪɪ QS ||
agenneton *edd. a Feu.* : agenethon CV   anageneto AQS   agene-
ton ε || 94 ante : atque S || bithum Q bython *edd. a Feu.* || ut ASQε
|| 95 ueri *(codd.) seclusimus ex gr.* : uiri ε *Feu. Gra. Hv* || 95-97
ad — ụiri *om.* S || 96 quis *om.* Qᵃᶜ

Fr. gr. 5. — ÉPIPHANE, *Pan., haer.* 32, 7 (Holl I, 446,
17 - 447, 7), VM. HIPPOLYTE, *Elenchos* VI, 38 (Wendl. 169,
2-13), P. — Voir *Introd.* p. 87.

| **11,** 5. | Ἄλλοι δὲ πάλιν αὐτῶν τὴν πρώτην καὶ
ἀρχέγονον Ὀγδοάδα τούτοις τοῖς ὀνόμασι κεκλήκασι·
πρῶτον Προαρχήν, ἔπειτα Ἀνεννόητον, τὴν δὲ τρίτην
4 Ἄρρητον καὶ τὴν τετάρτην Ἀόρατον· καὶ ἐκ μὲν τῆς

11, 5. D'autres parmi eux ont encore donné à la
première et primitive Ogdoade les noms suivants :
d'abord le « Pro-Principe », ensuite l'« Inintelligible »,
en troisième lieu l'« Inexprimable », en quatrième lieu
l'« Invisible » ; du Pro-Principe primitif a été émis, en
premier et cinquième lieu, le « Principe » ; de l'Inintelligible a été émis, en deuxième et sixième lieu,
l'« Incompréhensible » ; de l'Inexprimable a été émis,
en troisième et septième lieu, l'« Innommable » ; de
l'Invisible a été émis, en quatrième et huitième lieu,
l'« Inengendré », par qui se complète la première
Ogdoade. Ces Puissances, ils prétendent qu'elles existent
antérieurement à l'Abîme et au Silence, afin d'apparaître comme des hommes plus parfaits que les « parfaits »
et plus gnostiques que les « gnostiques ». On pourrait
leur dire à juste titre : « Pauvres melons, qui n'êtes que
de vils sophistes, et non des hommes[1] ! » Car à propos
de l'Abîme lui-même il existe chez eux diverses opi-

πρώτης Προαρχῆς προβεβλῆσθαι πρώτῳ καὶ πέμπτῳ τόπῳ
Ἀρχήν, ἐκ δὲ τῆς Ἀνεννοήτου δευτέρῳ καὶ ἕκτῳ τόπῳ
Ἀκατάληπτον, ἐκ δὲ τῆς Ἀρρήτου τρίτῳ καὶ ἑβδόμῳ
8 τόπῳ Ἀνονόμαστον, ἐκ δὲ τῆς Ἀοράτου ⟨τετάρτῳ
καὶ ὀγδόῳ τόπῳ⟩ Ἀγέννητον, πλήρωμα τῆς πρώτης
Ὀγδοάδος. Ταύτας βούλονται τὰς Δυνάμεις προϋπάρχειν
τοῦ Βυθοῦ καὶ τῆς Σιγῆς, ἵνα τελείων τελειότεροι φανῶσιν
12 ὄντες καὶ γνωστικῶν γνωστικώτεροι. Πρὸς οὓς δικαίως
ἄν τις ἐπιφωνήσειεν · Ὦ πέπονες, σοφισταὶ ⟨ἐλεγχεῖς, καὶ
οὐχὶ ἄνδρες⟩. Καὶ γὰρ περὶ αὐτοῦ τοῦ Βυθοῦ διάφοροι

Fr. gr. 5. — 2 ἀρχέγονον VM : ἀρχαιόγονον P ‖ 2-4 κεκλήκασι —
τὴν : ἐκάλεσεν δὲ P (cf. Marcovich, p. 305) ‖ 5 τόπῳ P : om. VM ‖
6 post τῆς add. ἀρχῆς τῆς VM ‖ τόπῳ VM : om. P ‖ 8-9 ⟨τετάρτῳ
καὶ ὀγδόῳ τόπῳ⟩ nos ‖ 11 σιγῆς VM : γῆς P ‖ 11-13 ἵνα — σοφισταὶ om. P ‖ 13 πέπονες nos : ληρολόγοι VM ‖ 13-14 ⟨ἐλεγχεῖς,
καὶ οὐχὶ ἄνδρες⟩ nos ‖ 14 καὶ γὰρ VM : ἄλλοι δὲ P ‖ 14-15
διάφοροι γνῶμαι VM : ἀδιαφόρως κινούμενοι P

tiae apud eos : quidam enim sine coniugatione dicunt [Hv
eum, neque masculum neque feminam neque omnino
100 aliquid esse; alii autem et masculum et feminam eum
dicunt esse, hermaphroditi genesim ei donant; Sigen 4
autem rursus alii coniugem ei addunt, uti fiat prima
coniugatio. |

12, 1. *Hi uero qui sunt circa Ptolomaeum scientiores Hv
duas coniuges habere eum [Bython] dicunt, quas et dispositiones uocant, Ennoeam et Thelesim. Primo enim
4 mente concepit quid emittere, sicut dicunt, post deinde 4
uoluit. Quapropter duobus his adfectibus et uirtutibus,
id est Ennoias et Theleseos, uelut commixtis in inuicem,

11, 98 sine ε : siue sine codd. ǁ 100 eum CV : om. AQSε ǁ 101
dicunt C²V : dicent C   dicentes AQSε ǁ hermaphroditi (-f- CV)
CV ε : ermaeroditi A   ermaerodit Q   ermaefroditi S ǁ genesim :
-syn S -sin Hv Sti. ǁ donant codd. : forte leg. ex gr. donantes ǁ
sygen AS ǁ 102 rursus om. AQSε ǁ ut AQSε ǁ 103 coniunctio S
    12, 1 hic inser. codd. & ε tit. cap¹¹ vi de quo u. in init. libri ǁ
ptolomaeum : ptho- V Q   ptole- ε ǁ 2 eum CV edd. a Gra. : om.
AQSε Feu. ǁ bython (codd. ε edd.) secl. nos propter interpolat. :
bithon Q ǁ 3 enoeam C   ennoean edd. a Gra. ǁ thelesim codd. ε :
-in edd. a Feu. ǁ 4 concoepit C   cocepit V ǁ quid emittere : quidem
mittere V   quid emitteret S ǁ 6 ennoias V AQ : ae⫽nnonias C
ennoeas Sε ǁ et S : om. cett. ǁ thelesos S ǁ in om. V QSε

γνῶμαι παρ' αὐτοῖς · οἱ μὲν γὰρ αὐτὸν ἄζυγον λέγουσιν,
16 μήτε ἄρρενα μήτε θῆλυν μήτε ὅλως ὄντα τι · ἄλλοι δὲ
ἀρρενόθηλυν αὐτὸν λέγουσιν εἶναι, ἑρμαφροδίτου φύσιν
αὐτῷ περιάπτοντες · Σιγὴν δὲ πάλιν ἄλλοι συνευνέτιν
αὐτῷ προσάπτουσιν, ἵνα γένηται πρώτη συζυγία.

[Fr. gr. 5] 15 παρ' αὐτοῖς VM : om. P ǁ γὰρ VM : om. P ǁ 16
μήτε θῆλυν MP : μήτε θήλειαν sup. ras. V ǁ μήτε — τι VM :
om. P ǁ 17-18 ἀρρενόθηλυν — περιάπτοντες VM : τὴν P ǁ 17
φύσιν MP : φύσιν sup. ras. V ǁ 18 δὲ — συνευνέτιν VM : θήλειαν
P ǁ 19 προσάπτουσιν — συζυγία VM : σὺν παρεῖναι καὶ εἶναι ταύτην πρώτην συζυγίαν P

nions : les uns disent qu'il n'a pas de conjoint, n'étant
ni mâle ni femelle ni rien du tout ; les autres le disent
à la fois mâle et femelle, lui attribuant une nature
hermaphrodite ; d'autres encore lui adjoignent Silence
comme compagne, de façon à constituer la première
Syzygie.

12, 1. Les plus savants parmi les gens de l'entourage
de Ptolémée[1] disent qu'il a deux compagnes, qu'ils
appellent aussi ses « dispositions », à savoir la « Pensée »
et la « Volonté » : car, disent-ils, il a d'abord pensé à
émettre quelque chose, et ensuite il l'a voulu. C'est
pourquoi de ces deux dispositions ou puissances, à savoir
la Pensée et la Volonté, mélangées pour ainsi dire l'une

Fr. gr. 6. — Épiphane, *Pan.*, *haer.* 33, 1 (Holl I, 448,
8 - 449, 6), VM. Hippolyte, *Elenchos* VI, 38 (Wendl. 169,
13 - 170, 10), P. — Voir *Introd.* p. 88.

| 12, 1. | Οἱ δὲ περὶ τὸν Πτολεμαῖον ἐμπειρότεροι δύο
συζύγους αὐτὸν ἔχειν λέγουσιν, ἃς καὶ διαθέσεις καλοῦσιν,
Ἔννοιαν καὶ Θέλησιν. Πρῶτον γὰρ ἐνενοήθη τι προβαλεῖν,
4 ὥς φασιν, ἔπειτα ἠθέλησε. Διὸ καὶ τῶν δύο τούτων διαθέσεων καὶ δυνάμεων, τῆς τε Ἐννοίας καὶ τῆς Θελήσεως,
ὥσπερ συγκραθεισῶν εἰς ἀλλήλας, ἡ προβολὴ τοῦ τε

Fr. gr. 6. — 1 οἱ — πτολεμαῖον P : οὗτος τοίνυν ὁ πτολεμαῖος καὶ
οἱ σὺν αὐτῷ VM ‖ ἐμπειρότεροι nos : ἔτι ἐμπειρότερος ... VM om.
P ‖ 2 συζύγους — λέγουσιν P : γὰρ οὗτος συζύγους (συνζύγους
Vac) τῷ ... βυθῷ ... ἐπενόησεν ... VM ‖ ἃς P : ταύτας δὲ
VM ‖ διαθέσεις P : διάθεσιν VM ‖ καλοῦσιν P : ἐκάλεσεν VM ‖
3 ἔννοιαν P : ἔννοιάν τε VM ‖ θέλησιν P : θελημα VM ‖ πρῶτον
VM : πρῶτος P ‖ τι P : om. VM ‖ 4 ὥς φασιν, ἔπειτα P : εἶτα,
φασίν VM ‖ 4-5 τούτων — δυνάμεων nos : διαθέσεων τούτων ἢ
καὶ δυνάμεων VM τούτων διαθέσεως καὶ δυνάμεως P ‖ 5 τῆσι
VP : τὰς M ‖ τε P : om. VM ‖ 6 ὥσπερ συγκραθεισῶν nos : ὥστε
συγκραθεισῶν VM ὡσπερικρατηθεῖς P ‖ ἡ προβολὴ P : τῇ προβολῇ
VM ‖ τε P : om. VM

emissio Monogenis et Alethiae secundum | coniugatio- Hv 1
8 nem facta est. Quos typos et imagines duorum adfectuum
Patris egressas esse, inuisibilium uisibiles, Thelematis
quidem Nun, Ennoias autem Alethiam : et propter hoc
aduenticiae Voluntatis masculus est imago, innatae uero 4
12 Ennoeae femininus, quoniam Voluntas uelut uirtus
facta est Ennoeae. Cogitabat enim Ennoea semper
emissionem, non tamen et emittere ipsa per semetipsam
poterat quae cogitabat; cum autem Voluntatis uirtus
16 aduenit, tunc quod cogitabat emisit.   8

12, 2. Non uidentur tibi hi, o dilectissime, homerici
Iouis propter sollicitudinem | non dormientis, sed curae Hv 1
habentis quando poterit honorare Achillen et multos
20 perdere Graecorum, apprehensionem habuisse *magis
quam eius qui est uniuersorum Dominus : qui simul ut

12, 7 emisso A ǁ 8 est *om.* V (*suppl.* V²) ǁ 9 egressas *edd. a Feu.* :
adgr- C ε aggr- V AQS ǁ 10 ennoias *nos* : ennoia *codd.* ennoeas
ε *edd.* ǁ alethiam CV AQS : -thian ε ǁ hoc *om.* Q ǁ 11 adinuenti-
tiae CV² adinuenti Vᵃᶜ ǁ 12 ennoeae : est noeae S ǁ femeninus V
ǁ 13 ennoeae : ennoe S ǁ enim *om.* S ǁ ennoea : -noeae Q -noee
S ǁ 14 emisionem C ǁ et emittere : remittere S ǁ 15 uoluntis C ǁ
16 quod *om.* C (*suppl. s.l.* C²) ǁ 17 hi *om.* V ǁ o : ho C ǁ homerie C
ǁ 18 iobis C   nobis V ǁ 19 achillen V : -ilen C   -illem AQSε ǁ 20
prodere V ǁ 21 dominus *nos ex gr.* : deus *codd.* ε *edd.*

Μονογενοῦς καὶ τῆς Ἀληθείας κατὰ συζυγίαν ἐγένετο.
8 Οὕστινας τύπους καὶ εἰκόνας τῶν δύο διαθέσεων τοῦ
Πατρὸς προελθεῖν, τῶν ἀοράτων ὁρατάς, τοῦ μὲν Θελήματος
τὸν Νοῦν, τῆς δὲ Ἐννοίας τὴν Ἀλήθειαν · καὶ διὰ τοῦτο
τοῦ ἐπιγενητοῦ Θελήματος ὁ ἄρρην εἰκών, τῆς δὲ ἀγενήτου
12 Ἐννοίας ὁ θῆλυς, ἐπεὶ τὸ Θέλημα ὥσπερ δύναμις ἐγένετο
τῆς Ἐννοίας. Ἐνενοεῖτο μὲν γὰρ ἀεὶ ἡ Ἔννοια τὴν προβολήν, οὐ μέντοι γε προβαλεῖν αὐτὴ καθ᾽ ἑαυτὴν ἠδύνατο
ἃ ἐνενοεῖτο · ὅτε δὲ ἡ τοῦ Θελήματος δύναμις ἐπεγένετο,
16 τότε ὃ ἐνενοεῖτο προέβαλε.

à l'autre, est résultée l'émission du couple du « Monogène » et de la « Vérité ». Ceux-ci sont sortis comme la réplique et l'image des deux dispositions du Père, image visible de ses dispositions invisibles. L'Intellect reproduit la Volonté, et la Vérité, la Pensée. C'est pourquoi l'Éon mâle est l'image de la Volonté qui est survenue, tandis que l'Éon femelle est l'image de la Pensée qui n'a pas commencé. Car la Volonté est devenue comme la puissance de la Pensée : la Pensée pensait depuis toujours à l'émission, mais elle était impuissante à émettre par elle-même ce qu'elle pensait ; par contre, lorsque survint la puissance de la Volonté, alors, ce qu'elle pensait, elle l'émit.

12, 2. Ces gens-là ne te semblent-ils pas, cher ami, avoir conçu en leur esprit le Zeus d'Homère bien plus que le Seigneur de toutes choses ? Car le premier est rongé de soucis qui l'empêchent de dormir : il se préoccupe de savoir comment[1] il pourra honorer Achille et faire périr une multitude de Grecs (cf. Il. 2, 1-4). Au contraire,

---

[Fr. gr. 6] 7 συζυγίαν V^{pc}MP : συνζυγίαν V^{ac} ‖ 8 οὕστινας VM : ὥς τινας P ‖ 9 προελθεῖν VM : διελθεῖν P ‖ τῶν VM : ἐκ τῶν P ‖ 10 τὸν νοῦν P : τὴν ἀλήθειαν VM ‖ τὴν ἀλήθειαν P : τὸν νοῦν VM ‖ 11 ἐπιγενητοῦ P : om. VM ‖ ὁ P : ὁ μὲν VM ‖ ἄρρην εἰκών Holl : ἄρρεν εἰκών VM ἀρρενικός P ‖ δὲ P : om. VM ‖ 12 post ἐννοίας add. γέγονεν VM ‖ post ὁ add. δὲ VM ‖ ἐπεί We : ἐπὶ P τοῦ θελήματος VM ‖ ὥσπερ P : τοίνυν VM ‖ 13 ἐνενοεῖτο We : ἐννοεῖν P ἐνενόει VM ‖ 14 γε P : om. VM ‖ προβαλεῖν VM : προβάλλειν P ‖ αὐτὴ VM : αὐτὴν P ‖ ἑαυτὴν VM : αὐτὴν P ‖ 15 ἃ VM : ἀλλὰ P ‖ ἐνενοεῖτο P : ἐνενόει VM ‖ ἐπεγένετο V M : ἐγ(ένε)τ(ο) P (cf. Marcovich, p. 305) ‖ 16 δ VM : om. P

Fr. gr. 7. — Épiphane, *Pan.*, *haer.* 33, 2 (Holl I, 450, 1-6). Cf. Jean de Chypre X, 9, *PG* 152, 985 B. — Voir *Introd.* p. 90.

| 12, 2. | ⟨...⟩ ἢ [περὶ] τοῦ τῶν ὅλων Δεσπότου, ὃς

Fr. gr. 7. — 1 [περὶ] nos

cogitauit perfecit id quod cogitauit, et simul ac uoluit 4 [Hᵥ
et cogitat hoc quod uoluit, tunc cogitans cum uult et
24 tunc uolens cum cogitat, cum sit totus cogitatus et
totus sensus et totus oculus et totus auditus et totus
fons omnium bonorum.

12, 3. *Qui autem prudentiores putantur illorum esse 8
28 primam Octonationem non gradatim alterum ab altero
Aeonem emissum dicunt, sed simul et in unum Aeonum
emissionem a Propatore et Ennoea eius, cum crearentur,
ipsi obsetricasse se adfirmant. Et iam non ex Logo et 12
32 Zoe Anthropon et Ecclesiam, sed ex | Anthropo et Hᵥ 1
Ecclesia Logon et Zoen dicunt generatos, in hunc
modum dicentes : quando cogitauit aliquid emittere

12, 22 perficit CV Qε ‖ ac : hac C ‖ 23 et₁ — uoluit *om.* QS ‖
tunc — uult *om.* ε ‖ 25 oculos C (-us C²) ‖ 27 prudentiore Q ‖
29 aeone CV ‖ in *om.* CV ‖ 30 emisionem C ‖ ennoea *edd. a Feu.* :
-eam *codd.* ε ‖ 31 obsetricasse C : obste- *cett.* ‖ se *om.* Sε ‖ 33 zeon
S ‖ 34 mundum ε ‖ cogitauit *om.* AQSε (*suppl. s.l. recent.* uoluit
A³ « *forte* uoluit » εᵐᵍ) ‖ emitteret S

ἅμα τῷ ἐννοηθῆναι καὶ ἐπιτετέλεκε τοῦθ' ὅπερ ἐνενοήθη
καὶ ἅμα τῷ θελῆσαι καὶ ἐννοεῖται τοῦθ' ὅπερ [καὶ] ἠθέ-
4 λησεν, τότε ἐννοούμενος ὅτε θέλει καὶ τότε θέλων ὅτε
ἐννοεῖται, ὅλος ἔννοια ὤν, ὅλος θέλημα [ὤν], ὅλος νοῦς,
ὅλος φῶς, ὅλος ὀφθαλμός, ὅλος ἀκοή, ὅλος πηγὴ πάντων
τῶν ἀγαθῶν.

[Fr. gr. 7] 2 τῷ V : τὸ M ‖ ἐνενοήθη nos : ἠθέλησεν VM (= Jean
de Chypre) ‖ 3 [καὶ] nos ‖ 4 τότε₁ ... ὅτε₁ Holl : τοῦτο ... δ καὶ
VM (= Jean de Chypre) ‖ 5 [ὤν] nos

le second, en même temps qu'il pense, accomplit cela
même qu'il pense, et, en même temps qu'il veut, pense
cela même qu'il veut : il pense à l'instant même où il
veut et veut à l'instant même où il pense, car il est tout
entier Pensée, tout entier Volonté, tout entier Intellect,
tout entier Lumière, tout entier Œil, tout entier Ouïe,
tout entier Source de tous les biens[1].

12, 3. Des gens qui passent pour être encore plus
sages que les précédents disent que la première Ogdoade
n'a pas été émise par degrés, un Éon dérivant d'un
autre : c'est tout ensemble et d'un seul coup que s'est
faite l'émission des six Éons enfantés par le Pro-Père
et par sa Pensée. Ils affirment cela péremptoirement,
comme s'ils avaient fait eux-mêmes l'accouchement[2].
D'après eux, ce n'est plus le Logos et la Vie qui ont émis
l'Homme et l'Église ; c'est l'Homme et l'Église qui ont
engendré le Logos et la Vie. Ils s'expriment ainsi :
quand le Pro-Père eut la pensée d'émettre quelque chose,

Fr. gr. 8. — Épiphane, *Pan., haer.* 35, 1 (Holl II, 40,
1-41, 7). — Voir *Introd.* p. 90.

| **12, 3.** | ⟨Οἱ δὲ φρονιμώτεροι δοκοῦντες ἐκείνων εἶναι⟩
τὴν πρώτην Ὀγδοάδα οὐ καθ᾽ ὑπόβασιν ἄλλον ὑπ᾽ ἄλλου
Αἰῶνα προβεβλῆσθαι ⟨λέγουσιν⟩, ἀλλ᾽ ὁμοῦ καὶ εἰς ἅπαξ
4 τὴν τῶν ἓξ Αἰώνων προβολὴν ὑπὸ τοῦ Προπάτορος καὶ
τῆς Ἐννοίας αὐτοῦ τετέχθαι, ὡς αὐτοὶ μαιωσάμενοι,
διαβεβαιοῦνται. Καὶ οὐκέτι ἐκ Λόγου καὶ Ζωῆς Ἄνθρωπον
καὶ Ἐκκλησίαν, ἀλλ᾽ ἐξ Ἀνθρώπου καὶ Ἐκκλησίας
8 Λόγον καὶ Ζωὴν φασι τετέχθαι, εἰς τοῦτον τὸν τρόπον
λέγοντες · ὅτε ἐνενοήθη ⟨τι⟩ προβαλεῖν ὁ Προπάτωρ,

Fr. gr. 8. — 1 ‹οἱ — εἶναι› nos : λέγει γὰρ VM ‖ 3 ‹λέγουσιν› nos
‖ 5-6 αὐτοὶ — διαβεβαιοῦνται nos : αὐτὸς μαιωσάμενος διαβεβαιοῦται
VM ‖ 7 ἀλλ᾽ nos : καὶ VM ‖ post ἀνθρώπου add. ὡς οἱ ἄλλοι
VM ‖ 8 post τετέχθαι add. αὐτὸς καὶ οἱ αὐτοῦ VM ‖ 8-9 εἰς —
λέγοντες nos : ἀλλὰ καὶ (καὶ om. V) ἑτέρῳ τρόπῳ τοῦτο λέγουσιν,
ὅτι VM ‖ 9 ὅτε Holl : ὅπερ VM ‖ ‹τι› nos

Propator, hoc Pater uocatus est; at ubi quae emisit [Hv
36 uera fuerunt, hoc Alethia uocatum est; cum ergo uoluit 4
semetipsum ostendere, hoc Anthropos dictus est; quos
autem praecogitauerat posteaquam emisit, hoc Ecclesia
uocata est; locutus est Anthropos Logon, hic est primo-
40 genitus Filius; subsequitur autem Logon Zoe, et sic
prima Octonatio completa est.   8

12, 4. Multa autem pugna apud eos etiam de Saluatore.
Quidam enim eum ex omnibus generatum dicunt,
44 quapropter Beneplacitum uocari, quoniam uniuersum
Pleroma bene sensit per eum glorificare Patrem. Alii 12
autem ex solis x Aeonibus qui sunt a Logo et Zoe
emissi, et propter hoc Logon et | Zoen dici eum, Hv ⅰ
48 parentum nomina custodientem. Alii autem ex xii
Aeonibus his qui sunt ab Anthropo et Ecclesia facti,
et propter hoc Filium Hominis se confiteri, ueluti post-
genitum Anthropi. Alii autem a Christo et sancto 4
52 Spiritu, eorum qui ad firmamentum Pleromatis emissi

12, 35 hoc pater *om.* V (*suppl. mg.* V²) ‖ at : ad C ‖ ubi quae :
hubi quae C ubique Qᵃᶜ ‖ emiserit S ‖ 36 ergo : autem AQSε ‖
37 quod S ‖ 38 autem *om.* S ‖ praerecogitauerat ε ‖ 39 locutus
est *om.* CV ‖ hoc CV ‖ 40 autem *om.* V ‖ 42 *hic inser. codd. & ε*
*tit. cap*¹¹ vii *de quo u. in init. libri* ‖ autem : cum S ‖ etiam *om.* S
‖ 43 eum : cum S ‖ 46 x CV : decem S   *om.* AQε ‖ 46-49 a logo
— sunt *om.* S ‖ 47 emisi C ‖ 48 xii CV : duodecim AQε ‖ 50 uelut
AQSε ‖ 51 autem C : *om. cett.* ‖ 51-52 sp. sancto ∾ AQSε ‖ 52
eorum *codd.* ε *Sti.* : iis *al. edd.* ‖ emisi C

τοῦτο Πατὴρ ἐκλήθη · ἐπειδὴ δὲ ὃ προεβάλετο ἀληθὲς
ἦν, τοῦτο 'Αλήθεια ὠνομάσθη · ὅτε οὖν ἠθέλησεν ἑαυτὸν
12 ἐπιδεῖξαι, τοῦτο "Ανθρωπος ἐλέχθη · οὓς δὲ προελογίσατο
ὅτε προέβαλεν, τοῦτο 'Εκκλησία ὠνομάσθη · ἐλάλησεν
ὁ "Ανθρωπος τὸν Λόγον · οὗτός ἐστιν ὁ πρωτότοκος
Υἱός · ἐπακολουθεῖ δὲ τῷ Λόγῳ καὶ ἡ Ζωή. Καὶ οὕτως
16 πρώτη 'Ογδοὰς συνετελέσθη.

| 12, 4. | Πολλὴ δὲ μάχη παρ' αὐτοῖς καὶ περὶ τοῦ

cela fut appelé Père ; comme ce qui était ainsi émis était
vrai, cela fut nommé Vérité ; quand il voulut se manifester lui-même, cela fut dit Homme ; quand il émit
ceux qu'il avait considérés par avance, cela fut nommé
Église ; l'Homme proféra le Logos, qui est le Fils
premier-né et qu'accompagne la Vie. Ainsi fut achevée
la première Ogdoade.

12, 4. Ils se querellent beaucoup aussi au sujet du
Sauveur. Les uns disent qu'il est issu de tous les Éons :
aussi est-il appelé « Bon plaisir », parce qu'il plut à tout
le Plérôme d'honorer par lui le Père. D'autres le font
venir des seuls dix Éons émis par le Logos et la Vie :
c'est pourquoi il est appelé Logos et Vie, gardant le nom
de ses ancêtres. D'autres le font venir des douze Éons
produits par l'Homme et l'Église : c'est pourquoi il se
proclame lui-même « Fils de l'Homme », comme descendant de cet Homme. D'autres disent qu'il provient
du Christ et de l'Esprit Saint, qui avaient été émis pour
la consolidation du Plérôme[1] : c'est pourquoi il est

Σωτῆρος. Οἱ μὲν γὰρ αὐτὸν ἐκ πάντων γεγονέναι λέγουσι,
δίο καὶ Εὐδοκητὸν καλεῖσθαι, ὅτι πᾶν τὸ Πλήρωμα
20 ηὐδόκησεν δι' αὐτοῦ δοξάσαι τὸν Πατέρα · οἱ δὲ ἐκ μόνων
τῶν δέκα Αἰώνων τῶν ἀπὸ Λόγου καὶ Ζωῆς προβεβλημένων,
⟨καὶ διὰ τοῦτο Λόγον καὶ Ζωὴν⟩ αὐτὸν λέγεσθαι, τὰ
προγονικὰ ὀνόματα [τὰ] διασῴζοντα · οἱ δὲ ἐκ τῶν δώδεκα
24 Αἰώνων τῶν ἐκ τοῦ Ἀνθρώπου καὶ Ἐκκλησίας γενομένων,
καὶ διὰ τοῦτο Υἱὸν Ἀνθρώπου ⟨ἑαυτὸν⟩ ὁμολογεῖν,
ὡσανεὶ ἀπόγονον Ἀνθρώπου · οἱ δὲ ὑπὸ τοῦ Χριστοῦ καὶ
τοῦ ἁγίου Πνεύματος ⟨τῶν⟩ εἰς στήριγμα τοῦ Πληρώματος

[Fr. gr. 8] 10 ἀληθὲς nos : ἀλήθεια VM ‖ 11 ἑαυτὸν Holl : αὐτὸν
VM ‖ 13 ἐλάλησεν nos : καὶ VM ‖ 14 ὁ₁ V : om. M ‖ 20 δι' —
πατέρα cancell. V^pc ‖ om. M ‖ 21 τῶν₂ V : τὸν M ‖ προβεβλημένων
Holl : προβεβλῆσθαι VM ‖ 22 ⟨καὶ διὰ τοῦτο λόγον καὶ ζωήν⟩
Holl ‖ λέγεσθαι Holl : λέγουσι VM ‖ 23 [τὰ] Holl ‖ 24 ἐκκλησίας
Holl : ζωῆς VM ‖ 25 ⟨ἑαυτὸν⟩ Holl ‖ ὁμολογεῖν Holl : -γεῖ VM
‖ 27 ⟨τῶν⟩ Holl

sunt, factum eum dicunt, et propter hoc Christum [Hv
uocari eum dicunt, Patris sui a quo emissus est custodientem appellationem. Alii autem sunt qui ipsum
56 Propatorem omnium et Proarchen et Proanennoeton 8
Anthropon dicunt uocari : et hoc esse magnum et
absconditum mysterium[a], quoniam quae est super
omnia Virtus et continet | omnia Anthropos uocatur, Hv
60 et ideo hoc Filium Hominis se dicere Saluatorem.

13, 1. *Alius uero quidam ex his qui sunt apud eos,
magistri emendatorem se esse glorians, Marcus autem 4
illi nomen, magicae imposturae peritissimus, per quam
4 et uiros multos et non paucas feminas seducens, ad

12, 53-54 et — dicunt *om.* AQSε ‖ 54 emisus C ‖ 56 per archen
S ‖ proanennoeton ε : proanenoethon C   proanonoethon V pro-
anennoetan A   proanen noctan Q peranennoetan S ‖ 57 esse *om.*
S ‖ 60 ide C[ac] ‖ se *om.* V (*suppl. mg.* V[2]) AQSε
13, 1 *hic inser. codd. & ε tit. capit.* VIII *de quo u. in init. libri* ‖
1-2 qui — magistri *om.* CV ‖ 2 commendatorem CV ‖ marchus Q ‖
autem CV : est S ▯autem C (*dub. quid eras.* C) est autem V[2]
AQε (*de om. est cf. Eus. H.E.* IV, 11, 4) ‖ 4 seducens *codd.* : *forte
leg.* seduxit

---

28 ⟨προβεβλημένων⟩ γεγονέναι λέγουσιν αὐτόν, καὶ διὰ
τοῦτο Χριστὸν λέγεσθαι αὐτόν, τὴν τοῦ Πατρὸς ἀφ' οὗ
προεβλήθη διασώζοντα προσηγορίαν · ἄλλοι δὲ αὐτὸν
τὸν Προπάτορα τῶν ὅλων καὶ Προαρχὴν καὶ Προανεννόητον
32 Ἄνθρωπον λέγουσι καλεῖσθαι, καὶ τοῦτ' εἶναι τὸ μέγα
καὶ ἀπόκρυφον μυστήριον[a], ὅτι ἡ ὑπὲρ τὰ ὅλα Δύναμις
καὶ ἐμπεριεκτικὴ τῶν πάντων Ἄνθρωπος καλεῖται, καὶ
διὰ τοῦτο Υἱὸς Ἀνθρώπου ἑαυτὸν λέγειν τὸν Σωτῆρα.

[Fr. gr. 8] 28 ⟨προβεβλημένων⟩ Holl ‖ 30 αὐτὸν nos : ὡς εἰπεῖν,
τινὲς ἐξ αὐτῶν ῥαψῳδοί VM

appelé Christ, gardant l'appellation du Père par qui il
a été émis. D'autres encore disent que c'est le Pro-Père
de toutes choses lui-même, le Pro-Principe, le Pro-
Inintelligible, qui s'appelle « Homme » : ce serait même
là le grand mystère caché [a], à savoir que la Puissance
qui est au-dessus de tout et qui enveloppe tout s'appelle
« Homme », et telle serait la raison pour laquelle le
Sauveur s'est dit « Fils de l'Homme ».

**Marc le Magicien et ses disciples : pratiques magiques et
débauches.**

13, 1. Un autre des leurs[1] s'est vanté d'être le correc-
teur du maître[2]. Il porte le nom de Marc. Très habile
en jongleries magiques, il a trompé par elles beaucoup
d'hommes et une quantité peu banale de femmes, les

Fr. gr. 9. — Restitution à partir de : ÉPIPHANE, *Pan.*,
haer. 34, 1 (Holl II, 5, 1-17) ; HIPPOLYTE, *Elenchos* VI, 39
(Wendl. 170, 11-14) ; EUSÈBE, *Hist. eccl.* IV, 11, 4 (Schwartz,
322, 14-15). — Voir *Introd.* p. 91. — Lire l'apparat comme
positif. Voir textes complets, *not. justif.* P. *189, n. 1.*

| **13, 1.** | "Αλλος δέ τις ⟨τῶν παρ' αὐτοῖς, τοῦ διδα-
σκάλου⟩ διορθωτὴς εἶναι ⟨καυχώμενος⟩, Μάρκος ⟨δὲ⟩
αὐτῷ ὄνομα, μαγικῆς ὑπάρχων κυβείας ἐμπειρότατος,
4 ⟨δι' ἧς ἄνδρας τε πολλοὺς καὶ οὐκ ὀλίγα γύναια⟩ ἠπάτησε,

Fr. gr. 9. — 1 ἄλλος δέ τις P ‖ 1-2 <τῶν — διδασκάλου> nos ‖
διορθωτὴς εἶναι VM ‖ 2 <καυχώμενος> nos ‖ 2-3 μάρκος <δὲ>
(<δὲ> nos) αὐτῷ ὄνομα Eus. ‖ 3 μαγικῆς — ἐμπειρότατος VM :
μαγικῆς ἔμπειρος P μαγικῆς κυβείας ἐμπειρότατον Eus. ‖ 4 <δι'
— γύναια> nos ‖ ἠπάτησε nos : ἀπατήσας VM ἠπάτα P

12, 4. a. cf. Éphés. 3, 9. Col. 1, 26

se conuerti, uelut ad scientissimum et perfectissimum [Hv
et Virtutem maximam ab inuisi|bilibus et ab inenarra- Hv
bilibus locis habentem, fecit, praecursor quasi uere
8 exsistens Antichristi : Anaxilai enim ludicra cum nequitia
eorum qui dicuntur magi commiscens, per haec uirtutes
perficere putatur apud eos qui sensum non habent et a 4
mente sua excesserunt.

12   **13, 2.** *Pro calice enim uino mixto fingens se gratias
agere et | in multum extendens sermonem inuocationis, Hv
porpureum et rubicundum apparere facit, uti putetur
ea Gratia ab his quae sunt super omnia suum sanguinem
16 stillare in illius calicem per inuocationem eius, et ualde 4

13, 5 conuerti *edd. a Mass. ex nota Fronto. Duc.* : conuertit *codd.*
ε *Feu. Gra.* ‖ et perfectissimum *om.* CV ‖ 6 maximam : magum V ‖ ab₁ : an CV ‖ 6-7 ab inenarrabilibus V² *edd.* : ab enar- CV
om. AQSε ‖ 7 logis AQSε ‖ 9 dicunt Q ‖ 10 putatur *om.* V *(suppl. s.l.*
V²) ‖ 12 *hic inser. codd. &* ε *tit. cap*¹¹ vıııı *de quo u. in init. libri*
‖ myxto C   mixtum S ‖ 13 in *om.* S ‖ 14 porpureum C : purp.
cett. & edd. ‖ ut V AQSε ‖ 15 saguinem C (san- C¹) ‖ 16 stellare
C Q ‖ illius : ipsius S

προσέχειν αὐτῷ ὡς γνωστικωτάτῳ ⟨καὶ τελειοτάτῳ⟩ καὶ
Δύναμιν τὴν μεγίστην ἀπὸ τῶν ἀοράτων καὶ ἀκατονομάστων
τόπων ἔχοντι ⟨ἐποίησεν⟩, πρόδρομος ὡς ἀληθῶς ὢν τοῦ
8 Ἀντιχρίστου. Τὰ γὰρ Ἀναξιλάου παίγνια τῇ τῶν λεγομένων μάγων πανουργίᾳ συμμίξας, ⟨διὰ τούτων⟩ δυνάμεις
ἐπιτελεῖν δοκεῖ ⟨...⟩

[Fr. gr. 9] 5 προσέχειν — γνωστικωτάτῳ VM ‖ ⟨καὶ τελειοτάτῳ⟩
nos ‖ 5-6 καὶ δύναμιν VM : ἐν αὐτῷ P ‖ 7 ἔχοντι VM : εἶναι δύναμιν
P ‖ ⟨ἐποίησεν⟩ nos ‖ πρόδρομος — ὢν nos : ὡς πρόδρομος ὢν
ἀληθῶς VM ‖ 7-9 τοῦ — συμμίξας VM ‖ 9 ⟨διὰ τούτων⟩ nos ‖
9-10 δυνάμεις — δοκεῖ nos : δοκοῦσι δυνάμεις ... ἐπιτελεῖσθαι VM

Fr. gr. 10. — **A)** 13, 12 - 21, 86 Ποτήριον — ἀληθῆ
ÉPIPHANE, *Pan.*, haer. 34, 2-20 (Holl II, p. 6, 10 - 37, 20).

faisant s'attacher à lui comme au « gnostique » et au
« parfait » par excellence[1] et comme au détenteur de la
Suprême Puissance venue des lieux invisibles et innommables. C'est un véritable précurseur de l'Antéchrist,
car, mêlant les jeux d'Anaxilaüs aux supercheries de
ceux qu'on nomme magiciens, il se fait passer pour
faiseur de miracles aux yeux de ceux qui n'ont jamais
eu le sens ou qui l'ont perdu.

13, 2. Feignant d'« eucharistier » une coupe mêlée
de vin et prolongeant considérablement la parole de
l'invocation, il fait en sorte que cette coupe apparaisse
pourpre ou rouge[2]. On s'imagine alors que la Grâce venue
des régions qui sont au-dessus de toutes choses fait
couler son propre sang dans la coupe de Marc en réponse

— **B)** 14, 4 - 17, 52 (avec passages omis ou abrégés)
Αὐτὴν — ἔργον HIPPOLYTE, Elenchos VI, 42-54 (Wendl.
p. 173, 26 - 189, 3). — **C)** 21, 33 - 43 Οἱ μὲν γὰρ — τελουμένους EUSÈBE, Hist. eccl. IV, 11, 5 (Schwartz, p. 322,
18-25). — Voir Introd. p. 92. — Le numéro des pages
de Holl a été inséré entre [ ].

Ἐκ τῶν τοῦ ἁγίου Εἰρηναίου. | **13, 2.** | Ποτήριον οἴνῳ
κεκραμένον προσποιούμενος εὐχαριστεῖν καὶ ἐπὶ πλέον
ἐκτείνων τὸν λόγον τῆς ἐπικλήσεως, πορφύρεον καὶ
4 ἐρυθρὸν ἀναφαίνεσθαι ποιεῖ, ὡς δοκεῖν τὴν ἀπὸ τῶν ὑπὲρ
τὰ ὅλα Χάριν τὸ αἷμα τὸ ἑαυτῆς στάζειν ἐν τῷ ἐκείνου
ποτηρίῳ διὰ τῆς ἐπικλήσεως αὐτοῦ καὶ ὑπεριμείρεσθαι
τοὺς παρόντας ἐξ ἐκείνου γεύσασθαι τοῦ πόματος, ἵνα

Épiph. : VM. Hipp. : P.

Fr. gr. 10. — 1-2 ποτήριον ... κεκραμένον nos : -ρια ... -μένα VM
‖ 3-4 πορφύρεον ... ἐρυθρὸν nos : -ρεα ... -θρὰ VM ‖ 4 ποιεῖ Holl :
ποιεῖν VM ‖ 5 ἐκείνου M : ἐκείνῳ V ‖ 6 ὑπεριμείρεσθαι Holl :
ὑπερομείρεσθαι (εἱρ sup. ras. V) VM

concupiscere praesentes ex illo gustare poculo, ut et in [H
eos stillet quae per magum hunc uocatur Gratia. Rursus
mulieribus dans calices mixtos, ipsas gratias | agere Hv
20 iubet praesente se. Et ubi hoc factum est, ipse alium
calicem multo maiorem quam est ille in quo illa seducta
Eucharistiam facit proferens, et transfundens a minori
qui est a muliere Eucharistia factus in illum qui est 4
24 ab eo adlatus multo maiorem, statim dicens ita : *Illa
quae est ante omnia inexcogitabilis et inenarrabilis Gratia
adimpleat tuum intus hominem*[a] *et multiplicet in te
agnitionem suam, inseminans granum sinapis in bonam* 8
28 *terram*[b], et talia quaedam dicens et in insaniam mittens
illam infelicem, admirabilia faciens apparuit, quando
maior calix adimpletus est de minori calice, ut et super-
effunderet ex eo. Et alia quaedam his similia faciens,
32 exterminauit multos et abstraxit post se.   12

13, 3. Datur autem intellegi eum et daemonem
quendam paredrum habere, per quem ipse quoque

13, 18 stellet Q ‖ 19 gratias *om* S. ‖ 21 illam seductam S ‖ 22
facit *om.* CV ‖ 23 mulieri C ‖ eucharistiae CV ‖ 25 qui C ‖ 26 tuum
CV Q : tum S   *uac.* A (*suppl. s.l.* A³) ‖ et *om.* AQSε ‖ 28 talia
edd. ex gr. : alia *codd.* ε ‖ quidem A ‖ 30 ut : ne S ‖ 31 quidem A ‖
his similia : dissimilia AQSε ‖ 32 attraxit S ‖ 34 pharetrum CV

---

8 καὶ εἰς αὐτοὺς ἐπομβρήσῃ ἡ διὰ τοῦ μάγου τούτου
κληζομένη Χάρις. Πάλιν δὲ γυναιξὶν ἐπιδοὺς ἐκπώματα
κεκραμένα, αὐτὰς εὐχαριστεῖν ἐγκελεύεται παρεστῶτος
αὐτοῦ. Καὶ τούτου γενομένου, αὐτὸς ἄλλο ποτήριον
12 πολλῷ μεῖζον ἐκείνου οὗ ἡ ἐξηπατημένη ηὐχαρίστησε
προσενεγκὼν καὶ μετακενώσας ἀπὸ τοῦ μικροτέρου τοῦ
ὑπὸ τῆς γυναικὸς ηὐχαριστημένου εἰς τὸ ὑπ' αὐτοῦ
κεκομισμένον ἐπιλέγων ἅμα οὕτως · « Ἡ πρὸ τῶν ὅλων
16 ἀνεννόητος καὶ ἄρρητος Χάρις πληρώσαι σου τὸν ἔσω
ἄνθρωπον[a] καὶ πληθύναι ἐν σοὶ τὴν γνῶσιν αὐτῆς,
ἐγκατασπείρουσα τὸν κόκκον τοῦ σινάπεως εἰς τὴν ἀγαθὴν

à l'invocation de celui-ci, et les assistants brûlent du
désir de goûter à ce breuvage, afin qu'en eux aussi se
répande la Grâce invoquée par ce magicien. Ou bien
encore, présentant à une femme une coupe mêlée, il lui
ordonne de l'«eucharistier» en sa présence. Cela fait,
il apporte une autre coupe beaucoup plus grande que
celle qu'a «eucharistiée» cette égarée, puis il vide la
coupe plus petite «eucharistiée» par la femme dans la
coupe beaucoup plus grande apportée par lui, tout en
disant la formule suivante : «Que Celle qui est avant
toutes choses, l'incompréhensible et inexprimable Grâce,
remplisse ton Homme intérieur [a] et multiplie en toi sa
gnose, en semant le grain de sénevé dans la bonne
terre [b] !»[1]. Après avoir dit de telles paroles et égaré
ainsi la malheureuse, il donne une démonstration de sa
thaumaturgie en faisant en sorte que la grande coupe
soit remplie au moyen de la petite, au point même de
déborder. Par d'autres prodiges semblables il a séduit
et entraîné à sa suite beaucoup de monde.

13, 3. Il semble qu'il ait même un démon assistant,
grâce auquel il se donne l'apparence de prophétiser

γῆν [b] », καὶ τοιαῦτά τινα εἰπὼν καὶ ἐξοιστρήσας τὴν
20 ταλαίπωρον, θαυματοποιὸς ἀνεφάνη, τοῦ μεγάλου πληρω-
θέντος ἐκ τοῦ μικροῦ ποτηρίου, ὥστε καὶ ὑπερεκχεῖσθαι
ἐξ αὐτοῦ. Καὶ ἄλλα τινὰ τούτοις παραπλήσια ποιῶν
ἐξηπάτησε πολλοὺς καὶ ἀπαγήοχεν ὀπίσω αὐτοῦ.

24 | **13,** 3. | [7] Εἰκὸς δὲ αὐτὸν καὶ δαίμονά τινα πάρεδρον
ἔχειν, δι' οὗ αὐτός τε προφητεύειν δοκεῖ καὶ ὅσας ἀξίας

[Fr. gr. 10] 15 κεκομισμένον Holl : κεκοσμημένον VM ‖ 15-19 ἡ —
γῆν Hipp. ad litteram (Wendl, p. 171, 15-18) ‖ 16 ἀνεννόητος
P : ἡ ἀνεννόητος VM ‖ 23 ἀπαγήοχεν Holl : ἀπαγείοχεν VM

13, 2. a. cf. Éphés. 3, 16 ‖ b. cf. Matth. 13, 31.8

prophetare uidetur et quotquot dignas putat fieri | Hv
36 participes suae gratiae prophetare facit. Maxime enim
circa mulieres uacat, et hoc circa eas quae sunt honestae
et circumporpuratae et ditissimae, quas saepe abducere
temptans, dicit blandiens eis : *Participare te uolo ex mea* 4
40 *Gratia, quoniam Pater omnium Angelum tuum semper
uidet ante faciem suam*[a]. *Locus autem tuae Magnitudinis
in nobis est : oportet nos in unum conuenire. Sume primum
a me et per me Gratiam. Adapta te ut sponsa sustinens* 8
44 *sponsum suum, ut sis quod ego et ego quod tu. Constitue
in thalamo tuo semen luminis. Sume a me sponsum et
cape eum et capere in eo. Ecce Gratia descendit in te :
aperi os tuum et propheta.* Cum autem mulier respon-
48 derit : *Numquam prophetaui et nescio prophetare,* inuoca- 12
tiones quasdam faciens denuo ad stuporem eius quae
seducitur, dicit ei : *Aperi os tuum et loquere quodcumque*

13, 35 quicquid C   quodquod C[2] ‖ 36 fecit CV ‖ 38 circumporpuratae C : circumpurp- *cett. & edd.* ‖ et ditissimae : edit- C ‖
adducere CV Q ‖ 39 tentans ε *edd.*   temptat S ‖ eis : dicit eris
(*expunct. praeter* e is) Q ‖ te *om.* C (*suppl.* C[2]) ‖ ex mea : extranea
S ‖ 40 omnium : omnem AQε   *om.* S ‖ 43 adapta te : adaptare
V ε ‖ sponsa Sε : -am CV AQ ‖ 44 constituae C ‖ 47 apperi V aperui
(u *expunct.*) S ‖ os tuum : hostium V ‖ 47-48 sponderit A[ac] Q ‖
50 os tuum : hostium V ‖ quodcumque : quoc- Q   quaec- ε

ἡγεῖται ⟨γενέσθαι⟩ μετόχους τῆς χάριτος αὐτοῦ προφητεύειν ποιεῖ. Μάλιστα γὰρ περὶ γυναῖκας ἀσχολεῖται
28 καὶ τούτων τὰς εὐπαρύφους καὶ περιπορφύρους καὶ
πλουσιωτάτας, ἃς πολλάκις ὑπάγεσθαι πειρώμενος, κολα-
κεύων φησὶν αὐταῖς · « Μεταδοῦναί σοι θέλω τῆς ἐμῆς
Χάριτος, ἐπειδὴ ὁ Πατὴρ τῶν ὅλων τὸν Ἄγγελόν σου διὰ
32 παντὸς βλέπει πρὸ προσώπου αὐτοῦ[a]. Ὁ δὲ τόπος τοῦ
Μεγέθους ἐν ἡμῖν ἐστι · δεῖ ἡμᾶς εἰς τὸ ἓν καταστῆναι.
Λάμβανε πρῶτον ἀπ' ἐμοῦ καὶ δι' ἐμοῦ τὴν Χάριν.
Εὐτρέπισον σεαυτὴν ὡς νύμφη ἐκδεχομένη τὸν νυμφίον

lui-même et fait prophétiser les femmes qu'il juge dignes
de participer à sa Grâce. Car c'est surtout de femmes
qu'il s'occupe et, parmi elles, des plus élégantes et des
plus riches, de celles dont la robe est frangée de pourpre.
Veut-il attirer quelqu'une d'entre elles, il lui tient ce
discours flatteur : « Je veux te donner part à ma Grâce,
puisque le Père de toutes choses voit sans cesse ton
Ange devant sa face[a]. Le lieu de la Grandeur est en
nous : il faut nous établir en l'Un. Reçois d'abord de moi
et par moi la Grâce. Tiens-toi prête comme une épouse
qui attend son époux, afin que tu sois ce que je suis, et
moi, ce que tu es. Installe dans ta chambre nuptiale la
semence de la Lumière. Reçois de moi l'Époux, fais-lui
place en toi et trouve place en lui[1]. Voici que la Grâce
est descendue sur toi : ouvre la bouche et prophétise[2] ! »
La femme de répondre alors : « Je n'ai jamais prophé-
tisé et ne sais pas prophétiser. » Mais lui, faisant de
nouvelles invocations destinées à stupéfier sa victime,
lui dit : « Ouvre la bouche et dis n'importe quoi : tu

---

36 ἑαυτῆς, ἵνα ἔσῃ ὃ ἐγὼ καὶ ἐγὼ ὃ σύ. Καθίδρυσον ἐν τῷ
νυμφῶνί σου τὸ σπέρμα τοῦ φωτός. Λάβε παρ' ἐμοῦ τὸν
νυμφίον καὶ χώρησον αὐτὸν καὶ χωρήθητι ἐν αὐτῷ. Ἰδοὺ
ἡ Χάρις κατῆλθεν ἐπὶ σέ · ἄνοιξον τὸ στόμα σου καὶ
40 προφήτευσον.» Τῆς δὲ γυναικὸς ἀποκρινομένης · «Οὐ
προεφήτευσα πώποτε καὶ οὐκ οἶδα προφητεύειν », ἐπικλή-
σεις τινὰς ποιούμενος ἐκ δευτέρου εἰς κατάπληξιν τῆς
ἀπατωμένης φησὶν αὐτῇ. « Ἄνοιξον τὸ στόμα σου ⟨καὶ⟩

[Fr. gr. 10] 26 ⟨γενέσθαι⟩ Holl ‖ 28 περιπορφύρους Holl : περιφορ-
φύρους VM ‖ 33 δεῖ Holl : δι' VM ‖ ἐν καταστῆναι Holl : ἐγκα-
ταστῆσαι VM ‖ 36 ἔσῃ V^{pc}M : om. V^{ac} ‖ 41 προεφήτευσα
(προε sup. ras. V) ‖ 43 ⟨καὶ⟩ Holl

13, 3. a. cf. Matth. 18, 10

et prophetabis. Illa autem seducta et elata ab his quae [Hv
52 praedicta sunt, concalefaciens animam a sus|picione Hv
quod incipiat prophetare, cum cor eius multo plus quam
oporteat palpitet, audet et loquitur deliriosa et quaecumque euenerint omnia uacue et audaciter, quippe
56 calefacta spiritu, sicut melior a nobis de talibus prophetis 4
exsequitur [eo] quod audax et inuerecunda anima quae
uacuo aere excalefacta est. Et exinde prophetidem semetipsam putat et gratias agit Marco ei qui participauit
60 ei suam gratiam; et remunerare eum gestit, non solum 8
secundum substantiae suae dationem, unde et diuitiarum copiam magnam collegit, sed et secundum corporis
copulationem et secundum omnia unire ei cupit, uti
64 cum eo descendat in unum.

13, 4. Iam uero quaedam ex fidelissimis mulieribus 12
quae habent timorem Dei et non sunt seducibiles, quas
similiter ut reliquas adfectauit seducere iubens eis

13, 52 animum C ‖ suspictione V   susceptione A ‖ 54 dele-
riosa CV Q ‖ 55 omnia : oha S   *om.* Q ‖ uacuae C ‖ audacter
QS ‖ 56 calefacta *codd. : forte leg. ex gr.* <a uacuo> calefacta ‖ a
om. edd. ‖ 57 eo *(codd. ε) seclusimus, om. edd.* ‖ inuerecunda *edd. ex
gr.* : uer- *codd.* ε ‖ quae *nos cum Mass. Sti. (2Ls185)* : quasi e
CV   quasi AQSε ‖ 58 prophetet idem V AS ‖ 59 marcho Q^(ac) ‖ 60
ei : eis C   te V ‖ 61 donationem A ‖ et *om.* AQSε ‖ 63 unire CV
AQε *(1Ls83)* : uniri S ‖ ut AQSε ‖ 64 descendit C   -det C² ‖
66 habebant V ‖ timorem : tutiorem S^(ac) ‖ 67 eis : eas Sε

---

44 λάλησον ὅ τι δήποτε καὶ προφητεύσεις. » Ἡ δὲ χαυνωθεῖσα
καὶ κεπφωθεῖσα ὑπὸ τῶν προειρημένων, διαθερμανθεῖσα
τὴν ψυχὴν ὑπὸ τῆς προσδοκίας τοῦ μέλλειν αὐτὴν
προφητεύειν, τῆς καρδίας πλέον τοῦ δέοντος παλλούσης,
48 ἀποτολμᾷ καὶ λαλεῖ ληρώδη καὶ τὰ τυχόντα πάντα
κενῶς καὶ τολμηρῶς, ἅτε ὑπὸ κενοῦ τεθερμαμμένη πνεύματος, καθὼς ὁ κρείσσων ἡμῶν ἔφη περὶ τῶν τοιούτων,
ὅτι τολμηρὸν καὶ ἀναιδὲς ψυχὴ κενῷ ἀέρι θερμαινομένη.

prophétiseras. » Et elle, sottement enorgueillie par ces
paroles et l'âme tout enflammée à l'idée qu'elle va
prophétiser, sent son cœur bondir beaucoup plus que
de raison : elle s'enhardit et se met à proférer toutes les
niaiseries qui lui viennent à la pensée, sottement et
effrontément, échauffée qu'elle est par un vain esprit.
Comme l'a dit un homme supérieur à nous à propos
des gens de cette sorte : « Elle est audacieuse et impu-
dente, l'âme qu'échauffe une vaine vapeur. » A partir
de ce moment, cette femme se prend pour une prophétesse. Elle rend grâces à Marc de ce qu'il lui a communiqué sa Grâce. Elle s'applique à le rétribuer, non
seulement en lui donnant ses biens — voilà l'origine des
grandes richesses amassées par cet homme —, mais en
lui livrant son corps, désireuse qu'elle est de lui être
unie en tout, afin de descendre avec lui dans l'« Un ».

13, 4. D'autres femmes, des plus fidèles celles-là, qui
avaient la crainte de Dieu, ne se laissèrent pas tromper.
Il tenta bien de les séduire comme les autres, en leur

52 Καὶ ἀπὸ τούτου λοιπὸν προφῆτιδα ἑαυτὴν ὑπολαμβάνει
καὶ εὐχαριστεῖ Μάρκῳ τῷ μεταδόντι τῆς ἰδίας χάριτος
αὐτῇ · καὶ ἀμείβεσθαι αὐτὸν πειρᾶται, οὐ μόνον κατὰ τὴν
τῶν ὑπαρχόντων δόσιν, ὅθεν καὶ χρημάτων πλῆθος πολὺ
56 συνενήνοχεν, ἀλλὰ καὶ κατὰ τὴν τοῦ [8] σώματος κοινωνίαν, κατὰ πάντα ἑνοῦσθαι αὐτῷ προθυμουμένη, ἵνα σὺν
αὐτῷ κατέλθῃ εἰς τὸ ἕν.

| **13,** 4. | "Ηδη δὲ τῶν πιστοτέρων τινὲς γυναικῶν τῶν
60 ἐχουσῶν τὸν φόβον τοῦ Θεοῦ καὶ μὴ ἐξαπατηθεισῶν, ἃς
ὁμοίως ταῖς λοιπαῖς ἐπετήδευσε παραπείθειν κελεύων

[Fr. gr. 10] 45 καὶ κεπφωθεῖσα VᵖᶜM : om. Vᵃᶜ ‖ 48 καὶ λαλεῖ nos :
λαλεῖν VM ‖ 52 ὑπολαμβάνει Holl : μεταλαμβάνει VM ‖ 53 μεταδόντι nos : ἐπιδιδόντι VM ‖ 54 μόνον VᵖᶜM : μόνων Vᵃᶜ ‖ 59
πιστοτέρων Holl : προτέρων VM

68 prophetare, exsufflantes et catathematizantes eum, [Hv
separauerunt se ab huius|modi insano qui se diuinum Hv
spirare simulabat, pro certo scientes quoniam prophetare non a Marco mago inditur hominibus, sed quibus-
72 cumque Deus desuper immiserit gratiam suam, hi a
Deo traditam habent prophetiam et tunc loquuntur ubi 4
et quando Deus uult, sed non quando Marcus iubet.
Quod enim iubet ab eo quod iubetur maius est et
76 dominantius, quoniam illud quidem principatur, illud
autem subiectum est. Si ergo Marcus quidem iubet uel
alius quis, sicut solent in cenis sortibus hi omnes ludere 8
et sibimetipsis inuicem imperare ut prophetent et
80 secundum suas concupiscentias eos sibi prophetare, erit
ille qui iubet et maior et dominantior prophetico Spiritu,
cum sit homo, quod est impossibile. Sed tales quidem ₁2
qui iubentur ab ipsis spiritus et loquuntur quando
84 uolunt ipsi, terreni et infirmi sunt, audaces autem et

13, 68 catathematizantes *in n. Gra. in tx. edd. a Mass.* : cha-
tatemazantes (catha- V) CV anathematizantes AQSε *Feu. Gra.*ᵗˣ
‖ 70 inspirare S ‖ 71 marcho Q ‖ indicitur S ‖ 72 suam *om.* V ‖
72-73 a deo : ab eo AQSε ‖ 73 tradita C ‖ habeant QS ‖ 73-74 ubi
et *om.* AQSε ‖ 75 quod *edd. ex gr.* : qui *codd.* ε ‖ ab *codd.* : *om.*
ε *edd.* ‖ 76 dominantius *Feu. (2Ls62)* : -natius *codd.* ε *al. edd.* ‖
dominatius — quidem *iter.* Q ‖ 78 qui C ‖ fortibus S ‖ hi omnes :
homines V ‖ 81 qui iubet : quibus Q ‖ dominatior *codd.* ε *edd.*
omnes praeter Feu. ; *u. supra* 76 ‖ 84 inferni εᵐᵍ ‖ nudaces S
nugaces Sᵖᶜ ‖ autem *om.* A *(suppl. s.l.* A²)

αὐταῖς προφητεύειν, [καὶ] καταφυσήσασαι καὶ κατα-
θεματίσασαι αὐτόν, ἐχωρίσθησαν τοῦ τοιούτου θιάσου,
64 ἀκριβῶς εἰδυῖαι ὅτι προφητεύειν οὐχ ὑπὸ Μάρκου τοῦ
μάγου ἐγγίνεται τοῖς ἀνθρώποις, ἀλλ' οἷς ἂν ὁ Θεὸς
ἄνωθεν ἐπιπέμψῃ τὴν χάριν αὐτοῦ, οὗτοι θεόσδοτον
ἔχουσι τὴν προφητείαν καὶ τότε λαλοῦσιν ἔνθα καὶ ὁπότε
68 Θεὸς βούλεται, ἀλλ' οὐχ ὅτε Μάρκος κελεύει. Τὸ γὰρ
κελεῦον τοῦ κελευομένου μεῖζόν τε καὶ κυριώτερον, ἐπεὶ

enjoignant de prophétiser ; mais, l'ayant rejeté et
couvert de leurs anathèmes, elles rompirent tout
commerce avec une aussi détestable compagnie[1]. Elles
savaient pertinemment que le pouvoir de prophétiser
n'est pas donné aux hommes par Marc le magicien,
mais que ceux à qui Dieu a envoyé d'en haut sa grâce,
ceux-là possèdent le don divin de prophétie, et ils
parlent où et quand Dieu le veut, non quand Marc le
commande. Car celui qui donne un ordre est plus grand
et plus puissant que celui qui le reçoit, puisque le premier fait acte de chef et que le second agit en subor-
donné. Si donc Marc ou quelque autre donne des ordres
— comme ont coutume de le faire dans leurs banquets
tous ces gens-là, jouant aux oracles, se donnant mutuel-
lement l'ordre de prophétiser et se faisant les uns aux
autres des prédictions conformes à leurs désirs —, alors
celui qui commande sera plus grand et plus puissant
que l'Esprit prophétique, bien qu'il ne soit qu'un
homme : ce qui est impossible. La vérité, c'est que les
esprits qui reçoivent des ordres de ces gens-là et qui
parlent quand ces gens-là le veulent sont chétifs et
débiles, encore qu'audacieux et impudents : ils sont

τὸ μὲν προηγεῖται, τὸ δὲ ὑποτέτακται. Εἰ οὖν Μάρκος
μὲν κελεύει ἢ ἄλλος τις, ὡς εἰώθασιν ἐπὶ τοῖς δείπνοις
72 τοὺς κλήρους οὗτοι πάντες παίζειν καὶ ἀλλήλοις ἐγκελεύ-
εσθαι τὸ προφητεύειν καὶ πρὸς τὰς ἰδίας ἐπιθυμίας ἑαυτοῖς
μαντεύεσθαι, ἔσται ὁ κελεύων μείζων τε καὶ κυριώτερος
τοῦ προφητικοῦ Πνεύματος, ἄνθρωπος ὤν, ὅπερ ἀδύνατον.
76 Ἀλλὰ τοιαῦτα κελευόμενα ὑπ' αὐτῶν πνεύματα καὶ
λαλοῦντα ὁπότε βούλονται αὐτοὶ ἐπίσαθρα καὶ ἀδρανῆ

[Fr. gr. 10] 62 [καὶ] Holl ‖ 63 θιάσου V^{ac}M : θειάσου V^{pc} ‖ 72 τοὺς
κλήρους nos : τοῦ κλήρου VM ‖ πάντες nos : πάντοτε VM ‖ 77
ἐπίσαθρα (σαθρ sup. ras. V)

impudentes, a Satana immissi ad seductionem et perdi- [Hᵛ
tionem eorum qui non firmam fidem, quam ab initio
per Ecclesiam acceperunt, custodiunt. | 16

88   **13,** 5. Adhuc etiam et amatoria et adlectantia efficit, Hᵛ
ut et corporibus ipsarum contumeliam irroget, hic idem
Marcus quibusdam mulieribus, etsi non uniuersis. Hae
saepissime conuersae ad Ecclesiam Dei confessae sunt 4
92 et secundum corpus exterminatas se ab eo, uelut cupidine
et inflammatas ualde illum se dilexisse, ut et diaconus
quidam eorum qui sunt in Asia nostri, suscipiens eum
in domum suam, inciderit in huiusmodi calamitatem : 8
96 nam cum esset uxor eius speciosa et sen|tentia et corpore Hᵛ
corrupta esset a mago isto et secuta eum esset multo
tempore, post deinde cum magno labore fratres eam
conuertissent, omne tempus in exomologesi consum-
100 mauit, plangens et lamentans ob hanc quam passa est 4
ab hoc mago corruptelam. |

13, 6. Et discipuli autem eius quidam circumobuersati Hᵛ
in eisdem, seducentes mulierculas multas corruperunt,

13, 85 sathana V QS ‖ inmisi C ‖ 86 firmant C ‖ 87 custodiant
CV ‖ 88 et₁ : ut ε ‖ alletantia S   ad letantia ε (adlec- *coni.* ε^{mg}) ‖
89 et *om.* CV ‖ ipsarum ε : -orum *codd.* ‖ 90 haec C^{ac} QS   hee V ‖
91 conuersa CV ‖ 92 et secundum corpus *om.* S ‖ se ab eo : sub
eo V   se Q ‖ 93 et₁ *om.* S ‖ ualde *om.* S ‖ dixisse Q ‖ 94 in *om.* S ‖
nostri *om.* ε ‖ 96 corpora C ‖ 97 esset eum ∾ V ‖ 99 exomologesi
codd. ε : exho- *edd.* ‖ 99-100 consumauit C Q ‖ 102 et *om.* S ‖ circum
obseruati S ‖ 103 seducientes C

ἔστι, τολμηρὰ δὲ καὶ ἀναιδῆ, ὑπὸ τοῦ Σατανᾶ ἐκπεμπόμενα
πρὸς ἐξαπάτησιν καὶ ἀπώλειαν τῶν μὴ εὔτονον τὴν πίστιν
80 ἣν ἀπ' ἀρχῆς διὰ τῆς Ἐκκλησίας παρέλαβον φυλασσόντων.
   | **13,** 5. | Ὅτι δὲ φίλτρα καὶ ἀγώγιμα πρὸς τὸ καὶ τοῖς
σώμασιν αὐτῶν ἐνυβρίζειν ἐμποιεῖ οὗτος ὁ Μάρκος ἐνίαις
τῶν γυναικῶν, εἰ καὶ μὴ πάσαις, αὗται πολλάκις ἐπιστρέ-
84 ψασαι εἰς τὴν Ἐκκλησίαν τοῦ Θεοῦ ἐξωμολογήσαντο, καὶ

envoyés par Satan pour séduire et pour perdre ceux qui ne gardent pas fermement la foi qu'ils ont reçue, au commencement, par l'entremise de l'Église.

13, 5. Ce même Marc use aussi de philtres et de charmes, sinon avec toutes les femmes, du moins avec certaines d'entre elles, pour pouvoir déshonorer leur corps. Elles-mêmes, une fois revenues à l'Église de Dieu, ont souvent avoué qu'elles avaient été souillées par lui en leur corps et qu'elles avaient ressenti une violente passion pour lui. Un diacre, l'un des nôtres qui sont en Asie, pour l'avoir reçu dans sa maison, tomba dans le malheur que voici : sa femme, qui était belle, fut corrompue dans son esprit et dans son corps par ce magicien et elle le suivit longtemps ; convertie ensuite à grand-peine par les frères, elle passa le reste de sa vie dans la pénitence, pleurant et se lamentant sur la corruption qu'elle avait subie du fait de ce magicien.

13, 6. Certains de ses disciples, errant çà et là dans les mêmes parages que lui, ont séduit et corrompu un

---

κατὰ τὸ σῶμα ἠχρειῶσθαι ὑπ' αὐτοῦ καὶ ἐρωτικῶς πάνυ
αὐτὸν πεφιληκέναι, ὥστε καὶ διάκονόν τινα τῶν ἐν τῇ
Ἀσίᾳ [τῶν] ἡμετέρων ὑποδεξάμενον αὐτὸν εἰς τὸν οἶκον
88 αὐτοῦ περιπεσεῖν ταύτῃ τῇ συμφορᾷ · τῆς ⟨γὰρ⟩ γυναικὸς
αὐτοῦ εὐειδοῦς ὑπαρχούσης καὶ τὴν γνώμην καὶ τὸ σῶμα
διαφθαρείσης ὑπὸ τοῦ μάγου τούτου καὶ ἐξακολουθησάσης
αὐτῷ πολλῷ χρόνῳ, [9] ἔπειτα μετὰ πολλοῦ κόπου τῶν
92 ἀδελφῶν ἐπιστρεψάντων αὐτήν, τὸν ἅπαντα χρόνον
ἐξομολογουμένη διετέλεσε, πενθοῦσα καὶ θρηνοῦσα ἐφ' ᾗ
ἔπαθεν ὑπὸ τοῦ μάγου διαφθορᾷ.

| **13, 6.** | Καὶ μαθηταὶ δὲ αὐτοῦ τινες περιπολίζοντες
96 ἐν τοῖς αὐτοῖς, ἐξαπατῶντες γυναικάρια πολλὰ διέφθειραν,

[Fr. gr. 10] 81 τὸ M : τῷ V ‖ 87 [τῶν] Holl ‖ 88 ⟨γὰρ⟩ nos ‖ 94
διαφθορᾷ V^pc M : -ράν V^ac

104 perfectos semetipsos uocantes, quasi nemo possit exae- [Hv
quari magnitudini agnitionis ipsorum, nec si Paulum 4
aut Petrum dicas uel alterum quendam apostolorum,
sed plus omnibus se cognouisse et magnitudinem agni-
108 tionis illius quae est inenarrabilis Virtutis solos ebibisse.
Esse autem se in altitudine super omnem Virtutem :
quapropter et libere omnia agere, nullum in nullo 8
timorem habentes. Propter enim redemptionem incom-
112 prehensibiles et inuisibiles fieri | iudici. Si autem et Hv
apprehenderit eos, adsistentes ei cum redemptione haec
dicerent : *O assessor Dei et mysticae illius pro | Aeonon* Hv
Siges, quam Magnitudines semper uidentes faciem Patris[a],
116 *te uiae duce et adductore utentes, abstrahunt sursum suas*
formas, quas ualde audax illa ducta phantasmate propter
bonum Propatoris emisit nos imagines illorum, tunc 4
intentionem illorum quae sunt sursum quasi somnium

13, 104 quasi nemo possit *om.* S || 104-105 exsequari A   coe-
quari S || 105 nec si : ne sic C   nec sic V || 105-106 petr. aut paul.
∽ S || 108 ipsius *(expunct.)* illius Q || solo se bibisse CV Q || 109
se *om.* V *(suppl. s.l.* V²) || 111 timore Q || redemptionem]+ et
AQSε || 112 et₁ *om.* Q || 113 eos *om.* V *(suppl. s.l.* V²) || 114 dicent
AQε   dicens S || et *om.* AQSε || aeonon : eo non Q   enon S || 115
syges AQ   sygos S || magnitudine A   -nem Q || 116 te uiae duce
edd. a Feu. : uia te CV   sui a te AQSε || abstruunt Q   astru-
unt ? S || 116-117 suam formam S || 118-119 tunc intentionem
illorum *om.* Q || 119 omnium V^ac

τελείους ἑαυτοὺς ἀναγορεύοντες, ὡς μηδενὸς δυναμένου
ἐξισωθῆναι τῷ μεγέθει τῆς γνώσεως αὐτῶν, μηδ' ἂν
Παῦλον μηδ' ἂν Πέτρον εἴπῃς μηδ' ἄλλον τινὰ τῶν
100 ἀποστόλων, ἀλλὰ πλείω πάντων ἐγνωκέναι καὶ τὸ μέγεθος
τῆς γνώσεως τῆς ἀρρήτου Δυνάμεως μόνους καταπε-
πωκέναι. Εἶναί τε αὐτοὺς ἐν ὕψει ὑπὲρ πᾶσαν Δύναμιν ·
διὸ καὶ ἐλευθέρως πάντα πράσσειν, μηδένα ἐν μηδενὶ
104 φόβον ἔχοντας. Διὰ γὰρ τὴν ἀπολύτρωσιν ἀκρατήτους
καὶ ἀοράτους γίνεσθαι τῷ κριτῇ. Εἰ δὲ καὶ ἐπιλάβοιτο
αὐτῶν, παραστάντες αὐτῷ μετὰ τῆς ἀπολυτρώσεως τάδε

grand nombre de femmes. Ils se décernent à eux-mêmes
le titre de « parfaits », persuadés que personne ne peut
égaler la grandeur de leur gnose, non pas même Paul
ou Pierre ou quelque autre apôtre. Ils en savent plus
que tout le monde ; seuls ils ont bu la grandeur de la
connaissance de la Puissance inexprimable. Ils sont
dans la hauteur, au-dessus de quelque Puissance que
ce soit. Aussi peuvent-ils tout se permettre librement
et sans la moindre crainte. Grâce à la « rédemption »,
en effet, ils deviennent insaisissables et invisibles pour
le Juge. S'il arrivait pourtant qu'il les saisît, ils se
tiendraient devant lui, munis de la « rédemption », et
diraient ces mots : « O Assistante de Dieu et du mystique
Silence antérieur aux Éons, tu es celle par qui[1] les
Grandeurs qui voient sans cesse la face du Père[a],
recourant à toi comme à un guide et une conductrice,
attirent en haut leurs formes. Ces formes, qui ne sont
autres que nous-mêmes, la Femme à la grande audace,
sous le coup de l'apparition, à cause de la bonté du
Pro-Père, les a émises en qualité d'images des Grandeurs
susdites, car elle avait alors présentes à l'esprit, comme

εἴποιεν · « Ὦ πάρεδρε Θεοῦ καὶ μυστικῆς πρὸ Αἰώνων
108   Σιγῆς, ⟨δι'⟩ ἧς τὰ Μεγέθη διὰ παντὸς βλέποντα τὸ
πρόσωπον τοῦ Πατρός[a], ὁδηγῷ σοι καὶ προσαγωγεῖ
χρώμενα, ἀνασπῶσιν ἄνω τὰς αὐτῶν μορφάς, ἃς ἡ
μεγαλότολμος ἐκείνη φαντασιασθεῖσα διὰ τὸ ἀγαθὸν τοῦ
112   Προπάτορος προεβάλετο ἡμᾶς τὰς εἰκόνας ⟨αὐτῶν⟩,
τότε ἐνθύμιον τῶν ἄνω ὡς ἐνύπνιον ἔχουσα, ἰδοὺ ὁ κριτὴς

[Fr. gr. 10] 101 δυνάμεως V : δυναμένους M ‖ 107 αἰώνων Holl :
αἰῶνος VM ‖ 108 ⟨δι'⟩ ἧς nos, iuxta Holl in app. : ἢν VM ‖ 109
προσαγωγεῖ V[pc] : -γῇ V[ac]M ‖ 110 χρώμενα M : χρώμεθα V ‖
111 φαντασιασθεῖσα (σιασθεῖ sup. ras. V) ‖ 112 ⟨αὐτῶν⟩ nos,
iuxta Holl in app.

13, 6. a. cf. Matth. 18, 10

120 *habens, ecce iudex in proximo et praeco me iubet meae* [Hv
defensioni adesse: tu autem, quasi quae scias utrorumque
nostrorum rationem tamquam unum[te] *exsistentem, iudici*
adsiste. Mater autem cito, audiens haec, homericam 8
124 inferorum galeam eis superimposuit, ut inuisibiliter
effugerent iudicem, et statim eripiens eos in thalamum
duxit et reddidit suis sponsis. |

13, 7. Talia autem dicentes et operantes et in his Hv
128 quoque quae sunt secundum nos regiones Rodanenses
multas seduxerunt mulieres, quae cauteriatas conscien-
tias[a] habentes, quaedam quidem etiam in manifesto 4
exomologesim faciunt, quaedam autem reuerentes hoc
132 ipsum in silentio sensim semetipsas retrahunt, despe-
rantes a uita Dei[b] : quaedam quidem in totum | absces- Hv
serunt, quaedam autem inter utrumque dubitant et
quod est prouerbii passae sunt, neque intus neque foris
136 exsistentes, hunc fructum habentes seminis filiorum
agnitionis.

13, 120 iudex : iude S ‖ 122 te *(codd.) seclusimus («praua
lectio graeco textui repugnans» Mass. in n.)* : te ex te ε   *om. edd.*
‖ 123 autem *om.* C *(suppl. s.l.* C²) ‖ omericam C AQ ‖ 126 credi-
dit V^ac   reddit Q ‖ 127 his *om.* V ‖ 128 quoque quae : quo quae
C ‖ rhodanenses *edd.* : rod- *codd.* ε ‖ 129 multa Q ‖ cauterizatas V
tauteriatas Q ‖ 131 exomologesim CV : -sin AQSε   exhomolo-
gesin *edd.* ‖ reuerentes *edd. ex gr.* : reuertentes *codd.* ε ‖ 132
sensim : sursum S ‖ 132-133 desperantes C *cett.* : disp- C^x ‖ 134
dubitant et CV : -tantes Aε -tantem QS ‖ 135 prouerbii AQSε :
uerbi⫽ C   uerbum V ‖ 136 seminis hab. ∾ S

ἐγγὺς καὶ ὁ κῆρύξ με κελεύει ἀπολογεῖσθαι · σὺ δέ, ὡς
ἐπισταμένη τὰ ἀμφοτέρων, τὸν ὑπὲρ ἀμφοτέρων ἡμῶν
116 λόγον ὡς ἕνα ὄντα τῷ κριτῇ παράστησον. » Ἡ δὲ Μήτηρ
ταχέως ἀκούσασα τούτων τὴν Ὁμηρικὴν ᾿Άϊδος κυνέην
αὐτοῖς περιέθηκε, πρὸς τὸ ἀοράτως ἐκφυγεῖν τὸν κριτήν,
καὶ παραχρῆμα ἀνασπάσασα αὐτοὺς εἰς τὸν νυμφῶνα
120 εἰσήγαγε καὶ ἀπέδωκε τοῖς ἑαυτῶν νυμφίοις.

dans un songe, les réalités d'en haut. Voici qu'à présent
le Juge est tout proche et que le Héraut m'invite à
présenter ma défense. Toi donc, qui connais la nature
des deux parties, présente au Juge la justification de
nos deux cas qui n'en font qu'un. » En entendant ces
paroles, la Mère les couvre aussitôt du casque homé-
rique d'Hadès[1], pour que, devenus invisibles, ils
puissent échapper au Juge. Sur le champ elle les tire à
elle, les introduit dans la chambre nuptiale et les donne
à leurs Époux.

13, 7. Par des discours et des agissements de cette
sorte, ils ont séduit un grand nombre de femmes jusque
dans nos contrées du Rhône. Marquées au fer rouge
dans leur conscience[a], certaines d'entre elles font,
même publiquement, pénitence. Mais d'autres, qui
répugnent à un tel geste, se retirent en silence[2], déses-
pérant de la vie de Dieu[b] : tandis que les unes ont totalement apostasié, les autres restent en suspens, n'étant,
selon le proverbe, « ni au dehors ni au dedans » et
savourant ce « fruit » de la semence des fils de la « gnose ».

| **13, 7.** | Τοιαῦτα δὴ λέγοντες καὶ πράττοντες, καὶ ἐν
τοῖς καθ' ἡμᾶς κλίμασι τῆς Ῥοδανουσίας πολλὰς ἐξηπατή-
κασι γυναῖκας, αἵτινες κεκαυτηριασμέναι τὴν συνείδησιν[a]
124 αἱ μὲν καὶ εἰς φανερὸν ἐξομολογοῦνται, αἱ δὲ δυσωπούμεναι
[10] τοῦτο, ἡσυχῇ ἀνασπῶσιν ἑαυτὰς ἀπηλπικυῖαι τῆς
ζωῆς τοῦ Θεοῦ[b], ἔνιαι μὲν εἰς τὸ παντελὲς ἀπέστησαν,
ἔνιαι δὲ ἐπαμφοτερίζουσι καὶ τὸ τῆς παροιμίας πεπόνθασι,
128 μήτε ἔξω μήτε ἔσω οὖσαι, ταύτην ἔχουσαι τὴν ἐπικαρπίαν
τοῦ σπέρματος τῶν τέκνων τῆς γνώσεως.

[Fr. gr. 10] 120 ἑαυτῶν Vac : ἑαυτοῦ VpcM ‖ 125 ἀνασπῶσιν nos :
δέ πως VM ‖ 128 μήτε₁ VpcM : om. Vac

13, 7. a. cf. I Tim. 4, 2 ‖ b. cf. Éphés. 4, 18-19

14, 1. Hic igitur Marcus uuluam et exceptorium [Hv
Colarbasi Silentii semet solum fuisse dicens, quippe 4
Vnigenitus exsistens, | semen quod depositum est in Hv
4 eum sic enixus est. Illam quae est a summis et ab
inuisibilibus et innominabilibus locis Quaternationem
descendisse figura muliebri | ad eum, quoniam, inquit, Hv
eius masculinum mundus ferre non poterat, et ostendisse
8 quoque semetipsam quae esset, et uniuersorum genesim,
quam nemini umquam neque deorum neque hominum
reuelauit, huic solo enarrasse, ita dicentem : Quando 4
primum Pater, cuius Pater nemo est, qui est inexcogi-
12 tabilis et insubstantiuus, qui neque masculus neque
femina est, uoluit suum inenarrabile narrabile fieri et
quod inuisibile sibi est formari, aperuit os et protulit 8
Verbum simile sibi : quod adsistens ostendit ei quod

14, 1 *hic inser. codd. & ε tit. cap*¹¹ x *de quo u. in init. libri* ||
hic : haec CV || marcus : matris V || et *om.* S || exceptorium S ε^mg :
sceptorium CV AQ susceptorium ε *edd.* || 2 colarbasi *Feu.*
(cf. Introd. p. 37) : colorbasi *edd. a Gra.* colobarsi C AQS colobar
V^ac (-si V²) colabarsi ε || solum : solumlum *(ditt. a linea)* Q
solum lumen ε || 3 unigenitus : unitus CV || semen *codd.* ε : defectus
semen *Feu. Gra. Mass.* || 4 sic *edd.* : hic *codd.* ε || ab *om.* S || 5 et
innominabilibus *om.* AQSε || 6 figuram V || muliebria AQ || 12 insub-
stantiuus : in substantibus CV || qui *om.* Q || 13 inenarrabile S *edd.*
a Mass. : -lem *cett. Feu. Gra.* || narrabile S *edd. a Mass.* : -lem AQε
Feu. Gra. om. CV || 14 inuisibili C in inuisibili V || est sibi ∞ S

| **14,** 1. | Οὗτος ⟨οὖν ὁ⟩ Μάρκος μήτραν καὶ ἐκδοχεῖον
τῆς Κολαρβάσου Σιγῆς αὐτὸν μονώτατον γεγονέναι λέγων,
132 ἅτε Μονογενὴς ὑπάρχων, [αὐτὸ] τὸ σπέρμα τὸ κατατεθὲν
εἰς αὐτὸν ὧδέ πως ἀπεκύησεν. Αὐτὴν τὴν πανυπερτάτην
ἀπὸ τῶν ἀοράτων καὶ ἀκατονομάστων τόπων Τετράδα
κατεληλυθέναι σχήματι γυναικείῳ πρὸς αὐτόν, ἐπειδή,
136 φησί, τὸ ἄρρεν αὐτῆς ὁ κόσμος φέρειν οὐκ ἠδύνατο, καὶ
μηνῦσαι αὐτήν, τίς ἦν, καὶ τὴν τῶν πάντων γένεσιν,
ἣν οὐδενὶ πώποτε οὔτε θεῶν οὔτε ἀνθρώπων ἀπεκάλυψε,
τούτῳ μονωτάτῳ διηγήσασθαι, οὕτως εἰπούσαν· Ὅτε τὸ

Marc le Magicien : grammatologie et arithmologie.

14, 1. Ce Marc donc, qui prétend avoir été lui seul, en qualité de fils unique, le sein et le réceptacle du Silence de Colarbasus, voici de quelle manière il a mis au monde la « semence » ainsi déposée en lui[1]. La Tétrade plus élevée que tout, assure-t-il, venant des lieux invisibles et innommables, descendit elle-même vers lui sous les traits d'une femme : car, dit-il, le monde n'eût pu porter l'élément masculin qu'elle possède. Elle lui indiqua qui elle était et lui exposa, à lui seul, la genèse de toutes choses, genèse qu'elle n'avait jamais encore révélée à qui que ce fût, ni des dieux ni des hommes. Elle lui tint le discours que voici. Lorsqu'à l'origine le Père qui n'a pas de Père[2], qui est inconcevable et sans substance, qui n'est ni mâle ni femelle, voulut que fût exprimé ce qui en lui était inexprimable et que reçût une forme ce qui en lui était invisible, il ouvrit la bouche et proféra une Parole semblable à lui ; cette Parole, se tenant à ses côtés, lui manifesta ce qu'il

---

140 πρῶτον ὁ Πατὴρ ⟨οὗ Πατὴρ⟩ οὐδείς, ὁ ἀνεννόητος καὶ
ἀνούσιος, ὁ μήτε ἄρρεν μήτε θῆλυ, ἠθέλησεν αὐτοῦ τὸ
ἄρρητον ῥητὸν γενέσθαι καὶ τὸ ἀόρατον μορφωθῆναι,
ἤνοιξε τὸ στόμα καὶ προήκατο Λόγον ὅμοιον αὐτῷ · ὃς
144 παραστὰς ἐπέδειξεν αὐτῷ ὃ ἦν, αὐτὸς τοῦ ἀοράτου μορφὴ

[Fr. gr. 10] 130 οὗτος M : οὕτως V ‖ ⟨οὖν ὁ⟩ Holl ‖ 131 κολαρβάσου nos ex Hipp. : κολορβάσου VM ‖ σιγῆς Vac : εἰσηγήσατο
VpcM ‖ 132 [αὐτὸ] nos ‖ σπέρμα τὸ nos : τοῦ ὑστερήματος VM
‖ 133 αὐτὴν : **incipit Hippol.** = P (We. p. 173, 26 sq.) ‖ 133-135
αὐτὴν — αὐτόν : λέγει ἐληλυθέναι πρὸς αὐτὸν σχήματι γυναικείῳ
τὴν τετράδα P ‖ 134 τόπων Holl : τούτων VM ‖ 135 γυναικείῳ P :
-κείου VM ‖ 137 τίς VM : ἥτις P ‖ 138 οὔτε … οὔτε P : οὐδὲ …
οὐδὲ VM ‖ 139 μονωτάτῳ VM : μόνῳ P ‖ 140 ⟨οὗ πατὴρ⟩ οὐδείς
nos : ὤδινεν VM αὐτοῦ P ‖ 142 ῥητὸν PVac : om. VpcM ‖ γενέσθαι
P : γεννηθῆναι VM ‖ 144 ἐπέδειξεν P : ὑπέδειξεν VM

16 erat ipse, cum inuisibilis forma apparuisset. | Enuntiatio HV ›
   autem nominis facta est talis. Locutus est uerbum
   primum nominis eius : fuit ἀρχὴ et syllaba eius litterarum quattuor. Coniunxit et secundam, et fuit haec
20 litterarum quattuor. Post locutus est et tertiam, et 4
   fuit haec litterarum x. Et eam quae est post haec
   locutus est, et fuit ipsa litterarum xii. Facta est ergo
   enuntiatio uniuersi nominis litterarum xxx, syllabarum
24 autem quattuor. Vnumquodque autem elementorum
   suas litteras et suum characterem et suam enuntiationem 8
   et figurationes et imagines habere, et nihil eorum esse
   quod illius uideat formam, neque ipsum super elemen-
28 tum est. Sed nec cognoscere eum, sed ne quidem proximi
   eius unumquodque | enuntiationem scire, sed quod ipse HV 1
   enuntiat, ita omne quod enuntiat, illud quod est totum

14, 16 inuisibili CV ‖ 17 uerbum *iter.* AQSε ‖ 18 ἀρχὴ *minutae
gr. litt.* V ε *maiores partim* C AQ : arxt S ‖ syllaba (si- V) CV
Mass. Sti. : -be AQS -bae ε *Feu. Gra. Hv* ‖ 19 quatuor V ɪɪɪɪ
C QSε   ɪɪɪɪ°ʳ A ‖ secundum V S ‖ haec : hoc ex S ‖ 20 quatuor
V ε   ɪɪɪɪ°ʳ A   ɪɪɪɪ QS ‖ 21 haec₁ : hoc ex S ‖ haec₂ *om.* S ‖ 22 et
fuit *om.* V ‖ ipsa *om.* Q ‖ 24 quatuor ε   ɪɪɪɪ°ʳ A   ɪɪɪɪ CV QS ‖ 26
figurationem S ‖ 27 neque ipsum super *codd.* ε : cuius *scr. ex
gr. Feu.* cuius ipsum *Gra.* quod ipsum super *Mass. (u. notam)*
‖ 28 nec : ne S ‖ eum *om.* A (*suppl. s.l.* A²) ‖ ne quidem : neque
iidem V   nec quidem A ‖ 29 enuntiationum V ‖ 30 quod₁] +
ipse S

φανείς. Ἡ δὲ ἐκφώνησις τοῦ ὀνόματος ἐγένετο τοιαύτη ·
ἐλάλησε λόγον τὸν πρῶτον τοῦ ὀνόματος αὐτοῦ, ἥτις
ἦν ἀρχή, καὶ ἦν ἡ συλλαβὴ αὐτοῦ στοιχείων τεσσάρων ·
148 ἐπισυνῆψεν τὴν δευτέραν, καὶ ἦν καὶ αὐτὴ στοιχείων
τεσσάρων · ἑξῆς ἐλάλησε τὴν τρίτην, καὶ ἦν αὐτὴ στοιχείων
δέκα · καὶ τὴν μετὰ ταῦτα ἐλάλησε, καὶ ἦν [καὶ] αὐτὴ
στοιχείων δεκαδύο. Ἐγένετο οὖν ἡ ἐκφώνησις τοῦ ὅλου
152 ὀνόματος στοιχείων μὲν τριάκοντα, συλλαβῶν [11] δὲ
τεσσάρων. Ἕκαστον δὲ τῶν στοιχείων ἴδια γράμματα καὶ

était, en apparaissant comme la Forme de l'Invisible. L'énonciation du Nom se fit de la manière suivante : le Père prononça la première partie de son Nom, qui fut le Principe, et ce fut une syllabe comprenant quatre éléments[1] ; il y adjoignit une deuxième syllabe, qui comprit, elle aussi, quatre éléments ; il prononça ensuite la troisième, qui comprit dix éléments ; il prononça enfin la dernière[2], qui comprit douze éléments. L'énonciation du Nom tout entier comporta donc trente éléments et quatre syllabes. Chacun de ces éléments a ses lettres propres, son caractère propre, sa résonance propre, ses traits, ses images ; il n'est aucun d'entre eux qui voie la forme de ce dont il n'est qu'un élément[3] ; et non seulement ils ignorent cela, mais chaque élément ignore jusqu'à la résonance de son voisin, chacun faisant entendre sa résonance propre et s'imaginant exprimer le Tout. Car chacun d'eux, qui

---

ἴδιον χαρακτῆρα καὶ ἰδίαν ἐκφώνησιν καὶ σχήματα καὶ
εἰκόνας ἔχειν · καὶ μηδὲν αὐτῶν εἶναι ὃ τὴν ἐκείνου καθορᾷ
156 μορφὴν οὗπερ αὐτὸ στοιχεῖόν ἐστιν, ἀλλὰ οὐδὲ γινώσκειν
αὐτό · οὐδὲ μὴν τὴν τοῦ πλησίον αὐτοῦ ἕκαστον ἐκφώνησιν
γινώσκειν, ἀλλὰ ὃ αὐτὸ ἐκφωνεῖ, ὡς τὸ πᾶν ἐκφωνοῦν,
τὸ ὅλον ἡγεῖσθαι ὀνομάζειν. Ἕκαστον γὰρ αὐτῶν, μέρος

[Fr. gr. 10] 148 ἐπισυνῆψεν VM : ἔπειτα συνῆψε P ‖ 149 ἑξῆς ἐλάλησε VM : ἐξελάλησε P ‖ καὶ VM : ἥτις P ‖ ἦν P : ἦν καὶ
VM ‖ αὐτὴ VM : om. P ‖ 150 μετὰ ταῦτα VM : τετάρτην P ‖
[καὶ] Holl ‖ 151 δεκαδύο VM : δώδεκα P ‖ 151-152 ἡ ἐκφώνησις τοῦ ὅλου ὀνόματος VM : τοῦ ὀνόματος ὅλου ἡ ἐκφώνησις ∽
P ‖ 152 μὲν VM : om. P ‖ 156 αὐτὸ P : αὐτὸς VM ‖ ἀλλὰ οὐδὲ
γινώσκειν VM : om. P ‖ 157 αὐτό Holl in app. : αὐτόν VM
om. P ‖ 158 γινώσκειν P : πολιορκεῖ VM ‖ ἀλλὰ ὃ VM : ἄλλο P
‖ αὐτὸ Holl in app. : αὐτὸς VM μηδὲ P ‖ ἐκφωνεῖ VM : ἐκφωνεῖν P ‖ ἐκφωνοῦν nos : ἐκφωνοῦντα VMP ‖ 159 post ὀνομάζειν
add. αὐτόν P

nominet. Vnumquemque enim ipsorum, pars exsistens [Hv
32 totius, suum sonum quasi omne nominare, et non cessare 4
sonantia, quoadusque ad nouissimam litteram nouissimi
elementi singulariter enuntiata deueniant. Tunc autem
et redintegrationem uniuersorum dicit futuram, quando
36 omnia deuenientia in unam litteram unam et eandem
consonationem sonent, cuius exclamationis imaginem 8
[esse] Amen simul dicentibus nobis tradidit esse. Sonos
autem esse eos qui formant insubstantiuum et inge-
40 nitum Aeona, et esse hos formas quas Dominus Angelos
dixit, quae sine intermissione uident faciem Patris[a]. | 12

14, 2. Nomina autem elementorum communia et Hv
enarrabilia Aeonas et uerba et radices et semina et
44 plenitudines et fructus uocauit; singula autem ipsorum
et uniuscuiusque propria in nomine Ecclesiae contineri 4

14, 31 enim *om.* S ‖ 32 suum : unum V ‖ omne : esse S ‖ nominare *(edd. ex gr.)* et non : NON et n̄ *(sic)* C   nō et nō V   non et
non A   n̄ et nō Q   nō et non S   nomen et non ε ‖ 33 ad : X *(sic)*
A   ey Q   ex S   extra ε ‖ nouissima littera S ‖ 34 denuntiata S ‖
35 et *om.* AQSε ‖ reintegrationem V QS ‖ 35-36 quando (cum
Feu.) — litteram CV *edd. a Feu.* : *om.* AQSε ‖ 36 unam₂ : onam C
‖ 37 sonant C S ‖ exclamationis : ex (et A²) d'apnationis *(sic)* A
‖ 38 esse₁ *(codd.* ε *edd.) seclusimus ex gr.* : *om.* Hv ‖ simul : sit S ‖
esse₂ C²ᵖᶜ *cett. Feu. Hv* : *dub. quid scrip.* (q⫶?) Cᵃᶜ *om. Gra.
Mass. Sti.* ‖ 39 eos esse ∾ AQSε *edd.* ‖ insubstatiuum V ‖ 40
aeona : et *(expunct)* aeona Q ‖ et *om.* S ‖ esse hos A Qε : has
esse C   esse has V *Feu.*   ecce has S ‖ 41 dicit S ‖ 43 inenarrabilia
(in *expunct.*) C ‖ 45 unusquisque Cᵃᶜ   uniusquisque Cᵖᶜ

---

160 ὃν τοῦ ὅλου, τὸν ἴδιον ἦχον ὡς τὸ πᾶν ὀνομάζειν, καὶ μὴ
παύσασθαι ἠχοῦντα, μέχρις ὅτου ἐπὶ τὸ ἔσχατον γράμμα
τοῦ ἐσχάτου στοιχείου μονογλωσσήσαντα καταντῆσαι.
Τότε δὲ καὶ τὴν ἀποκατάστασιν τῶν ὅλων ἔφη γενέσθαι,
164 ὅταν τὰ πάντα κατελθόντα εἰς τὸ ἓν γράμμα μίαν καὶ
τὴν αὐτὴν ἐκφώνησιν ἠχήσῃ · ἧς ἐκφωνήσεως εἰκόνα τὸ
ἀμὴν ὁμοῦ λεγόντων ἡμῶν ὑπέθετο εἶναι. Τοὺς δὲ φθόγγους
ὑπάρχειν τοὺς μορφοῦντας τὸν ἀνούσιον καὶ ἀγέννητον

n'est qu'une partie du Tout, fait retentir son propre son
comme s'il était le Tout, et ils ne cessent de résonner
de la sorte jusqu'à ce que, tous ayant été successivement
proférés, on arrive à la dernière lettre du dernier élément.
Et l'achèvement[1] de toutes choses aura lieu, dit la
Tétrade, quand tous les éléments, concourant en une
lettre unique, feront entendre une seule et même
résonance — résonance dont il existe une image,
assure-t-elle, lorsque tous ensemble nous disons
l'« Amen ». Tels sont donc les sons qui forment l'Éon
sans substance et inengendré ; ils sont ces formes que
le Seigneur a appelées Anges et qui voient sans cesse
la face du Père[a].

14, 2. Les noms communs et exprimables des éléments, poursuit la Tétrade, sont : Éons, Logoi, Racines,
Semences, Plérômes, Fruits ; quant aux propriétés
caractéristiques de chacun d'eux, elles sont renfermées
et comprises dans le nom Église. La dernière lettre du

---

168 Αἰῶνα · καὶ εἶναι τούτους μορφὰς ἃς ὁ Κύριος Ἀγγέλους
εἴρηκε, τὰς διηνεκῶς βλεπούσας τὸ πρόσωπον τοῦ
Πατρός[a].

| **14, 2.** | Τὰ δὲ ὀνόματα τῶν στοιχείων τὰ κοινὰ καὶ
172 ῥητὰ Αἰῶνας καὶ λόγους καὶ ῥίζας καὶ σπέρματα καὶ
πληρώματα καὶ καρποὺς ὠνόμασε · τὰ δὲ καθ' ἕνα αὐτῶν
καὶ ἑκάστου ἴδια ἐν τῷ ὀνόματι τῆς Ἐκκλησίας ἐμπεριεχό-

[Fr. gr. 10] 160 ὃν VM : ὄντα P ‖ 161 παύσασθαι VM : παύσας P ‖
162 ἐσχάτου P : ἑκάστου VM ‖ μονογλωσσήσαντα VM : μονο-
γλωττήσαντι P ‖ 163 καὶ VM : om. P ‖ 165 αὐτὴν VP : om.
M ‖ post ἠχήσῃ add. τήν τε ἐκφώνησιν ἠχήσῃ P ‖ ἧς VM :
τῆς τε P ‖ εἰκόνα VM : ἱκανὰ P ‖ 166 φθόγγους VM : om. P ‖
167 ἀγέννητον VM : ἀγένητον P ‖ 172 ῥητὰ VM : ῥήματα P ‖
173 τὰ δὲ καθ' ἕνα αὐτῶν VM : τὸ καθ' ἑαυτῶν P

14, 1. a. cf. Matth. 18, 10

et intellegi ait. Quorum elementorum nouissimi elementi [Hv
ultima littera uocem emisit suam, cuius sonus exiens
48 secundum imaginem elementorum elementa propria
generauit : ex quibus et quae sunt hic disposita dicit,
et ea quae sunt ante haec generata. Ipsam quidem litte- 8
ram, cuius sonus erat consequens sonum deorsum, a
52 syllaba sua sursum receptam dicit ad impletionem
uniuersi, remansisse autem deorsum sonum quasi foras
proiectum. Elementum autem ipsum, ex quo littera cum 12
enuntiatione sua descendit deorsum, litterarum esse ait
56 xxx, et unamquamque ex his xxx | litteris in semetipso Hv ⟩
habere alias litteras, per quas nomen litterae nominatur,
et rursus alias per alias nominari litteras, et alias per
alias, ita ut in immensum decidat multitudo litterarum.
60 Sic autem planius disces quod dicitur : delta elementum 4

14, 47-51 exiens — sonus om. Q (suppl. mg. Q¹) ‖ 48 secundum : post S ‖ propria : progenia AQSε ‖ 49 dixit S ‖ 50 ante :
anoe S ‖ 50-51 ipsa . . . littera S ‖ 51 cuius sonus erat om. S ‖
55 litterarum : litteras autem S ‖ ait esse ∾ S ‖ 56 xxx₁ om. S
‖ unamquamque S edd. : unaquaeque CV AQε (1Ls54) ‖ semetipsa edd. : semetipso CV Qε (cf. Introd. p. 22) : -psos AS -psis
Aᵖᶜ -psa edd. ‖ 57 qua Q ‖ nominantur C AQ ‖ 58-59 per alias
om. V ‖ 59 in om. AS ‖ decidant C AᵃᶜQ

μενα νοεῖσθαι ἔφη. ῍Ων στοιχείων τοῦ ἐσχάτου στοιχείου
176 τὸ ὕστερον γράμμα φωνὴν προήκατο τὴν ἑαυτοῦ, οὗ ὁ
ἦχος ἐξελθὼν κατ᾽ εἰκόνα τῶν στοιχείων στοιχεῖα ἴδια
ἐγέννησεν, ἐξ ὧν τά τε ἐνταῦθα διακεκοσμῆσθαί φησι καὶ
τὰ πρὸ τούτων γεγενῆσθαι. Τὸ μέντοι γράμμα αὐτό, οὗ
180 ὁ ἦχος ἦν συνεπακολουθῶν τῷ ἤχῳ κάτω, ὑπὸ τῆς συλλα-
βῆς τῆς ἑαυτοῦ [12] ἀνειλῆφθαι ἄνω λέγει εἰς ἀναπλήρωσιν
τοῦ ὅλου, μεμενηκέναι δὲ εἰς τὰ κάτω τὸν ἦχον ὥσπερ
ἔξω ῥιφέντα. Τὸ δὲ στοιχεῖον αὐτό, ἀφ᾽ οὗ τὸ γράμμα
184 σὺν τῇ ἐκφωνήσει τῇ ἑαυτοῦ συγκατῆλθε κάτω, γραμμάτων

dernier de ces éléments fit entendre sa voix, dont le son,
sortant du Tout[1], engendra des éléments propres selon
l'image des éléments de ce Tout ; c'est des éléments
ainsi engendrés que provient notre monde et ce qui a
existé avant lui. La lettre elle-même, dont le son se
propageait ainsi vers le bas, fut reprise en haut par
sa syllabe pour que le Tout demeurât complet ; mais le
son resta dans la région d'en bas, comme rejeté au
dehors. L'Élément lui-même[2], d'où la lettre était descendue vers les régions inférieures avec sa résonance,
comprend trente lettres, dit encore la Tétrade ; chacune
de ces trente lettres a en elle-même d'autres lettres qui
servent à la nommer ; et ces dernières lettres, à leur
tour, sont nommées au moyen d'autres lettres, et ainsi
de suite, si bien que la multitude des lettres s'étend à
l'infini. — Tu vas comprendre plus clairement ce qu'elle
veut dire[3] : l'élément « delta » a en lui-même cinq lettres,

εἶναί φησι τριάκοντα, καὶ ἓν ἕκαστον τῶν τριάκοντα
γραμμάτων ἐν ἑαυτῷ ἔχειν ἕτερα γράμματα, δι' ὧν τὸ
ὄνομα τοῦ γράμματος ὀνομάζεται, καὶ αὖ πάλιν τὰ ἕτερα
188 δι' ἄλλων ὀνομάζεσθαι γραμμάτων, καὶ τὰ ἄλλα δι' ἄλλων,
ὡς εἰς ἄπειρον ἐκπίπτειν τὸ πλῆθος τῶν γραμμάτων.
Οὕτω δ' ἂν σαφέστερον μάθοις τὸ λεγόμενον · τὸ δέλτα

[Fr. gr. 10] 175 ἔφη VM : om. P ‖ ὧν VM : τῶν P ‖ ἐσχάτου P : om.
VM ‖ 176 ὁ P : om. VM ‖ 177 κατ' εἰκόνα VM : ἱκανὰ P ‖ ἴδια
VᵖᶜMP : καὶ ἴδια Vᵃᶜ ‖ 180 ἤχῳ MP : ἤχει V ‖ κάτω Holl
We : καὶ τῷ VMP ‖ 181 λέγει P : λέγειν VM ‖ 182 τοῦ VM :
τούτου P ‖ 184 σὺν τῇ VM : συνέστη P ‖ συγκατῆλθε VM :
κατῆλθε P ‖ γράμματων P : ὁ γραμμάτων VM ‖ 185 εἶναί φησι
VM : φησὶν εἶναι ∾ P ‖ post τριάκοντα₁ add. γραμμάτων P ‖ 186
ὧν P : οὖ VM ‖ 187 αὖ VM : μὴν P ‖ 189 ὡς VM : ὥστε P ‖ τῶν
γραμμάτων VM : διὰ τῶν γραμμάτων γραφέντος P ‖ 190 μάθοις
VM : μάθοι τις P

litteras habet in se quinque, et ipsum Δ et E et Λ et T et [Hv
A, et hae rursus litterae per alias scribuntur litteras, et
aliae per alias. Si ergo uniuersa substantia deltae in
64 immensum decidit, aliis alias litteras generantibus et 8
succedentibus alterutrum, quanto magis illius elementi
maius esse pelagus litterarum? Et si una littera sic
immensa est, uide totius nominis profundum litterarum,
68 ex quibus Propatora Marci Silentium constare docuit. 12
Quapropter et Patrem scientem incapabile suum dedisse
elementis, quae et Aeonas uocat, unicuique | eorum Hv ▸
suam enuntiationem exclamare, eo quod non possit
72 unum illud quod est totum enuntiare.

14, 3. Haec itaque exponentem ei Quaternationem
dixisse : Volo autem tibi et ipsam ostendere Veritatem : 4
deposui enim illam de superioribus aedificiis, uti circum-
76 spicias eam nudam et intuearis formositatem eius, sed

14, 61 habet in se : in se habet ∞ V   habuisse in se A ‖ quinque
Qε : v CV AS ‖ Δ et E et Λ et T et A *Erasm.* : a & e & a & t &
a *cod.* CV   Δ & e & Λ & T & Λ *cod.* A   A et c et A *cod.* Q   a et G
et a *cod.* S ‖ 62 et hae : & e C ‖ 63 ergo]+ in CV ‖ delta.e. *(sic)* V ‖
64 generantibus litteras ∞ S ‖ 66 pelagos AQε (-gus A²) ‖ littera sic :
litterarum si S ‖ 68 propatura C²ᵖᶜ V ‖ maci Q ‖ 70 eorum : eorem
C ‖ 71 eo : et Q ‖ 72 illum C AQε ‖ 73 exponentem *edd.* : -te *codd.* ε
‖ ei : eo S ‖ 74 dixisse *edd.* : dedisse *codd.* ε ‖ et *om.* S ‖ 75 ut AQSε
‖ 75-76 circumspicias S ε : -ciam CV AQ ‖ 76 intueris C (-ea- C¹)

στοιχεῖον γράμματα ἐν ἑαυτῷ ἔχει πέντε, αὐτό τε τὸ
192 δέλτα καὶ τὸ ε καὶ τὸ λάμβδα καὶ τὸ ταῦ καὶ τὸ ἄλφα,
καὶ ταῦτα πάλιν τὰ γράμματα δι' ἄλλων γράφεται γραμμάτων, καὶ τὰ ἄλλα δι' ἄλλων. Εἰ οὖν ἡ πᾶσα ὑπόστασις
τοῦ δέλτα εἰς ἄπειρον ἐκπίπτει, ἀεὶ ἄλλων ἄλλα γράμματα
196 γεννώντων καὶ διαδεχομένων ἄλληλα, πόσῳ μᾶλλον
ἐκείνου τοῦ στοιχείου μεῖζον εἶναι τὸ πέλαγος τῶν
γραμμάτων ; Καὶ εἰ τὸ ἓν γράμμα οὕτως ἄπειρον, ὅρα
ὅλου τοῦ ὀνόματος τὸν βυθὸν τῶν γραμμάτων, ἐξ ὧν τὸν
200 Προπάτορα ἡ Μάρκου Σιγὴ συνεστάναι ἐδογμάτισε. Διὸ
καὶ τὸν Πατέρα ἐπιστάμενον τὸ ἀχώρητον αὐτοῦ δεδωκέναι
τοῖς στοιχείοις, ἃ καὶ Αἰῶνας καλεῖ, ἑνὶ ἑκάστῳ αὐτῶν

à savoir le « delta » lui-même, l'« epsilon », le « lambda »,
le « tau » et l'« alpha » ; ces lettres, à leur tour, s'écrivent
au moyen d'autres lettres, et ces dernières, au moyen
d'autres encore. Si donc toute la substance du « delta »
s'étend ainsi à l'infini du fait que les lettres ne cessent
de s'engendrer les unes les autres et de se succéder,
combien plus grand encore sera l'océan des lettres de
l'Élément par excellence ! Et si une seule lettre est à ce
point immense, vois quel « abîme » de lettres suppose
le Nom entier, puisque, d'après l'enseignement du
« Silence » de Marc, c'est de lettres qu'est constitué le
Pro-Père. C'est pour ce motif que le Père, connaissant
sa propre incompréhensibilité. a donné aux éléments
— que Marc appelle aussi Éons — de faire retentir
chacun la résonance qui lui est propre, dans l'impossibi-
lité où chacun se trouve d'énoncer le Tout.

14, 3. Après lui avoir fait connaître tout cela, la
Tétrade dit à Marc : Je veux te montrer aussi la Vérité
elle-même, car je l'ai fait descendre des demeures
supérieures pour que tu la voies nue et que tu sois

τὴν ἰδίαν ἐκφώνησιν ἐκβοᾶν, διὰ τὸ μὴ δύνασθαι ἕνα τὸ
204 ὅλον ἐκφωνεῖν.

| **14, 3.** | Ταῦτα δὲ σαφηνίσασαν αὐτῷ τὴν Τετρακτὺν
εἰπεῖν · Θέλω δέ σοι καὶ αὐτὴν ἐπιδεῖξαι τὴν Ἀλήθειαν ·
κατήγαγον γὰρ αὐτὴν ἐκ τῶν ὕπερθεν δωμάτων, ἵν' εἰσίδῃς
208 αὐτὴν γυμνὴν καὶ καταμάθῃς τὸ κάλλος αὐτῆς, ἀλλὰ

[Fr. gr. 10] 191 ἐν ἑαυτῷ ἔχει VM : ἔχειν ἐν ἑαυτῷ ∽ P ‖ αὐτό τε
V : αὐτὸ δὲ M om. P ‖ 192 ε M : εἶ VP ‖ λάμβδα VP (cf. Marcovich, p. 305) : λάβδα M ‖ 193 ταῦτα πάλιν VM : αὐτὰ ταῦτα P
‖ 193-194 γράφεται — ἄλλων VM : om. P ‖ 197 τὸ πέλαγος
VM : τὸν τόπον P ‖ 198 οὕτως ἄπειρον VM : ἄπειρον ὡς P ‖
ὅρα VM : ὁρᾶται P ‖ 200 σιγῇ συνεστάναι ἐδογμάτισε VM :
φιλοπονίᾳ, μᾶλλον δὲ ματαιοπονίᾳ βούλεται συνιστᾶν P ‖ 206
εἶπε P ‖ θέλω δέ σοι P : θεανδήσοι VM ‖ 207 δομάτων P ‖ ἵν'
εἰσίδῃς VM : ἵνα ἴδῃς P ‖ 208 αὐτῆς τὸ κάλλος ∽ P

et audias eam loquentem et admireris sapientiam eius. [Hv]
Vide quid igitur in caput eius sursum primum A et Ω, 8
collum autem B et Ψ, umeros cum manibus Γ et Χ,
80 pectus Δ et Φ, cinctum E et Υ, uentrem Z et T, uerenda
H et Σ, femora Θ et P, genua I et Π, tibias K et O,
crura Λ et Ξ, pedes M et N. Hoc est corpus eius quae est 12
secundum magum Veritatis, haec figura elementi, hic
84 character litterae. Et uocat elementum hoc Hominem :
esse autem fontem ait eum | omnis uerbi et initium Hv 13
uniuersae uocis et omnis inenarrabilis enarrationem et
taciti Silentii os. Et hoc quidem corpus eius. Tu autem
88 sublimius adleuans sensus intellegentiam, autogenitora
et patrodotora Verbum ab ore Veritatis audi. | 4

14, 77 eloquentem S ‖ 78 igitur quid ∽ S ‖ primum]+ eam S
‖ litt. A cod. AQS : ạ CV. Hic et infra, sequentes litteras graecas,
etsi minutas, recte scripsit Erasmus. ‖ Ω : ω CV AQ   om. S ‖
79 B cod. C AQS : b V ‖ Ψ cod. Q (+s.l. psi) : Υ cod. C   y cod. VAS
(+s.l. psi A ipi S) ‖ umeros C : hu- cett. ‖ Γ cod. C AQ S (+gamma
s.l. AQS) : t cod. V ‖ Χ cod. C AQS (+chi s.l. AQS) : x cod. V ‖
80 Δ cod. C AQ (+delta s.l. AQ) : ạ cod. V S ‖ Φ codd. (+f s.l.
AQ fl S) ‖ E : e CV AQS ‖ Υ : y C AQ (+u s.l. AQ)   u V   i S ‖
Z C AQS : z V ‖ T cod. S : t CV Q   Γ cod. A ‖ 81 H cod. C AQS
(+eta s.l. AQS) : h V ‖ Σ : C cod. C AQS (+s.l. cim(m)a AQ
suma S)   c cod. V ‖ Θ cod. CV AS (+s.l. thetia A tetha S) : Φ
cod. Q (+s.l. thetha) ‖ P : p CV AQS (+r s.l. AQ) ‖ genua : et
genua Q ‖ I : ι CV AQS (+ i s.l. AQS) ‖ Π : π CV AQS (+ p
s.l. AQS) ‖ 82 Λ : ạ cod. C   a V   λ A   L cod. Q   1 S ‖ et₁ om. C ‖
Ξ : ξ C QS (+h s.l. S)   z̄ V   z (+h s.l.) A ‖ M cod. C AS (+m
s.l. AS) : m V n (+m s.l.) Q ‖ N cod. C AQS (+n s.l. AQS) : om. V ‖
83 magnum Sε ‖ figura : futura AQε   factura S coni. εᵐᵍ ‖ 84
uocant CV ‖ 87 tabiti C ‖ os : hos Q ‖ 88 adlebans C ‖ autogenitora ε :
-ram CV QS   -rem A ‖ 89 audi om. V

καὶ ἀκούσῃς αὐτῆς λαλούσης καὶ θαυμάσῃς τὸ φρόνιμον
αὐτῆς. Ὅρα [13] οὖν κεφαλὴν ⟨αὐτῆς⟩ ἄνω τὸ α καὶ τὸ ω,
τράχηλον δὲ β καὶ ψ, ὤμους ἅμα χερσὶν γ καὶ χ, στήθη
212 δ καὶ φ, διάφραγμα ε καὶ υ, κοιλίαν ζ καὶ τ, αἰδοῖα η καὶ σ,
μηροὺς θ καὶ ρ, γόνατα ι καὶ π, κνήμας κ καὶ ο, σφυρὰ λ
καὶ ξ, πόδας μ καὶ ν. Τοῦτό ἐστι τὸ σῶμα τῆς κατὰ τὸν

instruit de sa beauté, et aussi pour que tu l'entendes
parler et que tu admires sa sagesse. Vois donc sa tête,
en haut, qui est α et ω[1], son cou qui est β et ψ, ses bras
et ses mains qui sont γ et χ, sa poitrine qui est δ et φ,
sa taille qui est ε et υ, son ventre qui est ζ et τ, ses
parties qui sont η et ς, ses cuisses qui sont θ et ρ, ses
genoux qui sont ι et π, ses jambes qui sont κ et ο, ses
chevilles qui sont λ et ξ, ses pieds qui sont μ et ν. —
Voilà, à en croire le Magicien, le corps de la Vérité,
voilà le schème de l'Élément, voilà le caractère de la
Lettre ! A cet Élément il donne le nom d'Homme : il
est, dit-il, la source de tout Logos, le principe de toute
Voix, l'expression de tout Inexprimable, la bouche de
Silence la silencieuse. — Voilà donc son corps. Mais toi,
poursuit la Tétrade, élève plus haut les pensées de ton
esprit et, de la bouche de la Vérité, entends le Logos
générateur de lui-même et donateur du Père.

μάγον 'Αληθείας, τοῦτο τὸ σχῆμα τοῦ στοιχείου, οὗτος
216 ὁ χαρακτὴρ τοῦ γράμματος. Καὶ καλεῖ τὸ στοιχεῖον τοῦτο
Ἄνθρωπον · εἶναί τε πηγήν φησιν αὐτὸ παντὸς λόγου
καὶ ἀρχὴν πάσης φωνῆς καὶ παντὸς ἀρρήτου ῥῆσιν καὶ
τῆς σιωπωμένης Σιγῆς στόμα. Καὶ τοῦτο μὲν τὸ σῶμα
220 αὐτῆς · σὺ δὲ μετάρσιον ἐγείρῃς τὸ τῆς διανοίας νόημα,
τὸν αὐτογεννήτορα καὶ πατροδότορα Λόγον ἀπὸ στομάτων
'Αληθείας ἄκουε.

[Fr. gr. 10] 209 φρόνιμα P ǁ 210 ‹αὐτῆς› nos : φησίν P om.
VM ǁ τὸ α καὶ τὸ VM : τὸ πρῶτον ἄλφα P ǁ 211 καὶ₁ VM :
om. P ǁ ἅμα χερσὶν VM : om. P ǁ καὶ₂ VM : om. P ǁ 212 δ VM :
δέλτα P ǁ καὶ₁ VM : om. P ǁ φράγμα P ǁ καὶ υ VM : om. P ǁ
κοιλίαν P : νῶτον VM ǁ καὶ₃ VM : om. P ǁ αἰδοῖα P : κοιλίαν
VM ǁ καὶ₄ VM : om. P ǁ 213 καὶ₁ VM : om. P ǁ καὶ₂ VM :
om. P ǁ καὶ₃ VM : om. P ǁ 214 καὶ₁ VM : om. P ǁ καὶ₂
VM : om. P ǁ 215 μάγον VM : μάρκον P ǁ 217 φήσει P ǁ αὐτὸ
VM : om. P ǁ 219 μὲν VM : om. P ǁ 220 τὸ τῆς P : om. VM ǁ
221 αὐτογεννήτορα M : αὐτὸν γεννήτορα V γεννήτορα P ǁ πατρο-
πάτορα P

14, 4. Haec autem cum dixisset illa, adtendentem ad   Hv 1
eum Veritatem et aperientem os locuta est uerbum :
92 uerbum autem nomen factum, et nomen esse hoc quod
scimus et loquimur, Christum Iesum; quod cum nomi-   4
nasset, statim tacuit. Cum autem putaret Marcus plus
aliquid eam dicturam, rursus Quaternatio ueniens in
96 medium ait : Tamquam contemptibile putasti esse
uerbum quod ab ore Veritatis audisti. Non hoc quod
scis et putas habere olim est nomen. Vocem enim tantum   8
habes eius, uirtutem autem ignoras. Iesus enim est
100 insigne nomen, vı habens litteras, ab omnibus qui sunt
uoca|tionis[a] cognitum; illud autem quod est apud   Hv 1
Aeonas Pleromatis, cum sit multifarium exsistens, alterius est formae et alterius typi, quod intellegitur ab
104 ipsis qui sunt cognati eius, quorum Magnitudines apud
eum sunt semper.   4

14, 90 dixisset : audisset V ‖ adtendente S ‖ 91 ueritate . . .
aperiente S ‖ locuta est *codd.* ε : -tam esse *scr. Mass. ex gr.* ‖ 93
et : ut CV ‖ 94 tacuit C[2] *cett.* : ait C ‖ 96 contemptibile AQSε : -lem
CV ‖ putatis A[ac] ‖ 97 audire V ‖ 98 scias S ‖ est]+ eius S ‖ 99
autem]+ eius CV ‖ enim *nos ex gr.* : autem *codd.* ε *edd.* ‖ 100 sex
ε ‖ 101 quod *om.* S

| **14,** 4. | Ταῦτα δὲ ταύτης εἰπούσης, προσβλέψασαν
224 αὐτῷ τὴν 'Αλήθειαν καὶ ἀνοίξασαν τὸ στόμα λαλῆσαι
λόγον, τὸν δὲ λόγον ὄνομα γενέσθαι, καὶ τὸ ὄνομα τοῦτο
εἶναι ὃ γινώσκομεν καὶ λαλοῦμεν, Χριστὸν 'Ιησοῦν, ὃ καὶ
ὠνόμασαν αὐτὴν παραυτίκα σιωπῆσαι. Προσδοκῶντος
228 δὲ τοῦ Μάρκου πλεῖόν τι μέλλειν αὐτὴν λέγειν, πάλιν ἡ
Τετρακτὺς παρελθοῦσα εἰς τὸ μέσον φησίν · ΄Ως εὐκατα-
φρόνητον ἡγήσω τὸν λόγον, ὃν ἀπὸ στομάτων τῆς
'Αληθείας ἤκουσας ; Οὐ τοῦθ' ὅπερ οἶδας καὶ δοκεῖς
232 ἔχειν παλαιόν ἐστιν ὄνομα · φωνὴν γὰρ μόνον ἔχεις αὐτοῦ,
τὴν δὲ δύναμιν ἀγνοεῖς. 'Ιησοῦς μὲν γάρ ἐστιν ἐπίσημον
ὄνομα, ἓξ ἔχον γράμματα, ὑπὸ πάντων τῶν τῆς κλήσεως[a]

14, 4. Quand la Tétrade eut ainsi parlé, la Vérité
regarda Marc, puis, ouvrant la bouche, elle prononça
une parole ; cette parole fut un nom, et ce nom était
celui que nous connaissons et disons : « Christ Jésus » ;
ayant prononcé ce nom, elle se tut sur-le-champ. Marc
s'attendait à ce qu'elle en dise davantage. Alors la
Tétrade, se rapprochant, lui dit : Considères-tu comme
méprisable la parole que tu viens d'entendre de la
bouche de la Vérité ? Ce n'est pas ce nom que tu connais
et crois posséder qui est le Nom ancien[1] : car tu ne
possèdes que le son du Nom et tu ignores sa vertu.
« Jésus » (Ἰησοῦς) est le Nom insigne, possédant six
lettres, connu de tous les « appelés[a] » ; mais le Nom qu'il
possède parmi les Éons du Plérôme se compose de
multiples parties, est d'une autre forme et d'un autre
type et est connu de ceux-là seulement qui sont de la
même race que lui et dont les « Grandeurs » sont sans
cesse auprès de lui.

γινωσκόμενον · τὸ δὲ παρὰ τοῖς Αἰῶσι τοῦ Πληρώματος,
236 πολυμερὲς [14] τυγχάνον, ἄλλης ἐστὶν μορφῆς καὶ ἑτέρου
τύπου, γινωσκόμενον ὑπ' ἐκείνων τῶν συγγενῶν, ὧν τὰ
Μεγέθη παρ' αὐτῷ ἐστι διὰ παντός.

[Fr. gr. 10] 225-226 τοῦτο εἶναι VM : εἶναι τοῦτο ∞ P ‖ 227 παραυτίκα P : παρ' αὐτῇ καὶ VM ‖ σιωπῆσαι P : σιωπὴν VM ‖ 228 πλεῖον
αὐτὴν μέλλειν τι ∞ P ‖ 230 ὃν Vᵐᵍ M : τοῦτον P ‖ 232 ἔχειν P : om.
VM ‖ παλαιόν VM : πάλιν P (cf. Marcovich, p. 305) ‖ ἐστιν
VM : τοῦτ' ἔστιν P ‖ ἔχεις μόνον ∞ P ‖ 234 ἐξ ἔχον P : ἐξ ὢν
V ἐξ ὧν M ‖ τῶν VM : om. P ‖ 235 γινωσκόμενον VM : ἐγκαλού-
μενα P ‖ post τοῖς add. πέντε P ‖ 238 αὐτῶν V

14, 4. a. cf. Matth. 20, 16

14, 5. Haec igitur quae apud uos sunt xxiiii litterae [Hv

emanationes esse intellege trium Virtutum imaginales,
108 earum quae continent uniuersum quae sunt sursum elementorum numerum. Mutas enim litteras nouem puta 8
esse Patris et Veritatis, quoniam sine uoce sint, hoc est
inenarrabiles et inloquibiles. Semiuocales autem cum sint
112 octo, Logi esse et Zoes, quoniam quasi mediae sint inter
mutas et uocales, et recipere eorum quidem quae super- 12
sint, emanationem, eorum uero quae subsint eleuatio-
nem. Vocales autem et ipsas vii esse, Anthropi et Eccle-
116 siae, quoniam per Anthropum uox progrediens formauit
omnia : sonus enim uocis formam | eis circumdedit. Hv 1
Est igitur Logos habens et Zoe viii, Anthropos autem
et Ecclesia vii, Pater autem et Alethia viiii. Ex minori
120 autem computatione qui erat apud Patrem descendit,
emissus illuc unde fuerat separatus ad emendationem 4

14, 106 haec *codd.* ε *Sti.* (*cf. Introd.* p. 22) : has *edd. iuxta sensum (u. notam Mass.)* ‖ uos *nos ex gr.* : nos *codd.* ε *edd.* ‖ uiginti
quatuor ε ‖ litterae *om.* V ‖ 107 emanationis S ‖ 108 earum S :
eorum *cett.* ‖ uniuersum *om.* V ‖ quae : eorum quae S ‖ quae
sunt sursum *om.* CV ‖ rursum Q ‖ 109 mutasse CV ‖ viiii S ‖ puta
edd. : putat *codd.* ε ‖ 110 haec S ‖ est]+ et *edd. a Feu.* ‖ 112 viii
Q ‖ et₁ *om.* Q ‖ zeos S ‖ 113 quidem *om.* S ‖ 115 autem *om.*
S ‖ septem ε ‖ 116 per *om.* C (*suppl. s.l.* C³) ‖ 117 eis *edd.* : eius
codd. ε ‖ 118 anthropos CVε : -pus AQS ‖ 119 ecclesiae CV S ‖ viiii
C QS : ix V Aε‖ 120 computatione CV Q ‖ qui Aᵖᶜ : quid CV AQ
quod Sε ‖ 121 unde fuerat Aᵖᶜ S : defuerat CV AQεᵐᵍ   fuerat ε

| **14, 5.** | Ταῦτ' οὖν τὰ παρ' ὑμῖν εἰκοσιτέσσαρα γράμ-
240 ματα ἀπορροίας ὑπάρχειν γίνωσκε τῶν τριῶν Δυνάμεων
εἰκονικὰς τῶν περιεχουσῶν τὸν ὅλον τῶν ἄνω στοιχείων
ἀριθμόν. Τὰ μὲν γὰρ ἄφωνα γράμματα ἐννέα νόμισον
εἶναι τοῦ Πατρὸς καὶ τῆς Ἀληθείας, διὰ τὸ ἀφώνους
244 αὐτοὺς εἶναι, τουτέστιν ἀρρήτους καὶ ἀνεκλαλήτους ·
τὰ δὲ ἡμίφωνα, ὀκτὼ ὄντα, τοῦ Λόγου καὶ τῆς Ζωῆς, διὰ
τὸ μέσα ὥσπερ ὑπάρχειν τῶν τε ἀφώνων καὶ τῶν φωνηέντων
καὶ ἀναδέχεσθαι τῶν μὲν ὕπερθεν τὴν ἀπόρροιαν, τῶν

14, 5. Sache donc que les vingt-quatre lettres en usage chez vous[1] sont les émanations figuratives des trois Puissances[2] qui enveloppent le nombre total des éléments d'en haut. Les neuf consonnes muettes figurent le Père et la Vérité, qui sont « muets », c'est-à-dire inexprimables et ineffables. Les huit semi-voyelles symbolisent le Logos et la Vie, car elles sont comme à mi-chemin entre les muettes et les voyelles et elles reçoivent aussi bien l'écoulement de ce qui est au-dessus d'elles que l'élévation de ce qui est au-dessous. Les sept voyelles enfin représentent l'Homme et l'Église, car c'est en sortant de l'Homme que la Voix a formé toutes choses : car le son de la Voix leur a procuré une forme. Le Logos et la Vie possèdent donc le nombre huit, l'Homme et l'Église le nombre sept, le Père et la Vérité le nombre neuf. A cause du compte déficient, celui qui s'était établi à part dans le Père descendit, envoyé au dehors vers celui dont il s'était séparé, afin de redresser

---

248 δ' ὑπ' αὐτὰ τὴν ἀναφοράν · τὰ δὲ φωνήεντα, καὶ αὐτὰ
ἑπτὰ ὄντα, τοῦ 'Ανθρώπου καὶ τῆς 'Εκκλησίας, ἐπεὶ διὰ
τοῦ 'Ανθρώπου ἡ φωνὴ προελθοῦσα ἐμόρφωσε τὰ ὅλα ·
ὁ γὰρ ἦχος τῆς φωνῆς μορφὴν αὐτοῖς περιεποίησεν.
252 "Εστιν οὖν ὁ μὲν Λόγος ἔχων καὶ ἡ Ζωὴ τὰ ὀκτώ, ὁ δὲ
"Ανθρωπος καὶ ἡ 'Εκκλησία τὰ ἑπτά, ὁ δὲ Πατὴρ καὶ ἡ
'Αλήθεια τὰ ἐννέα. 'Επὶ δὲ τοῦ ὑστερήσαντος λόγου ὁ
ἀφεδρασθεὶς ἐν τῷ Πατρὶ κατῆλθεν, ἐκπεμφθεὶς ἐπὶ τὸν
256 ἀφ' οὗ ἐχωρίσθη, ἐπὶ διορθώσει τῶν πραχθέντων, ἵνα ἡ

[Fr. gr. 10] 239 ταῦτ' οὖν VM : ταῦτα P ‖ 240 γίνωσκε ὑπάρχειν ∾
P ‖ 241 εἰκονικὰς VM : καὶ εἰκόνας P ‖ ἐμπεριεχουσῶν P ‖
ὅλον VM : ὅρον καὶ P ‖ 242 γὰρ VP : om. M ‖ 246 μέσας P
‖ 247 ἀναδεδέχθαι P ‖ ὕπερθε V ‖ ἀπορίαν P ‖ 248 ὑπ' αὐτὰ P :
ὑπὲρ αὐτὴν VM ‖ 249 διὰ VM : καὶ P ‖ 250 ἡ P : om. VM ‖
252 οὖν P : om. VM ‖ post Λόγος add. ὁ P ‖ post ζωὴ add. ἡ P ‖
254 ἐπὶ δὲ P : ἐπειδὴ VM ‖ 255 πεμφθεὶς V ‖ 256 ἐχωρήθη P

factorum, uti Pleromatum unitas aequalitatem habens [Hv
fructificet unam in omnibus quae est ex omnibus Virtus.
124 Et sic is qui est numeri VII eorum qui sunt VIII accepit
uirtutem, et facta sunt tria loca similia numeris, cum 8
sint Octonationes, quae ter in se uenientia XXIIII ostenderunt numerum. Et tria quidem elementa, quae dicit
128 ipse trium in coniugatione Virtutum exsistere, quae
fiunt VI, ex quibus emanauerunt XXIIII litterae, quadri-
pertita inenarrabilis Quaternationis ratione, eundem 12
numerum faciunt, quae quidem dicit illius qui est inno-
132 minabilis exsistere. Indui autem eas a tribus Virtutibus
in simili|tudinem illius qui est inuisibilis : quorum Hv)
elementorum imagines imaginum esse eas quae sunt
apud nos duplices litterae, quas cum XXIIII litteris
136 adnumerantes, uirtute quae est secundum analogian
XXX faciunt numerum.   4

14, 122 ut AQSε ‖ 124 octo Qε ‖ accipit Q ‖ 126 quae ter C :
quater V AQSε ‖ in se *om.* S ‖ uenientium QS ‖ uiginti quatuor ε
‖ 127 tria : 3ᵃ Q ‖ quaedam CV ‖ 129 sex V ‖ uiginti quatuor ε ‖
129-130 quatripertita CV ‖ 130 ratione : in enarratione Q   nar-
ratione Qᵖᶜ ‖ eundem]+ cum illis *ex gr. in n. edd. a Gra.* ‖ 131-
132 innominabilis QS : inenarra- C A innumera- V ε ‖ 132 extitere
A ‖ eas : ab eas Q ‖ 136 innumerantes CV   adnumeratis A ‖ uirtutes S ‖ anagian Cᵃᶜ (-lo- C¹) analoan AQS   -logiã V ε

τῶν Πληρωμάτων ἑνότης ἰσότητα ἔχουσα καρποφορῇ
μίαν ἐν πᾶσι τὴν ἐκ πάντων Δύναμιν. Καὶ οὕτως ὁ τῶν ἑπτὰ
τὴν τῶν ὀκτὼ ἐκομίσατο δύναμιν καὶ ἐγένοντο οἱ τρεῖς
260 τόποι ὅμοιοι τοῖς ἀριθμοῖς, Ὀγδοάδες ὄντες, οἵτινες τρὶς
ἐφ' ἑαυτοὺς ἐλθόντες τὸν τῶν εἰκοσιτεσσάρων ἀνέδειξαν
ἀριθμόν. Τὰ μέντοι τρία στοιχεῖα, ἅ φησιν αὐτὸς τῶν
τριῶν ἐν συζυγίᾳ Δυνάμεων ὑπάρχειν, ἅ ἐστιν ἕξ, ἀφ' ὧν
264 ἀπερρύη τὰ εἰκοσιτέσσαρα στοιχεῖα, τετραπλασιασθέντα
τῷ τῆς ἀρρήτου Τετράδος λόγῳ, τὸν αὐτὸν αὐτοῖς ἀριθμὸν

ce qui s'était fait et pour que l'unité des Plérômes,
possédant l'égalité, fructifiât en tous et produisît une
seule Puissance qui vînt de tous[1]. Ainsi le nombre sept
a reçu la valeur du nombre huit, et il y a eu de la
sorte trois Lieux semblables par leur nombre, à savoir
des Ogdoades. Celles-ci, en venant trois fois sur elles-
mêmes, présentent le nombre vingt-quatre. Et les
trois éléments[2] — que Marc dit[3] être unis par syzygie
aux trois Puissances, ce qui donne le nombre six, d'où
ont découlé les vingt-quatre éléments — ces trois éléments ainsi doublés, multipliés par le chiffre de l'inexprimable Tétrade, engendrent le même nombre. Ces
éléments, dit-il, appartiennent à l'Innommable ; mais
ils sont portés par les trois Puissances en vue d'une
ressemblance avec l'Invisible. De ces éléments sont
l'image les lettres doubles de notre alphabet : en ajoutant celles-ci aux vingt-quatre éléments, en vertu de
l'analogie, on obtient le nombre trente[4].

ποιεῖ, ἅπερ φησὶν τοῦ [15] ἀνονομάστου ὑπάρχειν.
Φορεῖσθαι δὲ αὐτὰ ὑπὸ τῶν τριῶν Δυνάμεων εἰς ὁμοιότητα
268 τοῦ ἀοράτου, ὧν στοιχείων εἰκόνας εἰκόνων τὰ παρ' ἡμῖν
διπλᾶ γράμματα ὑπάρχειν, ἃ συναριθμούμενα τοῖς εἰκοσιτέσσαρσι στοιχείοις δυνάμει τῇ κατὰ ἀναλογίαν τὸν τῶν
τριάκοντα ποιεῖ ἀριθμόν.

[Fr. gr. 10] 257 ἑνότης Vᵖᶜ P : ἑνάτης M ‖ ἰσότητα ἔχουσα VM :
ἐν τῷ ἀγαθῷ οὖσα P ‖ 259 τῶν ὀκτὼ VM : τῷ νοητῷ P ‖ τρεῖς
P : om. VM ‖ 260 τρὶς Holl We : τρεῖς VMP ‖ 261 ἐφ' VM :
ἀφ' P ‖ ἀνεδέξαντο P ‖ 262 ἅ φησιν Holl : ἀφίησιν VM φησιν P (cf.
Marcovich, p. 305) ‖ αὐτῶν P ‖ 263 συνζυγία Vᵃᶜ ‖ 265 τῷ ... λόγῳ
VM : τῶν ... λόγων P ‖ αὐτοῖς VM : τοῖς P ‖ 267 τριῶν VM : ἐξ P
‖ 268 ἀοράτου P ‖ εἰκόνας Vᵃᶜ : εἰκόνες VᵖᶜMP ‖ post εἰκόνων
add. ὧν P ‖ τὰ παρ' ἡμῖν VM : ἐξ P ‖ 270 δυνάμει τῇ Holl
We : δυνάμει τῶν VM δύναμιν τὴν P ‖ τὸν P : om. VM ‖ 271
ποιεῖται P

14, 6. Huius rationis et dispositionis fructum dicit [Hv
in similitudinem imaginis[a] apparuisse illum qui post
140 vi dies[b] quartus ascendit in montem et factus est sextus,
qui descendit et detentus est in Ebdomade, cum esset 8
insignis Octonatio et haberet | in se omnem elementorum Hv
numerum, quem manifestauit, cum ipse uenisset ad
144 baptismum, columbae descensio, quae est ω et α :
numerus enim ipsius unum et DCCC. Et propter hoc
Moysen in sexta die[c] dixisse hominem factum, et disposi- 4
tionem autem in sexta die, quae est [in] cena pura,
148 nouissimum hominem in regenerationem primi hominis
apparuisse, cuius dispositionis initium et finem sextam
horam, in qua adfixus est ligno. Perfectum enim Sensum, 8
scientem eum numerum qui est vi uirtutem fabrica-
152 tionis et regenerationis habentem, manifestasse filiis
luminis[d] eam regenerationem quae facta est per eum qui

14, 138 rat. huius ∞ C ‖ 139 *forte leg.* similitudine *ut in gr.*
‖ illum : et illum Qε ‖ 140 sextus V S : vi· C AQε ‖ 141 in *om.* ε ‖
ebdomade *codd.* : hebd- ε ‖ 142 haberet V ε : -bent C -bet AQSε
‖ omnium S ‖ 144 ω & ạ CV   ω & A AQS ‖ 145 propter *om.* CV
‖ 146 moysem V ‖ vi[a] Q ‖ dixisse die ∞ S ‖ 146-147 hominem
— die *om.* AQSε ‖ 147 in₂ *secl. nos ex gr.* ‖ 148 generationem ε
‖ 149 sextam ε : vi[m] A   vi· CV QS ‖ 151 sex ε sextus S ‖ uirtu-
tum AQε ‖ 153 eam : eas AQ ‖ regenerationem *nos ex gr.* :
generationem *codd.* ε *edd.*

---

272 | **14, 6.** | Τούτου τοῦ λόγου καὶ τῆς οἰκονομίας ταύτης
καρπόν φησιν ἐν ὁμοιώματι εἰκόνος[a] πεφηνέναι ἐκεῖνον
τὸν μετὰ τὰς ἓξ ἡμέρας[b] τέταρτον ἀναβάντα εἰς τὸ ὄρος
καὶ γενόμενον ἕκτον, τὸν καταβάντα καὶ κρατηθέντα ἐν
276 τῇ Ἑβδομάδι, ἐπίσημον Ὀγδοάδα ὑπάρχοντα καὶ ἔχοντα
ἐν ἑαυτῷ τὸν ἅπαντα τῶν στοιχείων ἀριθμόν, ὃν ἐφανέρωσεν,
ἐλθόντος αὐτοῦ ἐπὶ τὸ βάπτισμα, ἡ τῆς περιστερᾶς
κάθοδος, ἥτις ἐστὶν ω̄ καὶ ᾱ · ὁ γὰρ ἀριθμὸς αὐτῆς ἓν καὶ
280 ὀκτακόσια. Καὶ διὰ τοῦτο Μωϋσέα ἐν τῇ ἕκτῃ ἡμέρᾳ[c]
εἰρηκέναι τὸν ἄνθρωπον γεγονέναι, καὶ τὴν οἰκονομίαν
δὲ ἐν τῇ ἕκτῃ τῶν ἡμερῶν, ἥτις ἐστὶν ἡ παρασκευή, ⟨ἐν⟩
ᾗ τὸν ἔσχατον ἄνθρωπον εἰς ἀναγέννησιν τοῦ πρώτου

14, 6. Le « fruit » de ce calcul et de cette « économie »
est apparu, dit-il, sous la similitude de l'image[a], en
celui qui, après six jours[b], monta quatrième à la montagne et devint sixième, puis descendit et fut détenu
dans l'Hebdomade, alors qu'il était l'Ogdoade insigne
et qu'il avait en lui le nombre total des éléments,
nombre que manifesta, lors de son baptême, la descente
de la colombe, qui est ω et α : car le nombre de celle-ci
est 801[1]. Et c'est pourquoi Moïse dit que l'homme a été
fait le sixième jour[c] ; c'est pourquoi aussi l'« économie »
a eu lieu le sixième jour, qui est la Parascève, jour où[2]
le dernier homme est apparu pour régénérer le premier ;
et, de cette « économie », le principe et le terme fut la
sixième heure, à laquelle il fut cloué au bois. Car
l'Intellect parfait, sachant que ce nombre six possède
une vertu de création et de régénération, a manifesté
aux « fils de lumière[d] » la régénération qui s'est faite

---

284 ἀνθρώπου πεφηνέναι, ἧς οἰκονομίας ἀρχὴν καὶ τέλος
τὴν ἕκτην ὥραν εἶναι, ἐν ᾗ προσηλώθη τῷ ξύλῳ. Τὸν γὰρ
τέλειον Νοῦν, ἐπιστάμενον τὸν τῶν ἓξ ἀριθμὸν δύναμιν
ποιήσεως καὶ ἀναγεννήσεως ἔχοντα, φανερῶσαι τοῖς υἱοῖς
288 τοῦ φωτὸς[d] τὴν διὰ τοῦ φανέντος ἐπισήμου εἰς αὐτὸν

[Fr. gr. 10] 272 οἰκονομίας VM : ἀναλογίας P ‖ 274 ἡμέρας
ἓξ ∾ VM ‖ 275 κρατηθέντα καὶ καταβάντα ∾ VM ‖ 277 ἀριθμὸν
ἅπαντα τῶν στοιχείων ∾ P ‖ ὂν P : om. VM ‖ 279 ᾱ VM :
ἄλφα P ‖ ὁ γὰρ ἀριθμὸς αὐτῆς VM : δι' ἀριθμοῦ δηλουμένου P
‖ 279-280 ἓν καὶ ὀκτακόσια Holl : μία καὶ ὀκτακόσιαι VM
ὀκτακοσίων ἑνός P ‖ 280 ἡμέρᾳ P : τῶν ἡμερῶν VM ‖ 281
εἰρηκέναι VM : λέγειν P ‖ 282 post δὲ add. τοῦ πάθους P ‖ ἡ P :
om. VM ‖ <ἐν> nos ‖ 283 ᾗ P : om. VM ‖ 284 ἧς VM : ταύτης
τῆς P ‖ 285 τὴν P : καὶ τὴν VM ‖ 286 ἀριθμῶν P ‖ 287 ποιῆσαι
P ‖ ἀναγεννήσεως VM : ἀναγεννῆσαι ὡς P ‖ 288 διὰ τοῦ P : δι'
αὐτοῦ VM ‖ ἐπισήμως P ‖ αὐτὸν VM : τὴν P

14, 6. a. cf. Rom. 1, 23 ‖ b. cf. Matth. 17, 1. Mc 9, 2 ‖ c. cf.
Gen. 1, 31 ‖ d. cf. Lc 16, 8. Jn 12, 36. Éphés. 5, 8. I Thess. 5, 5

manifestatus | est insignis in eum numerum. Hinc etiam HV
et duplices litteras numerum insignem habere ait :
156 insignis enim numerus commixtus XXIIII elementis
XXX litterarum nomen explicuit.

14, 7. Vsus est autem diacono septem numerorum 4
magnitudine, quemadmodum dicit Marci Sige, uti ab se
160 cogitatae cogitationis manifestetur fructus. Et insignem
quidem hunc numerum in praesenti, ait, eum qui ab
insigno figuratus est intellege, eum qui quasi in partes 8
diuisus est aut praecisus et foris perseuerauit, qui sua
164 uirtute et prudentia per eam quae est ab eo emissionem
hunc qui est septem uirtutum secundum imitationem | HV
Ebdomadis uirtutis animauit mundum et animam
posuit esse huius uniuersi quod uidetur. Vtitur autem
168 et hic ipse hoc opere quasi spontanee ab eo facto; reliqua
uero ministrant, cum sint imitationes inimitabilium, 4

14, 154 manifestatus AQε : -tata CV -festus S ‖ in░░signis
C in signis V ‖ hic AQSε ‖ etiam : enim V ‖ 156 uiginti quatuor ε ‖ 158 est *om.* V (*suppl. s.l.* V²) ‖ dacone S ‖ septem CV
A : VII QSε ‖ 158-159 numerorum magnitudine *edd.* : -merum
-nem *codd.* ε ‖ 159 marce (e *expunct.*) A ‖ ut AQSε ‖ 160 mani-
festationis cogitetur CV ‖ 161 praesentia C^{ac} ‖ ait : ut AQSε ‖ 162
insigno C AQε *(2Ls27)* : -gni V S ‖ intellege *edd. in n. a Gra.* : -gi
codd. ε ‖ 163 praescisus S ‖ qui : in V ‖ 165 hunc : habet S ‖ est
om. V ‖ VII C QS ‖ imitationem V : initia░tionem C iniciatio-
nem uel imitationem *(sic)* S micationem AQε ‖ 166 ebdomadis CVS : hebd- ε ebdomade A ebdomadit Q ‖ animauis Q
‖ 168 hic ipse *nos ex usu constanti interpr. (48 occurr.)* : ipse
hic *codd.* ipse ε *Gra. Hv* ‖ hoc *om.* C (*suppl. s.l.* C¹) ‖ eo *codd.* ε :
ipso *edd.* ‖ facto reliqua : fetore siqua A fetore aliqua Qε feco
reliqua S ‖ 169 imitabilium AQSε

ἀριθμοῦ γενομένην ἀναγέννησιν. Ἔνθεν καὶ τὰ διπλᾶ
γράμματα τὸν ἀριθμὸν ἐπίσημον ἔχειν φησίν· ὁ γὰρ
ἐπίσημος ἀριθμὸς [16] συγκεκρασθεὶς τοῖς εἰκοσιτέσσαρσι
292 στοιχείοις τὸ τριακονταγράμματον ὄνομα ἀπετέλεσεν.

| 14, 7. | Κέχρηται δὲ διακόνῳ τῷ τῶν ἑπτὰ ἀριθμῶν
μεγέθει, ὥς φησιν ἡ Μάρκου Σιγή, ἵνα τῆς αὐτοβουλήτου

par le moyen du nombre insigne apparu dans le dernier homme[1]. De là vient que les lettres doubles possèdent elles aussi le nombre insigne, dit Marc : car le nombre insigne, mélangé avec les vingt-quatre éléments, produit le Nom de trente lettres.

14, 7. Et le nombre insigne utilise en qualité de serviteur la Grandeur aux sept nombres, comme dit le Silence de Marc, afin que soit manifesté le « fruit » de son libre dessein. Ce nombre insigne, dans le cas présent, dit-elle, comprends-le de celui qui a été formé par le nombre insigne, celui qui a été comme divisé, découpé et qui est resté au dehors, celui qui, par sa propre vertu et prudence, par l'entremise de l'émission provenant de lui, a mis une âme dans notre monde, ce monde qui comprend sept vertus à l'imitation de la vertu de l'Hebdomade, et a fait en sorte qu'il y ait une âme de l'univers visible. Celui-là se sert donc de cet ouvrage comme d'une chose qu'il aurait produite de lui-même ; mais les choses, étant des imitations des réalités inimi-

---

βουλῆς φανερωθῇ ὁ καρπός. Τὸν μέντοι ἐπίσημον τοῦτον
296 ἀριθμὸν ἐπὶ τοῦ παρόντος, φησί, τὸν ἐπὶ τοῦ ἐπισήμου
μορφωθέντα νόησον, τὸν ὥσπερ μερισθέντα ἢ διχοτομηθέντα καὶ ἔξω μείναντα, ὃς τῇ ἑαυτοῦ δυνάμει τε καὶ
φρονήσει διὰ τῆς ἀπ' αὐτοῦ προβολῆς τοῦτον τὸν τῶν
300 ἑπτὰ δυνάμεων, κατὰ μίμησιν τῆς Ἑβδομάδος δυνάμεως
ἐψύχωσε κόσμον καὶ ψυχὴν ἔθετο εἶναι τοῦ ὁρωμένου
παντός. Κέχρηται μὲν οὖν καὶ αὐτὸς οὗτος τῷδε τῷ ἔργῳ
ὡς αὐθαιρέτως ὑπ' αὐτοῦ γενομένῳ, τὰ δὲ διακονεῖ,

[Fr. gr. 10] 289 ἀριθμοῦ nos : δι' αὐτοῦ VMP ‖ ἐπιγενομένην P
‖ 290 γράμματα VM : πράγματα P ‖ 294 ὥς — σιγή VM : om.
P ‖ 295 βουλῆς VM : om. P ‖ 295-296 τοῦτον ἀριθμὸν VM : om.
P ‖ 297-298 ἢ διχοτομηθέντα VM : om. P ‖ 299 ἀπ' αὐτοῦ
VM : ἑαυτοῦ P ‖ τὸν VM : τὴν ζωὴν P ‖ 300 κατὰ μίμησιν
VM : μιμήσει P ‖ ἑβδομάδος VM : ἑπταδυνάμου P ‖ 302
αὐτὸς VM : om. P ‖ τῷ VM : om. P ‖ 303 γενόμενα P ‖ δὲ
διακονεῖ VM : δι' εἰκόνων P

Enthymesin Matris. Et primum quidem caelum sonat α, [Hv 1
quod autem est post illum ε, tertium autem η, quartum
172 uero et medium numeri VII iotae uirtutem enarrat,
quintum uero o, sextum autem υ, septimum autem et
IIII a medio ω elementum exclamat, quemadmodum 8
Marci Sige, quae multa quidem loquacius exsequitur,
176 nihil autem uerum loquens, adfirmat. Quae Virtutes,
ait, omnes simul in inuicem complexae sonant et glorificant illum a quo emissae sunt, gloria autem soni
mittitur in Propatorem. Huius autem glorificationis 12
180 sonum in terram delatum ait plasmatorem factum et
generatorem eorum quae sunt in terra.

14, 8. Ostensionem autem adfert ab his qui nunc
nascuntur in|fantibus, quorum anima simul ut de uulua　Hv 14
184 progressa est exclamat uniuscuiusque elementi hunc

14, 170 enthymesim V -syn Q ‖ 170-174 α...ε...η...ο...υ
...ω *minut. litt.* Vε : *partim maior. litt.* C AQS ‖ 171 est *om.* C
(*suppl. s.l.* C¹) ‖ 172 iota Aε ‖ 173 sextum : VI CV ‖ septimum :
VII CV ‖ 174 exclamat *codd.* εᵐᵍ : exdant ε ‖ 175 multo V ‖ locatius
AQ ‖ 177 simul *iter.* C ‖ in *om.* VS ‖ 178 emissae S : -ssa CV AQε ‖
180 in terram : litterarum *cancell.* A (*corr. s.l.* A²) ‖ 181 quae : qui
Sεᵐᵍ ‖ in terra : littera A (*corr.* A²) ‖ 182 *hic inser. codd. & ε tit.
cap*¹¹ XI *de quo u. in init. libri* ‖ autem]+ id est V ‖ 183 uula S ‖
184 progressa *iter.* V

---

304 μιμήματα ὄντα τῶν ἀμιμήτων, τὴν Ἐνθύμησιν τῆς Μητρός.
Καὶ ὁ μὲν πρῶτος οὐρανὸς φθέγγεται τὸ α, ὁ δὲ μετὰ
τοῦτον τὸ ε, ὁ δὲ τρίτος τὸ η, τέταρτος δὲ καὶ μέσος τῶν
ἑπτὰ τὴν τοῦ ἰῶτα δύναμιν ἐκφωνεῖ, ὁ δὲ πέμπτος τὸ ο,
308 ἕκτος δὲ τὸ υ, ἕβδομος δὲ καὶ τέταρτος ἀπὸ τοῦ μέσου τὸ ω
στοιχεῖον ἐκβοᾷ, καθὼς ἡ Μάρκου Σιγή, ἡ πολλὰ μὲν
φλυαροῦσα, μηδὲν δὲ ἀληθὲς λέγουσα, διαβεβαιοῦται.
Αἵτινες Δυνάμεις ὁμοῦ, φησί, πᾶσαι εἰς ἀλλήλας συμπλα-
312 κεῖσαι ἠχοῦσι καὶ δοξάζουσιν ἐκεῖνον ὑφ' οὗ προεβλήθησαν,
ἡ δὲ δόξα τῆς ἠχῆς ἀναπέμπεται εἰς τὸν Προπάτορα.

tables, sont au service de l'Enthymésis de la Mère[1].
Le premier ciel fait entendre le son α, le suivant le
son ε, le troisième le son η, le quatrième, situé au
milieu des sept, le son ι, le cinquième le son o, le sixième
le son υ, et le septième, qui est le quatrième à partir
du milieu, le son ω. Voilà ce qu'affirme le Silence de
Marc, qui débite une foule de niaiseries et ne dit rien
de vrai. Toutes ces Puissances, dit-il, enlacées les unes
dans les autres, résonnent et glorifient celui qui les a
émises, et la gloire de ce concert s'élève vers le Pro-Père.
Le son de cette glorification, dit-il encore, porté vers
la terre, est devenu l'auteur et le générateur de ce qui
est sur terre.

14, 8. Marc prouve cela par le fait des enfants
nouveau-nés, dont l'âme, à peine sortie du sein maternel,
fait entendre le son de chacun de ces éléments. De

Ταύτης μέν τοι τῆς δοξολογίας τὸν ἦχον εἰς τὴν γῆν
φερόμενόν φησι πλάστην γενέσθαι καὶ γεννήτορα τῶν
316 ἐπὶ τῆς γῆς.

| **14, 8.** | Τὴν δὲ ἀπόδειξιν φέρει ἀπὸ τῶν ἄρτι γεννωμένων
βρεφῶν, ὧν ἡ ψυχὴ ἅμα τῷ ἐκ [17] μήτρας προελθεῖν
ἐπιβοᾷ ἑνὸς ἑκάστου τῶν στοιχείων τούτων τὸν ἦχον.

[Fr. gr. 10] 304 τῆς ἐνθυμήσεως P ‖ 305 φθέγγεται VM :
φαίνεται P ‖ α VM : ἄλφα P ‖ 306 ε VM : εἶ P ‖ τὸ₂ P : om.
VM ‖ η VM : ἦτα P ‖ τέταρτος δὲ VM : ὁ δὲ τέταρτος P ‖
μέσος VM : ὁ μέσος P ‖ 307 ἐκφωνεῖ VM : om. P ‖ o VM :
οὖ P ‖ 308 ἀπὸ τοῦ μέσου P : ἀπὸ μέρους V om. M ‖ 309-310
στοιχεῖον — διαβεβαιοῦται VM : om. P ‖ 311 αἵτινες VM : αἵ
τε P ‖ ὁμοῦ φησί VM : om. P ‖ ἀλλήλας VM : ἐν P ‖ 313 ἠχῆς
VM : ἠχήσεως P ‖ ἀνεπέμφθη P ‖ εἰς VM : πρὸς P ‖ 315 γίνεσθαι P ‖ 317 τὴν VM : τῶν P ‖ φέρει VM : om. P ‖ γενωμένων
P ‖ 318 ἡ ψυχὴ P : ἠχὴ VM ‖ 319 post ἐπιβοᾷ add. ὁμοίως P ‖
τοῦτον P

sonum. Sicut ergo VII Virtutes, inquit, glorificant Verbum, [Hv
sic et anima in infantibus plorans et plangens Marcum 4
glorificat eum. Propter hoc autem et Dauid dixisse :
188 *Ex ore infantium et lactentium perfecisti laudem*[a], et
iterum : *Caeli enarrant gloriam Dei*[b]. Et propter hoc
quando in doloribus et calamitatibus anima fuerit in
releuationem suam, dicit ω in signum laudationis, uti 8
192 cognoscens illa quae sursum est anima quod est cogna-
tum suum adiutorium ei deorsum mittat. |

14, 9. Et de omni quidem nomine, quod est XXX litte- Hv
rarum, et de Bytho, qui augmentum accipit ex huius
196 litteris, adhuc etiam de Veritatis corpore, quod est
duodecim membrorum, unoquoque membro ex duabus 4
litteris constante, et de uoce eius quam locuta est non
locuta, et de resolutione eius nominis quod non est

14, 185 septem ε ‖ 186 marchum Q ‖ 187 autem hoc ∽ CV ‖
dauit C ‖ 188 lactantium C ‖ 191 releuationem AS : reuela- CV Qε
‖ 191 ω *edd.* : o *codd.* ε ‖ ut AQSε ‖ 192 agnoscens S ‖ est₁]+ et S ‖
194 est *om.* C (*suppl. s.l.* C¹) ‖ 195 byto S ‖ accepit AQSε ‖ ex huius :
adhuc CV   ex huiusmodi S ‖ 196 de : et de S ‖ 197 XII CV ‖ 198-
199 non locuta *om.* S ‖ 199 non *codd.* ε : *om.* ε^mg

---

320 Καθὼς οὖν αἱ ἑπτά, φησί, Δυνάμεις δοξάζουσι τὸν Λόγον,
οὕτως καὶ ἡ ψυχὴ ἐν τοῖς βρέφεσι κλαίουσα καὶ θρηνοῦσα
Μάρκον δοξάζει αὐτόν. Διὰ τοῦτο δὲ καὶ τὸν Δαυὶδ
εἰρηκέναι · « Ἐκ στόματος νηπίων καὶ θηλαζόντων κατηρ-
324 τίσω αἶνον[a] », καὶ πάλιν · « Οἱ οὐρανοὶ διηγοῦνται δόξαν
Θεοῦ[b]. » Καὶ διὰ τοῦτο ἔν τε πόνοις καὶ ταλαιπωρίαις
ψυχὴ γενομένη εἰς διϋλισμὸν αὐτῆς, ἐπιφωνεῖ τὸ ω εἰς
σημεῖον αἰνέσεως, ἵνα γνωρίσασα ἡ ἄνω ψυχὴ τὸ συγγενὲς
328 αὐτῆς βοηθὸν αὐτῇ καταπέμψῃ.

| **14,** 9. | Καὶ περὶ μὲν τοῦ παντὸς ὀνόματος, τριάκοντα
ὄντος γραμμάτων τούτου, καὶ τοῦ Βυθοῦ τοῦ αὔξοντος

même, dit-il, que les sept Puissances glorifient le Logos,
ainsi l'âme des petits enfants, en pleurant et en vagissant,
glorifie Marc lui-même ! C'est pourquoi David a dit :
« De la bouche des petits enfants et de ceux qui sont à
la mamelle tu as préparé une louange [a]. » Et encore :
« Les cieux racontent la gloire de Dieu [b]. » Et c'est pour
ce motif que, lorsqu'elle se trouve dans les souffrances
et les peines en vue de sa purification, l'âme fait entendre
le son ω en signe de louange, afin que l'âme d'en haut,
reconnaissant ce qui lui est apparenté, lui envoie du
secours.

14, 9. Telles sont les divagations de Marc à propos
du Nom entier, qui est de trente lettres ; de l'Abîme,
qui s'accroît des lettres de ce nom ; du corps de la
Vérité, qui comprend douze membres se composant
chacun de deux lettres ; de la Voix qu'elle a proférée
sans la proférer ; de l'explication du Nom non proféré ;

ἐκ τῶν τούτου γραμμάτων, ἔτι τε ⟨τοῦ⟩ τῆς Ἀληθείας
332 σώματος δωδεκαμελοῦς ⟨ὄντος, ἑκάστου μέλους⟩ ἐκ
δύο γραμμάτων συνεστῶτος, καὶ τῆς φωνῆς αὐτῆς, ἣν
⟨προσωμίλησε μὴ⟩ προσομιλήσασα, καὶ περὶ τῆς ἐπιλύ-

[Fr. gr. 10] 320 αἱ VM : om. P ‖ 321-322 καὶ₂ — αὐτόν VM :
om. P ‖ 322 post δὲ add. φησι P ‖ 324 post οὐρανοὶ add. τῶν
οὐρανῶν VM ‖ 325-327 καὶ₁ — ἵνα VM : ἐπὰν δὲ ἐν πόνοις
γένηται ἡ ψυχή, ὡς ἐπιβοᾷ οὐδὲν ἕτερον ἢ τὸ ω, ἐφ' ᾧ ἀνιᾶται
ὀπίσω P ‖ 328 καταπέμψει P ‖ 329-343 καὶ — στοιχείων VM :
καὶ περὶ τούτων μὲν οὕτως · περὶ δὲ τῆς τῶν εἰκοσιτεσσάρων
στοιχείων γενέσεως οὕτως λέγει P ‖ 331 <τοῦ> Holl ‖ 332
<ὄντος ἑκάστου μέλους> Holl ‖ 333 ἣν V : ἦν M ‖ 334 <προσ-
ωμίλησε μὴ> Holl

14, 8. a. Ps. 8, 3 ‖ b. Ps. 18, 1

200 enarratum, et de mundi anima et hominis, secundum [Hv
quae habent illam quae est ad imaginem dispositionem,
sic delirauit. Dehinc autem quemadmodum ex nomi- 8
nibus aequiperatam uirtutem ostendit eorum Quater-
204 natio referemus, uti nihil lateat te, dilectissime, eorum
quae ad nos peruenerunt ex his, quae ab his dicuntur,
quemadmodum saepe postulasti a nobis.

15, 1. Sic autem adnuntiat perquam sapiens eorum 12
Sige generationem xxiiii elementorum : cum Solitate
esse Vnitatem, ex quibus duae sunt emissiones, sicut
4 praedictum est, Monas et Hen, quae duplicatae iiii
factae sunt : bis enim duo quattuor. Et rursus duo et 16
quattuor in idipsum compositae vi manifestauerunt
numerum, hi autem vi quadruplicati xxiiii | generaue- Hv
8 runt figuras. Et quidem quae sunt primae Quaternationis nomina sancta sanctorum intelleguntur, quae
non possunt enarrari; intelleguntur autem a solo Filio,
quae Pater scit quaenam sunt. Alia uero quae cum 4

14, 202 sic *om.* S ‖ delerauit C Q   declarauit ε (delir- ε^mg) ‖
203 aequiparatam ASε ‖ 204 ut AQS ‖ 205 ad : in CV (ad C²) ‖
discuntur AQε

15, 1 *hic inser codd.* & ε *tit. cap*^11 xii *de quo u. in init. libri* ‖ si
AQSε ‖ adnuntiet CV ‖ 2 sige generationem : sigene- C ‖ soliditate
CV AS ‖ 3 unitate S ‖ 4 iiii : quatuor AS   *om.* CV ‖ 5 iiii CV S ‖
6 iiii CV S ‖ ipsum V ‖ vi : sextum A *Gra. Hv* ‖ 7 hi : hic C ‖ sex ε ‖
uiginti quatuor ε *edd.* ‖ 10 possunt : sunt AQε ‖ narrari AQSε ‖
autem *om.* CV ‖ 11 quaenam C² *cett.* : quae non C

σεως τοῦ μὴ λαληθέντος ὀνόματος καὶ περὶ τῆς τοῦ
336 κόσμου ψυχῆς καὶ ἀνθρώπου, καθὰ ἔχουσι τὴν κατ᾽ εἰκόνα
οἰκονομίαν, οὕτως ἐλήρησεν. Ἑξῆς δὲ ὡς ἀπὸ τῶν ὀνομάτων
ἰσάριθμον δύναμιν ἐπέδειξεν ἡ Τετρακτὺς αὐτῶν ἀπαγγελοῦμεν, ἵνα μηδὲν λάθῃ σε τῶν εἰς ἡμᾶς ὑπ᾽ αὐτῶν
340 λεγομένων ἐληλυθότων, ἀγαπητέ, καθὼς πολλάκις ἀπῄ-
τησας παρ᾽ ἡμῶν.

| **15,** 1. | Οὕτως οὖν ἀπαγγέλλει ἡ πάνσοφος αὐτῶν

de l'âme du monde et de l'homme, selon qu'ils ont
l'« économie » de l'image. Nous allons maintenant
rapporter comment leur Tétrade a révélé, à partir des
noms, une vertu de nombre égal : de la sorte tu n'igno-
reras rien, cher ami, de ce qui nous est parvenu de leurs
dires[1], selon que tu nous l'as maintes fois demandé.

15, 1. Voici comment leur très sage Silence rapporte
la genèse des vingt-quatre éléments. Avec l'Unicité
coexistait l'Unité. Ces deux en émirent deux autres,
comme nous l'avons dit, à savoir la Monade et l'Un ;
ainsi doublés, les deux devinrent quatre, car deux fois
deux font quatre. Puis deux et quatre, additionnés
ensemble, firent apparaître le nombre six. Enfin ces six,
multipliés par quatre, enfantèrent les vingt-quatre
formes. Les noms de la première Tétrade, qui sont
sacro-saints, sont atteints par la pensée seule et ne
peuvent être exprimés par des mots : ils ne sont connus
que par le Fils, et le Père sait quels ils sont. Mais Marc

Σιγὴ τὴν γένεσιν τῶν εἰκοσιτεσσάρων στοιχείων · τῇ
344 Μονότητι συνυπάρχειν Ἑνότητα, ἐξ ὧν δύο προβολαί,
καθὰ προείρηται, Μονάς τε καὶ τὸ Ἕν, δὶς δύο οὖσαι
τέσσαρες ἐγένοντο · δὶς γὰρ δύο τέσσαρες. Καὶ πάλιν
αἱ δύο καὶ τέσσαρες εἰς τὸ αὐτὸ συντεθεῖσαι τὸν τῶν ἔξ
348 ἐφανέρωσαν ἀριθμόν, οὗτοι δὲ οἱ ἕξ τετραπλασιασθέντες
τὰς εἰκοσιτέσσαρας ἀπεκύησαν μορφάς. Καὶ τὰ μὲν τῆς
[18] πρώτης Τετράδος ὀνόματα, ἅγια ἁγίων νοούμενα καὶ
μὴ δυνάμενα λεχθῆναι, γινώσκεσθαι ὑπὸ μόνου τοῦ Υἱοῦ,
352 ἃ ὁ Πατὴρ οἶδεν τίνα ἐστίν · τὰ δὲ σεμνῶς καὶ μετὰ πίστεως

[Fr. gr. 10] 338 αὐτῶν nos : αὐτῷ VM ‖ 339 αὐτῶν nos : αὐτοῦ
VM ‖ 342 ἀπαγγέλει M ‖ αὐτῶν Holl : αὐτῷ VM ‖ 345 καθὰ
προείρηται VM : om. P ‖ δὶς P : ἐπὶ VM ‖ οὖσαι VM : οὐσίαι
P ‖ 347 τέσσαρα VM ‖ 349 ἀπεκύησαν μορφάς VM : om. P ‖ τὰ VM :
ταῦτα P ‖ 350 πρώτης VM : om. P ‖ 351 post γινώσκεσθαι add.
δὲ P ‖ τοῦ VᵖᶜMP : om. Vᵃᶜ ‖ 352 ἃ VM : ταῦτα P ‖ οἶδεν VM : δὲ
P ‖ δὲ VM : om. P ‖ σεμνῶς Holl : σεμνὰ VM μετὰ σιωπῆς P

12 grauitate et honore et fide nominantur apud eum sunt [Hv
    haec : *Ἄρρητος* et *Σιγή*, *Πατὴρ* et *Ἀλήθεια*. Huius
    autem Quaternationis uniuersus numerus est litte-
    rarum xxiiii : *Ἄρρητος* enim nomen litteras habet in
16 se vii et *Σειγή* v et *Πατὴρ* v et *Ἀλήθεια* vii, quae compo- 8
    sita in se, bis quini et bis vii, xxiiii numerum adim-
    pleuerunt. Similiter et secunda Quaternatio, Logos et
    Zoe, Anthropos et Ecclesia, eundem numerum elemen-
20 torum ostenderunt. Et Saluatoris quoque narrabile 12
    nomen *Ἰησοῦς* | litterarum est vi, inenarrabile autem Hv)
    eius litterarum xxiiii. Et *Υἱὸς Χρειστὸς* litterarum xii,

---

15, 13 *in seqq., sicut* ε *et edd., ut lectori facilius appareat com-
puti ratio, minutis gr. litt. utimur ; codd. tamen latinis litt. plerumque usi sunt, quas adamussim collectas in apparatu inuenies* ‖
arretos C AS   arrethos V Q ‖ et₁ *om.* ε ‖ sige AV   siçe C   syge
QS ‖ pater et alethia *codd.* ‖ 13-15 huius — nomen *om.* S ‖ 15
uiginti quatuor ε ‖ arretus CV AQ ‖ 16 vii₁ : viii S   septem ε ‖ et₁
om. AQSε ‖ σειγὴ *Erasm.* : ceiΓN C   c.e.i.Γ.η. V   c.e.i.Γ.H. (c +
o͞ig͞nt *s.l.* A³) A   c.e.i.Γ.N. Q   σ.ε.i.G.N. (G+signo *s.l.* S¹ ; N+nu
s.l. S¹) S ‖ v₁ CV : ii AQS quinque ε ‖ pater *codd.* ‖ v₂ : quinque ε
‖ alethia *codd.* ‖ 17 quinae ε ‖ uiginti quatuor ε ‖ 17-18 adim-
pleuerunt C²V QSε : elementa ostenderunt *(ex infra ; cancell.)*
C   impleuerunt A ‖ 18 logo Q ‖ 19 eundem numerum *om.* Q ‖ 20
ostenderent CV ‖ 21 IHΣOΥΣ ε : i͞h͞s *codd.* ‖ est *om.* CV ‖ sex ε ‖
inenarrabilem CV Aᵃᶜ ‖ 22 litterarum *om.* V ‖ uiginti quatuor ε ‖
υἱὸς (γoc C γ.ι.o.c. V) CV : *om.* AQSε ‖ χρειστὸς *Hv ex gr.* :
χριστὸς *Erasm. edd.* xpc (= χ͞ρ͞ς) CA x.p.c. V x͞p͞s Q x͞p͞u͞s
S ‖ xii : xvii S   vii ε *Feu.* (« *al's* xii » εᵐᵍ)

ὀνομαζόμενα παρ' αὐτῷ ἐστι ταῦτα · Ἄρρητος καὶ Σιγή,
Πατήρ τε καὶ Ἀλήθεια. Ταύτης δὲ τῆς Τετράδος ὁ σύμπας
ἀριθμός ἐστι στοιχείων εἰκοσιτεσσάρων. Τὸ γὰρ Ἄρρητος
356 ὄνομα γράμματα ἔχει ἐν ἑαυτῷ ἑπτά, ἡ δὲ Σειγὴ πέντε,
καὶ ὁ Πατὴρ πέντε, καὶ ἡ Ἀλήθεια ἑπτά · ἃ συντεθέντα

se sert des noms suivants, qu'il prononce avec gravité et foi : Ἄρρητος (Inexprimable) et Σιγή (Silence), Πατήρ (Père) et Ἀλήθεια (Vérité). Le nombre total de cette Tétrade est de vingt-quatre éléments. En effet, le mot Ἄρρητος possède en lui-même sept lettres, Σειγή cinq lettres, Πατήρ cinq lettres et Ἀλήθεια sept lettres : toutes ces lettres additionnées ensemble, soit deux fois sept et deux fois cinq, donnent le total de vingt-quatre. De la même façon la seconde Tétrade, c'est-à-dire Λόγος (Logos) et Ζωή (Vie), Ἄνθρωπος (Homme) et Ἐκκλησία (Église), présente le même nombre d'éléments. Le nom exprimable du Sauveur, c'est-à-dire Ἰησοῦς (Jésus), est de six lettres, mais son nom inexprimable est de vingt-quatre lettres. Les mots Υἱὸς Χρειστός (Fils Christ) comportent douze lettres, mais ce qu'il y

---

ἐπὶ τὸ αὐτό, τὰ δὶς πέντε καὶ δὶς ἑπτά, τὸν τῶν εἰκοσιτεσσάρων ἀριθμὸν ἀνεπλήρωσεν. Ὡσαύτως δὲ καὶ ἡ δευτέρα
360 Τετράς, Λόγος καὶ Ζωή, Ἄνθρωπος καὶ Ἐκκλησία, τὸν
αὐτὸν ἀριθμὸν τῶν στοιχείων ἀνέδειξαν. Καὶ τὸ τοῦ
Σωτῆρος δὲ ῥητὸν ὄνομα Ἰησοῦς γραμμάτων ὑπάρχει
ἕξ, τὸ δὲ ἄρρητον αὐτοῦ γραμμάτων εἰκοσιτεσσάρων.
364 Υἱὸς Χρειστὸς γραμμάτων δώδεκα, τὸ δὲ ἐν Χριστῷ

[Fr. gr, 10] 353 τοιαῦτα M ‖ 354 τε VM : om. P ‖ 355 τὸ Holl :
ὁ VMP ‖ 356 ὄνομα VM : om. P ‖ γράμματα ἔχει VM : ἔχει στοιχεῖα P ‖ ἐν ἑαυτῷ VM : om. P ‖ δὲ VM : om. P ‖ σειγή Holl
We : σιγὴ VMP ‖ 357 πέντε P : ε̄ V^{pc} om. V^{ac}M ‖ ἡ VM :
om. P ‖ 357-359 ἀ — ἀνεπλήρωσεν VM : om. P ‖ 362 δὲ VM :
om. P ‖ ἰησοῦς Holl : η̄ καὶ δέκα VM om. P ‖ ὑπάρχει nos :
ὑπάρχειν VMP ‖ 363 τὸ P : τὸν VM ‖ ἄρρητον VM : ῥητὸν P
‖ γραμμάτων VM : ἐπ' ἀριθμῷ τῶν κατὰ ἐγγραμμάτων τουτέστι
τὸν Ἰησοῦν στοιχείων ἐστὶν P ‖ 364 post υἱὸς add. δὲ P ‖
χρειστὸς VM : χριστὸς P ‖ γραμμάτων VM : om. P ‖ τῷ P ‖
post ἐν add. τῷ P

quod autem est in Christo inenarrabile litterarum xxx. [Hv
24 Et propter hoc ait eum α et ω, uti περιστεράν[a] mani- 4
festet, cum hunc numerum habeat haec auis.

15, 2. Iesus autem hanc habet, inquit, inenarrabilem
genesim. A Matre enim uniuersorum, id est primae
28 Quaternationis, in filiae locum processit secunda Qua- 8
ternatio, et facta est Octonatio, ex qua progressa est
Decas : sic factum est xviii. Decas itaque | adiuncta Hv
Octonationi et decuplam eam faciens lxxx confecit
32 numerum, et rursus lxxx decies octingentorum numerum fecit, uti sit uniuersus litterarum numerus ab
Octonatione in Decadam progrediens viii et lxxx et 4
dccc quod est Iesus. Iesus enim nomen secundum

15, 23 est autem ∽ Qε ‖ inenarrabilem Q ‖ 24 a & ω CV A & ω
AQS ‖ ut AQSε ‖ περιστερὰν edd. a Feu. : περγстера C ne picte
pa V peristera Q per ista Aε per istam S ‖ 24-25 manifestet
edd. a Feu. : -te codd. ε ‖ 25 cum om. S ‖ 26 habeat CV ‖ 27 id est
primae : de prima S ‖ 28 quaternionis AQ ‖ 29 processa Sε ‖ 30 est
om. AQ ‖ itaque : enim S ‖ 31 octonationi : viiinationi C Q (-nna-
C[ac]) ‖ decuplam S edd. ex n. Gra. : -plum codd. ε Feu. Gra.[ix] ‖
31-32 lxxx — rursus CV edd. : om. AQSε ‖ 32 lxxx decies :
lxxx es decies (+octogesi super lxxx A[a]) AQS octuagies
decies ε ‖ octogintorum CV Q ‖ 33 ut AQSε ‖ uniuersos C ‖ 34
decadem V ‖ viii : octo ε ‖ lxxx : octoginta A ‖ 34-35 et dcc :
et dat AQS dat ε (« deprauatum ex dcc » ε[mg])

ἄρρητον γραμμάτων τριάκοντα. Καὶ διὰ τοῦτό φησιν αὐτὸν
α καὶ ω, ἵνα τὴν περιστερὰν[a] μηνύσῃ, τοῦτον ἔχοντος
τὸν ἀριθμὸν τούτου τοῦ ὀρνέου.
368 | 15, 2. | Ὁ δὲ Ἰησοῦς ταύτην ἔχει, φησί, τὴν ἄρρητον
γένεσιν. Ἀπὸ γὰρ τῆς Μητρὸς τῶν ὅλων, τῆς πρώτης
Τετράδος, ἐν θυγατρὸς τρόπῳ προῆλθεν [19] ἡ δευτέρα
Τετράς, καὶ ἐγένετο Ὀγδοάς, ἐξ ἧς προῆλθεν Δεκάς ·
372 οὕτως ἐγένετο Δεκὰς καὶ Ὀγδοάς. Ἡ οὖν Δεκὰς ἐπισυνελ-
θοῦσα τῇ Ὀγδοάδι καὶ δεκαπλασίονα αὐτὴν ποιήσασα
τὸν τῶν ὀγδοήκοντα προεβίβασεν ἀριθμόν, καὶ τὰ ὀγδοήκοντα πάλιν δεκαπλασιάσασα τὸν τῶν ὀκτακοσίων

a d'inexprimable dans le Christ comporte trente lettres. C'est pourquoi Marc dit qu'il est α et ω (= 801), afin d'indiquer la Colombe[a] (περιστερά), car cet oiseau possède précisément ce nombre.

15, 2. Ce Jésus possède, dit-il, l'inexprimable genèse que voici. De la Mère de toutes choses, la première Tétrade, sortit, à la manière d'une fille[1], la seconde Tétrade, et ce fut une Ogdoade, d'où sortit une Décade. Il y eut ainsi une Décade et une Ogdoade. La Décade donc, en s'unissant à l'Ogdoade et en la multipliant par dix, engendra le nombre 80 ; puis, en multipliant encore par dix le nombre 80, elle engendra le nombre 800 ; de la sorte, le nombre total des lettres se développant de l'Ogdoade à la Décade fut de 888 (= 8+80 +800), c'est-à-dire Ἰησοῦς (Jésus) : car le mot Ἰησοῦς,

---

376　ἀριθμὸν ἐγέννησεν, ὥστε εἶναι τὸν ἅπαντα τῶν γραμμάτων ἀριθμὸν ἀπὸ Ὀγδοάδος εἰς Δεκάδα προελθόντα ῆ καὶ π̄ καὶ ω̄, ὅ ἐστιν Ἰησοῦς · τὸ γὰρ Ἰησοῦς ὄνομα κατὰ τὸν

[Fr. gr. 10] 365 post τριάκοντα add. καὶ αὐτὸ τοῖς ἐν αὐτῷ γράμ-μασι κατὰ ἓν στοιχεῖον ἀριθμούμενον, τὸ γὰρ χριστόν ἐστι στοι-χείων ὀκτώ · τὸ μὲν γὰρ χ̄ρ̄ῑ τριῶν, τὸ δὲ ρ̄ δύο, καὶ τὸ εἶ δύο, καὶ ῑ τεσσάρων, τὸ σ̄ πέντε, καὶ τὸ τ̄ τριῶν, τὸ δὲ οὖ δύο, καὶ τὸ ν̄ τριῶν · οὕτως τὸ ἐν τῷ χριστῷ ἄρρητον φάσκουσι στοι-χείων τριάκοντα P ‖ post τοῦτο add. δὲ P ‖ φασιν P ‖ 366 α καὶ ω VM : λέγειν ἐγὼ τὸ ἄλφα καὶ τὸ ω̄ P ‖ 366-367 ἵνα — ὀρνέου VM : ἐπιδεικνύντα τὴν περιστερὰν τοῦτον ἔχουσαν τὸν ἀριθμόν, ὅ ἐστιν ὀκτακόσια ἕν P ‖ 368 post ταύτην add. μὲν P ‖ φησί VM : om. P ‖ 370 προσῆλθεν P ‖ 371 δεκάς VM : ἡ δεκάς P ‖ 372 δεκὰς καὶ ὀγδοάς VM : ἰῶτα εἶτα δεκαοκτὼ P ‖ 374-375 προεβίβασεν — ὀγδοήκοντα VM : om. P ‖ 375 δεκα-πλασιάσαντα P ‖ 376 ἐγέννησαν P ‖ 377 δεκάδα VM : δέκα P (cf. Marcovich, p. 305) ‖ προελθόντα VM : προσελθόντα εἶναι P ‖ ῆ VM : ἦτα P ‖ 377-379 ῆ — τοῖς V^mgMP : om. V^ac ‖ 378 ἰησοῦς₁ P : δεκαοκτώ VM

15, 1. a. cf. Matth. 3, 16

36　graecarum litterarum computum DCCC sunt LXXXVIII. [Hv 1
　　Habes manifeste et supercaelestis Iesu secundum eos
　　genesim. Quapropter et A B Graecorum habere monadas
　　VIII et decadas VIII et hecatontadas VIII, DCCCLXXXVIII 8
40　numerum ostendentia, hoc est Iesum, qui est ex omnibus
　　constans numeris : et propter hoc α et ω nominari eum,
　　cum significet ex omnibus eius generationem. Et iterum
　　ita : primae | Quaternationis secundum progressionem Hv 14
44　numeri in semetipsam compositae, x apparuit numerus :
　　α enim et β et γ et δ in semetipsa composita x fiunt,
　　quod est ι, et hoc esse uolunt Iesum. Sed et Christus, 4
　　inquit, litterarum est VIII, ex quibus primam Octona-
48　tionem significari, quae cum iota applicita DCCCLXXXVIII

15, 36 computum C Qε : -putatum C² -potum V A -positum
S || DCCC sunt LXXXVIII CV : dat summam LXXXVIII AQε dat
summam octoginta VIII S || 37 habens Qε || 38 et om. AQSε || AB
(id est alpha beta) maiores litt. C AQS : *min.* a.b. V || 39 et hecaton-
tadas VIII : et catontadas VIII AQS hecatontadas VIII ε om.
CV || DCCCLXXXVIII CV : dat LXXXVIII AQSε || 41 numerus S ||
α *Erasm.* : ạ CV AS A *cod.* Q || 42 significent CV || 43 quater-
nioni AQε -nationi S || processionem AQSε || 44 in : et AQSε ||
composita C (-tae C²) -tam e V || x : xᵘˢ A decem x S || 45
enim *om.* A (*suppl. s.l.* A²) || β : h S || et₂ : ut S || γ : G *cod.* C s
V AQS στ *Erasm.* || δ : a V S || semetipsa A : -pso CV QSε ||
composita A²S : -tam CV Qε *om.* A || fiunt : faciunt AQε *om.* S ||
47 octo AQ || 48 applicata ε || DCCC LXXX et VIII C dat LXXX VIII
AQε LXXX VIII S

ἐν τοῖς γράμμασιν ἀριθμὸν ὀκτακόσιά ἐστιν ὀγδοήκοντα
380 ὀκτώ. Ἔχεις σαφῶς καὶ τὴν ὑπερουράνιον τοῦ Ἰησοῦ
κατ' αὐτοὺς γένεσιν. Διὸ καὶ τὸν ἀλφάβητον τῶν Ἑλλήνων
ἔχειν μονάδας ὀκτὼ καὶ δεκάδας ὀκτὼ καὶ ἑκατοντάδας
ὀκτώ, τὴν τῶν ὀκτακοσίων ὀγδοήκοντα ὀκτὼ ψῆφον
384 ἐπιδεικνύοντα, τουτέστι τὸν Ἰησοῦν, ἐκ πάντων συν-

selon les nombres correspondant aux différentes lettres,
équivaut à 888. Tu sais maintenant clairement quelle
est, d'après eux, la supracéleste genèse de Jésus[1] !
C'est pour ce motif que l'alphabet des Grecs a huit
unités, huit dizaines et huit centaines[2], montrant ainsi
le nombre 888, c'est-à-dire Jésus, qui se compose de
tous les nombres. Et c'est pour cela qu'il est appelé α
et ω, qui signifient son origine à partir de tous. Marc
raisonne encore de la manière suivante : la première
Tétrade s'étant additionnée selon la progression des
nombres, le nombre 10 est apparu : car $1+2+3+4 =$
10, et ce nombre, qui s'écrit au moyen de la lettre ι, ils
veulent l'identifier à Jésus. De même le mot Χρειστός
(Christ), dit-il, étant de huit lettres, signifie la première

---

εστῶτα τῶν ἀριθμῶν. Καὶ διὰ τοῦτο ἄλφα καὶ ω
ὀνομάζεσθαι αὐτόν, τὴν ἐκ πάντων ⟨αὐτοῦ⟩ γένεσιν
σημαίνοντα. Καὶ πάλιν οὕτως· τῆς πρώτης Τετράδος
388 κατὰ πρόβασιν ἀριθμοῦ εἰς αὐτὴν συντιθεμένης, ὁ τῶν
δέκα ἀνεφάνη ἀριθμός· μία γὰρ καὶ δύο καὶ τρεῖς καὶ
τέσσαρες ἐπὶ τὸ αὐτὸ συντεθεῖσαι δέκα γίνονται, ὅ ἐστιν ῑ,
καὶ τοῦτ᾽ εἶναι θέλουσι τὸν Ἰησοῦν. Ἀλλὰ καὶ ὁ Χρειστός,
392 φησί, γραμμάτων ὀκτὼ ὤν, τὴν πρώτην Ὀγδοάδα σημαίνει,
ἥτις τῷ ι συμπλακεῖσα τὸν Ἰησοῦν ἀπεκύησε. Λέγεται

[Fr. gr. 10] 379 γράμμασιν ἀριθμὸν MP : sup. ras. V ‖ ἐστιν
ὀκτακόσια ∾ P ‖ 380-381 ἔχεις — γένεσιν om. P ‖ 380 ἔχεις Holl :
ἔχει VM ‖ ἰησοῦ Holl : ῑσ VM ‖ 381-382 διὸ — ἔχειν VM :
καὶ τὸ ἀλφάβητον δὲ τὸ ἑλληνικὸν ἔχει P ‖ 382 καὶ δεκάδας ὀκτὼ
VM : om. P ‖ 384 ἐπιδεικνύοντα P : ἔπειτα δεικνύοντα VM ‖
τὸν ἰησοῦν P : τὸ ει η▨▨▨ η Vᵖᶜ τὸ ē ῑ ῆ M ‖ post ἐκ add. τῶν VM
‖ 384-385 συνεστῶτα τῶν VM : τῶν συνεστότων P ‖ 385 τοῦτο
P : τοῦ VM ‖ καὶ ω VM : om. P ‖ 386 ⟨αὐτοῦ⟩ nos ‖ 387-409
καὶ — ἄνθρωπον om. P ‖ 388 πρόβασιν Holl : πρόσβασιν VM ‖
390 ὅ ἐστιν ῑ Vᵖᶜ : ὅ ἐστιν δέκα Vᵃᶜ om. M ‖ 393 ι M : δέκα V

numerum generauit. Dicitur autem, ait, et Filius [Hv 1
Christus, hoc est Duodecas : Υἱὸς enim nomen litte- 8
rarum IIII est, Χρειστὸς autem VIII, quae composita
52 Duodecadis ostenderunt magnitudinem. Prius autem,
inquit, quam huius nominis insigne appareret, hoc est
Iesus, filiis, in ignorantia magna | fuerunt homines et Hv 14
errore; cum autem manifestatum est VI litterarum
56 nomen, hoc quod est secundum carnem amictum est, uti
ad sensibilitatem hominis descenderet, habens in semetipso ipsum quoque VI et XXIIII, tunc cognoscentes 4
eum cessauerunt ab ignoratione, et a morte in uitam
60 ascenderunt, nomine eis facto ducatore ad Patrem
Veritatis[a]. Voluisse enim Patrem uniuersorum soluere
ignorantiam et destruere mortem. Ignorantiae autem
solutio agnitio eius fiebat. Et propter hoc dictum[b] 8
64 secundum uoluntatem eius eum qui est secundum
imaginem eius quae sursum est Virtus dispositum
hominem.

15, 50 christus]+ *ras. 6/7 litt.* ‖ duodecadas Cᵃᶜ ‖ Υ·Ι·Ο·C· CV
AQS ‖ 51 IIII : quatuor ε   *om.* S ‖ χρειστὸς *Hv ex gr.* : χ̅ρ̅ς̅ (= χ̅ρ̅ς̅)
ut de more codd. ‖ octo A ‖ 54 filiis C : -lius *cett.* ‖ 55 manifestum
AQSε ‖ 56 hoc]+ est S ‖ quod *om.* C (*suppl. s.l.* C²) ‖ ut AQSε ‖
58 VI : III Aᵃᶜ ε ‖ uiginti quatuor ε ‖ 59 ignorantia S ‖ a morte in
uitam : amore inuita Q ‖ 60 ducare C (-catore C³) ‖ 61 enim : autem S

δέ, φησί, καὶ Υἱὸς Χρειστός, τουτέστιν ἡ Δωδεκάς · τὸ γὰρ
Υἱὸς ὄνομα γραμμάτων ἐστὶ τεσσάρων, [20] τὸ δὲ Χρειστὸς
396 ὀκτώ, ἅτινα συντεθέντα τὸ τῆς Δωδεκάδος ἐπέδειξαν
μέγεθος. Πρὶν μὲν οὖν, φησί, τούτου τοῦ ὀνόματος τὸ
ἐπίσημον φανῆναι, τουτέστιν τὸν Ἰησοῦν, τοῖς υἱοῖς, ἐν
ἀγνοίᾳ πολλῇ ὑπῆρχον οἱ ἄνθρωποι καὶ πλάνῃ · ὅτε δὲ
400 ἐφανερώθη τὸ ἐξαγράμματον ὄνομα, ὃ σάρκα περιεβάλετο,
ἵνα εἰς τὴν αἴσθησιν τοῦ ἀνθρώπου κατέλθῃ, ἔχον ἐν
ἑαυτῷ αὐτὰ τὰ ἓξ καὶ τὰ εἰκοσιτέσσαρα, τότε γνόντες
αὐτὸ ἐπαύσαντο τῆς ἀγνοίας, ἐκ θανάτου δὲ εἰς ζωὴν

Ogdoade, qui, en s'enlaçant au nombre 10, a enfanté Jésus[1].

On dit encore, remarque-t-il, Ὑὸς Χρειστός (Fils Christ) : c'est la Dodécade, car le mot Ὑός est de quatre lettres et le mot Χρειστός est de huit, et, additionnés ensemble, ils font apparaître la grandeur de la Dodécade. Avant donc que le nombre insigne de ce Nom, c'est-à-dire Jésus, apparût aux fils[2], les hommes se trouvaient dans une ignorance et une erreur profondes ; mais lorsque le Nom hexagramme eut été manifesté, s'enveloppant de chair pour descendre jusqu'à la sensibilité de l'homme, ayant en lui le nombre six lui-même comme aussi le nombre vingt-quatre, alors ceux qui le connurent virent cesser leur ignorance et montèrent de la mort à la vie, ce Nom devenant la voie[3] pour les conduire au Père de Vérité[a]. Car le Père de toutes choses voulut supprimer l'ignorance et détruire la mort. Or, la suppression de l'ignorance, c'était la «gnose» du Père. Et c'est pourquoi fut élu[b][4], selon la volonté de celui-ci, l'homme[5] disposé selon l'«économie» à l'image de la Puissance d'en haut.

---

404 ἀνῆλθον, τοῦ ὀνόματος αὐτοῖς ὁδοῦ γενηθέντος πρὸς τὸν Πατέρα τῆς ᾿Αληθείας[a]. Τεθεληκέναι γὰρ τὸν Πατέρα τῶν ὅλων λῦσαι τὴν ἄγνοιαν καὶ καθελεῖν τὸν θάνατον. ᾿Αγνοίας δὲ λύσις ἡ ἐπίγνωσις αὐτοῦ ἐγίνετο. Καὶ διὰ
408 τοῦτο ἐκλεχθῆναι[b] κατὰ τὸ θέλημα αὐτοῦ τὸν κατ᾿ εἰκόνα τῆς ἄνω Δυνάμεως οἰκονομηθέντα ἄνθρωπον.

[Fr. gr. 10] 395 χρειστὸς Holl : χριστὸς VM ‖ 400 ὅ Holl : ὃς VM ‖ 401 ἔχον Holl : ἔχων VM ‖ 403 αὐτὸ Holl in app. : αὐτὸν VM ‖ 404 γενηθέντος Holl : γεννηθέντος VM ‖ 405 γὰρ VᵖᶜM : om. Vᵃᶜ ‖ 406 καθελεῖν (ελεῖν sup. ras. V) ‖ 408 κατὰ — τὸν nos : τὸν κατὰ τὸ θέλημα αὐτοῦ VM

15, 2. a. cf. Jn 14, 6 ‖ b. cf. Lc 9, 35

15, 3. A Quaternatione enim progressi sunt Aeones. [Hv
68 Erat autem in Quaternatione Anthropos et Ecclesia, 12
Logos et Zoe. Ab his igitur uirtutes, ait, emanatae
generauerunt eum qui in terra manifestatus est Iesum.
Et Logi quidem locum adimplesse | angelum Gabrihel, Hv
72 Zoes autem Spiritum sanctum, Anthropi autem Altissimi
uirtutem; Ecclesiae autem locum Virgo[a] ostendit. Et
sic ille qui est secundum dispositionem per Mariam
generatur apud eum homo, quem Pater omnium trans- 4
76 euntem per uuluam elegit[b] per Verbum ad agnitionem
suam. Cum autem uenisset ipse ad aquam, descendisse
in eum quasi columbam[c] eum qui recucurrit sursum
et impleuit xii numerum, in quo inerat semen eorum 8
80 qui conseminati sunt cum eo et condescenderunt et
coascenderunt. Ipsam autem uirtutem quae descendit

15, 67 quaternione S ‖ 68 quaternione S ‖ anthropus V AQS ‖
ecclesias C -sie S ‖ 69 ait *om.* S ‖ 70 terra : littera A ‖ 71 adim-
plesse : -plens se Q ‖ angelus C (-lum C²) ‖ gabrihel C A : gabriel
V QSɛ ‖ 72 zoles Q^{ac} ‖ 73 ecclesia C ‖ 74 MARIAM *sic litt. maiores*
AQ ‖ 75 generatur *edd.* : -tus *codd.* ɛ ‖ 76 per₂ *om.* S ‖ 78 eum₁ :
eam C^{ac} ‖ precucurrit S recurrit *Feu. Gra. Hv* ‖ 79 erat S ‖ 80
conscenderunt C (-desc- C²)

| **15,** 3. | 'Απὸ Τετράδος γὰρ προῆλθον οἱ Αἰῶνες.
ⁿΗν δὲ ἐν τῇ Τετράδι "Ανθρωπος καὶ [ἡ] 'Εκκλησία, Λόγος
412 καὶ Ζωή. 'Απὸ τούτων οὖν δυνάμεις, φησίν, ἀπορρυεῖσαι
ἐγενεσιούργησαν τὸν ἐπὶ γῆς φανέντα 'Ιησοῦν. Καὶ τοῦ
μὲν Λόγου ἀναπεπληρωκέναι τὸν τόπον τὸν ἄγγελον
Γαβριήλ, τῆς δὲ Ζωῆς τὸ ἅγιον Πνεῦμα, τοῦ δὲ 'Ανθρώπου
416 τὴν τοῦ 'Υψίστου δύναμιν · τὸν δὲ τῆς 'Εκκλησίας τόπον
ἡ Παρθένος[a] ἐπέδειξεν. Οὕτως τε ὁ κατ' οἰκονομίαν διὰ
τῆς Μαρίας γενεσιουργεῖται παρ' αὐτῷ ἄνθρωπος, ὃν ὁ
Πατὴρ τῶν ὅλων διελθόντα διὰ μήτρας ἐξελέξατο[b] διὰ
420 Λόγου εἰς ἐπίγνωσιν αὐτοῦ. 'Ελθόντος δὲ αὐτοῦ εἰς τὸ
ὕδωρ, κατελθεῖν εἰς αὐτὸν ὡς περιστερὰν[c] τὸν ἀναδραμόντα
ἄνω καὶ πληρώσαντα τὸν δωδέκατον ἀριθμόν, ἐν ᾧ ὑπάρχει

15, 3. En effet, d'une Tétrade[1] sortirent les Éons.
Or, dans cette Tétrade, il y avait Homme et Église,
Logos et Vie. De ces quatre Éons donc, dit Marc, jaillirent
des « vertus » qui engendrèrent le Jésus apparu sur la
terre : l'ange Gabriel tint la place du Logos, l'Esprit
Saint celle de la Vie, la « vertu » du Très-Haut celle de
l'Homme, et enfin la Vierge celle de l'Église[a]. Ainsi,
selon Marc, fut engendré par l'entremise de Marie
l'homme de l'« économie », que, lors de son passage à
travers le sein maternel, le Père de toutes choses élut[b]
par l'entremise du Logos en vue de procurer la connaissance de lui-même. Lorsque cet homme de l'« économie »
vint à l'eau du Jourdain, on vit descendre sur lui, sous
forme de colombe[c], Celui qui remonta là-haut et
compléta le nombre douze, et en lui se trouvait la
semence de ceux qui furent semés avec lui, descendirent
avec lui et remontèrent avec lui. Cette « vertu » qui
descendit ainsi, c'était, dit Marc, la semence du Père[2],

τὸ σπέρμα [21] τούτων τῶν συσπαρέντων αὐτῷ καὶ
424 συγκαταβάντων καὶ συναναβάντων. Αὐτὴν δὲ τὴν δύναμιν
τὴν κατελθοῦσαν σπέρμα φησὶν εἶναι τοῦ Πατρός, ἔχον

[Fr. gr. 10] 410-413 ἀπὸ — ἐγενεσιούργησαν : περὶ δὲ τῆς τούτου δημιουργίας οὕτως λέγει · ἀπὸ τῆς τετράδος τῆς δευτέρας
δυνάμεις ἀπορρυείσας δεδημιουργηκέναι P ‖ 411 ἦν M : sup. ras.
V ‖ [ἡ] Holl ‖ 413 τὸν VᵖᶜM : om. Vᵃᶜ ‖ 414 μὲν VM : om. P ‖
ἀναπεπληρωκέναι τὸν τόπον VM : τοῦτον ἀναπ- P ‖ 416 ὑψίστου
P : υἱοῦ VM ‖ 416-417 τὸν — ἐπέδειξεν VM : τῆς δὲ ἐκκλησίας τὴν παρθένον P ‖ 417 τε VM : om. P ‖ 418 αὐτῶν P ‖ 418-
420 ὃν — αὐτοῦ om. P ‖ 421 ἀναδραμόντα (ita P, cf. Marcovich,
p. 305) ‖ 423 συνοσπαρέντων Vᵃᶜ συγκατασπαρέντων P ‖ 424 αὐτὴν
VM : ταύτην P ‖ 425 κατελθοῦσαν VM : καταβᾶσαν εἰς αὐτὸν P ‖
σπέρμα VM : om. P ‖ πατρός VM : πληρώματος P

15, 3. a. cf. Lc 1, 26. 35 ‖ b. Lc 9, 35 ‖ c. cf. Matth. 3, 16

semen dicit esse Patris, habens in se et Patrem et Filium [Hv
et eam quae per eos cognoscitur innominabilis uirtus
84 Siges et omnes Aeonas. Et hunc esse Spiritum qui locutus 12
est per os | Iesu, qui se confessus est Filium Hominis Hv
et manifestauit Patrem, descendens quidem in Iesum,
unitus est. Et destruxit quidem mortem, ait, qui fuit
88 ex dispositione Saluator Iesus; agnouit autem Patrem 4
Christum Iesum. Esse ergo Iesum nomen quidem eius qui
est ex dispositione homo dicit, positum autem esse in
adsimilationem et figurationem eius qui incipit in eum
92 descendere Hominis, quem capientem habere et ipsum | Hv
Hominem et ipsum Logon et Patrem et Arreton et
Sigen et Alethian et Ecclesiam et Zoen.

15, 4. Haec iam supra Iu iu! et super Pheu! et super
96 uniuersam tragicam exclamationem et doloris uocifera- 4
tionem sunt. Quis enim non oderit eum qui tantorum

15, 82 patrem : fratrem CV ‖ 83 eam : eas V ‖ innobinabilis Q
‖ 84 aeones C ‖ 85 os : o C ‖ filius Q^ac ‖ 87 unitus est *codd.* : *forte
leg. ex gr.* unitus autem ei ‖ 88 ex dispositione : expositione CV
‖ 89 ergo : autem S ‖ iesum₂ *om. Mass. Sti.* ‖ 91 assimilitudi-
nem S ‖ figuram Q ‖ 93 arreton *codd.* : arrhe- ε & *edd.* ‖ 94
alethiam AQS -thiä ε ‖ zeon S ‖ 95 iu₂ *uac.* S ‖ feu CV AQ
feu feu S ‖ 96 trag. excl. : excl. exagitatam S ‖ 96-97 dolorem
uociferationis S ‖ 97 qui V ‖ enim *om.* S

ἐν ἑαυτῷ καὶ τὸν Πατέρα καὶ τὸν Υἱὸν τήν τε διὰ τούτων
γινωσκομένην ἀνονόμαστον δύναμιν τῆς Σιγῆς καὶ τοὺς
428 ἅπαντας Αἰῶνας. Καὶ τοῦτ' εἶναι τὸ Πνεῦμα τὸ λαλῆσαν
διὰ τοῦ στόματος τοῦ Ἰησοῦ, τὸ ὁμολογῆσαν ἑαυτὸ
Υἱὸν Ἀνθρώπου καὶ φανερῶσαν τὸν Πατέρα, κατελθὸν
μὲν εἰς τὸν Ἰησοῦν, ἐνωθὲν δ' αὐτῷ. Καὶ καθεῖλε μὲν τὸν
432 θάνατον, φησίν, ὁ ἐκ τῆς οἰκονομίας Σωτήρ, ἐγνώρισε
δὲ τὸν Πατέρα Χριστόν. Εἶναι οὖν τὸν Ἰησοῦν ὄνομα μὲν
τοῦ ἐκ τῆς οἰκονομίας ἀνθρώπου λέγει, τεθεῖσθαι δὲ εἰς
ἐξομοίωσιν καὶ μόρφωσιν τοῦ μέλλοντος εἰς αὐτὸν κατέρ-
436 χεσθαι Ἀνθρώπου, ὃν χωρήσαντα ἐσχηκέναι αὐτὸν

semence qui avait en elle le Père, le Fils, la « vertu »
innommable de Silence, connue seulement par ceux-ci,
et tous les Éons. C'est là cet Esprit qui parla par la
bouche de Jésus, se déclarant le Fils de l'Homme et
manifestant le Père, après être descendu sur Jésus et
s'être uni à lui. Le Sauveur issu de l'« économie » a
détruit la mort, dit Marc, et il a fait connaître son Père,
le Christ[1]. Jésus est donc le nom de l'homme issu de
l'« économie » : il fut constitué à la ressemblance et dans
la forme de l'Homme qui devait descendre en lui.
Lorsqu'il le reçut, il eut alors en lui l'Homme même, et
le Logos même et le Père, et l'Inexprimable, ainsi que
le Silence, la Vérité, l'Église et la Vie.

15, 4. Cela dépasse les « Ah !... », les « Hélas !...» et
toutes les exclamations et interjections tragiques
possibles. Qui ne haïrait, en effet, le déplorable[2] fabri-

αὐτόν τε τὸν Ἄνθρωπον αὐτόν τε τὸν Λόγον καὶ τὸν
Πατέρα καὶ τὸν Ἄρρητον καὶ τὴν Σιγὴν καὶ τὴν Ἀλήθειαν
καὶ Ἐκκλησίαν καὶ Ζωήν.

440 | **15,** 4. | Ταῦτ᾽ ἤδη ὑπὲρ τὸ ἰοῦ ἰοῦ καὶ τὸ φεῦ καὶ
ὑπὲρ πᾶσαν τραγικὴν ἐκφώνησιν καὶ σχετλιασμόν ἐστι.
Τίς γὰρ οὐκ ἂν μισήσειεν τὸν τηλικούτων ψευσμάτων

[Fr. gr. 10] 428 τοῦτ᾽ VM : τοῦτον P ‖ λαλῆσαν VM : ἐν αὐτῷ
ἔφασαν P ‖ 429 ἰησοῦ VM : υἱοῦ P ‖ ἑαυτὸ Holl We : ἑαυτὸν VMP
‖ 430 φανερῶσαν Holl We : φανερώσαν (sic) P φανερώσαντα VM
‖ 431 μὲν VM : μέντοι γε P ‖ ἐνωθὲν nos : ἠνῶσθαι VMP ‖ καὶ
VM : om. P ‖ 432 φασίν P ‖ τῆς VM : om. P ‖ 433 post χριστόν
add. ἰησοῦν P ‖ τὸν ἰησοῦν MP (ὃν ἰησοῦν sup. ras. V) ‖ 434
εἰς VM : om. P ‖ 436 ὃν P : τὸν VM ‖ ἐσχηκέναι αὐτὸν P :
αὐτὸν ἐσχηκέναι δὲ (δὲ Vᵖᶜ) VM ‖ 437 post τε₁ add. εἶναι P
‖ τε₂ VM : om. P ‖ καὶ VM : αὐτὸν P ‖ 438 τὸν VM : om. P ‖
440-507 ταῦτ᾽ — κατάγοντες om. P ‖ 440 ταῦτ᾽ ἤδη Holl :
ταύτῃ δὴ (ῃ δὴ sup. ras. V) VM ‖ ἰοὺ₂ M : om. V ‖ 441 post
ὑπὲρ add. τὸ V ‖ ἐκφώνησιν Holl : φώνησιν VM ‖ 442 τὸν Holl :
τῶν VM

mendaciorum malus compositor est poeta, cum uiderit [Hv 1
Veritatem idolum a Marco factam et hoc alphabetae
100 litteris stigmatam? Nuper, sicut quod est ab initio, quod 8
dici solet [et] heri et ante, Graeci confitentur a Cadmo
se primum sedecim accepisse, post deinde proceden|tibus Hv 1
temporibus semetipsos adinuenisse, aliquando quidem
104 adspiratas, aliquando autem duplices; nouissime autem
omnium Palameden aiunt longas his apposuisse. Prius
igitur quam apud Graecos haec fierent, non erat Veritas : 4
corpus enim eius secundum te, Marce, posterius est
108 tempore quam Cadmos et ii qui ante eum sunt, posterius
autem his qui reliqua elementa addiderunt [temporis
quam Palamedes], posterius autem tempore quam et 8
tu ipse : tu enim solus in idolum deposuisti eam quae
112 a te praedicatur Veritas.

15, 5. Quis autem sustinebit tuam illam quae tantum
uerbosata | est Sigen, quae innominabilem nominat Hv 1
Aeonem, inenarrabilem exponit et eum qui inuestigabilis

15, 98 uideat AQε || 99 maro Qᵃᶜ || factum C (-tam C²) || alpha-
betae (-fa-CV) CV *Hv* : alfa uitae AQS   alphauitae ε   alphabeti
al. edd. || 101 et₁ *(codd. ε) seclusimus* : *om. edd.* || tante V || 101-102
a cadmo se *edd. a Feu.* : ab aestimatione *codd.* ε || 104 adspiratas
edd. a Feu. : adspirationem *codd.* ε || 105 palam eden CV AS
|| 108 cadmos Vᵃᵐᵍ ε : cadmod C AQ   cadmo S   admodum V
|| ii *edd.* : eos *codd.* ε || ante]+ eos *expunct.* Q || 109-110 tem-
poris quam palamedes *(codd. ε) seclusimus cum IIv Sti.* : *om.*
Feu. Gra. Mass. (u. not. Mass. uel Sti.) || 110 palamedes C² QSε :
-medis V   -mides A   palam e lis Cᵃᶜ || 111 enim *nos* : autem *codd.*
ε *edd.* || 113 sustine V (-ebit V²) || 114 segen QS

κακοσύνθετον ποιητήν, τὴν μὲν 'Αλήθειαν ὁρῶν εἴδωλον
444 ὑπὸ Μάρκου γεγονυῖαν καὶ τοῦτο τοῖς τοῦ ἀλφαβήτου
γράμμασιν κατεστιγμένην ; Νεωστί, ὡς τὸ ἀπ' ἀρχῆς,
τὸ δὴ λεγόμενον χθὲς καὶ πρώην, "Ελληνες ὁμολογοῦσιν
ἀπὸ Κάδμου πρῶτον ἓξ καὶ δέκα παρειληφέναι, [22]
448 εἶτα μετέπειτα προβαινόντων τῶν χρόνων αὐτοὶ ἐξευρη-

cant de pareils mensonges, en voyant la Vérité travestie
en idole par Marc, et en une idole marquée au fer rouge
des lettres de l'alphabet ? Ce n'est que récemment, en
regard de l'origine — ou, comme on dit, hier ou avant-
hier — que les Grecs, de leur propre aveu, ont reçu
d'abord de Cadmos seize de ces lettres ; puis, avec le
temps, ils ont trouvé eux-mêmes tantôt les aspirées et
tantôt les doubles ; en dernier lieu, Palamède, dit-on, a
ajouté les longues. Ainsi, avant que tout cela n'ait eu
lieu chez les Grecs, la Vérité n'existait pas. Car son
corps — d'après toi, Marc — est postérieur à Cadmos
et à ses prédécesseurs, postérieur aussi à ceux qui ont
ajouté les autres lettres[1], postérieur enfin à toi, puisque
c'est toi seul qui as rabaissé au rang d'idole celle que tu
appelles la Vérité.

15, 5. Qui supportera ton si bavard Silence, qui
nomme l'Innommable, décrit l'Inexprimable, explore
l'Impénétrable, prétend que celui qui est, dis-tu, sans

κέναι ποτὲ μὲν τὰ δασέα, ποτὲ δὲ τὰ διπλᾶ · ἔσχατον δὲ
πάντων Παλαμήδην φασὶ τὰ μακρὰ τούτοις προστεθει-
452 κέναι. Πρὸ τοῦ οὖν ⟨παρ'⟩ Ἕλλησι ταῦτα γενέσθαι,
οὐκ ἦν ᾿Αλήθεια · τὸ γὰρ σῶμα αὐτῆς κατὰ σέ, Μάρκε,
μεταγενέστερον μὲν Κάδμου καὶ τῶν πρὸ αὐτοῦ, μεταγενέστερον δὲ τῶν τὰ λοιπὰ προστεθεικότων στοιχεῖα,
μεταγενέστερον δὲ καὶ σαυτοῦ · σὺ γὰρ μόνος ⟨εἰς⟩
456 εἴδωλον κατήγαγες τὴν ὑπὸ σοῦ λεγομένην ᾿Αλήθειαν.

| 15, 5. | Τίς δ' ἀνέξεταί σου τὴν τοσαῦτα φλυαροῦσαν
Σιγήν, ἢ τὸν ἀνονόμαστον ὀνομάζει καὶ τὸν ἄρρητον
ἐξηγεῖται καὶ τὸν ἀνεξιχνίαστον ἐξιστορεῖ καὶ ἠνοιχέναι

[Fr. gr. 10] 445 ὡς nos : πρὸς VM ‖ 451 ⟨παρ'⟩ Holl ‖ 453-
455 μεταγενέστερον — σαυτοῦ V : om. M ‖ 455 μόνος Holl : μόνον VM ‖ ⟨εἰς⟩ nos ‖ 458 ἢ V : ἦ M ‖ τὸν₁ V : τὸ M

116 est enuntiat, et aperuisse os dicit eum quem incorpo- [Hv]
ralem et infiguratum dicis, et emisisse Verbum, quasi 4
unum ex his quae composita sunt animalia, Verbum
quoque eius simile esse ei qui eum emisit, et formam
120 inuisibilis factum, elementorum quidem esse xxx, syllabarum autem IIII? Erit ergo secundum similitudinem
Verbi Pater omnium, sicut tu ais, elementorum quidem 8
xxx, syllabarum autem IIII. Aut iterum quis sustinebit
124 te in scemata et numeros, aliquando quidem xxx,
aliquando autem xxIIII, aliquando vi tantum, conclu-
dentem uniuersorum Conditorem et Demiurgum et 12
Factorem Verbum Dei, et minuentem eum in syllabas
128 quidem IIII, elementa autem xxx, et omnium Dominum
qui firmauit caelos[a] in DCCCLXXXVIII deducentem
numeros, similiter atque alphabetum, et ipsum qui
omnia capit Patrem, a nullo autem capitur[b], in Quater- 16
132 nationem et Octonationem et Duodecadam sub|par- Hv 1

15, 117 discis A ‖ 119 simile V : -lem *cett.* ‖ eum : cum A ‖
120 inuisibilem S ‖ factam A ‖ electorum V (element- V²) ‖ 121-123
erit — IIII *om.* C (*suppl. mg.* C²) ‖ 121 secundum : post S ‖ 122 tu
ais C₂ : tua is V   tuus AQꞓ cuius S ‖ 123 syllabarum : aliquando
QS ‖ IIII : xxIIII QS ‖ 124 scemata *codd.* : sche- ε ‖ 127 uerbum
om. S ‖ 128 autem *om.* S ‖ 130 numeros *codd.* : *forte leg. ex gr.*
numerum ‖ 131-132 quaternatione C ‖ 132 octonatione Cᵖᶜ (-nem
Cᵃᶜ) ‖ *post* octonationem *add. in hamulis ex gr.* et decadem *Hv* ‖
duodecadam C : -dem *cett.*

---

460 τὸ στόμα φησὶν αὐτόν, ὃν ἀσώματον καὶ ἀνείδεον λέγεις,
καὶ προενέγκασθαι Λόγον, ὡς ἕν τι τῶν συνθέτων ζῴων,
τόν τε Λόγον αὐτοῦ, ὅμοιον ὄντα τῷ προβαλόντι καὶ
μορφὴν τοῦ ἀοράτου γεγονότα, στοιχείων μὲν εἶναι
464 τριάκοντα, συλλαβῶν δὲ τεσσάρων ; Ἔσται οὖν κατὰ
τὴν ὁμοιότητα τοῦ Λόγου ὁ Πατὴρ τῶν πάντων, ὡς σὺ
φῇς, στοιχείων μὲν τριάκοντα, συλλαβῶν δὲ τεσσάρων.
Ἢ πάλιν τίς ἀνέξεταί σου εἰς σχήματα καὶ ἀριθμούς,

corps et sans figure a ouvert la bouche et a proféré une
Parole, comme l'un quelconque de ces vivants qui sont
composé de parties, et que cette Parole, semblable à
celui qui l'a émise et forme de l'Invisible, est faite de
trente lettres et de quatre syllabes ? Ainsi, en raison de
sa ressemblance avec le Logos, le Père de toutes choses,
comme tu dis, sera fait de trente lettres et de quatre
syllabes ! Ou encore, qui supportera que tu veuilles
enfermer dans des figures et dans des nombres —
tantôt trente, tantôt vingt-quatre, tantôt six seulement — Celui qui est le Créateur, l'Ouvrier et l'Auteur
de toutes choses, à savoir le Verbe de Dieu ; que tu le
découpes en quatre syllabes et trente lettres ; que tu
ravales le Seigneur de toutes choses, Celui qui a affermi
les cieux[a], au nombre 888, comme tu l'as fait pour
l'alphabet ; que le Père lui-même, qui contient toutes
choses et n'est contenu par aucune[b][1], tu le subdivises
en Tétrade, Ogdoade, Décade et Dodécade, et que,

---

468 ποτὲ μὲν τριάκοντα, ποτὲ δὲ εἰκοσιτέσσαρα, ποτὲ δὲ
ἓξ μόνον, συγκλείοντος τὸν τῶν πάντων Κτίστην καὶ
Δημιουργὸν καὶ Ποιητὴν Λόγον τοῦ Θεοῦ, καὶ κερματίζοντος αὐτὸν εἰς συλλαβὰς μὲν τέσσαρας, στοιχεῖα δὲ
472 τριάκοντα, καὶ τὸν μὲν πάντων Κύριον, τὸν ἐστερεωκότα
τοὺς οὐρανούς[a], εἰς ω‾π‾η κατάγοντος ἀριθμόν, ὁμοίως
τῷ ἀλφαβήτῳ, καὶ αὐτὸν δὲ τὸν τὰ πάντα χωροῦντα
Πατέρα, ἀχώρητον δὲ ὑπάρχοντα[b], εἰς Τετράδα καὶ
476 Ὀγδοάδα καὶ Δεκάδα καὶ Δωδεκάδα ὑπομερίζοντος καὶ

[Fr. gr. 10] 463-474 στοιχείων — τὰ V : om. M ‖ 470-471 καὶ
κερματίζοντος nos : κατακερματίζοντος V ‖ 474 δὲ τὸν τὰ Holl :
γεγονότα V

15, 5. a. cf. Ps. 32, 6 ‖ b. cf. Hermas, Pasteur, Mand. 1

tientem, et per huiusmodi multiplicationes illud quod [Hv]
est inenarrabile et incognoscibile, quemadmodum tu
dicis, Patris enarrantem? Et quem incorporalem et
136 insubstantiuum nominas, huius materiam et substan- 4
tiam ex multis litteris, aliis ex aliis generatis, fabricas,
ipse Daedalus fictor et faber malus factus sublimissimae
Virtutis; et quam indiuisibilem dicis substantiam, in
140 mutas et uocales et semiuocales sonos subdiuidens, id
quod est mutum in his omnium Patri et huius Intentioni 8
mentiens, in summam blasphemiam et magnam impietatem immisisti omnes qui tibi credunt.

144 **15,** 6. Quapropter et iuste et apte tali temeritati tuae
divinae adspirationis senior et praeco ueritatis inuectus 12
est in te, dicens sic :

    Idolorum fabricator, Marce, et portentorum inspector,
148   *Astrologiae cognitor et magicae artis,* |
    Per quae confirmas erroris doctrinas,   Hv 15

15, 133 huius multiplicationem S ‖ 134 et incognoscibile *om.*
CV ‖ 138 daedalus : det aliis A   de aliis V ‖ ficto Q ‖ malus
faber ∾ S ‖ 139 quem ε ‖ 139-140 in mutas : unitatis S ‖ 142
summam : suam CV ‖ 144 et₁ *om.* S ‖ 146 est *om.* S ‖ in te dicens :
interdicens ε ‖ 147 et portentorum : inp- C   imp- V ‖ 148 magicae : magnae V

διὰ τῶν τοιούτων πολυπλασιασμῶν τὸ ἄρρητον καὶ
ἀνεννόητον, ὡς σὺ φῄς, τοῦ Πατρὸς ἐκδιηγουμένου ;
Καὶ ὃν ἀσώματον καὶ ἀνούσιον ὀνομάζεις, τὴν τούτου
480 οὐσίαν καὶ τὴν ὑπόστασιν ἐκ πολλῶν γραμμάτων, ἑτέρων
ἐξ ἑτέρων γεννωμένων, κατασκευάζεις, αὐτὸς Δαίδαλος
ψευδὴς καὶ τέκτων κακὸς γενόμενος τῆς [23] προπανυ-
περτάτου Δυνάμεως · καὶ ἣν ἀμέριστον φῂς οὐσίαν, εἰς
484 ἀφώνους καὶ φωνήεντας καὶ ἡμιφώνους φθόγγους ὑπομε-
ρίζων, τὸ ἄφωνον αὐτῶν τῷ τῶν πάντων Πατρὶ καὶ τῇ
τούτου Ἐννοίᾳ ἐπιψευδόμενος, εἰς τὴν ἀνωτάτω βλασφη-

par de telles multiplications, tu exposes en détail ce
qui est, comme tu dis, l'inexprimable et l'inconcevable
nature du Père ? Celui que tu appelles incorporel et sans
substance, tu en fabriques l'essence et la substance
avec une multitude de lettres engendrées les unes des
autres, Dédale menteur que tu es et mauvais artisan de
la Puissance élevée au-dessus de tout. Et cette substance
que tu dis indivisible, tu la subdivises en consonnes
muettes, en voyelles et en semi-voyelles, attribuant
faussement les muettes au Père et à sa Pensée : tu
plonges par là dans le plus profond des blasphèmes et
la plus grande des impiétés tous ceux qui se fient à toi.

15, 6. Aussi est-ce à juste titre et d'une façon bien
appropriée à ton audace que ce vieillard divinement
inspiré et ce héraut de la vérité a invectivé contre toi
par les vers que voici[1] :

> Tu n'es qu'un fabricant d'idoles, Marc, et un char-
> [latan !
> Rompu aux artifices de l'astrologie et de la magie,
> Tu confirmes par eux tes doctrines de mensonge.

μίαν καὶ μεγίστην ἀσέβειαν ἐμβέβληκας ἅπαντας τοὺς
488 σοὶ πειθομένους.

| **15, 6.** | Διὸ ⟨καὶ⟩ δικαίως καὶ ἁρμοζόντως τῇ τοιαύτῃ
σου τόλμῃ ὁ θεῖος πρεσβύτης καὶ κῆρυξ τῆς ἀληθείας
ἐμμέτρως ἐπιβεβόηκέ σοι, εἰπὼν οὕτως ·

492   Εἰδωλοποιὲ Μάρκε καὶ τερατοσκόπε,
             ἀστρολογικῆς ἔμπειρε καὶ μαγικῆς τέχνης,
             δι' ὧν κρατύνεις τῆς πλάνης τὰ διδάγματα,

[Fr. gr. 10] 478 ἐκδιηγουμένου M : ἐνδιηγουμένου V ‖ 481 δαίδαλος Vᵖᶜ : δαίδαλλος Vᵃᶜ δεδαλλὸς M ‖ 483 οὐσίαν nos : εἶναι
VM ‖ 484 ἀφώνους Vᵖᶜ : φώνους Vᵃᶜ φωνὰς M ‖ 484-485 ὑπο-
μερίζων τὸ ἄφωνον (ζων τὸ ἄφωνον sup. ras. V) ‖ 485 αὐτῷ
Vᵃᶜ ‖ 486 τούτου Holl : τοῦ υἱοῦ VM ‖ 489 ⟨καὶ⟩ Holl

Signa ostendens his qui a te seducuntur,   [Hv ⟩
Apostaticae virtutis operationes,
152 Quae tibi praestat tuus pater Satanas   4
Per angelicam uirtutem Azazel facere, habens te
Praecursorem contrariae aduersus Deum nequitiae.

Et haec quidem amator Dei senior. Nos autem reliqua
156 mysteria eorum, quae sunt longa, conabimur breuiter 8
expedire et ea quae multo tempore sunt occultata in
manifestum producere. Sic enim fit ut facile argui et
conuinci possint ab omnibus. |

16, 1. Generationem itaque Aeonum et errorem ouis[a] Hv 1⟨
et adinuentionem, adunantes in unum, mystice audent
adnuntiare hi qui in numeros omnia deduxerunt, de
4 monade et dualitate dicentes omnia constare. Et a 4
monade usque ad quattuor numerantes, sic generant
Decadam : unum enim et duo et tres et quattuor in

16, 151 apostaticiae A ‖ operationem Q   -ne S ‖ 152 satha-
nas V AQS ‖ 153 azazel : o za zed S ‖ habens : habentes CV ‖
154 praecurssorem C ‖ 155 amator C[a] cett. : amor C ‖ 156 conabun-
tur S ‖ 158 fit C[pc] cett. : fuit C
16, 1 hic inser. codd. & ε tit. cap[u] xiii de quo u. in init. libri ‖
2 adunantis Qε ‖ mysticae C ‖ audient Q ‖ 5 iiii V S ‖ 6 decadem
V Sε ‖ iii V ‖ iiii V

σημεῖα δεικνὺς τοῖς ὑπὸ σοῦ πλανωμένοις,
496   ἀποστατικῆς δυνάμεως ἐγχειρήματα,
ἃ σοὶ χορηγεῖ σὸς πατὴρ Σατὰν ἀεὶ
δι' ἀγγελικῆς δυνάμεως 'Αζαζὴλ ποιεῖν,
ἔχων σε πρόδρομον ἀντιθέου πανουργίας.

500 Καὶ ταῦτα μὲν ὁ θεοφιλὴς πρεσβύτης. Ἡμεῖς δὲ τὰ λοιπὰ
τῆς μυσταγωγίας αὐτῶν μακρὰ ὄντα πειρασόμεθα βραχέως
διεξελθεῖν καὶ τὰ πολλῷ χρόνῳ κεκρυμμένα εἰς φανερὸν
ἀγαγεῖν · οὕτω γὰρ ἂν γένοιτο εὐέλεγκτα πᾶσι.

504 | **16, 1.** | Τὴν οὖν γένεσιν τῶν Αἰώνων αὐτῶν καὶ τὴν
πλάνην τοῦ προβάτου[a] καὶ ἀνεύρεσιν, ἑνώσαντες ἐπὶ τὸ

Comme signes, tu fais voir à ceux que tu trompes
les œuvres de la Puissance apostate,
celles que ton père Satan te donne sans cesse
d'accomplir par la vertu de l'ange Azazel,
car il a en toi un précurseur de l'impiété qui doit
[se déchaîner contre Dieu.

Telles sont les paroles du vieillard ami de Dieu. Pour
nous, nous allons tenter d'exposer brièvement le reste
de leur mystagogie, qui est fort longue, et de produire
au grand jour ce qui a été caché si longtemps. Ainsi ces
aberrations pourront-elles être réfutées sans peine par
tout le monde.

16, 1. Ces gens qui ramènent tout à des nombres
s'efforcent donc de décrire d'une manière encore plus
« mystique » la genèse de leurs Éons ainsi que l'égarement et le recouvrement de la brebis[a], en faisant un
seul bloc de tout cela. Toutes choses, disent-ils, tirent
leur origine de la monade et de la dyade. En comptant
à partir de la monade jusqu'à quatre, ils engendrent
la Décade : un et deux et trois et quatre, additionnés

αὐτό, μυστικώτερον ἐπιχειροῦσιν ἀπαγγέλλειν οὗτοι οἱ
εἰς ἀριθμοὺς τὰ πάντα κατάγοντες, ἐκ μονάδος καὶ δυάδος
508 φάσκοντες τὰ ὅλα συνεστηκέναι. Καὶ ἀπὸ μονάδος ἕως
τῶν τεσσάρων ἀριθμοῦντες οὕτω γεννῶσι τὴν Δεκάδα ·
μία γὰρ καὶ δύο καὶ τρεῖς καὶ τέσσαρες συντεθεῖσαι ἐπὶ

[Fr. gr. 10] 497 σοὶ χορηγεῖ σὸς Holl : σὺ χορήγεις ὡς VM
‖ 498 post δυνάμεως add. ἐγχειρήματα V^{mg}M ‖ 507-508 ἐκ —
συνεστηκέναι VM : λέγουσι γὰρ ταῦτα · ἐκ μονάδος καὶ δυάδος
τὰ ὅλα συνεστάναι P ‖ 508 post ἀπὸ add. μὲν P ‖ ἕως VP :
ἕων M ‖ 510-511 μία — ἀριθμόν VM : om. P ‖ 510 καὶ₂ V : om. M

16, 1. a. cf. Lc 15, 4-7

unum compositae x Aeonum generauerunt numerum. [H‹
8 Rursus autem dualitas ab ea progressa usque ad episemon, duo et quattuor et sex, Duodecadem ostendit. 8
Et rursus a dualitate | similiter numerantibus nobis Hv
usque ad x, xxx numerus ostensus est, in quo est
12 Ogdoas et Decas et Duodecas. Duodecadem igitur, eo
quod episemon habuerit consequentem sibi propter
episemum, passionem uocant. Et propter hoc, circa xii 4
numerum cum labes quaedam facta fuisset, ouem luxo-
16 riatam oberrasse, quoniam apostasiam a Duodecade
factam dicunt. Similiter et a Duodecade abscedentem
unam Virtutem perisse diuinant, et hanc esse mulierem 8
quae perdiderit dragmam et accenderit lucernam et
20 inuenerit eam ᵇ. Sic igitur et numeros reliquos in dragma,
qui sunt nouem, in oue uero, undecim, perplexos sibi-|

16, 7 composita S ‖ 8 ea : A (litt. gr.) cod. AQS ‖ 8-9 ephisemon
(-si- V) CV ‖ 9 vi CV ‖ duodecam C (-adem C²) ‖ 10 a : ad V (a
Vᵖᶜ) ‖ dualitatem V ‖ 11 x, xxx CᵖᶜV : xxxx C xl AQSε ‖ 12
ogdoadas Cᵃᶜ (-o⫶⫶as Cᵖᶜ) ogdoais V ‖ decadas Cᵃᶜ (-c⫶⫶as Cᵖᶜ)
‖ duodecadem : undecadem AQS unde eadem ε ‖ 13 ephise-
mum (epi- V) CV epyssemon S ‖ habuit S ‖ 14 episemum CV AQε :
epissimum S epismum Cᵖᶜ ‖ haec S ‖ duodecim AQSε ‖ 15-16
luxoriatam C (2Ls20) : luxu- cett. ‖ 16 aberrasse AQSε ‖ a duodecade : aduodecadem Q ‖ 17 facta S ‖ similiter ε : -tudo codd.
‖ a om. V (suppl. V²) ‖ ascendentem S ‖ 18 uirtute Q ‖ 19 dragmam : drach- edd. a Feu. om. Q ‖ 20 dragmas V ‖ 21 quae ε ‖ ix
V ‖ oue : noue Q ‖ undecim edd. a Feu. : undecies nouem (ix
V Qε) codd.

τὸ αὐτὸ τὸν τῶν δέκα Αἰώνων ἀπεκύησαν ἀριθμόν. Πάλιν
512 δ' αὖ ἡ δυὰς ἀπ' αὐτῆς προελθοῦσα ἕως τοῦ ἐπισήμου,
[24] οἶον δύο καὶ τέσσαρες καὶ ἕξ, τὴν Δωδεκάδα ἐπέδειξεν.
Καὶ πάλιν ἀπὸ τῆς δυάδος ὁμοίως ἀριθμούντων ἡμῶν
ἕως τῶν δέκα, ἡ Τριακοντὰς ἀνεδείχθη, ἐν ᾗ Ὀγδοὰς καὶ
516 Δεκὰς καὶ Δωδεκάς. Τὴν οὖν Δωδεκάδα, διὰ τὸ [ἐπί-
σημον] ἐσχηκέναι συνεπακολουθῆσαν αὐτῇ τὸ ἐπίσημον,
πάθος λέγουσι. Καὶ διὰ τοῦτο, περὶ τὸν δωδέκατον
ἀριθμὸν τοῦ σφάλματος γενομένου, τὸ πρόβατον ἀποσκιρ-

ensemble, enfantent le nombre de dix Éons. A son tour
la dyade, en progressant à partir d'elle-même jusqu'au
nombre insigne — soit deux et quatre et six —, fait
apparaître la Dodécade. Enfin, si nous comptons de la
même manière à partir de la dyade jusqu'à dix, nous
voyons apparaître la Triacontade[1], en laquelle il y a
l'Ogdoade, la Décade et la Dodécade. La Dodécade donc,
par le fait qu'elle a le nombre insigne pour la terminer,
est appelée par eux « passion »[2]. Et c'est pourquoi, une
chute étant survenue dans le douzième nombre, la
brebis a bondi au dehors et s'est égarée : car, disent-ils,
la défection s'est faite à partir de la Dodécade. De la
même manière encore, ils conjecturent qu'une Puissance
s'est séparée de la Dodécade[3] et s'est perdue : cette
Dodécade est la femme qui a perdu sa drachme, a
allumé une lampe et a retrouvé la drachme[b]. De la
sorte, les nombres restants, c'est-à-dire neuf pour les

520 τῆσαν πεπλανῆσθαι, ἐπειδὴ τὴν ἀπόστασιν ἀπὸ Δωδεκάδος
γεγενῆσθαι φάσκουσι. Τῷ αὐτῷ τρόπῳ καὶ ἀπὸ τῆς
Δωδεκάδος ἀποστᾶσαν μίαν Δύναμιν ἀπολωλέναι μαντεύ-
ονται, καὶ ταύτην εἶναι τὴν γυναῖκα τὴν ἀπολέσασαν
524 τὴν δραχμὴν καὶ ἄψασαν λύχνον καὶ εὑροῦσαν αὐτήν[b].
Οὕτως οὖν καὶ τοὺς ἀριθμοὺς τοὺς καταλειφθέντας, ἐπὶ

[Fr. gr. 10] 511 τὸν V[pc] : τὸ V[ac] τῇ M ‖ 512 ἡ om. P ‖ ἀπ' αὐτῆς
om. P ‖ 513 τέσσαρα P ‖ 514 ὁμοίως om. P ‖ 515 ἡ τριακοντὰς
Holl We : ἡ τριάκοντα P   η λ̄ δ VM ‖ 515-516 ὀγδοὰς καὶ δεκὰς
καὶ δωδεκάς P : ὀκτωκαίδεκα καὶ δώδεκα VM ‖ 516 τὸ P : τὸν
VM ‖ 516-517 [ἐπίσημον] nos ‖ 517 ἐσχηκέναι P : διὰ τὸ συνεσχη-
κέναι VM ‖ συνεπακολουθῆσαν M : -λουθήσασαν V -λούθησεν
P ‖ 518 λέγουσι om. P ‖ 520-521 ἐπειδὴ — φάσκουσι om. P ‖
521-530 τῷ — ἀριθμόν : ab Hippolyto libere transcriptum
(We 185, 6-12 ὁμοίως — ἐννέα) ‖ 522 δωδεκάδος VM : δεκάδος
P ‖ ἀποστᾶσαν Holl : ἀπόστασιν VM ‖ 524 δραχμὴν Holl We :
δραγμὴν VMP

16, 1. b. cf. Lc 15, 8-11

metipsis, xcvIIII numerum generare, quoniam nouies Hv
undeni xcvIIII fiant. Quapropter et Amen hunc habere
24 dicunt numerum.

16, 2. Non pigritabor autem tibi et aliter eos interpre- 4
tantes adnuntiare, ut undique conspicias fructum eorum.
Litteram enim η cum episemo Ogdoadam esse uolunt,
28 cum ab alpha octauo sit posita loco; rursus iterum sine
episemo computantes numerum ipsarum litterarum et 8
componentes usque ad η, Triacontadem ostendunt.
Incipiens enim quis ab α et perfiniens in η per numeros
32 litterarum, abstrahens autem episemum et insuper
coniungens incrementum litterarum, inueniet tricena- 12
rium numerum. Vsque enim ad ε litteram, xv | fiunt; Hv
post deinde appositus eis vII numerus, II et xx perficit;

16, 23 undeni : undecim Sε ‖ et amen *edd. a Feu.* : tamen
codd. ε ‖ 27 litteram S : -ra *cett.* ‖ η *Erasm.* : H *cod.* C Q .h.
cod. A   N *cod.* S   *om.* V ‖ episemo : ephesmo S ‖ ogdoadem
edd. ‖ 28 ab *om.* V ‖ alpha *nos. ex gr.* : alpha (-fa CQ) beta C QSε.
edd. alfabeto A   alfabefabeta (-fabe-₁ *expunct. in fin. lin.*) V ‖
octauo sit : vII sic S ‖ rursus iterum : rursum igitur S ‖ 29 ephesmo
S ‖ 30 η *Erasm.* : H *cod.* CV   .h. *cod.* A   h H (h *cancell.*) *cod.* Q
N *cod.* S ‖ 31 incipientes C^{ac} A^{ac}Q ‖ α *Erasm.* : a CV AS   *litt.* A
cod. Q ‖ η *Erasm.* : H *cod.* CV   .h. *cod.* A   N *cod.* QS ‖ 34 enim
om. AQSε ‖ ε *Erasm.* : e *codd.* ‖ littera C AQ   litterae ε ‖ xv : xII V ‖
35-36 vII — eis *om.* CV ‖ 35 vII *om.* S

μὲν τῆς δραχμῆς τοὺς ἐννέα, ἐπὶ δὲ τοῦ προβάτου τοὺς
ἔνδεκα, ἐπιπλεκομένους ἀλλήλοις τὸν τῶν ἐνενήκοντα
528 ἐννέα τίκτειν ἀριθμόν, ἐπεὶ ἐννάκις τὰ ἔνδεκα ἐνενήκοντα
ἐννέα γίνεται. Διὸ καὶ τὸ ἀμὴν τοῦτον λέγουσιν ἔχειν τὸν
ἀριθμόν.

| 16, 2. | Οὐκ ὀκνήσω δέ σοι καὶ ἄλλως ἐξηγουμένων
532 αὐτῶν ἀπαγγεῖλαι, ἵνα πανταχόθεν κατανοήσῃς τὸν
καρπὸν αὐτῶν. Τὸ γὰρ στοιχεῖον τὸ η σὺν μὲν τῷ ἐπισήμῳ
Ὀγδοάδα εἶναι θέλουσιν, ἀπὸ τοῦ ἄλφα ὀγδόῳ κείμενον

drachmes et onze pour les brebis, en se mêlant ensemble,
enfantent le nombre 99, car 9×11 = 99. Voilà pourquoi, disent-ils, le mot 'Αμήν possède ce nombre.

16, 2. Je n'hésiterai pas à te rapporter encore une
autre de leurs interprétations, afin que tu puisses
contempler sous toutes ses faces leur « fruit ». Ils
prétendent, en effet, que la lettre η, si l'on compte le
nombre insigne, est l'Ogdoade, puisqu'elle vient en
huitième lieu à partir de la première lettre. Comptant
ensuite sans le nombre insigne le nombre formé par ces
lettres et additionnant celles-ci jusqu'à η, ils obtiennent
le nombre 30. En effet, en allant de α à η, si on laisse
de côté le nombre insigne et si on additionne les nombres
croissants correspondant aux différentes lettres, on
trouve le nombre 30. En allant jusqu'à la lettre ε, on
obtient le nombre 15 ; en y ajoutant ζ, on obtient le

τόπῳ· εἶτα πάλιν ἄνευ τοῦ ἐπισήμου ψηφίζοντες τὸν
536 ἀριθμὸν αὐτῶν τῶν στοιχείων καὶ ἐπισυνθέντες μέχρι τοῦ
ἦτα, τὴν Τριακοντάδα ἐπιδεικνύουσιν. 'Αρξάμενος γάρ
τις ἀπὸ τοῦ ἄλφα καὶ τελευτῶν εἰς τὸ ἦτα τῷ ἀριθμῷ [25]
τῶν στοιχείων, ὑπεξαιρούμενος δὲ τὸ ἐπίσημον καὶ ἐπι-
540 συντιθεὶς τὴν ἐπαύξησιν τῶν γραμμάτων, εὑρήσει τὸν τῶν
τριάκοντα ἀριθμόν. Μέχρι γὰρ τοῦ ε στοιχείου πεντεκαί-
δεκα γίνονται· ἔπειτα προστεθεὶς αὐτοῖς ὁ τῶν ἑπτὰ

[Fr. gr. 10] 527 ἐπισυμπλεκομένους P ‖ 528 ἐπεὶ (εἰ supr. ras.
V) ‖ 531-532 οὐκ — αὐτῶν : ἄλλον δὲ ἀριθμὸν οὕτω λέγουσι P ‖
533 τὸ γὰρ στοιχεῖον τὸ η VM : τὸ ἦτα στοιχεῖον P ‖ μὲν
om. P ‖ 534 θέλουσιν om. P ‖ ἄλφα P : πρώτου VM ‖ 534-535
ὀγδόου ... τόπου VM ‖ 536 συντιθέντες P ‖ 537 τὴν τριακοντάδα
VM : τὸν τριάκοντα ἀριθμὸν P ‖ 538 τις P : om. VM ‖ καὶ τελευτῶν
εἰς τὸ VM : ἕως τοῦ P ‖ τὸν ἀριθμὸν P ‖ 539 ὑφεξαιρούμενος
VM ‖ δὲ om. P ‖ τὸ VM : τὸν P ‖ 539-540 καὶ — γραμμάτων om.
P ‖ 540 τὸν (ὸν sup. ras. V) τῶν VM : om. P ‖ 541-546 μέχρι —
αἰώνων om. P ‖ 541 ε Holl : θ VM

36 cum autem appositum est eis η, quod est octo, admira- [Hv
bilem Triacontadem adimpleuit. Et hinc ostendunt
Ogdoadem Matrem xxx Aeonum. Quoniam igitur ex 4
tribus uirtutibus unitus est tricenarius numerus, ter
40 idem factus xc fecit. Et ipsa autem trias in se composita
nouem generauit. Sic Ogdoas xcviiii generauit numerum.
Et quoniam duodecimus Aeon absistens reliquit sursum 8
xi, consequenter dicunt typum litterarum in figura
44 Logi positum esse — undecimam enim in litteris esse
λ, qui est numerus xxx — et secundum imaginem
positum esse superioris dispositionis, quoniam ab alpha
sine episemo ipsarum littera|rum numerus usque ad λ Hv
48 compositus, secundum augmentum litterarum cum ipso

16, 36 est₁ om. S ‖ η Erasm. : H cod. CV QS .h. cod. A ‖ octo
CV AS : viiii Qε ‖ 37 triacontadema CV ‖ hic C ‖ 40 facit A ‖
ipse CV ‖ autem om. S ‖ tria A Vᵖᶜ ‖ 41 nouem CV A : viiii
Qε ix S ‖ si V ‖ ogdoadas CV AQ ‖ xc.ix ε ‖ 42 duodecimus
ε : -cim A -cima S xii CV Q ‖ rursum AQ rursus S ‖ 43 x
CV ‖ 43-44 typum — logi om. Q ‖ 44 compositum S ‖ 44-46 undecimam — esse om. V (suppl. mg. V²) ‖ 44 undecimam ε : xi codd.
‖ enim : uero ut uid. Vᵐᵍ ‖ in om. Q ‖ 45 λ Erasm. : .a. CV litt. A
cod. AQS ‖ 46 alpha (-fa AQ) AQSε : .a. CV ‖ 47 epissemo Q
epyss- S ‖ λ Qε : .a. CV AS ‖ 48 compositus edd. ex gr. : -tum codd. ε

ἀριθμὸς β̄ καὶ κ̄ ἀπετέλεσε · προσελθὸν δὲ τούτοις τὸ η,
544 ὅ ἐστιν ὀκτώ, τὴν θαυμασιωτάτην Τριακοντάδα ἀνεπλήρωσεν. Καὶ ἐντεῦθεν ἀποδεικνύουσι τὴν Ὀγδοάδα Μητέρα
τῶν τριάκοντα Αἰώνων. Ἐπεὶ οὖν ἐκ τριῶν δυνάμεων
ἥνωται ὁ τῶν τριάκοντα ἀριθμός, τρὶς αὐτὸς γενόμενος
548 τὰ ἐνενήκοντα ἐποίησε · τρὶς γὰρ τριάκοντα ἐνενήκοντα.
Καὶ αὐτὴ δὲ ἡ τριὰς ἐφ᾽ ἑαυτὴν συντεθεῖσα ἐννέα ἐγέννησεν.
Οὕτως τε ἡ Ὀγδοὰς τὸν τῶν ἐνενήκοντα ἐννέα παρ᾽ αὐτοῖς
ἀπεκύησεν ἀριθμόν. Καὶ ἐπεὶ ὁ δωδέκατος Αἰὼν ἀποστὰς
552 κατέλειψε τοὺς ἄνω ἔνδεκα, καταλλήλως λέγουσι τὸν
τύπον τῶν γραμμάτων ἐν σχήματι τοῦ Λόγου κεῖσθαι ·

nombre 22 ; enfin, en y ajoutant η, on a le Plérôme de
l'admirable Triacontade. Ainsi prouvent-ils que l'Ogdoade est la Mère des trente Éons ! Et puisque le nombre
30 résulte de l'union de trois « vertus », devenu trois
fois lui-même, il donne le nombre 90 : car 3×30 = 90.
De son côté, la Triade, multipliée par elle-même, donne
le nombre 9. Et c'est ainsi que l'Ogdoade enfante le
nombre 99. Et parce que le douzième Éon, en faisant
défection, a laissé les onze autres là-haut, la forme des
lettres, disent-ils, a été disposée d'une façon appropriée
en sorte qu'elles soient une figure du Logos[1]. En effet,
la onzième lettre est le Λ, qui est le nombre 30, et cette
lettre a bien été disposée à l'image de l'« économie »
d'en haut, puisque, si, en allant de Α à Λ et en laissant
de côté le nombre insigne, on additionne ensemble les
nombres croissants correspondant aux différentes lettres,

ἑνδέκατον γὰρ τῶν γραμμάτων εἶναι τὸ λ, ὅ ἐστιν ἀριθμὸς
τῶν τριάκοντα, καὶ κατ' εἰκόνα κεῖσθαι τῆς ἄνω οἰκονομίας,
556 ἐπειδὴ ἀπὸ τοῦ ἄλφα, χωρὶς τοῦ ἐπισήμου, αὐτῶν τῶν
γραμμάτων ὁ ἀριθμὸς ἕως τοῦ λ συντιθέμενος κατὰ τὴν
παραύξησιν τῶν γραμμάτων σὺν αὐτῷ τῷ λ τὸν τῶν

[Fr. gr. 10] 543 προσελθὸν Holl : προσελθὼν VM ‖ 544 ὀκτώ
(sup. ras. V) ‖ 546 post ἐκ add. τῶν P ‖ τριῶν P : τριάκοντα
VM ‖ 547 τρὶς om. P ‖ 549 καὶ — ἐγέννησεν om. P ‖ ἑαυτὴν
nos : ἑαυτῆς VM ‖ 550 τε om. P ‖ παρ' αὐτοῖς om. P ‖ 551
post ἀριθμόν add. nonnulla P (We 186, 5-10 ἐκ — ἐννέα) ‖ καὶ
ἐπεὶ VM : ἐπειδὴ δὲ P ‖ ἀποστὰς om. P ‖ 552 καταλείψας P ‖ τοὺς
(ita P, cf. Marcovich, p. 306) ‖ ἄνω om. P ‖ post ἔνδεκα add. καὶ
ἀποστὰς κάτω ἐχώρησε P ‖ 552-553 καταλλήλως (nos : -λον VM)
... ἐν (nos : τῷ VM) ... κεῖσθαι VM : φάσκουσι κατάλληλον καὶ
τοῦτο ὁ γὰρ τύπος τῶν γραμμάτων διδάσκει P ‖ 554 εἶναι nos :
κεῖται VM κεῖσθαι P ‖ 555 καὶ om. P ‖ 555 κατ' εἰκόνα κεῖσθαι
VM : κεῖσθαι αὐτὸ κατ' εἰκόνα P ‖ 556 ἐπειδὴ (δὴ sup. ras. V) ‖
557 συντεθειμένος VP ‖ κατὰ om. P ‖ 558 τῶν₂ om. P

λ, xcvIIII facit numerum. Quoniam autem λ, <quae> [Hv
undecimo loco est in ordine, ad similis sui descendit
inquisitionem, ut impleret xII numerum, et cum inue- 4
52 nisset eum adimpleta est, manifestum esse ex ipsa
figuratione litterae. Λ enim quasi ad sui similis inquisitionem adueniens et inueniens et in semet rapiens
ipsum, duodecimi adimpleuit locum, M littera ex duobus 8
56 labdis [ΛΛ] consistente. Quapropter et fugere eos per
agnitionem xcvIIII locum, hoc est deminorationem,
typum sinistrae manus, sectari autem unum, quod addi-
tum super xcvIIII in dexteram eos manum transtulit. |

60 **16, 3.** Tu quidem haec pertransiens, dilectissime, Hv
optime scio quoniam ridebis multum tantam illorum
in tumore sapientem stultitiam. Sunt autem digni
planctu qui tantam Dei religionem et magnitudinem 4

16, 49 λ₁ Qε : .a. CV AS ‖ xc & ιx ε ‖ facit *edd. a Feu.* : faciunt
codd. ε ‖ λ₂ Sε : .a. CV A   *litt.* A *cod.* Q ‖ <quae> *edd. a Feu.* :
om. codd. ε ‖ 50 undecimo loco ε : xι loco CV S   xι. lo AQ ‖
ad similis : ad -lem V   assimilis QS ‖ sui *edd. a Feu.* : eorum
codd. ε ‖ 51 duodecim V ‖ 52 manifestum]+ est CV ‖ 53 Λ : λ
Erasm. QS   a cod. A   .a. CV ‖ 54 et₂ *om.* Q ‖ 55 duodecimi Aε :
xιιmi Cᵃᶜ (-mum C²)   duodecimum V   xιι QS ‖ M *cod.* ASε : m
CQ   .N. V ‖ duobus : -abus CVᵃᶜ ‖ 56 labdis VA²QS : lapdis C
λ ambdis ε   *vac.* Aᵃᶜ   lambdis *edd.* ‖ ΛΛ *seclusi* : habet ε *om. codd.* ‖
figure AQSε ‖ 57 xc.ιx ε ‖ 58 autem : qui autem *codd.* ε ‖ 59 xc.ιx ε
xvιιιι CV ‖ dextram V ‖ eius V ‖ 60 haec *om.* V ‖ dil. transiens S ‖
61 tantum Cᵃᶜ A   -ta S

ἐνενήκοντα ἐννέα ποιεῖται ἀριθμόν. Ὅτι δὲ τὸ λ ἐνδέκατον
560 ὂν τῇ τάξει ἐπὶ τὴν τοῦ ὁμοίου αὐτῷ κατῆλθεν ζήτησιν,
ἵνα ἀναπληρώσῃ τὸν δωδέκατον ἀριθμόν, καὶ εὑρὸν αὐτὸ
ἐπληρώθη, φανερὸν εἶναι ἐξ αὐτοῦ τοῦ σχήματος τοῦ
στοιχείου. [26] Τὸ γὰρ λ, ὥσπερ ἐπὶ τὴν τοῦ ὁμοίου αὐτῷ
564 ζήτησιν παραγενόμενον καὶ εὑρὸν καὶ εἰς ἑαυτὸ ἁρπάσαν
αὐτό, τὴν τοῦ δωδεκάτου ἀνεπλήρωσεν χώραν, τοῦ Μ
στοιχείου ἐκ δύο Λ συγκειμένου. Διὸ καὶ φεύγειν αὐτοὺς

le Λ y compris, on obtient le nombre 99. Mais le Λ, qui
a le onzième rang, est descendu à la recherche de son
semblable, pour parachever le nombre 12, et, lorsqu'il
l'a eu trouvé, il a été complété. Et c'est ce qui apparaît
avec évidence par le dessin même de la lettre : le Λ,
en effet, étant allé à la recherche de son semblable, puis
l'ayant trouvé et s'étant emparé de lui pour se l'unir,
a rempli le douzième lieu, étant donné que la lettre M
est faite de l'union de deux Λ. Et c'est pour ce motif
qu'ils fuient, par la « gnose », la région du nombre 99,
c'est-à-dire la « déficience », figurée par la main gauche,
et poursuivent l'unité qui, ajoutée à 99, les fera passer
dans la main droite.

16, 3. En lisant tout cela, cher ami, tu riras de bon
cœur, je le sais, devant d'aussi prétentieuses inepties.
Ils sont pourtant à plaindre, ceux qui mettent en pièces
une religion si vénérable et la grandeur de la Puissance

διὰ τῆς γνώσεως τὴν τῶν ἐνενήκοντα ἐννέα χώραν, τουτέστιν
568 τὸ ὑστέρημα, τύπον ἀριστερᾶς χειρός, μεταδιώκειν δὲ τὸ
ἕν, ὃ προστεθὲν τοῖς ἐνενήκοντα ἐννέα εἰς τὴν δεξιὰν
αὐτοὺς χεῖρα μετέστησεν.

| **16, 3.** | Σὺ μὲν ταῦτα διερχόμενος, ἀγαπητέ, εὖ οἶδα
572 ὅτι γελάσεις πολλὰ τὴν τοιαύτην αὐτῶν οἰησίσοφον
μωρίαν. Ἄξιοι δὲ πένθους οἱ τηλικαύτην θεοσέβειαν καὶ
τὸ μέγεθος τῆς ἀληθῶς ἀρρήτου Δυνάμεως καὶ τὰς τοσαύ-

[Fr. gr. 10] 559-560 ἐνδέκατον ὃν τῇ τάξει VM : ἐν δεκάτῳ κείμενον τόπῳ P ‖ 560 τὴν iter. P ‖ αὐτοῦ VM ‖ 561 εὑρὼν P ‖ αὐτὸ
nos, iuxta Holl in app. : αὐτὸν VMP ‖ 563 λ VM : λάβδα P
‖ 564 εὑρὼν P ‖ καὶ₂ om. P ‖ εἰς ἑαυτὸ Holl : εἰς ἑαυτὸν VM
om. P ‖ ἀναρπάσαν P ‖ 565 αὐτό nos, iuxta Holl in app. :
αὐτόν VM om. P ‖ 566 Λ VM : λάβδα καὶ η P ‖ post διὸ add.
δὴ P ‖ αὐτοῦ VM ‖ 568 ἀριστερὸν P ‖ 570 αὐτοὺς Holl We :
αὐτοῦ VMP ‖ 570-610 μετέστησεν — κατεσκευάσθαι VM :
μετὰ σκευάσθαι P ‖ 572 οἰησίσοφον (σί sup. ras. V) ‖ 574 ἀληθῶς
Holl : ἀληθείας VM

64 uere inenarrabilis Virtutis et tantas dispositiones Dei [Hv
per α et β et per numeros tam frigidos et ui extortos
enuntiant. Quotquot autem absistunt ab Ecclesia et
his anilibus fabulis^a adsentiunt, uere a semetipsis sunt
68 damnati^b. Quos Paulus iubet nobis *post primam et* 8
secundam correptionem deuitare^c. Iohannes autem Domini
discipulus superextendit damnationem in eos, neque
Aue a nobis eis dici uolens : *Qui enim dicit*, inquit, *eis*
72 *Aue, communicat operibus ipsorum nequissimis*^d. | Et Hv
merito : *Non est enim gaudere impiis*^e, dicit Dominus.
Impii autem super omnem impietatem hi sunt, qui
Factorem caeli et terrae, unum Deum omnipotentem,
76 super quem alius Deus non est, ex labe et ipsa ex altera 4
labe facta emissum dicunt, et sic iam secundum eos esse
eum emissionem tertiae labis. Quam sententiam digne
exsufflantes et catathematizantes oportet porro alicubi
80 et longe fugere ab eis, et quanto plus haec adfirmant et 8

16, 64 inenarrabilis uirtutis C *cett.* : -les -tes C³ ‖ 65 A et B
Erasm. a et b *codd.* ‖ ui *edd.* : vi CV sex AQS sic ε ‖ 66
quodquod C ‖ 69 correptionem *om.* S ‖ autem *nos ex gr.* : enim
codd. ε *edd.* ‖ 70 in eos *codd.* : *forte leg. ex gr.* eorum ‖ 71 haue
Q ‖ a *om.* Sε ‖ eis₁ *om.* V (*suppl. s.l.* V²) ‖ 72 eorum AS ‖ 73 enim
est ∽ *edd. a Gra.* ‖ 76 super quem : sempiternum A superternum
(*uel* tri- ?) Q ‖ 76-77 et — labe *om.* Q ‖ 77 facte Q ‖ missum Qε ‖
si AQε ‖ 78 eorum S ‖ 79 cathatematizantes CV

τας οἰκονομίας τοῦ Θεοῦ διὰ τοῦ ἄλφα καὶ βῆτα καὶ
576 δι' ἀριθμῶν οὕτως ψυχρῶς καὶ βεβιασμένως διασύροντες.
Ὅσοι δὲ ἀφίστανται τῆς Ἐκκλησίας καὶ τούτοις τοῖς
γραώδεσι μύθοις^a πείθονται, ἀληθῶς αὐτοκατάκριτοι^b.
Οὓς ὁ Παῦλος ἐγκελεύεται ἡμῖν μετὰ μίαν καὶ δευτέραν
580 νουθεσίαν παραιτεῖσθαι^c. Ἰωάννης δὲ ὁ τοῦ Κυρίου
μαθητὴς ἐπέτεινε τὴν καταδίκην αὐτῶν, μηδὲ χαίρειν αὐτοῖς
ὑφ' ἡμῶν λέγεσθαι βουληθείς · « ὁ γὰρ λέγων αὐτοῖς »,
φησί, « χαίρειν κοινωνεῖ τοῖς ἔργοις αὐτῶν τοῖς πονη-
584 ροῖς^d. » Καὶ εἰκότως · « οὐκ ἔστι » γὰρ « χαίρειν τοῖς

vraiment inexprimable et les incomparables « économies » de Dieu, et cela au moyen de l'alphabet et de
chiffres agencés d'une façon aussi froide et aussi arti-
ficielle. Tous ceux qui se séparent de l'Église et adhèrent
à ces contes de vieilles femmes[a] sont vraiment eux-
mêmes les auteurs de leur condamnation[b]. Ces gens-là,
Paul nous enjoint de les « rejeter après un premier et
un second avertissement[c] ». Jean, le disciple du Seigneur,
les a condamnés d'une manière plus sévère encore, en
nous défendant même de les saluer : « Celui qui les
salue, dit-il, participe à leurs œuvres mauvaises[d] ».
Rien de plus juste, car « on ne doit point saluer les
impies, dit le Seigneur[e] »[1]. Or ils sont impies au-dessus
de toute impiété, ces gens qui disent que le Créateur du
ciel et de la terre, le seul Dieu tout-puissant, au-dessus
de qui il n'est point d'autre Dieu, est issu d'une déchéance provenant elle-même d'une autre déchéance, en
sorte que, à les en croire, il serait le produit d'une
troisième déchéance. Rejetant et anathématisant comme
elle le mérite[2] cette façon de penser, nous avons à fuir
loin d'eux, et, plus ils affirment leurs théories et se

ἀσεβέσιν, λέγει Κύριος[e]. » Ἀσεβεῖς δὲ ὑπὲρ πᾶσαν ἀσέβειαν
οὗτοι οἱ τὸν Ποιητὴν οὐρανοῦ καὶ γῆς, μόνον Θεὸν παντοκράτορα, ὕπερ ὃν ἄλλος Θεὸς οὐκ ἔστιν, ἐξ ὑστερήματος
588 καὶ αὐτοῦ ἐξ ἄλλου ὑστερήματος γεγονότος προβεβλῆσθαι
λέγοντες, ὥστε κατ' αὐτοὺς εἶναι αὐτὸν προβολὴν τρίτου
ὑστερήματος. Ἣν γνώμην ὀρθῶς καταφυσήσαντας καὶ
καταθεματίσαντας δέον πόρρω που ⟨καὶ⟩ μακρὰν φυγεῖν
592 ἀπ' αὐτῶν, καὶ ᾗ πλέον διισχυρίζονται καὶ χαίρουσιν

[Fr. gr. 10] 587 ὃν V[pc]M : ὧν V[ac] ‖ 588-590 καὶ — ὑστερήματος V : om. M ‖ 590 ὀρθῶς nos : ὄντως VM ‖ 591 ⟨καὶ⟩ Holl

---

16, 3. a. cf. I Tim. 4, 7 ‖ b. cf. Tite 3, 11 ‖ c. Tite 3, 10 ‖ d.
II Jn 11 ‖ e. Is. 48, 22

gaudent in his adinuentionibus suis, tanto magis sciamus [Hv
plus eos agitari ab Ogdoadis nequissimis spiritibus,
quemadmodum hi qui in phreneticam passionem inci-
84 derunt, aut plus rident et ualere se putant et quasi
sani omnia | agunt, quaedam autem et quasi plus quam Hv
sani sunt, tanto magis male habent. Similiter autem
et hi, quo magis plus sapere putantur, eneruantes
88 semetipsos, super tonum sagittantes, tanto magis non 4
sapiunt. Exiens enim immundus spiritus ignorantiae,
dein vacantes eos non Deo, sed mundialibus quaestio-
nibus inueniens, adsumens alteros spiritus vii nequiores
92 semetipso* et infatuans illorum sententiam, quasi possint
quae sunt super Deum adinuenire, et aptabiliter in 8
exclusionem compositam Ogdoadem ignorantiae nequis-
simorum spirituum in eos deposuit.

17, 1. Volo autem tibi referre quemadmodum et
ipsam conditionem secundum imaginem inuisibilium a
Demiurgo, quasi ignorante eo, fabricatam per Matrem 12

16, 82 spiritibus C *Mass. Sti.* : -talibus *cett. & al. edd.* || 83-84 inci-
derint V incederunt Q || 85 agunt *om.* V (*suppl. mg.* V¹) || 86 autem
om. S || 87 quo S *cett.* : qui S^(pc) || 88 totum S || 91 alios Qε ||
septem ε || 94 exclusione S || compositum A || octoadem CV || 95
in eos *om.* V (*suppl. s.l.* V²)

17, 1 *hic inser. codd. &* ε *tit. cap*^(11) xiiii *de quo u. in init. libri*

ἐπὶ τοῖς παρευρέμασιν αὐτῶν, ταύτῃ μᾶλλον εἰδέναι
πλέον αὐτοὺς ἐνεργεῖσθαι ὑπὸ τῆς Ὀγδοάδος τῶν πονηρῶν
πνευμάτων, καθάπερ οἱ εἰς φρενίτιδα διάθεσιν [27] ἐμπε-
596 σόντες, ᾗ πλέον γελῶσι καὶ ἰσχύειν δοκοῦσιν καὶ ὡς
ὑγιαίνοντες πάντα πράττουσιν, ἔνια δὲ καὶ ὑπὲρ τὸ
ὑγιαίνειν, ταύτῃ μᾶλλον κακῶς ἔχουσιν. Ὁμοίως δὲ καὶ
οὗτοι, ᾗ μᾶλλον ὑπερφρονεῖν δοκοῦσι καὶ ἐκνευρίζουσιν
600 ἑαυτοὺς ὑπέρτονα τοξεύοντες, ταύτῃ μᾶλλον οὐ σωφρο-
νοῦσιν. Ἐξελθὸν γὰρ τὸ ἀκάθαρτον πνεῦμα τῆς ἀνοίας,
ἔπειτα σχολάζοντας αὐτοὺς οὐ Θεῷ, ἀλλὰ κοσμικαῖς
ζητήσεσιν εὑρόν, προσπαραλαβὸν ἕτερα πνεύματα ἑπτὰ

réjouissent de leurs trouvailles, plus il faut que nous sachions qu'ils sont agités par l'Ogdoade des esprits mauvais[1]. Quand des malades tombent dans des crises de délire, plus[2] ils rient et se croient bien portants et font tout comme s'ils étaient en santé, voire plus qu'en santé, plus en réalité ils sont malades. De même ces gens-là : plus ils croient avoir de hautes pensées et se rompent les nerfs à force de tendre leur arc, plus ils s'éloignent du bon sens. L'esprit impur de déraison est sorti et, les trouvant en train de vaquer, non à Dieu, mais à des questions mondaines, il est allé prendre avec lui sept autres esprits plus méchants que lui[r] ; il a enflé d'orgueil leurs pensées, en leur faisant croire qu'ils pourraient comprendre[3] ce qui est au-dessus de Dieu, et, après les avoir convenablement préparés en vue de leur ruine, il a déposé en eux l'Ogdoade de déraison des esprits pervers.

Spéculations et exégèses gnostiques relatives au Plérôme.

17, 1. Je veux t'exposer encore comment, d'après eux, la création elle-même aurait été faite à l'image des choses invisibles par le Démiurge, sans que celui-ci le

---

604 πονηρότερα ἑαυτοῦ[r] καὶ χαυνῶσαν αὐτῶν τὴν γνώμην,
ὡς δυναμένων τὰ ὑπὲρ τὸν Θεὸν ἐννοεῖν, καὶ ἐπιτηδείως
εἰς ὑπερέκκρουσιν κατασκευάσαν, τὴν Ὀγδοάδα τῆς
ἀνοίας τῶν πονηρῶν πνευμάτων εἰς αὐτοὺς ἐνεθήκωσεν.

608 | **17,** 1. | Βούλομαι δέ σοι καὶ ὡς αὐτὴν τὴν κτίσιν
κατ' εἰκόνα τῶν ἀοράτων ὑπὸ τοῦ Δημιουργοῦ, ὡς ἀγνοοῦν-
τος αὐτοῦ, κατεσκευάσθαι διὰ τῆς Μητρὸς λέγουσιν

[Fr. gr. 10] 596 ἢ nos, iuxta Holl in app. : ἢ VM ‖ 599 ἢ V :
ἢ M ‖ 602 ἑαυτοὺς Vᵃᶜ ‖ 605 ἐπιτηδείως nos : ἐπιτήδειον VM
‖ 609 τοῦ om. Vᵃᶜ

16, 3. f. cf. Matth. 12, 43-45

4 dicunt. Primo quidem quattuor elementa dicunt, ignem, [Hv
aquam, terram, aerem, imaginem | emissam esse Hv
superioris Quaternationis, et operationes eorum cum
eis adnumeratas, id est calidum et frigidum, humectum
8 et aridum, diligenter imaginare Ogdoadem. Ex qua
decem uirtutes sic enumerant : vii quidem corpora 4
circumlata, quae etiam caelos uocant, post deinde
continentem eos circulum, quem octauum caelum
12 uocant, post deinde solem et lunam. Haec cum sint
x numero imagines dicunt esse inuisibilis Decadis eius,
quae a Logo et Zoe progressa sit. Duodecadem autem 8
ostendi per eum qui zodiacus uocatur circulus. xii enim
16 signa manifestissime Hominis et Ecclesiae filiam Duodecadem, quasi per quandam umbram pinxisse dicunt.
Et e contrario superiunctum, | inquiunt, uniuersorum Hv
oneri cum sit uelocissimum quod superpositum est

17, 4 quattuor : iiii Q   om. V || 5 terram]+ et CV Qε || 7 hu-
mectum εmg cett. : humidum ε || 8 octoadem CV || 9 decim C   x QS
|| septem Aε || corpora om. C (suppl. s.l. C²) || 10 circumdata Vε
(-la- V²) circum mulata S || 11 continentem ε : -tes codd. || 12
uorant C (-cant C²) || 13 decem Aε || inuisibilis / abhinc usque
ad finem libri deest S, exceptis tamen fragmentis 18, 1-5, 22, 1-38,
31, 38-64, sitis in parte S dicta Sᵇ || 14 lo⫽go Q || et om. Qᵃᶜ || 15
ostendit CV || zoziacus C AQ || duodecim A || 16 homines AQ ||
ecclesiam CV || 18 superiunctum ε cett. : super uinctum εmg || 19
honeri (uel -no- ? ante corr.) C

διηγήσασθαι. Πρῶτον μὲν τὰ τέσσαρα στοιχεῖά φασιν,
612 πῦρ, ὕδωρ, γῆν, ἀέρα, εἰκόνα προβεβλῆσθαι τῆς ἄνω
πρώτης Τετράδος, τάς τε ἐνεργείας αὐτῶν συναριθμουμένας, οἷον θερμόν τε καὶ ψυχρόν, ξηρόν τε καὶ ὑγρόν,
ἀκριβῶς ἐξεικονίζειν τὴν Ὀγδοάδα. Ἑξῆς δέκα δυνάμεις
616 οὕτως καταριθμοῦσιν · ἑπτὰ μὲν σώματα κυκλοειδῆ,
ἃ καὶ οὐρανοὺς καλοῦσιν, ἔπειτα τὸν περιεκτικὸν αὐτῶν
κύκλον, ὃν καὶ ὄγδοον οὐρανὸν ὀνομάζουσι, πρὸς δὲ
τούτοις ἥλιόν τε καὶ σελήνην. Ταῦτα δέκα ὄντα τὸν

sût, grâce à l'intervention de la Mère. En premier lieu,
disent-ils, les quatre éléments, feu, eau, terre et air, ont
été produits comme une image de la Tétrade supérieure.
Leurs opérations respectives venant s'ajouter à eux,
à savoir le chaud, le froid, l'humide et le sec, représentent exactement l'Ogdoade. Ils énumèrent ensuite
dix puissances comme suit : d'abord sept corps de forme
ronde qu'ils appellent cieux, puis le cercle qui les
contient et qu'ils appellent huitième ciel, et enfin le
soleil et la lune. Ces corps, au nombre de dix, sont
l'image de l'invisible Décade issue du Logos et de la Vie.
Quant à la Dodécade, elle est indiquée par le cercle
appelé zodiaque : car, disent-ils, les douze signes du
zodiaque figurent manifestement la Dodécade, fille de
l'Homme et de l'Église. Et puisque, disent-ils, le ciel
le plus élevé s'est opposé[1] à l'élan rapide de tous les
astres, les alourdissant de sa masse et contrebalançant

---

620 ἀριθμὸν εἰκόνας λέγουσιν εἶναι τῆς ἀοράτου Δεκάδος,
τῆς ἀπὸ Λόγου καὶ Ζωῆς προελθούσης. Τὴν δὲ Δωδεκάδα
μηνύεσθαι διὰ τοῦ ζῳδιακοῦ καλουμένου κύκλου · τὰ γὰρ
δώδεκα ζῴδια φανερώτατα τὴν τοῦ Ἀνθρώπου καὶ τῆς
624 Ἐκκλησίας θυγατέρα Δωδεκάδα σκιαγραφεῖν λέγουσιν.
Καὶ [28] ἐπεὶ ἀντεπεζεύχθη, φασί, τῇ τῶν ὅλων φορᾷ
ὠκυτάτῃ ὑπαρχούσῃ ὁ ὕπερθεν οὐρανὸς ὁ πρὸς αὐτῷ

[Fr. gr. 10] 611 διηγήσασθαι om. P ‖ φασιν VM : ἅ φησιν P ‖
613 πρώτης om. P ‖ 613-614 τὰς — συναριθμουμένας VM : τοῖς
δὲ ἐνεργείοις αὐτῷ συναριθμοῦντες P ‖ 614 τε₁ — ὑγρόν VM :
ψυχρόν, ὑγρόν, ξηρόν, λέγουσιν P ‖ 615 ἐξῆς (ita P, cf. Marcovich,
p. 306) ‖ δέκα VM : ῑ P ‖ 616 μὲν om. P ‖ σώματα P : σωματικὰ
VM ‖ 619 ταῦτα VM : καὶ ταῦτα P ‖ δέκα VM : ῑ P ‖ 621 προελθούσης om. P ‖ δὲ om. P ‖ 622 μηνύεσθαι om. P ‖ κύκλου καλουμένου ∽ P ‖ τὰ VM : ταῦτα P ‖ 624 σκιαγραφεῖν VM : ἐπισκιάζειν
P ‖ 625 ἀντεζεύχθη P ‖ φησί P ‖ τῇ P : τὴν VM ‖ φορᾷ Holl :
ἀναφορᾷ P φοράν VM ‖ 626 ὠκυτάτην ὑπάρχουσαν VM ‖ ὁ ὕπερθεν
οὐρανὸς P : οὗπερ ὁ χρόνος VM

20 caelum, qui ad ipsam concauationem adgrauat et ex [Hv
contrarietate moderatur illorum uelocitatem sua tardi-
tate, ita ut in xxx annis circuitum a signo in signum 4
faciat, imaginem dicunt eum Hori eius qui tricesimam
24 nominis illorum Matrem circumcontinet. Lunam quoque
rursus, suum caelum circumeuntem xxx diebus, per
dies numerum xxx Aeonum significare. Et solem autem, 8
in xii mensibus circumeuntem et perficientem circu-
28 larem suam apocatastasin, | per xii menses Duodecadem Hv
manifestare. Et ipsos autem dies, xii horarum mensuram
habentes, typum non apparentis Duodecadis esse. Sed
et horam dicunt, quod est duodecimum diei, ex xxx 4
32 partibus adornatam propter imaginem Triacontadis.
Et ipsius autem zodiaci circuli circummensurationem
esse partium cccLx : quodque enim signorum partes
habere xxx. Sic quoque per circulum imaginem copula-
36 tionis eorum quae sunt xii ad xxx custoditam dicunt. 8

17, 20 qui ad : quia V ‖ concabationem C ‖ 22 signo : signi A^{ac}Q
‖ 23 hori : hore A ‖ trigesimam Q xxxcesimam V ‖ 24 circumcontinet Cε : -ent A circumtinet V *Hv* circumtinent Q ‖ 27
duodecim Qε ‖ 28 suum V ‖ apocatastasin (-sim V) C¹ *cett.* : apotas-
tasin C ‖ duodecim ε ‖ 29 mensuram *om.* AQε ‖ 31 et *om.* Q ‖ est :
et CV ‖ ex : et A ‖ triginta ε ‖ 32 adornatum A ‖ 33 zoziaci C AQ ‖
circum commensurationem ε *Feu.* ‖ 34 cccLx ε : cccLxi CV AQ ‖
36 duodecim ε ‖ custoditam ε : -ta CV AQ

τῷ κύτει βαρύνων καὶ ἀντιταλαντεύων τὴν ἐκείνων ὠκύτητα
628 τῇ ἑαυτοῦ βραδυτῆτι, ὥστε αὐτὸν ἐν τριάκοντα ἔτεσι
τὴν περίοδον ἀπὸ σημείου ἐπὶ σημεῖον ποιεῖσθαι, εἰκόνα
λέγουσιν αὐτὸν τοῦ Ὥρου τοῦ τὴν τριακοντώνυμον
Μητέρα αὐτῶν περιέχοντος. Τὴν σελήνην τε πάλιν, τὸν
632 ἑαυτῆς οὐρανὸν ἐμπεριερχομένην τριάκοντα ἡμέραις, διὰ
τῶν ἡμερῶν τὸν ἀριθμὸν τῶν τριάκοντα Αἰώνων ἐκτυποῦν.
Καὶ τὸν ἥλιον δέ, ἐν δεκαδύο μησὶν περιερχόμενον καὶ
τερματίζοντα τὴν κυκλικὴν αὐτοῦ ἀποκατάστασιν, διὰ

leur rapidité par sa lenteur, de façon à accomplir le
cycle entier de signe en signe en trente années, ils disent
que ce ciel est une image de Limite, qui enveloppe leur
Mère porteuse du trentième nom. La lune à son tour,
en faisant le tour de son ciel en trente jours, figure par
ceux-ci le nombre des Éons. Le soleil, en accomplissant
sa révolution circulaire en douze mois, manifeste par
ces douze mois la Dodécade. Les jours aussi, étant
mesurés par douze heures, sont la figure de l'invisible
Dodécade. L'heure elle-même, qui est la douzième
partie du jour, se répartit en trente portions afin d'être
une image de la Triacontade. Le cercle du zodiaque
comporte aussi 360 degrés, chacun des signes ayant
trente degrés : ainsi, par le cercle, est conservée l'image
de la conjonction du nombre douze avec le nombre

---

636 τῶν δώδεκα μηνῶν τὴν Δωδεκάδα φανερὰν ποιεῖν. Καὶ
αὐτὰς δὲ τὰς ἡμέρας, δεκαδύο ὡρῶν τὸ μέτρον ἐχούσας,
τύπον τῆς ⟨οὐ⟩ φαεινῆς Δωδεκάδος εἶναι. Ἀλλὰ μὴν
καὶ τὴν ὥραν φασί, τὸ δωδέκατον τῆς ἡμέρας, ἐκ τριάκοντα
640 μοιρῶν κεκοσμῆσθαι διὰ τὴν εἰκόνα τῆς Τριακοντάδος.
Καὶ αὐτοῦ δὲ τοῦ ζῳδιακοῦ κύκλου τὴν περίμετρον εἶναι
μοιρῶν τριακοσίων ἑξήκοντα · ἕκαστον γὰρ ζῴδιον μοίρας
ἔχειν τριάκοντα. Οὕτως δὴ καὶ διὰ τοῦ κύκλου τὴν εἰκόνα

[Fr. gr. 10] 627 ἀντιταλαντίων V ‖ ἐκείνου P ‖ 628 ὥστε αὐτὸν
VM : ὡς P ‖ 632 ἑαυτῆς om. P ‖ ἐμπεριερχομένην Holl : ἐμ-
περιεχομένην VM ἐκπεριεχομένην P ‖ τριάκοντα VM : ἐν τριάκοντα P ‖ 633 τριάκοντα VᵃᶜM : om. VᵖᶜP ‖ ἐκτυποῦσαν P ‖
634 δεκαδύο VM : δώδεκα P ‖ περιερχόμενον Holl : περιεχόμενον
VM ἐνπεριεχόμενον P ‖ 635-636 διὰ τῶν δώδεκα μηνῶν om. P
‖ 636 δωδεκάδα P : δωδεκάτην VM ‖ φανερὰν ποιεῖν VM :
φανεροῦν P ‖ 636-637 καὶ αὐτὰς δὲ τὰς P : τὰς δὲ VM ‖ 637
δεκαδύο VM : δώδεκα P ‖ 638 ⟨οὐ⟩ Holl ‖ φαεινῆς (ante δωδεκάδος Holl : ante ἡμέρας lin. seq. VM) : κενῆς P ‖ 638-640
ἀλλὰ — τριακοντάδος om. P ‖ 642 γὰρ om. P ‖ 643 ἔχει VM
‖ δὴ P : δὲ VM

Adhuc etiam et terram in XII climata diuisam dicentes, [HV 1
et in unoquoque | climate unamquamque uirtutem ex HV 16
caelis secundum demissionem suscipientem et similes
40 generantem filios ei uirtuti quae demiserit distillationem, typum esse Duodecadis et filiorum eius manifes-
tissimum adseuerant. 4

17, 2. Ad haec autem uolentem aiunt Demiurgum
44 superioris Ogdoadis interminabile et aeternum et
infinitum et intemporale imitari, et cum non potuisset
perseuerabile eius et perpetuum deformare, ideo quod
fructus sit labis, in temporum spatia et tempora et 8
48 numeros multorum annorum aeternitatem eius deposuisse, existimantem in multitudine temporum imitari
eius interminatum. Hic dicunt, cum effugisset eum
ueritas, subsecutum mendacium, et propter hoc destruc-
52 tionem, adimpletis temporibus, accipere eius opus. | 12

17, 37 duodecim A ‖ 39 dimissionem AQε ‖ 40 dimiserit AQε
‖ 40-41 distillationem V : dest- C AQε ‖ 43 demurgum V ‖ 46
deformare *edd. a Feu.* : -ri *codd.* ε ‖ 47 labiis Qε ‖ 49 multitudine *edd. a Feu.* : -nem *codd.* ε ‖ 50 effugisse Q ‖ 51 mandatum Q
‖ hoc *om.* V ‖ 51-52 destructione Q

644 τῆς συναφείας τῶν δώδεκα πρὸς τὰ τριάκοντα τετηρῆσθαι
λέγουσιν. Ἔτι μὴν καὶ τὴν γῆν εἰς δώδεκα κλίματα
διῃρῆσθαι φάσκοντες καὶ καθ' ἕκαστον κλίμα ἀνὰ μίαν
δύναμιν ἐκ τῶν οὐρανῶν κατὰ κάθετον ὑποδεχομένην καὶ
648 ἐοικότα τίκτουσαν τέκνα τῇ καταπεμπούσῃ τὴν ἀπόρροιαν
δυνάμει, τύπον εἶναι τῆς Δωδεκάδος καὶ τῶν τέκνων
αὐτῆς σαφέστατον διαβεβαιοῦνται.

| **17, 2.** | [29] Πρὸς δὲ τούτοις θελήσαντά φασι τὸν
652 Δημιουργὸν τῆς ἄνω Ὀγδοάδος τὸ ἀπέραντον καὶ αἰώνιον
καὶ ἀόριστον καὶ ἄχρονον μιμήσασθαι, καὶ μὴ δυνηθέντα
τὸ μόνιμον αὐτῆς καὶ ἀΐδιον ἐκτυπῶσαι, διὰ τὸ καρπὸν
αὐτὸν εἶναι ὑστερήματος, εἰς χρόνους καὶ καιροὺς ἀριθμούς
656 τε πολυετεῖς τὸ αἰώνιον αὐτῆς κατατεθεῖσθαι, οἰόμενον

trente. La terre encore est divisée en douze zones,
disent-ils, et en chacune de ces zones elle reçoit perpen-
diculairement des cieux une « vertu » particulière et
met au monde des enfants semblables à la « vertu »
qui a exercé son influx : de la sorte, la terre est manifestement, assurent-ils, la figure de la Dodécade et de
ses enfants.

17, 2. En outre, ils disent que le Démiurge voulut
imiter le caractère infini, éternel, illimité et intemporel
de l'Ogdoade d'en haut, mais qu'il ne put en reproduire
la fixité et l'éternité parce qu'il était le fruit de la
déchéance ; il transposa donc l'éternité de l'Ogdoade
dans des durées et des moments et des quantités consi-
dérables d'années, s'imaginant pouvoir, par la longueur
de ces durées, imiter l'éternité de l'Ogdoade. C'est alors,
disent-ils, que la vérité l'a fui et que le mensonge[1] a
suivi : et c'est pourquoi, lorsque les temps seront
accomplis, son œuvre subira la destruction.

ἐν τῷ πλήθει τῶν χρόνων μιμήσασθαι αὐτῆς τὸ ἀπέραντον.
Ἐνταῦθά τε λέγουσιν, ἐκφυγούσης αὐτὸν τῆς ἀληθείας,
ἐπηκολουθηκέναι τὸ ψεῦδος · καὶ διὰ τοῦτο κατάλυσιν,
660 πληρωθέντων τῶν χρόνων, λαβεῖν αὐτοῦ τὸ ἔργον.

[Fr. gr. 10] 644 τῶν VM : τῆς P ‖ τὰ om. P ‖ τετηρῆσθαι VM :
μετρῆσθαι P ‖ 645 γῆν VM : αὐτὴν P ‖ 646 διηρῆσθαι VM : ἀνηρ-
τῆσθαι P ‖ ἕκαστον VM : ἓν ἕκαστον P ‖ ἀνὰ μίαν P : om. VM ‖
647 κατὰ κάθετον VM : καθ' ἕκαστον P ‖ 648 ἐοικότα VM :
ὁμοιωμένα P¹ ὁμοίωμα P² (cf. Marcovich, p. 306) ‖ post καταπεμπούσῃ add. κατὰ P ‖ 649 δυνάμει Holl We : δύναμιν VMP
‖ εἶναι om. P ‖ post τῆς add. ἄνω P ‖ 649-650 καὶ — διαβεβαιοῦνται om. P ‖ 651 φασι om. P ‖ 654 μόνιμον VM : ἄμωμον
P ‖ post καὶ add. τὸ P ‖ 655 αὐτὸν P : om. VM ‖ post εἰς add.
τοῦτο P ‖ 656 post πολυετεῖς add. πρὸς P ‖ τεθεῖσθαι P ‖ οἰόμενον
VM : γενόμενον μὲν οὖν P ‖ 657 ἀπέραντον VM : ἀόρατον P
‖ 658 τε VM : δὲ P ‖ 659-660 πληρωθέντων τῶν χρόνων κατάλυσιν
∽ P ‖ 660 **post** ἔργον **desinit Hipp.**

18, 1. Et de conditione quidem talia dicentes, quotidie Hv 1
adinuenit unusquisque eorum, quemadmodum potest,
aliquid noui : perfectus enim nemo, nisi qui maxima
4 mendacia apud eos fructificauerit. De propheticis autem 4
quaecumque transformantes coaptant, necessarium est
manifestantes arguitionem his inferre. Moyses enim,
inquiunt, incipiens id quod est secundum conditionem
8 opus, statim in principio Matrem omnium ostendit,
dicens : *In principio fecit Deus caelum et terram*[a]. 8
Quattuor haec nominans, Deum et principium, caelum
et terram, Quaternationem ipsorum, quemadmodum
12 ipsi dicunt, figurauit. Et inuisibile autem et absconditum
eius manifestantem dicere : *Terra autem erat inuisibilis* 12
et incomposita[b]. Secundam autem Quaternationem,
progeniem primae Quaternationis, sic eum dixisse
16 uolunt, | abyssum nominantem et tenebras, in quibus Hv 17
sunt et aquae et qui ferebatur super aquas Spiritus[c]. Post
quam Decadis commemorantem, lumen dicere et diem et
noctem et firmamentum et uesperam et quod uocatur 4

18, 1 *hic inser. codd. & ε tit. cap*[11] xv *de quo u. in init. libri* ‖
4 autem : enim C ‖ 5 esse ε ‖ 6 arguitionem (-ne C) CV : argutionem
Qε argumentationem A ‖ 8 patrem C (ma- C[2]) ‖ 14 secundam
Cε : -dum V AQ ‖ 17 super *om.* AQ (*suppl. mg.* A[2]) ‖ 18 commemorationem A[ac] ‖ 19 et firmamentum *om.* CV ‖ uesperam *edd.* : -ra
codd. ε

| 18, 1. | Καὶ περὶ μὲν τῆς κτίσεως τοιαῦτα λέγοντες,
καθ᾽ ἑκάστην ἡμέραν ἐπιγεννᾷ ἕκαστος αὐτῶν, καθὼς
δύναται, καινότερόν ⟨τι⟩ · τέλειος γὰρ οὐδεὶς ὁ μὴ μεγάλα
664 ψεύσματα παρ᾽ αὐτοῖς καρποφορήσας. Ἐκ δὲ τῶν προφη-
τικῶν ὅσα μεταμορφάζουσιν, ἀναγκαῖον μηνύσαντας τὸν
ἔλεγχον αὐτοῖς ἐπάγειν. Ὁ γὰρ Μωϋσῆς, φασίν, ἀρχόμενος
τῆς κατὰ τὴν κτίσιν πραγματείας, εὐθὺς ἐν ἀρχῇ τὴν
668 Μητέρα τῶν ὅλων ἐπέδειξεν εἰπών · « Ἐν ἀρχῇ ἐποίησεν
ὁ Θεὸς τὸν οὐρανὸν καὶ τὴν γῆν[a]. » Τέσσαρα οὖν ταῦτα
ὀνομάσας, Θεὸν καὶ ἀρχήν, οὐρανὸν καὶ γῆν, τὴν Τετρακτὺν

18, 1. Voilà comment ils s'expriment au sujet de la création, chacun d'entre eux enfantant chaque jour, autant qu'il le peut, quelque chose de nouveau : car nul n'est « parfait », chez eux, s'il n'a « fructifié » en de plantureux mensonges. Mais il nous faut aussi indiquer, pour pouvoir les réfuter ultérieurement, toutes les déformations qu'ils font subir aux oracles des prophètes.

Moïse, disent-ils, en commençant le récit de l'œuvre de création, montre d'emblée, dès le début, la Mère de toutes choses, lorsqu'il dit : « Au commencement Dieu fit le ciel et la terre[a]. » En nommant ces quatre choses, à savoir Dieu, le commencement, le ciel et la terre, Moïse a représenté, disent-ils, leur Tétrade. Et il a indiqué son caractère invisible et caché par les mots : « Or la terre était invisible et non encore organisée[b]. » La seconde Tétrade, rejeton de la première, Moïse l'a exprimée, à les en croire, en nommant l'abîme, les ténèbres, les eaux contenues en ceux-ci et l'Esprit qui était porté sur les eaux[c]. Faisant ensuite mention de la Décade, il a cité la lumière, le jour, la nuit, le firmament, le soir, le matin, la terre sèche, la mer, l'herbe et, en dixième

---

αὐτῶν, ὡς αὐτοὶ λέγουσι, διετύπωσεν. Καὶ τὸ ἀόρατον
672 δὲ καὶ ἀπόκρυφον αὐτῆς μηνύοντα εἰπεῖν · « Ἡ δὲ γῆ
ἦν ἀόρατος καὶ ἀκατασκεύαστος[b]. » Τὴν ⟨δὲ⟩ δευτέραν
Τετράδα, γέννημα πρώτης Τετράδος, οὕτως αὐτὸν εἰρηκέναι
θέλουσιν, ἄβυσσον ὀνομάζοντα καὶ σκότος ἐν σφίσιν
676 αὐτοῖς καὶ ὕδωρ καὶ τὸ ἐπιφερόμενον τῷ ὕδατι Πνεῦμα[c].
Μεθ᾽ ἣν τῆς Δεκάδος μνημονεύοντα φῶς λέγειν καὶ
ἡμέραν καὶ νύκτα, στερέωμά τε καὶ ἑσπέραν καὶ ὃ καλεῖται

[Fr. gr. 10] 663 ⟨τι⟩ Holl ‖ 665 μηνύσαντας Holl : μηνύσαντα VM ‖ 666 ἐπάγει M ‖ 667 τῆς V : τὴν M ‖ 671 τὸ Holl : τὸν VM ‖ 672 post καὶ add. τὸν V ‖ 673 ⟨δὲ⟩ Holl ‖ 674 πρὸ τῆς M

18, 1. a. Gen. 1, 1 ‖ b. Gen. 1, 2 ‖ c. cf. Gen. 1, 2

20 mane et aridam et mare adhuc etiam et herbam et [Hv
decimo loco lignum ^{d} : sic quoque per x nomina x Aeonas
manifestasse. Duodecadis autem sic formatam apud
eos uirtutem : solem enim dicere et lunam et stellas et
24 tempora et annos et cetos, adhuc etiam pisces et 8
serpentia et uolatilia et quadrupedia, feras quoque et
super haec omnia duodecimum hominem^e. Sic ab
Spiritu Triacontadem per Moysen dictam docent. Nec
28 non et formatum hominem secundum imaginem^f supe- 12
rioris Virtutis habere in se eam quae sit ab uno fonte
uirtutem. Constitutam autem eam esse in eo | qui sit Hv
in cerebro locus, ex quo defluant uirtutes iiii secundum
32 imaginem supernae Tetradis, quae uocantur, una
quidem uisio, altera autem auditus, tertia odoratus et
quarta gustatio. Octonationem autem dicunt significari 4
per hominem sic : aures quidem duas habentem et
36 totidem uisus, adhuc etiam odorationes duas et duplicem

18, 20 aridum ε ‖ adhoc AQε ‖ 21 x₁ : decem V ε ‖ 22 formatum
A ‖ 23 eos *codd.* : *forte leg. ex gr.* eum ‖ 26 xii CV AQ ‖ ab C AQ^{ac} :
a V Q^{pc} ‖ 27 moysem V ‖ dictum ε ‖ 29 eas Q ‖ 30 uirtute C ‖
constituam A ‖ 31 quatuor ε ‖ 36 adorationes C (od- C³)

πρωΐ, ξηράν τε καὶ θάλασσαν, ἔτι τε βοτάνην καὶ δεκάτῳ
680 τόπῳ τὸ ξύλον ^{d} · οὕτω τε διὰ τῶν δέκα ὀνομάτων τοὺς
δέκα Αἰῶνας μεμηνυκέναι. Τῆς δὲ Δωδεκάδος οὕτως
ἐξεικονίσθαι παρ' αὐτῷ τὴν δύναμιν · ἥλιον γὰρ λέγειν
καὶ σελήνην, ἀστέρας τε καὶ καιρούς, ἐνιαυτούς τε καὶ
684 κήτη, ⟨ἔτι τε⟩ ἰχθύας καὶ [30] ἑρπετά, πετεινά τε καὶ
τετράποδα, θηρία τε καὶ ἐπὶ πᾶσι τούτοις δωδέκατον τὸν
ἄνθρωπον^e. Οὕτως ὑπὸ τοῦ Πνεύματος τὴν Τριακοντάδα
διὰ Μωϋσέως εἰρῆσθαι διδάσκουσιν. Ἀλλὰ μὴν καὶ τὸν
688 πλασθέντα ἄνθρωπον κατ' εἰκόνα^f τῆς ἄνω Δυνάμεως
ἔχειν ἐν αὐτῷ τὴν ἀπὸ τῆς μιᾶς πηγῆς δύναμιν. Ἱδρῦσθαι

lieu, le bois [d] : c'est ainsi que, par ces dix noms, il a
indiqué les dix Éons. Quant à la « vertu » de la Dodécade, elle a été figurée chez Moïse par là même qu'il a
cité le soleil, la lune, les étoiles, les saisons, les années,
les monstres marins, les poissons, les serpents, les
oiseaux, les quadrupèdes, les animaux sauvages et,
par-dessus tout cela, en douzième lieu, l'homme [e]. Voilà,
enseignent-ils, comment l'Esprit, par l'entremise de
Moïse, a parlé de la Triacontade.

Ce n'est pas tout. Modelé à l'image [f] de la « Puissance »
d'en haut, l'homme a en lui une « puissance » provenant
d'une seule source. Cette « puissance » a son siège dans
le lieu du cerveau. D'elle découlent quatre « puissances »,
à l'image de la Tétrade d'en haut : elles s'appellent,
l'une la vue, l'autre l'ouïe, la troisième l'odorat, la
quatrième le goût. L'Ogdoade apparaît en l'homme en
ce qu'il a deux oreilles, deux yeux, deux narines et une

δὲ ταύτην ἐν τῷ κατὰ τὸν ἐγκέφαλον τόπῳ · ἀφ' ἧς ἀπορρεῖν
δυνάμεις τέσσαρας κατ' εἰκόνα τῆς ἄνω Τετράδος,
692 καλουμένας, τὴν μὲν ὅρασιν, τὴν δὲ ἀκοήν, τὴν δὲ τρίτην
ὄσφρησιν καὶ τὴν τετάρτην γεῦσιν. Τὴν δὲ Ὀγδοάδα
φασὶν μηνύεσθαι διὰ τοῦ ἀνθρώπου οὕτως, ἀκοὰς μὲν
δύο ἔχοντος καὶ τοσαύτας ὁράσεις, ἔτι τε ὀσφρήσεις

[Fr. gr. 10] 679 τε₂ VᵖᶜM : om. Vᵃᶜ ‖ 680 τε Holl : δὲ VM ‖
681 δωδεκάδος Holl : δυωδεκάδος (-οδ-M) VM ‖ 684 <ἔτι τε>
Holl ‖ τε₂ M : om. V ‖ 685 ἐπὶ πᾶσι τούτοις Holl : πετεινὰ που
τοῖς VM ‖ δωδέκατον Holl : δυωδέκατον Vᵖᶜ δυοδέκατον VᵃᶜM
‖ 686 Τριακοντάδα Holl : τριάκοντα VM ‖ 688 πλασθέντα nos,
iuxta Holl in app. : πλαστὸν VM ‖ 689 πηγῆς Holl : πηγὴν
V πηγῆν M ‖ 695 ἔχοντος Holl : ἔχοντας VM

18, 1. d. cf. Gen. 1, 3-13 ‖ e. cf. Gen. 1, 14-28 ‖ f. cf. Gen. 1, 26

gustationem, amari et dulcis. Totum autem hominem [Hv
omnem imaginem Triacontadis sic habere docent : in 8
manibus quidem per digitos Decadem baiulare, in toto
40 autem corpore, cum in XII membra diuidatur, Duodecadem. Diuidunt autem illud, quemadmodum Veritatis
apud eos diuisum est corpus, de quo praediximus.
Ogdoadem autem, inenarrabilem et inuisibilem, in 12
44 visceribus absconditam intellegi.

18, 2. Solem quoque iterum, qui sit magnum luminare,
in quarta dierum fieri[a] propter Quaternationis numerum
dicunt. Tabernaculi quoque quod a Moyse compositum 16
48 est atria de bysso et hyacintho et purpura et coccino[b]
facta, eandem apud eos ostenderunt imaginem. Sacer-
dotis quoque poderem, quattuor | ordinibus lapidum Hv
pretiosorum adornatum[c], Quaternationem significare
52 praefiniunt. Et si qua omnino talia sunt posita in
Scripturis quae quattuor possunt numerum designare,
propter Quaternationem ipsorum dicunt factum. Octo- 4

18, 38 omnem *om.* C (*suppl. s.l.* C²) ‖ 39 dicitos Q ‖ decadam ε
‖ 40 autem *om.* AQε ‖ 43 autem]+ et ε ‖ 45 solemus A ‖ 47 a
om. V (*suppl.* V¹) ‖ moysi CV ‖ 48 abysso V bisso Q ‖ hyacintho
ε : iacyntho C   hyacincto V   iacincto A   yacintho Q ‖ porpura
C : purp- *cett. & edd.* ‖ cocco A ‖ 49 ostendere ε ‖ 49-50 sacerdotes
CV ‖ 50 podorem CV ‖ 51 quaternionem ε ‖ 52 qua *codd.* : *forte
leg. ex gr.* quae ‖ 53 scribturis C

---

696 δύο καὶ διπλῆν γεῦσιν, πικροῦ τε καὶ γλυκέος. Ὅλον δὲ
τὸν ἄνθρωπον πᾶσαν τὴν εἰκόνα τῆς Τριακοντάδος οὕτως
ἔχειν διδάσκουσιν · ἐν μὲν ταῖς χερσὶ διὰ τῶν δακτύλων
τὴν Δεκάδα βαστάζειν, ἐν ὅλῳ δὲ τῷ σώματι εἰς δεκαδύο
700 μέλη διαιρουμένῳ τὴν Δωδεκάδα — διαιροῦσι δὲ αὐτό,
καθάπερ τὸ τῆς Ἀληθείας διῄρηται παρ' αὐτοῖς σῶμα,
περὶ οὗ προειρήκαμεν — · τήν τε οὖν Ὀγδοάδα, ἄρρητόν
τε καὶ ἀόρατον οὖσαν, ἐν τοῖς σπλάγχνοις κρυβομένην
704 νοεῖσθαι.

double gustation, celle de l'amer et celle du doux. Et l'homme tout entier est l'image intégrale de la Triacontade de la façon suivante : en ses mains, par ses dix doigts, il porte la Décade ; en tout son corps, divisé en douze membres, il porte la Dodécade — ils divisent en effet le corps de la même manière que celui de la Vérité, dont nous avons parlé plus haut — ; quant à l'Ogdoade, qui est inexprimable et invisible, elle est conçue comme cachée dans les entrailles.

18, 2. Le soleil, ce grand luminaire, disent-ils encore, a été fait le quatrième jour[a] à cause du nombre de la Tétrade. Les tentures[1] du tabernacle dressé par Moïse, faites de lin fin, d'hyacinthe, de pourpre et d'écarlate[b], présentaient, d'après eux, la même image. Le pectoral du prêtre, orné de quatre rangées[2] de pierres précieuses[c], signifiait également la Tétrade. Bref, tout ce qui, dans les Écritures, est susceptible de se ramener au nombre quatre, ils le disent fait à cause de leur Tétrade.

| 18, 2. | Ἥλιον δὲ πάλιν τὸν μέγαν φωστῆρα ἐν τῇ τετάρτῃ τῶν ἡμερῶν γεγονέναι[a] διὰ τὸν τῆς Τετράδος ἀριθμὸν φάσκουσι. Τῆς τε σκηνῆς τῆς ὑπὸ Μωϋσέως
708 κατασκευασθείσης αἱ αὐλαῖαι ἐκ βύσσου καὶ ὑακίνθου καὶ πορφύρας καὶ κοκκίνου[b] γεγονυῖαι τὴν αὐτὴν παρ' αὐτοῖς ἐπέδειξαν εἰκόνα. Τόν τε τοῦ ἱερέως ποδήρη, τέσσαρσι στοίχοις λίθων πολυτελῶν κεκοσμημένον[c], τὴν Τετράδα
712 σημαίνειν διορίζονται. Καὶ εἴ τινα ⟨ἁπλῶς⟩ τοιαῦτα κεῖται ἐν ταῖς γραφαῖς εἰς τὸν τῶν τεσσάρων δυνάμενα ἄγεσθαι ἀριθμόν, διὰ τὴν Τετρακτὺν αὐτῶν φασι γεγονέ-

---

[Fr. gr. 10] 701 σῶμα Holl : τοῖς σώμασιν VM ‖ 705 μέγαν V[pc] : μέγα V[ac]M ‖ 708 αὐλαῖαι nos : αὐλαὶ VM ‖ 710 ποδήρη V[pc]M : ποδήρην V[ac] ‖ 711 στοίχοις nos, iuxta Holl in app. : στοιχείοις VM ‖ 712 <ἁπλῶς> nos

---

18, 2. a. cf. Gen. 1, 14-19 ‖ **b.** cf. Ex. 26, 1 ‖ **c.** cf. Ex. 28, 17

nationem rursus ostendi sic : in octauo dierum formatum [Hv]
56 dicunt hominem[d]; aliquando enim eum sexto die uolunt
factum, aliquando autem octauo, nisi forte choicum
quidem in sexto dierum dicunt formatum, carnalem
autem in octauo; distincta sunt enim haec apud eos. 8
60 Quidam autem et alterum esse uolunt qui secundum
imaginem et similitudinem Dei factus est[e] homo mas-
culo-feminus, et hunc esse spiritalem, alterum autem
qui ex terra plasmatus sit[f].

64 **18, 3.** Et arcae autem dispositionem in cataclysmo, 12
in qua octo homines liberati sunt[a], manifestissime dicunt
Ogdoadem ostendere. Hoc autem idem et Dauid, cum
octauus esset genitus inter fratres suos[b], significare.
68 Adhuc etiam et circumcisionem, quae octauo die fit[c], 16
circumcisionem superioris Ogdoadis manifestare. Et

18, 55 ostendit V ‖ in octauo ε : in octo A in viii V Q
inum (um *id est* viii) C ‖ 56 eum sexto (sex C[ac] sexta A) die
uolunt CV A : dicunt (uolunt *edd. a Feu.*) eum sexto (vi Q) die
Qε *edd.* ‖ 57 viii Q ‖ nisi : ni C ‖ 58 sexto ε[mg] : sex A vi CV Q
septimo ε ‖ 59 octauo C Aε : viii° V viii Q ‖ distincta ε *cett.* :
descripta ε[mg] ‖ 61 et]+ in V ‖ 62 feminas C ‖ spiritalem *om.* C
(*suppl. mg.* C²) ‖ 63-64 sit. Et *edd. a Gra.* : sit geth CV Q geth A
sit seth ε sit. Sed et *Feu.* ‖ 64 arche A ‖ dispositionem *edd. a Feu.*
ex gr. : -tio CV Aε *om.* Q ‖ cataclysmo ε : cathaclismo C cata-
clismo V chataclysmo A cathaclysmo Q ‖ 65 viii V viiii
(i₁ *expunct.*) Q ‖ 66 ocdoadem C ‖ 67 octauus : viii C octo V ‖
esse AQ ‖ 68-69 quae — circumcisionem *om.* V (*suppl. mg.* V²) ‖
68 octauo AQε : viii C viii° V²

ναι. Τὴν δὲ Ὀγδοάδα πάλιν δείκνυσθαι οὕτως · ἐν τῇ
716 ὀγδόῃ τῶν ἡμερῶν πεπλάσθαι λέγουσι τὸν ἄνθρωπον[d] ·
ποτὲ μὲν γὰρ αὐτὸν τῇ ἕκτῃ βούλονται γεγονέναι, ποτὲ
δὲ τῇ ὀγδόῃ, εἰ μή τι τὸν μὲν χοϊκὸν ἐν τῇ ἕκτῃ τῶν ἡμερῶν
ἐροῦσι πεπλάσθαι, τὸν δὲ σαρκικὸν [31] ἐν τῇ ὀγδόῃ ·
720 διέσταλται γὰρ ταῦτα παρ' αὐτοῖς. Ἔνιοι δὲ ⟨καὶ⟩ ἄλλον

L'Ogdoade, à son tour, apparaît dans le fait que l'homme a été modelé, selon eux, le huitième jour[d]. Tantôt, en effet, ils prétendent qu'il a été fait le sixième jour, et tantôt le huitième, à moins qu'ils ne disent que l'homme « choïque » a été modelé le sixième jour, et l'homme charnel le huitième jour : car ils distinguent ces deux choses. Certains prétendent aussi distinguer l'homme à la fois mâle et femelle fait à l'image et à la ressemblance de Dieu[e] — ce serait l'homme « pneumatique » — et l'homme modelé au moyen de terre[f].

18, 3. De même l'« économie » de l'arche lors du déluge, en laquelle huit hommes furent sauvés[a], indique manifestement l'Ogdoade salvifique. David signifiait la même chose par le fait qu'il était le huitième d'entre ses frères[b]. De même encore la circoncision, qui avait lieu le huitième jour[c], manifestait la circoncision de l'Ogdoade d'en haut. Et absolument tout ce qui, dans

---

θέλουσι τὸν κατ᾽ εἰκόνα καὶ ὁμοίωσιν Θεοῦ γεγονότα[e] ἀρσενόθηλυν ἄνθρωπον, καὶ τοῦτον εἶναι τὸν πνευματικόν, ἄλλον δὲ τὸν ἐκ τῆς γῆς πλασθέντα[f].

724 | **18, 3.** | Καὶ τὴν τῆς κιβωτοῦ δὲ οἰκονομίαν ἐν τῷ κατακλυσμῷ, ἐν ᾗ ὀκτὼ ἄνθρωποι διεσώθησαν[a], φανερώτατά φασι τὴν σωτήριον Ὀγδοάδα μηνύειν. Τὸ αὐτὸ δὲ καὶ τὸν Δαυίδ, ὄγδοον ὄντα τῇ γενέσει τῶν ἀδελφῶν

728   αὐτοῦ[b], σημαίνειν. Ἔτι μὴν καὶ τὴν περιτομήν, ὀκταήμερον γινομένην[c], τὸ περίτμημα τῆς ἄνω Ὀγδοάδος δηλοῦν.

[Fr. gr. 10] 716 ὀγδόῃ (η sup. ras. V) ‖ 720 <καὶ> Holl

18, 2. d. cf. Gen. 2, 7 ‖ e. cf. Gen. 1, 26 ‖ f. cf. Gen. 2, 7
18, 3. a. cf. Gen. 7, 7.13.23. I Pierre 3, 20 ‖ b. cf. I Sam. 16, 10-11
‖ c. cf. Gen. 17, 12

omnino quaecumque inueniuntur in Scripturis | obduci Hv 1
posse ad numerum viii, mysterium Ogdoadis adimplere
72 dicunt. Sed et Decadem significari per x gentes, quas
promisit Deus Abrahae in possessionem dare[d], dicunt.
Et dispositionem autem quae est secundum Sarram, 4
quomodo post x annos dat ei ancillam suam Agar, uti
76 ex ea filium faciat[e], idem significare. Et seruus autem
Abraham missus ad Rebeccam et super puteum dans
ei armillas aureorum x[f], et fratres eius tenentes eam 8
in dies x[g], adhuc etiam Hieroboam, qui x sceptra
80 accepit[h], et tabernaculi x atria[i], et columnae x cubitorum[j], et x filii Iacob ad emptionem tritici prima uice
in Aegyptum missi[k], et x apostoli quibus manifestatur
post resurrectionem Dominus[l], cum Thomas non 12
84 esset praesens, inuisibilem defigurabant secundum eos
Decadem.

18, 70 scribturis C ǁ oduci Q ǁ 71 viii CV Q : octauum Aε ǁ
adimpleri V ǁ 72-73 dicunt — dicunt *om.* Q ǁ 72 et *om.* V ǁ significari ε *edd.* : -re *codd.* ǁ decem Aε ǁ 74 dispositionem *in n. Gra.
in tx. Mass. ex gr. Sti.* : -tio *codd.* ε *Feu. Hv* ǁ autem *om.* Hv ǁ
saram Aε ǁ 75 decem Aε ǁ ut AQ ǁ 77 rebecam V   rebecham Q
ǁ 78 decem Aε ǁ 79 diebus AQ ǁ x₁ : decem Aε ǁ iheroboam A ǁ
qui x sceptra CV Q : qui decem scripta ε quae scripta *(expunct.)* A
qui x tribus A²ᵐᵍ ǁ 80-82 decem ... decem ... decem ... decem Aε
ǁ 84 figurabant Q

Καὶ ἁπλῶς ὅσα εὑρίσκεται ἐν ταῖς γραφαῖς ὑπάγεσθαι
δυνάμενα εἰς τὸν ἀριθμὸν τῶν ὀκτὼ τὸ μυστήριον τῆς
732 Ὀγδοάδος ἐκπληροῦν λέγουσιν. Ἀλλὰ καὶ τὴν Δεκάδα
σημαίνεσθαι διὰ τῶν δέκα ἐθνῶν, ὧν ἐπηγγείλατο ὁ Θεὸς
τῷ Ἀβραὰμ εἰς κατάσχεσιν δοῦναι[d], λέγουσι. Καὶ τὴν
⟨κατὰ⟩ Σάρραν δὲ οἰκονομίαν, ὡς μετὰ ἔτη δέκα δίδωσιν
736 αὐτῷ τὴν ἑαυτῆς δούλην Ἄγαρ, ἵνα ἐξ αὐτῆς τεκνοποιή-
σηται[e], τὸ αὐτὸ δηλοῦν. Καὶ ὁ δοῦλος δὲ ὁ ⟨τοῦ⟩ Ἀβραὰμ

les Écritures, est susceptible de se ramener au nombre huit, accomplit, à les en croire, le mystère de l'Ogdoade.

La Décade, elle aussi, est signifiée par les dix nations que Dieu promit de donner en possession à Abraham[d]. Elle est aussi manifestée par l'« économie » de Sara, qui, après dix ans, donna son esclave Agar à Abraham pour qu'il eût d'elle des enfants[e]. De même encore le serviteur d'Abraham envoyé vers Rebecca et lui faisant cadeau de bracelets d'or d'un poids de dix sicles auprès du puits[f], les frères de Rebecca retenant celle-ci durant dix jours[g], Jéroboam recevant dix sceptres[h], les dix tentures du tabernacle[i], les colonnes de dix coudées[j], les dix fils de Jacob envoyés la première fois en Égypte pour y acheter du blé[k], les dix apôtres auxquels le Seigneur se manifesta après sa résurrection[l] : tout cela figurait, d'après eux, la Décade invisible.

πεμφθεὶς ἐπὶ Ῥεβέκκαν καὶ ἐπὶ τῷ φρέατι διδοὺς αὐτῇ ψέλια χρυσῶν δέκα[f], καὶ οἱ ἀδελφοὶ αὐτῆς κατέχοντες
740 αὐτὴν ἐπὶ δέκα ἡμέρας[g], ἔτι τε Ἰεροβοὰμ ὁ τὰ δέκα σκῆπτρα λαμβάνων[h], καὶ τῆς σκηνῆς αἱ δέκα αὐλαῖαι[i], καὶ οἱ στῦλοι οἱ δεκαπήχεις[j], καὶ οἱ δέκα υἱοὶ Ἰακὼβ ἐπὶ τὴν ὠνὴν τοῦ σίτου τὸ πρῶτον εἰς Αἴγυπτον πεμφθέντες[k],
744 καὶ οἱ δέκα ἀπόστολοι, οἷς φανεροῦται μετὰ τὴν ἔγερσιν ὁ Κύριος[l], τοῦ Θωμᾶ μὴ παρόντος, τὴν ἀόρατον διετύπουν κατ᾽ αὐτοὺς Δεκάδα.

[Fr. gr. 10] 735 <κατὰ> Holl ‖ 737 <τοῦ> nos ‖ 740 ἱεροβοὰμ nos : ῥοβοὰμ VM ‖ 741 post καὶ₁ add. τὴν M ‖ αὐλαῖαι nos : αὐλαί VM

---

18 3. d. cf. Gen. 15, 19-20 ‖ e. cf. Gen. 16, 2-3 ‖ f. cf. Gen. 24, 22 ‖ g. cf. Gen. 24, 55 ‖ h. cf. III Rois 11, 31 ‖ i. cf. Ex. 26, 1 ; 36, 8 ‖ j. cf. Ex. 26, 16 ‖ k. cf. Gen. 42, 3 ‖ l. cf. Jn 20, 24

18, 4. Duodecadem autem, erga quam et mysterium [Hv
passionis labis fuisse, ex qua passione uisibilia fabricata
88 esse uolunt, signanter et manifestissime positam ubique 16
dicunt, ut xii | filios Iacob[a], ex quibus xii quoque Hv 1
tribus[b], et logium uarium xii habens lapides, et xii
tintinnabula[c], et eos qui a Moyse positi sunt sub monte
92 xii lapides[d], similiter autem et eos qui ab Iesu in flumine 4
positi sunt[e], et alteros qui trans positi sunt[f], et por-
tantes arcam testamenti[g], et eos qui ab Helia positi
sunt in holocausto uituli[h], et numerum quoque aposto-
96 lorum. Et omnia omnino quaecumque xii numerum
custodiunt, Duodecadem ipsorum significare uolunt. 8
Horum autem unitatem omnium, quae uocatur Tria-
contas, per eam arcam cuius xxx cubitis altitudo fuit

18, 86 quam *edd.* : quem *codd.* ε ‖ 88 positam ε : -ta *codd.* ‖ 89
ut *ex gr. Feu. Gra. Hv* : et *codd.* ε *Mass. Sti.* ‖ xii₁ CV : decem A
x Q   duodecim ε ‖ xii₂ : duodecim ε ‖ 90 logium C AQε *Feu.* :
longum V   logion *edd. a Gra.* ‖ duodecim ... duodecim ε ‖ 90-92
et₂ — lapides *om.* V (*suppl. mg.* V²) ‖ 91 posita C (-ti C²) ‖ 92 duodecim ε ‖ ab : a VQε ‖ 93 et alteros — sunt *om.* CV ‖ trans positi
edd. a Gra. : transp- AQε *Feu.* ‖ 94 arcam Cε : -cham V AQ ‖
helia ε : helya V AQ elia C ‖ 95 numerum *in n. Gra. in tx. Mass.*
Hv Sti. : -rus *codd.* ε *Feu. Gra.*ᵗˣ ‖ 96 duodecim ε ‖ 99 eam arcam
(-ch- VA) C VA : ea marcam Q   arcam ε ‖ triginta ε ‖ fuit :
om. V (*suppl. s.l.* V²) fuit et ε

| 18, 4. | Τὴν Δωδεκάδα δέ, περὶ ἢν καὶ τὸ μυστήριον τοῦ
748 πάθους τοῦ ὑστερήματος γεγονέναι, ἐξ οὗ πάθους τὰ
βλεπόμενα κατεσκευάσθαι θέλουσιν, ἐπισήμως καὶ φανερῶς
πανταχῇ κεῖσθαι λέγουσιν, ὡς τοὺς δώδεκα υἱοὺς τοῦ
Ἰακώβ[a], ἐξ ὧν καὶ ⟨αἱ⟩ δεκαδύο φυλαί[b], καὶ τὸ λογεῖον τὸ
752 ποικιλτὸν δώδεκα ἔχον λίθους, καὶ τοὺς δώδεκα κώδωνας[c],
καὶ τοὺς ὑπὸ Μωϋσέως τεθέντας ὑπὸ τὸ ὄρος δώδεκα
λίθους[d], ὡσαύτως δὲ καὶ τοὺς ὑπὸ Ἰησοῦ [32] ἐν τῷ

18, 4. La Dodécade, en laquelle s'est produit le
mystère de la « passion » de déchéance — c'est de cette
« passion » que, selon eux, auraient été formées les
choses visibles —, se rencontre partout de façon claire
et manifeste. Ainsi les douze fils de Jacob[a], d'où sont
issues les douze tribus[b] ; le pectoral aux couleurs variées,
ayant douze pierres précieuses et douze clochettes[1c] ;
les douze pierres dressées par Moïse au pied de la
montagne[d] ; les douze pierres dressées par Josué au
milieu du fleuve[e] et les douze autres qu'il dressa au-delà
du fleuve[f] ; les douze hommes qui portèrent l'arche
d'alliance[g] ; les douze pierres disposées par Élie lors
de l'holocauste du taureau[h] ; les douze apôtres enfin :
bref, tout ce qui présente le nombre douze signifie,
disent-ils, leur Dodécade.

Quant à la réunion de tous les Éons, appelée par eux
Triacontade, elle est indiquée par l'arche de Noé, dont

ποταμῷ[e], καὶ ἄλλους εἰς τὸ πέραν[f], καὶ τοὺς βαστάζοντας
756 τὴν κιϐωτὸν τῆς διαθήκης[g], καὶ τοὺς ὑπὸ Ἠλίᾳ τεθειμένους
ἐν τῇ ὁλοκαυτώσει τοῦ μόσχου[h], καὶ τὸν ἀριθμὸν δὲ τῶν
ἀποστόλων. Καὶ πάντα ἁπλῶς ὅσα τὸν ⟨τῶν⟩ δώδεκα
ἀριθμὸν διασῴζει τὴν Δωδεκάδα αὐτῶν χαρακτηρίζειν
760 λέγουσι. Τὴν δὲ τούτων πάντων ἕνωσιν ὀνομαζομένην
Τριακοντάδα διὰ τῆς τριάκοντα πηχῶν τὸ ὕψος ἐπὶ Νῶε

[Fr. gr. 10] 747 δωδεκάδα Holl : δυωδεκάδα VM ‖ 751 ⟨αἱ⟩
Holl ‖ λογεῖον nos : λόγιον VM ‖ 758 ⟨τῶν⟩ δώδεκα nos, iuxta
Holl in app. : δωδέκατον VM

18, 4. a. cf. Gen. 35, 22-26 ‖ b. cf. Gen. 49, 28 ‖ c. cf. Ex. 28, 21 ;
36, 21 ‖ d. cf. Ex. 24, 4 ‖ e. cf. Jos. 4, 9 ‖ f. cf. Jos. 4, 20 ‖ g. cf.
Jos. 3, 12 ‖ h. cf. III Rois 18, 31

100 sub Noe[j], et per Samuhel declinantem | Saul[j] in <...qui> Hv
    xxx diebus abscondebatur in agro[k], et per eos qui cum
    eo intrauerunt in speluncam[l], et propter id quod longi-
    tudo fuerit sancti tabernaculi xxx cubitorum[m]. Et
104 quaecumque alia aequalia numeris his inueniuntur, 4
    Triacontadem ipsorum per huiusmodi ostendunt adseue-
    rationes.

    19, 1. Necessarium autem duxi addere his et quanta
    de Propatore ipsorum, qui incognitus erat omnibus ante
    aduentum Christi, eligentes de Scripturis suadere 8
    4 contendunt, uti ostendant Dominum nostrum alterum
    adnuntiare Patrem praeter Fabricatorem huius uniuer-
    sitatis, quem, sicuti praediximus, impie blasphemantes
    labis fructum esse dicunt. Prophetam igitur Esaiam
    8 dicentem : *Israel autem me non cognouit et populus me* 12
    non intellexit[a], inuisibilis Bythi ignorantiam dixisse

    18, 100 samuhel C : samuel VAQ   samuelem ε edd. ‖ <...
qui > *de defectu mss u. notas apud edd. a Feu., 2Ls187-190 et
apud nos not. iustif. ad h.l.* ‖ 101 triginta ε ‖ 102 propter *codd.* :
forte leg. ex gr. per ‖ id C² *cett.* : *om.* C ‖ 103 triginta ε ‖ cubitorum
om. C (*suppl. s.l.* C³) ‖ 105 ostendunt adseuerationes *codd.* : *forte
leg. ex gr.* ostendere adseuerant
    19, 1 *hic inser. codd. & ε tit. cap*[li] xvi *de quo u. in init. libri* ‖
2 patrepatore CV ‖ omnibus *om.* Q (*suppl. s.l.* Q¹) ‖ 3 edlegentes Q
ele- Q[pc] ‖ scribturis C ‖ 4 ut AQε ‖ nostrum : non ε ‖ 6 sicut AQε ‖
7 labiis AQε ‖ ysayam V   ysaiam AQ ‖ 9 bithy C

    κιβωτοῦ[l], καὶ διὰ Σαμουὴλ κατακλίναντος τὸν Σαοὺλ[j] ἐν
    τοῖς τριάκοντα κλητοῖς πρῶτον, καὶ διὰ Δαυίδ, ὅτε ἐπὶ
764 τριάκοντα ἡμέραις ἐκρύβετο ἐν τῷ ἀγρῷ[k], καὶ διὰ τῶν
    συνεισελθόντων αὐτῷ εἰς τὸ σπήλαιον λ̄[l], καὶ διὰ τοῦ τὸ
    μῆκος γίνεσθαι τῆς ἁγίας σκηνῆς τριάκοντα πηχῶν[m].
    Καὶ εἴ τινα ἄλλα ἰσάριθμα τούτοις εὑρίσκουσι, τὴν
768 Τριακοντάδα αὐτῶν διὰ τῶν τοιούτων ἐπιδεικνύναι φιλερι-
    στοῦσιν.

la hauteur était de trente coudées[1], par Samuel faisant
asseoir Saül en tête des trente invités[j1], par David, qui
se cacha pendant trente jours[2] dans le champ[k], par les
trente hommes qui entrèrent avec lui dans la caverne[l3],
par la longueur du saint tabernacle qui était de trente
coudées[m]. Et toutes les fois qu'ils rencontrent d'autres
passages où figure ce nombre, ils prétendent prouver par
eux leur Triacontade[4].

Exégèses marcosiennes relatives au Père inconnu.

19, 1. J'ai cru nécessaire d'ajouter à tout cela ce que,
à l'aide de textes arrachés aux Écritures, ils tentent de
faire accroire au sujet de leur Pro-Père, prétendument
inconnu de tous avant la venue du Christ : ils veulent
prouver par là que notre Seigneur a annoncé un autre
Père que le Créateur de cet univers — ce Créateur que,
comme nous l'avons déjà dit, ces impies blasphémateurs
disent être un « fruit de déchéance ». Donc, lorsqu'Isaïe
dit : « Israël ne m'a pas connu et le peuple ne m'a pas
compris[a] », ils veulent qu'il ait parlé de l'ignorance où

| **19,** 1. | ’Αναγκαῖον ⟨δὲ⟩ ἡγησάμην προσθεῖναι τούτοις
καὶ ὅσα περὶ τοῦ Προπάτορος αὐτῶν, ὃς ἄγνωστος ἦν τοῖς
772 πᾶσι πρὸ τῆς τοῦ Χριστοῦ παρουσίας, ἐκλέγοντες ἐκ τῶν
γραφῶν πείθειν ἐπιχειροῦσιν, ἵν’ ἐπιδείξωσι τὸν Κύριον
ἡμῶν ἄλλον καταγγέλλοντα Πατέρα παρὰ τὸν Ποιητὴν
τοῦδε τοῦ παντός, ὅν, καθὼς προέφαμεν, ἀσεβοῦντες
776 ὑστερήματος καρπὸν εἶναι λέγουσι. Τὸν γοῦν προφήτην
Ἡσαΐαν εἰπόντα · « Ἰσραὴλ δέ με οὐκ ἔγνω, καὶ ὁ λαός
με οὐ συνῆκεν[a] », τὴν τοῦ ἀοράτου Βυθοῦ ἀγνωσίαν

[Fr. gr. 10] 765 τοῦ τὸ M : τοῦτο τὸ V ‖ 770 ⟨δὲ⟩ Holl

18, 4, i. cf. Gen. 6, 15 ‖ j. cf. I Sam. 9, 22 ‖ k. cf. I Sam. 20, 5
‖ l. cf. II Sam. 23, 13 ‖ m. cf. Ex. 26, 8
19, 1. a. Is. 1, 3

coaptant. Et in | Osee quod dictum est : *Non est in eis* Hv
ueritas neque agnitio Dei[b], in hoc idem tendere conantur.

12 Et : *Non est intellegens aut requirens Deum; omnes
declinauerunt, simul inutiles facti sunt*[c], in Bythi igno- 4
rantia apponunt. Et per Moysen autem dictum : *Nemo
uidebit Deum et uiuet*[d], in illum habere suadent relatio-
16 nem. **19, 2.** Et Fabricatorem quidem a prophetis uisum
dicunt, illud autem quod scriptum est : *Nemo uidebit
Deum et uiuet*[a], de inuisibili Magnitudine et incognita 8
omnibus dictum uolunt. Et quoniam quidem de inuisibili
20 Patre Factore omnium dictum est : *Nemo uidebit Deum*,
omnibus nobis manifestum est; quoniam autem non
de hoc qui ab his adinuentus est Bythus, sed de
Demiurgo, et ipse est inuisibilis Deus, ostendetur pro- 12
24 cedente sermone. Et Danihelum autem hoc idem significare in eo quod interrogat angelum absolutiones

---

19, 13 bithy C Q ‖ 14 moysem V ‖ dictum]+ est V ‖ 19 omnibus *om.* V ‖ 20 patre *codd.* : *forte leg. ex gr.* patre et ‖ deum]
+ et AQε ‖ 21 non *om.* C (*suppl. s.l.* C[2]) ‖ 22 de₂ *om.* CQε
(*suppl. s.l.* C[2]) ‖ 23 ostendetur *nos ex gr. Mass. in n.* : -ditur
codd. ε *edd. in tx.* ‖ 24 danihelum CVQ *(1Ls52)* : daniel A
danielem ε *edd.* ‖ 25 interroget CV

εἰρηκέναι μεθαρμόζουσι. Καὶ διὰ ᾿Ωσηὲ τὸ εἰρημένον·
780 « Οὐκ ἔστιν ἐν αὐτοῖς ἀλήθεια οὐδὲ ἐπίγνωσις Θεοῦ[b] »,
εἰς τὸ αὐτὸ συντείνειν βιάζονται. Καὶ τό· « Οὐκ ἔστιν
ὁ συνίων ἢ ἐκζητῶν τὸν Θεόν· πάντες ἐξέκλιναν, ἅμα
ἠχρειώθησαν[c] », ἐπὶ τῆς τοῦ Βυθοῦ ἀγνωσίας τάττουσι.
784 Καὶ τὸ διὰ Μωϋσέως δὲ εἰρημένον· « Οὐδεὶς ὄψεται τὸν
Θεὸν καὶ ζήσεται[d] », εἰς ἐκεῖνον ἔχειν πείθουσι τὴν
ἀναφοράν. | **19, 2.** | Τὸν μὲν γὰρ Ποιητὴν ἐπιψευδόμενοι
ὑπὸ τῶν προφητῶν ἑωρᾶσθαι λέγουσι, τὸ δ᾿· « Οὐδεὶς
788 ὄψεται τὸν Θεὸν καὶ ζήσεται[a] », περὶ τοῦ [33] ἀοράτου
Μεγέθους καὶ ἀγνώστου τοῖς πᾶσιν εἰρῆσθαι θέλουσι.
Καὶ ὅτι μὲν περὶ τοῦ ἀοράτου Πατρὸς καὶ Ποιητοῦ τῶν

l'on était de l'Abîme invisible. La parole d'Osée : « Il n'y a en eux ni vérité ni connaissance de Dieu [b] », ils la détournent de force dans le même sens. Le verset : « Il n'est personne qui ait de l'intelligence ou qui recherche Dieu ; tous se sont égarés, ensemble ils se sont corrompus [c] », ils l'entendent de l'ignorance où l'on était de l'Abîme. La parole de Moïse : « Nul ne verra Dieu et vivra [d] » se rapporterait également à l'Abîme. **19, 2.** Car c'est l'Auteur du monde, prétendent-ils, qui a été vu par les prophètes ; quant à la parole : « Nul ne verra Dieu et vivra [a] », ils veulent qu'elle ait été dite de la Grandeur invisible et inconnue de tous. — Que cette parole : « Nul ne verra Dieu et vivra » ait été dite de Celui qui est le Père invisible et l'Auteur de toutes choses, c'est clair pour nous tous ; qu'elle concerne, non pas l'Abîme inventé de toutes pièces par eux, mais le Créateur, qui n'est autre que le Dieu invisible, nous le montrerons dans la suite de notre ouvrage. — Daniel encore, à les en croire, signifiait la même chose, lorsqu'il demandait à l'ange l'explication des paraboles, ce qui

---

ὅλων εἴρηται τό · « Οὐδεὶς ὄψεται τὸν Θεόν », πᾶσιν
792 ἡμῖν φανερόν ἐστιν · ὅτι δὲ οὐ περὶ τοῦ ὑπὸ τούτων
παρεπινοουμένου Βυθοῦ, ἀλλὰ περὶ τοῦ Δημιουργοῦ, καὶ
αὐτός ἐστιν ὁ ἀόρατος Θεός, δειχθήσεται τοῦ λόγου
προϊόντος. Καὶ τὸν Δανιὴλ δὲ τὸ αὐτὸ τοῦτο σημαίνειν
796 ἐν τῷ ἐπερωτᾶν τὸν ἄγγελον τὰς ἐπιλύσεις τῶν παραβολῶν,

[Fr. gr. 10] 781 τό₂ M : om. V ‖ 784 δὲ V : om. M ‖ 789 θέλουσι
V : λέγουσι M ‖ 792 δὲ VᵖᶜM : om. Vᵃᶜ ‖ οὐ Holl : οὐδὲ VM ‖
τοῦ VᵖᶜM : τῶν Vᵃᶜ ‖ ὑπὸ Holl : ἐπὶ VM ‖ 794 τοῦ VᵖᶜM : καὶ
τοῦ Vᵃᶜ

19, 1. b. Osée 4, 1 ‖ c. Ps. 13, 2-3. Rom. 3, 11-12 ‖ d. Ex. 33, 20
19, 2. a. Ex. 33, 20

parabolarum, quasi non scientem. Sed et angelum [Hᴠ
abscondentem ab eo magnum mysterium Bythi dicere
28 ei : *Recurre, Danihel; hi enim sermones obstructi sunt*, | 16
quoadusque intellectores intellegant et albi inalbentur ᵇ: Hᴠ
et seipsos esse albos et intellectores gloriantur.

20, 1. Super haec autem inenarrabilem multitudinem
apocryphorum et perperum scripturarum, quas ipsi 4
finxerunt, adferunt ad stuporem insensatorum et quae
4 sunt ueritatis non scientium litteras. Adsumunt autem
in hoc et illam falsationem, quasi Dominus cum puer
esset et disceret litteras, cum dixisset magister eius, 8
quemadmodum in consuetudine est : Dic a, | respon- Hᴠ
8 derit a. Rursus cum magister iussisset dicere eum b,
respondisse Dominum : Tu prior dic mihi quid est a,
et tunc ego tibi dicam quid est b. Et hoc exponunt,
quasi ipse solus incognitum scierit, quod manifestauit 4
12 in typum alphae.

19, 27 bithy Q ‖ 28 danihel CV Qᴵᵖᶜ : daniel AQᵃᶜε ‖ 29
intelligat ‖ 30 ipsos V ‖ albos esse ∽ A
20, 1 *hic inser. codd. & ε tit. cap*ᵘ xvɪɪ *de quo u. in init. libri* ‖
2 scribturarum C ‖ quas : quasi Q ‖ 5 dominus AQε : deum CV ‖
6 et *om.* Q ‖ 7 a : *litt.* A *cod.* Q *edd.* ‖ 7-8 respondit Qε ‖ 8 a : *litt.* A
cod. Q *edd.* ‖ rursum Qε ‖ dicere eum CQε : eum dicere ∽ A   dicere
V ‖ b : *litt.* B *edd.* ‖ 9 prior *codd.* : *forte leg. ex gr.* prius ‖ a : *litt.* A
cod. Qε ‖ 10 dicam tibi ∽ Qε *edd.* ‖ b : *litt.* B ε *edd.* ‖ exponunt :
ex hoc ponunt CV ‖ 11 cognitum AQε ‖ 12 alphae (-f-) CV : .a.
cod. A *litt.* A *cod.* Qε

ὡς μὴ εἰδότα. Ἀλλὰ καὶ τὸν ἄγγελον ἀποκρυπτόμενον
ἀπ᾽ αὐτοῦ τὸ μέγα μυστήριον τοῦ Βυθοῦ εἰπεῖν αὐτῷ ·
« Ἀπότρεχε, Δανιήλ · οὗτοι γὰρ οἱ λόγοι ἐμπεφραγμένοι
800 εἰσίν, ἕως οἱ συνιέντες συνιῶσι καὶ οἱ λευκοὶ λευκανθῶσι ᵇ » ·
καὶ αὐτοὺς εἶναι τοὺς λευκοὺς καὶ τοὺς συνιέντας αὐχοῦσιν.

| **20, 1.** | Πρὸς δὲ τούτοις ἀμύθητον πλῆθος ἀποκρύφων
καὶ νόθων γραφῶν, ἃς αὐτοὶ ἔπλασαν, παραφέρουσιν
804 εἰς κατάπληξιν τῶν ἀνοήτων καὶ τὰ τῆς ἀληθείας μὴ
ἐπισταμένων γράμματα. Προσπαραλαμβάνουσι δὲ εἰς

prouve bien qu'il l'ignorait. Et l'ange tenait caché à ses
yeux le grand mystère de l'Abîme, lorsqu'il lui répondait : « Retire-toi, Daniel, car ces paroles sont obstruées
jusqu'à ce que comprennent ceux qui comprendront et
soient rendus brillants ceux qui seront brillants[b]. »
Ils se targuent d'être eux-mêmes « ceux qui sont
brillants » et « ceux qui comprennent » !

20, 1. Outre cela, ils introduisent subrepticement
une multitude infinie d'Écritures apocryphes et bâtardes
confectionnées par eux pour faire impression sur les
simples d'esprit et sur ceux qui ignorent les écrits
authentiques. Dans le même but, ils y ajoutent encore
la fausseté que voici : Lorsque le Seigneur était enfant
et apprenait ses lettres, le maître lui dit, comme c'était
la coutume : Dis alpha ; il répondit alpha. Mais lorsqu'ensuite le maître lui eut enjoint de dire bêta, le
Seigneur lui répondit : Dis-moi d'abord toi-même ce
qu'est alpha, et je te dirai alors ce qu'est bêta. Ils
expliquent cette réponse du Seigneur en ce sens que lui
seul aurait connu l'Inconnaissable, qu'il manifesta sous
la figure de la lettre alpha[1].

τοῦτο κἀκεῖνο τὸ ῥᾳδιούργημα, ὡς τοῦ Κυρίου παιδὸς
ὄντος καὶ μανθάνοντος τὰ γράμματα, τοῦ διδασκάλου
808 αὐτῷ φήσαντος, καθὼς ἔθος ἐστίν · Εἰπὲ ἄλφα, ἀποκρίνασθαι τὸ ἄλφα. Πάλιν τε τὸ βῆτα τοῦ διδασκάλου
κελεύοντος εἰπεῖν, ἀποκρίνασθαι τὸν Κύριον · Σύ μοι
πρότερον εἰπὲ τί ἐστι τὸ ἄλφα, καὶ τότε σοι ἐρῶ τί ἐστι τὸ
812 βῆτα. Καὶ τοῦτο ἐξηγοῦνται, ὡς αὐτοῦ μόνου τὸ ἄγνωστον
ἐπισταμένου, ὃ ἐφανέρωσεν ἐν τῷ τύπῳ τοῦ ἄλφα.

[Fr. gr. 10] 801 τοὺς₂ nos, iuxta Holl in app. : εὖ VM ‖
806-807 παιδὸς — γράμματα M : om. V ‖ 807 τοῦ Holl : τὰ
διὰ τοῦ VᵖᶜM διὰ τοῦ Vᵃᶜ

19, 2. b. Dan. 12, 9-10

20, 2. Quaedam autem eorum quae in Euangelio [Hv
posita sunt in hunc characterem transfigurant, sicut
illud quod ad matrem suam, XII annorum exsistens,
16 respondit dicens : *Non scitis quoniam in his quae Patris* 8
mei sunt oportet me esse[a]*?* Hunc quem non sciebant,
dicunt, Patrem adnuntiabat eis; et propter hoc emisisse
discipulos in XII tribus[b] adnuntiantes ignotum eis Deum.
20 Et ei qui dixisset illi : *Magister bone*[c], eum qui uere
bonus esset Deus confessum esse respondentem : *Quid* 12
me dicis bonum? unus est bonus, Pater in Caelis[d]. Caelos
autem nunc | Aeonas dictos dicunt. Et propter hoc Hv
24 non respondisse eis qui ei dixerunt : *In qua uirtute hoc*
facis[e]*?* sed e contrario interrogatione sua consternasse
eos[f], inenarrabile Patris, in eo quod non dixerit, [non] 4
ostendisse eum interpretantur. Sed et in eo quod dixerit :
28 *Saepius concupiui audire unum ex sermonibus istis, et*
non habui qui diceret mihi[g], manifestantis dicunt esse

20, 15 quod : qm̄ (= quoniam) C[ac] ‖ duodecim ε ‖ exsistens C²
cett. : ▨▨▨▨tens C ‖ 16 in *om.* C *(suppl. s.l.* C²) ‖ 16-17 his quae
patris mei sunt VA²ˢˡ : patris mei C   patre *(cancell.)* A patris Q ‖
18 dicit V ‖ patrem]+ et *expunct.* V ‖ 19 in *om.* CV ‖ duodecim ε
‖ tribubus V[ac] ‖ ignotum *om.* V ‖ 22 bonum *om.* AQε *(suppl. mg.*
A²) ‖ 23 dictos *om.* Qε ‖ 26 non₂ *(codd.* ε) seclusimus cum Feu.
Gra. Hv ‖ 27 et *om.* ε

| **20,** 2. | Ἔνια δὲ καὶ τῶν ἐν τῷ Εὐαγγελίῳ κειμένων
εἰς τοῦτον τὸν χαρακτῆρα μεθαρμόζουσιν, ὡς τὴν πρὸς
816 τὴν μητέρα αὐτοῦ δωδεκαετοῦς ὄντος ἀπόκρισιν · « Οὐκ
οἴδατε ὅτι ἐν τοῖς τοῦ Πατρός μου δεῖ με εἶναι[a] ; » "Ον οὐκ
ᾔδεισαν, φασί, Πατέρα κατήγγελλεν αὐτοῖς. Καὶ διὰ
τοῦτο ἐκπέμψαι τοὺς μαθητὰς εἰς τὰς δώδεκα φυλάς[b],
820 κηρύσσοντας τὸν ἄγνωστον αὐτοῖς Θεόν. Καὶ τῷ εἰπόντι
αὐτῷ · « Διδάσκαλε ἀγαθέ[c] », τὸν ἀληθῶς ἀγαθὸν Θεὸν
ὡμολογηκέναι εἰπόντα · « Τί με λέγεις ἀγαθόν ; Εἷς
ἐστιν ἀγαθός, ὁ Πατὴρ ἐν τοῖς Οὐρανοῖς[d] » · Οὐρανοὺς
824 δὲ νῦν τοὺς Αἰῶνας εἰρῆσθαι λέγουσι. Καὶ διὰ [34] τοῦ

20, 2. Ils détournent aussi dans le même sens certaines paroles figurant dans l'Évangile. Ainsi, la réponse que le Seigneur, âgé de douze ans, fit à sa mère : « Ne savez-vous pas que je dois être aux choses de mon Père ? [a] » : il leur annonça par là, disent-ils, le Père qu'ils ne connaissaient pas. C'est aussi pour cela qu'il envoya ses disciples vers les douze tribus [b], afin qu'ils leur annoncent le Dieu qui leur était inconnu. De même, à celui qui lui disait : « Bon Maître [c] », le Seigneur désigna sans ambages le Dieu véritablement bon, en lui répondant : « Pourquoi m'appelles-tu bon ? Un seul est bon, le Père qui est parmi les Cieux [d] » : les Cieux dont il est ici question, ce sont, disent-ils, les Éons. De même encore, le Seigneur ne répondit pas[1] à ceux qui lui demandaient : « Par quelle puissance fais-tu cela ? [e] », mais, par la question qu'il leur opposa, il les plongea dans l'embarras [f] : en ne répondant pas, expliquent-ils, le Seigneur montra le caractère inexprimable du Père[2]. De même, la parole : « Souvent ils ont désiré entendre une seule de ces paroles, mais ils n'ont eu personne qui la leur dise [g] »[3], est, disent-ils, de quelqu'un qui

---

μὴ ἀποκριθῆναι τοῖς εἰποῦσιν αὐτῷ · « Ἐν ποίᾳ δυνάμει τοῦτο ποιεῖς [e] ; » ἀλλὰ τῇ ἀντεπερωτήσει ἀπορῆσαι αὐτούς [f], τὸ ἄρρητον τοῦ Πατρός, ἐν τῷ ⟨μὴ⟩ εἰπεῖν,
828 δεδειχέναι αὐτὸν ἐξηγοῦνται. Ἀλλὰ καὶ ἐν τῷ εἰρηκέναι ·
« Πολλάκις ἐπεθύμησαν ἀκοῦσαι ἕνα τῶν λόγων τούτων, καὶ οὐκ ἔσχον τὸν ἐροῦντα [g] », ἐμφαίνοντός φασιν εἶναι

[Fr. gr. 10] 822 ὡμολογηκέναι Holl : ὁμολογη- M ὁμογη- V ‖ 827 ⟨μὴ⟩ Holl ‖ 829 ἐπεθύμησαν nos : ἐπεθύμησα VM ‖ 830 εἶναι Vac : δεῖν VpcM

20, 2. a. Lc 2, 49 ‖ b. cf. Matth. 10, 5-6 ‖ c. Matth. 19, 16 ‖ d. Matth. 19, 17 ‖ e. Matth. 21, 23 ‖ f. cf. Matth. 21, 24-27 ‖ g. agraphon

per hoc *unum* eum qui sit uere unus Deus, quem non [Hv
cognouerint. Adhuc in eo quod appropinquans ad 8
32 Hierusalem plorauerit super eam et dixerit : *Si cognouis-*
ses et tu hodie quae sunt ad pacem, abscondita autem sunt
a te[h], per eum sermonem qui est absconditus apocryphum Bythi manifestasse. Et iterum dicentem : *Venite*
36 *ad me, omnes qui laboratis et onerati estis, et discite a me*[i], 12
Veritatis Patrem adnuntiasse. Quod enim non sciebant,
inquiunt, hoc eis promisit se docturum.

20, 3. Ostensionem autem superiorum et uelut finem |
40 regulae suae adferunt haec : *Confiteor tibi, Pater, Domine* Hv 1
Terrae et Caelorum, quoniam abscondisti ea a sapientibus
et prudentibus et reuelasti ea paruulis. Ita Pater meus,
quoniam in conspectu tuo placitum factum est. Omnia 4
44 *mihi tradita sunt a Patre, et nemo cognouit Patrem nisi*
Filius, et Filium nisi Pater, et cuicumque Filius reue-
lauerit[a]. In his enim manifestissime aiunt ostendisse

20, 31 cognouerunt V ‖ adhuc *om*. AQε *Feu*. ‖ appropinquauit
AQε ‖ 32 plorauit ... dixit ε ‖ 34-35 apocryphum ε : -chrifum C
-crifum A   -cryphym Q   appocriffum V ‖ 35 bithy C   bythum ε
‖ 36 laborati V ‖ et₂ *om*. AQε ‖ 37 ueritatem patris Qε ‖ non sciebant : nesc- ε ‖ 38 promisit se docturum : promisisse doctorum
(-urum ε) AQε ‖ 39 fine Q ‖ 41 terrae : caeli AQε ‖ caelorum :
terrae ε ‖ ea *om*. ε ‖ a *om*. Q ‖ 46 in *om*. AQ

διὰ τοῦ « ἕνα » τὸν ἀληθῶς ἕνα Θεόν, ὃν οὐκ ἐγνώκεισαν.
832 Ἔτι ἐν τῷ προσσχόντα αὐτὸν τῇ Ἱερουσαλὴμ δακρῦσαι
ἐπ᾽ αὐτὴν καὶ εἰπεῖν · « Εἰ ἔγνως καὶ σὺ σήμερον τὰ πρὸς
εἰρήνην, ἐκρύβη δὲ ⟨ἀπό⟩ σου[h] », διὰ τοῦ « ἐκρύβη »
ῥήματος τὸ ἀπόκρυφον τοῦ Βυθοῦ δεδηλωκέναι. Καὶ
836 πάλιν εἰπόντα · « Δεῦτε πρός με πάντες οἱ κοπιῶντες καὶ
πεφορτισμένοι, καὶ μάθετε ἀπ᾽ ἐμοῦ[i] », τὸν τῆς Ἀληθείας
Πατέρα κατηγγελκέναι. Ὃ γὰρ οὐκ ᾔδεισαν, φασί, τοῦτο
αὐτοῖς ὑπέσχετο διδάξειν.

840 | **20, 3.** | ⟨Ἀπόδειξιν⟩ δὲ τῶν ἀνωτάτω καὶ οἱονεὶ
κορωνίδα τῆς ὑποθέσεως αὐτῶν φέρουσι ταῦτα · « Ἐξομο-
λογοῦμαί σοι, Πάτερ, Κύριε τῶν Οὐρανῶν καὶ τῆς Γῆς,

manifeste, par ce mot « une seule », le seul vrai Dieu
qu'on ne connaissait pas. De même encore, lorsque le
Seigneur, approchant de Jérusalem, pleura sur elle et
dit : « Ah ! si tu avais reconnu, toi aussi, aujourd'hui,
ce qui devait procurer la paix. Mais cela t'a été caché [h] »,
il aurait, par les mots « cela t'a été caché », révélé le
mystère caché de l'Abîme. Et lorsqu'il dit : « Venez à
moi, vous tous qui peinez et ployez sous le fardeau, et
faites-vous mes disciples [i] », il aurait annoncé le Père
de la Vérité : car, disent-ils, ce qu'ils ignoraient, il
promettait de le leur enseigner.

20, 3. Enfin, comme preuve [1] de tout ce qui précède et,
pour ainsi dire, comme expression ultime de tout leur
système, ils apportent le texte suivant : « Je te loue,
ô Père, Seigneur des Cieux et de la Terre [2], d'avoir
caché ces choses aux sages et aux prudents et de les
avoir révélées aux petits. Oui, Père, car tel a été ton
bon plaisir. Toutes choses m'ont été remises par mon
Père, et nul n'a connu le Père sinon le Fils, ni le Fils
sinon le Père, et celui à qui le Fils les a révélés [a]. » [3] Par
ces paroles, disent-ils, le Seigneur a clairement montré

ὅτι ἀπέκρυψας αὐτὰ ἀπὸ σοφῶν καὶ συνετῶν καὶ ἀπεκά-
844 λυψας αὐτὰ νηπίοις · οὐά, ὁ Πατήρ μου, ὅτι ἔμπροσθέν
σου εὐδοκία [μοι] ἐγένετο. Πάντα μοι παρεδόθη ὑπὸ τοῦ
Πατρός μου, καὶ οὐδεὶς ἔγνω τὸν Πατέρα, εἰ μὴ ὁ Υἱός,
καὶ τὸν Υἱόν, εἰ μὴ ὁ Πατήρ, καὶ ᾧ ἂν ὁ Υἱὸς ἀποκαλύψῃ [a]. »
848 Ἐν τούτοις ⟨γὰρ⟩ διαρρήδην φασὶ δεδειχέναι αὐτόν,

[Fr. gr. 10] 831 ἕνα₁ Holl : ἑνὸς VM ‖ 834 ⟨ἀπὸ⟩ Holl ‖ 838 φασί
Vᵃᶜ : φησί VᵖᶜM ‖ 840 ⟨ἀπόδειξιν⟩ Holl ‖ 841-842 ἐξομολογοῦμαι
Holl : -γήσομαι VM ‖ 842 π̄ε̄ρ̄ (ε sup. ras. V) ‖ τῆς V : om. M ‖
845 [μοι] Holl ‖ 847 ἀποκαλύψῃ Vᵖᶜ : -ψει VᵃᶜM ‖ 848 ⟨γὰρ⟩ Holl

20, 2. h. Lc 19, 42 ‖ i. Matth. 11, 28-29
20, 3. a. Matth. 11, 25-27

eum, quod ante aduentum eius nemo manifeste cognoue- [Hv
48 rit Patrem Veritatis, et aptare uolunt, quod quasi 8
Fabricator et Conditor semper ab omnibus cognitus
sit, et haec Dominum dixisse de incognito omnibus
Patre, quem ipsi adnuntiant.

21, 1. Redemptionis autem ipsorum traditionem
euenit inuisibilem esse et incomprehensibilem, uidelicet 12
cum sit incompre|hensibilium et inuisibilium mater. Hv
4 Et propter hoc, cum sit instabilis, non simpliciter neque
uno sermone referendum est, quoniam unusquisque
illorum, quemadmodum ipsi uolunt, tradunt eam :
quanti enim sunt huiusmodi sententiae mystici antistites, 4
8 tot sunt et redemptiones. Et quia ad negationem baptis-
matis eius quae est in Deum regenerationis et uniuersae
fidei destructionem [repromissionem] remissa est species
haec a Satana, arguentes eos referemus aptiori loco. 8

20, 47-48 cognouerint C[ac] || 48 aptare : a patre AQε || 50 co-
gnito AQε
21, 2 incomprehensibilem CV A (em *cancell.* A[1]) : *om.* Qε ||
2-3 uidelicet — sit *om.* AQε || 3 incomprehensibilium *om.* A ||
6 uoluit V[ac] || eam/ *hic inser. codd. & ε tit. cap*[11] xviii *de quo u.
in init. libri* || 7 quanta V || antistitis A || 8 et₁ *om.* AQε || quia CV :
qui AQε || 9 generationis AQε || 10 destructionem CV *edd.* : restruc-
tionem AQε[mg] restitutionem ε A[3] *(man. recentiss.)* || repro-
missionem [-num C] *(codd.* ε) *seclusimus cum edd.* || remissa CV :
inremissa A inremisse Qε immissa *uel* submissa *coni. in n.
Feu.* || species : septies Q || 11 sathana V AQ || referimus CV

ὡς τὸν ὑπ' αὐτῶν παρεξευρημένον Πατέρα ᾿Αληθείας
πρὸ τῆς παρουσίας αὐτοῦ μηδενὸς πώποτε ἐγνωκότος,
καὶ κατασκευάζειν θέλουσιν, ὡς τοῦ Ποιητοῦ καὶ Κτίστου
852 ἀεὶ ὑπὸ πάντων ἐγνωσμένου, καὶ ταῦτα τὸν Κύριον εἰρηκέναι περὶ τοῦ ἀγνώστου τοῖς πᾶσι Πατρός, ὃν αὐτοὶ
καταγγέλλουσι.

que, avant sa venue, personne n'a jamais connu le
Père de Vérité découvert par eux ; c'est l'Auteur et le
Créateur du monde, prétendent-ils, qui a toujours été
connu de tous, et les paroles du Seigneur concernent le
Père inconnu de tous, celui qu'eux-mêmes annoncent.

**Diversité des rites de « rédemption » en usage chez les
Marcosiens.**

21, 1. Quant à la tradition concernant leur « rédemption », il se trouve qu'elle est invisible et insaisissable,
car cette « rédemption » est elle-même mère d'êtres
insaisissables et invisibles[1]. C'est pourquoi, du fait
qu'elle est instable, elle ne peut être décrite de façon
simple et par une seule formule, car chacun d'eux la
transmet comme il veut : autant il y a de mystagogues
de cette doctrine, autant il y a de « rédemptions ». Que
cette sorte de gens ait été envoyée en sous-main[2] par
Satan pour la négation du baptême de la régénération
en Dieu et pour le rejet de toute la foi, nous le montrerons à l'endroit voulu, quand nous les réfuterons.

| **21, 1.** | Τὴν δὲ τῆς ἀπολυτρώσεως αὐτῶν παράδοσιν
856 συμβέβηκεν [35] ἀόρατον εἶναι καὶ ἀκατάληπτον, ἅτε
τῶν ἀκρατήτων καὶ ἀοράτων μητέρα ὑπάρχουσαν. Καὶ διὰ
τοῦτο, ἄστατον οὖσαν, οὐχ ἁπλῶς οὐδὲ ἑνὶ λόγῳ ἀπαγγεῖλαι ἔστιν διὰ τὸ ἕνα ἕκαστον αὐτῶν, καθὼς αὐτοὶ
860 βούλονται, παραδιδόναι αὐτήν · ὅσοι γάρ εἰσι ταύτης
τῆς γνώμης μυσταγωγοί, τοσαῦται καὶ ἀπολυτρώσεις.
Καὶ ὅτι μὲν εἰς ἐξάρνησιν τοῦ βαπτίσματος τῆς εἰς Θεὸν
ἀναγεννήσεως καὶ πάσης τῆς πίστεως ἀπόθεσιν ὑποβέ-
864 βληται τὸ εἶδος τοῦτο ὑπὸ τοῦ Σατανᾶ, ἐλέγχοντες αὐτοὺς
ἀπαγγελοῦμεν ἐν τῷ προσήκοντι τόπῳ.

[Fr. gr. 10] 850 μηδενὸς V : μηδὲ ἑνὸς M ‖ 855 αὐτῶν nos :
αὐτοῖς VM ‖ 859 ἕνα Holl : ἐν VM

12 **21, 2.** Dicunt autem eam necessariam esse his qui [Hv
perfectam agnitionem acceperunt, | ut in eam quae Hv
est super omnia Virtus sint regenerati : aliter enim nobis
impossibile esse infra Pleroma introire, quoniam haec
16 est quae in profundum Bythi deducit secundum eos.
Et baptisma quidem apparentis Iesu in remissionem 4
esse peccatorum, redemptionem autem esse eius qui in
eo descenderit Christus ad perfectionem, et illud quidem
20 animale, illam autem spiritalem esse repromittunt.
Et baptisma quidem ab Ioanne adnuntiatum in paeni- 8
tentiam, redemptionem autem eius qui in eo est Christi
positam esse ad perfectionem. Et hoc esse de quo dicit :
24 *Aliud baptisma habeo baptizari, et ualde propero ad illud*[a].
Sed et filiis Zebedaei, matre ipsorum postulante ut
sedere faceret eos a dextris et a sinistris cum eo in regno, 12
hanc apposuisse redemptionem Dominum dicunt, dicen-

21, 13 agnitionem C¹ *cett.* : actionem Cᵃᶜ ‖ acciperunt C ‖ 15
possibile C (imp- C¹) ‖ infra *codd.* ε *Hv* : intra *al. edd. in tx.* ‖ 17
apparetis C apparet in V ‖ 18 esse₂ *om.* V (*suppl. s.l.* V²) Q *cf.*
seq. ‖ 18-22 esse₂ — autem *om.* Q ‖ 19 eos⸙⸙⸙⸙ C (*dub. quid eras.*
C) eos V ‖ christus Aε *Feu. Gra.* : spiritus CV ‖ 20 illa C Aε ‖
spiritale C A ‖ inesse C ‖ 21 quidem]+ quod *s.l.* A² ‖ a Vε ‖ 21-
22 paenitentiam (-a.m *sic*) V : -tia CAε ‖ 22 in eo *om.* Q ‖ 23 hoc *om.*
C (*suppl. s.l.* C²) ‖ de quo A² *cett.* quod *cancell.* A ‖ 24 abeo C ‖ 25
zebede C (-ei C²) ‖ 25-26 ut sedere : insedere C ‖ 27 dominum *om.*
C (*suppl. s.l.* C²)

─────────

| **21, 2.** | Λέγουσι δὲ αὐτὴν ἀναγκαίαν εἶναι τοῖς τὴν
τελείαν γνῶσιν εἰληφόσιν, ἵνα εἰς τὴν ὑπὲρ πάντα Δύναμιν
868 ὦσιν ἀναγεγεννημένοι · ἄλλως γὰρ ἀδύνατον ἐντὸς
Πληρώματος εἰσελθεῖν, ἐπειδὴ αὕτη ἐστὶν ἡ εἰς τὸ βάθος
τοῦ Βυθοῦ κατάγουσα κατ' αὐτούς. Τὸ μὲν γὰρ βάπτισμα
τοῦ φαινομένου 'Ιησοῦ ⟨εἰς⟩ ἄφεσιν ⟨εἶναι⟩ ἁμαρτιῶν,
872 τὴν δὲ ἀπολύτρωσιν τοῦ ἐν αὐτῷ κατελθόντος Χριστοῦ
εἰς τελείωσιν, καὶ τὸ μὲν ψυχικόν, τὴν δὲ πνευματικὴν

21, 2. La « rédemption », disent-ils, est nécessaire à ceux qui ont reçu la « gnose parfaite » pour qu'ils soient régénérés dans la Puissance qui est au-dessus de tout. Faute de quoi il est impossible d'entrer au Plérôme, car c'est cette « rédemption », selon eux, qui fait descendre dans la profondeur de l'« Abîme » ! Le baptême fut le fait du Jésus visible, en vue de la rémission des péchés, mais la « rédemption » fut le fait du Christ descendant en Jésus, en vue de la « perfection ». Le baptême était « psychique », mais la « rédemption » était « pneumatique ». Le baptême fut annoncé par Jean en vue de la pénitence, mais la « rédemption » fut apportée par le Christ en vue de la « perfection ». C'est à cela qu'il faisait allusion, lorsqu'il disait : « Il est un autre baptême dont je dois être baptisé, et je me hâte vivement vers lui[a] ». De même, aux fils de Zébédée, tandis que leur mère demandait qu'ils fussent assis à sa droite et à sa gauche avec lui dans le royaume, le Seigneur présenta cette « rédemption », lorsqu'il leur dit : « Pou-

---

εἶναι ὑφίστανται. Καὶ τὸ μὲν βάπτισμα ὑπὸ Ἰωάννου κατηγγέλθαι εἰς μετάνοιαν, τὴν δὲ ἀπολύτρωσιν ὑπὸ
876 Χριστοῦ κεκομίσθαι εἰς τελείωσιν. Καὶ τοῦτ' εἶναι περὶ οὗ λέγει · « Καὶ ἄλλο βάπτισμα ἔχω βαπτισθῆναι, καὶ πάνυ ἐπείγομαι εἰς αὐτό[a]. » Ἀλλὰ καὶ τοῖς υἱοῖς Ζεβεδαίου, τῆς μητρὸς αὐτῶν αἰτουμένης τὸ καθίσαι αὐτοὺς ἐκ
880 δεξιῶν καὶ ἐξ ἀριστερῶν μετ' αὐτοῦ εἰς τὴν βασιλείαν, ταύτην προσθεῖναι τὴν ἀπολύτρωσιν τὸν Κύριον λέγουσιν,

[Fr. gr. 10] 869 ἡ V^{pc}M : om. V^{ac} ‖ 869-870 βάθος τοῦ βυθοῦ Holl : βάθου V βάθος M ‖ 871 ‹εἰς› ἄφεσιν nos : ἀφέσεως VM ‖ ‹εἶναι› Holl ‖ 872 κατελθόντος χριστοῦ Holl : χρ- κατ- ∾ VM ‖ 874 ὑπὸ V^{pc}M : ἀπὸ V^{ac}

21, 2. a. Lc 12, 50

28 tem : *Potestis baptisma* | *baptizari, quod ego habeo* Hv
baptizari[b]? Et Paulum manifeste dicunt eam quae sit
in Christo Iesu redemptionem[c] saepissime ostendisse,
et esse hanc eam quae ab ipsis uarie et inconsonanter
32 traditur.   4

21, 3. Quidam enim ex ipsis sponsale cubiculum
quoddam adaptant, et quasi mysticum conficiunt cum
quibusdam profanis dictionibus his qui sacrantur, et
36 spiritales nuptias dicunt esse id quod ab eis fit, secundum 8
similitudinem supernarum coniugationum. Alii autem
adducunt ad aquam et baptizantes ita dicunt : *In nomen
incogniti Patris omnium, in Veritatem Matrem omnium,*
40 *in descendentem* <*in*> *Iesum, ad unitionem et redemptionem et communionem Virtutum.* Alii autem et hebraica 12
nomina superfantur, ut stupori sint uel deterreant eos
qui sacrantur, sic : *Basyma cacabasa eanaa irraumista*

21, 28 baptisma CV *Mass. Sti* : -mum Q *Gra.*   -mo Aε *Feu.* ||
quo ε *Feu.* || debeo ε *Feu.* || 30 saepiisime V || 31 uariae C || conso-
nanter C (inc- C²) || 34 adaptant *edd. a Gra.* : adoptant CV   adap-
tante AQ adaptantes ε *Feu.* || cum : eum Q || 36 eis *codd.* ε :
ipsis *edd.* || 37 coniugationem CA || 38 adducent CV *(de quo
2Ls38)* || nomen *ex gr. Gra. Mass. Sti.* : nomine *(sic)* CQε *Feu.*
Hv noīe A   nom V (= nomen *uel* nomine, *cf. SC* 210, p. 33) ||
39 ignoti Qε || ueritatem *edd. a Gra.* : -te *codd.* ε *Feu.* || matris ε
matre *Feu.* || 40 <in> *edd. ex gr.* : *om. codd.* ε || ad unit. : ad unc-
tionem V adunationem A || 40-41 et redemptionem *om.* CV || 41
uirtum C (-tutum C²) || hebreica C || 42 eos *om.* CV || 43 basymma A
|| cacabasa Q : eacha saba C A   cachasaba V   eacabasa ε || irrau-
mista *edd. a Gra.* : uramista C AQ   uram ista V   irraurista ε *Feu.*

εἰπόντα · « Δύνασθε τὸ βάπτισμα βαπτισθῆναι, ὃ ἐγὼ
μέλλω βαπτίζεσθαι[b] ; » Καὶ τὸν Παῦλον ῥητῶς φάσκουσι
884 τὴν ἐν Χριστῷ Ἰησοῦ ἀπολύτρωσιν[c] πολλάκις μεμηνυκέναι,
καὶ εἶναι ταύτην τὴν ὑπ' αὐτῶν ποικίλως καὶ ἀσυμφώνως
παραδιδομένην.

| **21,** 3. | [36] Οἱ μὲν γὰρ αὐτῶν νυμφῶνα κατασκευάζουσι
888 καὶ μυσταγωγίαν ἐπιτελοῦσι μετ' ἐπιρρήσεών τινων τοῖς

vez-vous être baptisés du baptême dont je dois être
baptisé?[b]» De même Paul, à les en croire, a indiqué
expressément et à maintes reprises cette « rédemption »
qui est dans le Christ Jésus[c] : ce serait celle-là même
qui est transmise par eux sous des formes variées et
discordantes.

21, 3. Car les uns disposent une chambre nuptiale et
accomplissent toute une mystagogie accompagnée
d'invocations sur les initiés : ils prétendent effectuer
ainsi un mariage « pneumatique » à la ressemblance
des syzygies d'en haut. D'autres les conduisent vers
l'eau et, en les y plongeant, prononcent sur eux ces
mots : « Au nom du Père inconnu de toutes choses,
dans la Vérité Mère de toutes choses, dans Celui qui
descendit sur Jésus : dans l'union, la rédemption et la
communion des Puissances. »[1] D'autres profèrent sur
eux des mots hébreux[2], pour frapper davantage les
initiés. Ainsi : « Basyma cacabasa eanaa irraumista

τελουμένοις καὶ πνευματικὸν γάμον φάσκουσιν εἶναι τὸ
ὑπ᾽ αὐτῶν γινόμενον κατὰ τὴν ὁμοιότητα τῶν ἄνω συζυγιῶν.
Οἱ δὲ ἄγουσιν ἐφ᾽ ὕδωρ καὶ βαπτίζοντες οὕτως ἐπιλέ-
892 γουσιν · « Εἰς ὄνομα ἀγνώστου Πατρὸς τῶν ὅλων, εἰς
Ἀλήθειαν Μητέρα τῶν πάντων, εἰς τὸν κατελθόντα εἰς
τὸν Ἰησοῦν, εἰς ἕνωσιν καὶ ἀπολύτρωσιν καὶ κοινωνίαν
τῶν Δυνάμεων. » Ἄλλοι δὲ Ἑβραϊκὰ ὀνόματα ἐπιλέγουσι
896 πρὸς τὸ μᾶλλον καταπλήξασθαι τοὺς τελουμένους,
οὕτως · « Βασεμὰ χαμοσσὴ βααιανοορὰ μισταδία ῥουαδὰ

[Fr. gr. 10] 887-896 οἱ — τελουμένους fragm. Eusebii (H. E.
IV, 11, 5) ‖ 889 τελουμένοις Eus. : τελειουμένοις VM ‖ 893 τῶν
Eus. : om. VM ‖ 894 τὸν Eus. : om. VM ‖ 894-895 εἰς — δυ-
νάμεων VM : om. Eus. ‖ 895 ὀνόματα Eus. : τινὰ ὀνόματα
VM ‖ 896 τελουμένους Eus. : τελειουμένους VM

21, 2. b. Matth. 20, 22. Mc 10, 38 ‖ c. cf. Rom. 3, 24. Éphés.
1, 7. Col. 1, 14

44 *diarbada | caeota bafobor camelanthi.* Horum autem Hv I
interpretatio est talis : *Hoc quod est super omnem uirtutem
Patris inuoco quod uocatur Lumen et Spiritus et Vita,
quoniam in corpore regnasti.* Alii autem rursum redemp- 4
48 tionem profantur sic : *Nomen quod absconditum est ab
uniuersa Deitate et Dominatione et Veritate, quod induit
Iesus Nazarenus in zonis luminis, Christus Dominus
uiuentis per Spiritum sanctum in redemptionem ange-
52 licam, nomen quod est restaurationis : Messia ufar* 8
magno in seenchaldia | mosomeda eaacha faronepseha Hv I
Iesu Nazarene. Et horum interpretatio est talis : *Christi
non diuido Spiritum, cor et supercaelestem uirtutem
56 misericordem: fruar nomine tuo Saluator ueritatis.* Et
haec quidem profantur ipsi qui sacrant. Qui autem 4
sacratur respondit : *Confirmatus sum et redemptus sum
et redimo animam meam ab aeone hoc et omnibus quae
60 sunt ab eo in nomine Iao, qui redemit animam eius in
redemptionem in Christo uiuente.* Dehinc superfantur qui 8

21, 44 diarbada (dy- Q) AQ : diaruada C   diauarda V
dyarba da ε ‖ caeota bafobor *edd.* : ce(caet- A)otabafobor C A
caco(caëo-ε)taba fobor V Qε ‖ 45 interpretatio est : -tionem Cᵃᶜ ‖
talis est ∽ A ‖ est₂ *om.* Q ‖ 46 patris *om.* AQε ‖ 47 renasci ε ‖
rursus Qε ‖ 49 et ueritate *om.* Q ‖ 52 messia (-ssa Cᵃᶜ) ufar CV :
messi aufar AQ   messiaufar ε ‖ 53 magno in *edd.* : maganaim C
magnaim V   magnoim AQ   magnoin ε ‖ seenchaldia AQε :
seencaldia C   se en caldia V ‖ mosomeda eaacha (eac- A) AQε :
mosome dae ahac C   mosome dacaach V ‖ faronepseha ε : faron
epseba CV   faronepseba AQ ‖ 54 interpretatio est : -tionem Cᵃᶜ
‖ 56 nomine V : -ni *cett.*   nominatiuo εᵐᵍ ‖ 58 sacrantur AᵃᶜQᵃᶜ
‖ respondit C AQε *(2Ls33)* : -det V ‖ 59 redemo Cᵃᶜ ‖ aeneone
CV   eo ne Q ‖ 61 in christo uiuente *codd.* ε : christi uiuentis εᵐᵍ

κουστὰ βαϐοφὸρ καλαχθεῖ. » Τούτων δ᾽ ἡ ἑρμηνεία ἐστὶ
τοιαύτη · « Ὑπὲρ πᾶσαν δύναμιν τοῦ Πατρὸς ἐπικαλοῦμαι
900 Φῶς ὀνομαζόμενον καὶ Πνεῦμα ἀγαθὸν καὶ Ζωή, ὅτι ἐν
σώματι ἐβασίλευσας. » Ἄλλοι δὲ πάλιν τὴν λύτρωσιν
ἐπιλέγουσιν οὕτως · « Τὸ ὄνομα τὸ ἀποκεκρυμμένον ἀπὸ

diarbada caëota bafobor camelanthi. » Ce qui se traduit :
« J'invoque ce qui est au-dessus de toute puissance
du Père et est appelé Lumière, Esprit et Vie : car, dans
un corps, tu as régné. » D'autres encore proclament la
« rédemption » de la façon suivante : « Le Nom caché
à toute Divinité, Seigneurie ou Vérité qu'a revêtu
Jésus de Nazareth dans les zones de la lumière du
Christ, qui vit par l'Esprit Saint, pour la rédemption
des Anges, le Nom de la restauration : Messia ufar
magno in seenchaldia mosomeda eaacha faronepseha
Jesu Nazarene. » Ce qui se traduit : « Je ne divise pas
l'Esprit, le cœur et la supracéleste puissance miséri-
cordieuse du Christ : puissé-je jouir de ton Nom,
Sauveur de Vérité ! » Ainsi parlent ceux qui font
l'initiation. L'initié répond alors : « Je suis confirmé et
racheté, et je rachète mon âme de ce siècle et de tout
ce qui en ressortit, au Nom de Jao qui a racheté son âme
pour la ' rédemption ' dans le Christ vivant. » Enfin

πάσης Θεότητος καὶ Κυριότητος καὶ Ἀληθείας, ὃ ἐνεδύσατο
904 Ἰησοῦς ὁ Ναζαρηνὸς ἐν ταῖς ζώναις τοῦ φωτὸς τοῦ Χριστοῦ
τοῦ ζῶντος διὰ Πνεύματος ἁγίου εἰς λύτρωσιν ἀγγελικήν,
ὄνομα τὸ τῆς ἀποκαταστάσεως · Μεσσία οὐφαρέγνα
μεμψαι μὲν χαλ δαίαν μοσομὴ δαέα ἀκφαρ νεψευ ουα
908 Ἰησοῦ Ναζαρία. » Καὶ τούτων δὲ ἡ ἑρμηνεία ἐστὶν τοιαύτη ·
« Οὐ διαιρῶ τὸ Πνεῦμα, τὴν καρδίαν καὶ τὴν ὑπερουράνιον δύναμιν τὴν οἰκτίρμονα · ὀναίμην τοῦ ὀνόματός
σου, Σωτὴρ ἀληθείας. » Καὶ ταῦτα μὲν ἐπιλέγουσιν αὐτοὶ
912 οἱ τελοῦντες. Ὁ δὲ τετελεσμένος ἀποκρίνεται · « Ἐστή-
ριγμαι καὶ λελύτρωμαι καὶ λυτροῦμαι τὴν ψυχήν μου
ἀπὸ τοῦ αἰῶνος τούτου καὶ πάντων τῶν παρ' αὐτοῦ ἐν
τῷ ὀνόματι τοῦ Ἰαώ, ὃς ἐλυτρώσατο τὴν [37] ψυχὴν
916 αὐτοῦ εἰς ἀπολύτρωσιν ἐν τῷ Χριστῷ τῷ ζῶντι. » Εἶτ' ἐπι-

[Fr. gr. 10] 904 ζώναις Holl : ζωαῖς VM ‖ 905 τοῦ nos, iuxta
Holl in app. : χριστοῦ VM ‖ 906-908 μεσσία — ναζαρία : cf.
Panarion, haer. 36, 2 (Holl, p. 46, 3-4) ‖ 908 ἢ V : om. M

adstant : *Pax omnibus in quos nomen hoc requiescit.* [Hv
Post deinde unguent sacratum opobalsamo : unguentum
64 enim hoc typum esse dicunt eius suauitatis quae est
super uniuersa.

21, 4. Quidam autem ipsorum adducere quidem ad
aquam superuacuum esse dicunt, admiscentes autem 12
68 oleum et aquam in unum cum quibusdam profanis
dictionibus similibus quae praediximus mittunt super
caput eorum qui sacrantur, et hoc esse redemptionem
uolunt. Vnguent autem et ipsi opobalsamo. | Alii autem Hv 1
72 haec omnia recusantes, dicunt non oportere inenarrabilis
et inuisibilis Virtutis mysterium per uisibiles et corrup-
tibiles perfici creaturas, et ea quae mente concipi non
possunt et incorporalia et insensibilia, per sensibilia et 4
76 corporalia. Esse autem perfectam redemptionem ipsam
agnitionem inenarrabilis Magnitudinis : ea enim quae
sunt de ignorantia labis et passione facta, per agnitionem
dissolui uniuersum ignorantiae statum, uti sit agnitio 8

21, 62 quibus ε ‖ hoc nomen ∽ Qε ‖ 63 inde A ‖ unguent C
(2Ls3g) cf. infra 71 : ungent V   ungunt AQε *edd.* ‖ opobalsamo ε :
apo- C AQ   appo- V ‖ 64 enim *om.* V ‖ esse typum ∽ Q ‖ esse
om. ε ‖ sit AQε ‖ 66 eorum ε ‖ 69 dyaconibus Q ‖ quae]+ supra ε
‖ 70 eorum caput ∽ ε ‖ 71 unguent AQ : unguentes C -gentes
V *Mass.*   ungunt ε *al. edd.* ‖ opobalsamo Aε : apo- C Q   appo-
V ‖ 75 et₂ ε : *om.* CV AQ ‖ 77 ea : ecce V ‖ 78 ignorantiae AQε
‖ labiis Q

λέγουσιν οἱ παρόντες · « Εἰρήνη πᾶσιν, ἐφ᾽ οὓς τὸ ὄνομα
τοῦτο ἐπαναπέπαυται. » Ἔπειτα μυρίζουσι τὸν τετελεσ-
μένον τῷ ὀπῷ τῷ ἀπὸ βαλσάμου · τὸ γὰρ μύρον τοῦτο
920 τύπον τῆς ὑπὲρ τὰ ὅλα εὐωδίας εἶναι λέγουσιν.

| **21, 4.** | Ἔνιοι δ᾽ αὐτῶν τὸ μὲν ἄγειν ἐπὶ τὸ ὕδωρ
περισσὸν εἶναι φάσκουσι, μίξαντες δὲ ἔλαιον καὶ ὕδωρ
ἐπὶ τὸ αὐτὸ μετ᾽ ἐπιρρήσεών ⟨τινων⟩ ὁμοιοτρόπων αἷς
924 προειρήκαμεν ἐπιβάλλουσι τῇ κεφαλῇ τῶν τελουμένων,

les assistants poussent l'acclamation suivante : « Paix
à tous ceux sur lesquels ce Nom repose ! » Après quoi
ils oignent l'initié avec du baume. Ce parfum figure,
disent-ils, la bonne odeur répandue sur les Éons[1].

21, 4. Certains d'entre eux jugent superflu de
conduire à l'eau : ils mélangent ensemble de l'huile et
de l'eau et, tout en prononçant des formules du genre
de celles que nous avons dites plus haut, ils versent
ce mélange sur la tête des initiés. C'est là, prétendent-ils,
la « rédemption ». Eux aussi oignent avec du baume.
D'autres, rejetant toutes ces pratiques, disent qu'on
ne doit pas accomplir le mystère de la Puissance inexprimable et invisible au moyen de créatures visibles et
corruptibles, ni le mystère des réalités irreprésentables
et incorporelles au moyen de choses sensibles et corporelles. La « rédemption » parfaite, c'est la connaissance
même de la Grandeur inexprimable : puisque c'est de
l'ignorance que sont sorties la déchéance et la passion[2],
c'est par la « gnose » que sera aboli tout l'état de choses
issu de l'ignorance. C'est donc bien la « gnose » qui est

καὶ τοῦτ᾽ εἶναι τὴν ἀπολύτρωσιν θέλουσι. Μυρίζουσι
δὲ καὶ αὐτοὶ τῷ βαλσάμῳ. Ἄλλοι δὲ ταῦτα πάντα παραιτη-
σάμενοι φάσκουσι μὴ δεῖν τὸ τῆς ἀρρήτου καὶ ἀοράτου
928 Δυνάμεως μυστήριον δι᾽ ὁρατῶν καὶ φθαρτῶν ἐπιτελεῖσθαι
κτισμάτων, καὶ τῶν ἀνεννοήτων καὶ ἀσωμάτων δι᾽ αἰσθητῶν
καὶ σωματικῶν. Εἶναι δὲ τὴν τελείαν ἀπολύτρωσιν αὐτὴν
τὴν ἐπίγνωσιν τοῦ ἀρρήτου Μεγέθους · ἀπ᾽ ἀγνοίας γὰρ
932 ὑστερήματος καὶ πάθους γεγονότων, διὰ γνώσεως κατα-
λύεσθαι πᾶσαν τὴν ἐκ τῆς ἀγνοίας σύστασιν, ὥστ᾽ εἶναι

[Fr. gr. 10] 917 εἰρήνη V^pcM : -νην V^ac ‖ 919 τῷ₂ Holl : τοῦ
V^pc τὸ V^acM ‖ 923 <τινων> Holl ‖ 924 τελουμένων Holl : τε-
λειουμένων VM ‖ 928 φθαρτῶν V^pcM : ἀφθάρτων V^ac ‖ 930
δὲ (ὲ sup. ras. V) ‖ 931 ἀπ᾽ nos, iuxta Holl in app. : ὑπ᾽ VM

80 redemptio interioris hominis. Et neque corporalem esse [Hv
eam, corruptibile enim est corpus, neque animalem,
quoniam et anima de labe est, spiritus uelut habita-
culum : spiritalem ergo oportere et redemptionem esse.
84 Redimi enim per agnitionem interiorem hominem spiri- 12
talem et sufficere eis uniuersorum agnitionem : et hanc
esse redemptionem ueram.

21, 5. Alii sunt qui mortuos redimunt ad finem
88 defunctionis, mittentes eorum capitibus oleum et aquam,
siue praedictum | unguentum cum aqua et supradictis Hv 1
inuocationibus, ut incomprehensibiles et inuisibiles
Principibus et Potestatibus fiant, et ut superascendat
92 super inuisibilia interior ipsorum homo, quasi corpus 4
quidem ipsorum in creatura mundi relinquatur, anima
uero proiciatur Demiurgo. Et praecipiunt eis uenien-
tibus ad Potestates haec dicere, posteaquam mortui
96 fuerint : *Ego filius a Patre, Patris qui ante fuit, filius
autem in eo qui ante fuit. Veni autem uidere omnia quae 8
sunt mea et aliena — non autem aliena in totum, sed sunt*

21, 80 redemptio *om.* ε *Feu.* ‖ 81 animale A anima est ε ‖
82 et *om.* ε ‖ 84 redemi Q ‖ 84-85 hominem spiritalem *iter.* Q ‖ 88
oleum]+ capitibus Q ‖ 89 et V : cum AQ et cum ε *om.* C ‖ 90
ut C²V A² : et Cᵃᶜ *om.* AQ ‖ 91 superascendant ε ‖ 92 uisibilia AQε
‖ interior *codd.* εᵐᵍ : -riorum ε ‖ 92-93 homo — ipsorum *om.* AQε
‖ 96 patris *codd.* ε *Mass. Sti.* : patre *al. edd.* ‖ qui ante : quante
Q ‖ 97 ueni : ueniam CV ‖ 98 mea : in ea V

τὴν γνῶσιν ἀπολύτρωσιν τοῦ ἔνδον ἀνθρώπου. Καὶ μήτε
σωματικὴν ὑπάρχειν αὐτήν, φθαρτὸν γὰρ τὸ σῶμα, μήτε
936 ψυχικήν, ἐπεὶ καὶ ἡ ψυχὴ ἐξ ὑστερήματός ἐστι καὶ τοῦ
πνεύματος ὥσπερ οἰκητήριον · πνευματικὴν οὖν δεῖν καὶ
τὴν λύτρωσιν ὑπάρχειν. Λυτροῦσθαι γὰρ διὰ γνώσεως
τὸν ἔσω ἄνθρωπον τὸν πνευματικὸν καὶ ἀρκεῖσθαι αὐτοὺς
940 τῇ τῶν ὅλων ἐπιγνώσει · καὶ ταύτην εἶναι λύτρωσιν
ἀληθῆ.

la « rédemption » de l'homme intérieur. Cette « rédemption » n'est ni « somatique », puisque le corps est corruptible, ni « psychique », puisque l'âme aussi provient de la déchéance et n'est que l'habitacle du « pneuma » ; elle est donc nécessairement « pneumatique ». De fait, par la « gnose » est racheté l'homme intérieur ou « pneumatique », et il suffit à ces gens-là d'avoir la connaissance de toutes choses : telle est la vraie « rédemption ».

21, 5. D'autres pratiquent le rite de la « rédemption » sur les mourants à leur dernier moment[1] : ils leur versent sur la tête l'huile et l'eau, ou l'onguent susdit, mélangé à l'eau, et ils font sur eux les invocations que nous avons dites, afin qu'ils deviennent insaisissables et invisibles aux Archontes et aux Puissances et que leur homme intérieur monte au-dessus des espaces invisibles, abandonnant le corps à l'univers créé et laissant l'âme auprès du Démiurge. En arrivant aux Puissances, après sa mort, l'initié sera tenu de dire ces mots : « Je suis un fils issu du Père, du Père préexistant, et un fils dans le Préexistant. Je suis venu pour tout voir, ce qui m'est propre et ce qui m'est étranger — non entièrement

---

[Fr. gr. 10] 936 ἐστι καὶ nos : καὶ ἔστι VM ‖ 937 πνεύματος Holl : πατρὸς VM ‖ δεῖν Holl : δεῖ VM ‖ 938 γνώσεως Holl : μωϋσέως VM ‖ 941 post ἀληθῆ add. ἕως ὧδε τὰ ὑπὸ (ἀπὸ V^ac) εἰρηναίου VM

Fr. gr. 11. — ÉPIPHANE, *Pan.*, *haer.* 36, 2-3 (Holl II, 46, 16 - 47, 10). — Voir *Introd.* p. 96.

| **21.** 5. | « Ἐγὼ υἱὸς ἀπὸ Πατρός, Πατρὸς προόντος, υἱὸς δὲ ἐν τῷ προόντι. Ἦλθον ⟨δὲ⟩ πάντα ἰδεῖν, τὰ ἴδια καὶ τὰ ἀλλότρια — καὶ οὐκ ἀλλότρια δὲ παντελῶς, ἀλλὰ

Fr. gr. 11. — 2 προόντι nos : παρόντι VM ‖ ⟨δὲ⟩ Holl ‖ 2-3 ἴδια ... ἀλλότρια₁ Holl : ἀλλότρια ... ἴδια ∽ VM

Achamoth, quae est Femina et haec sibi fecit, deducit [Hv]
100 *autem genus ex eo qui ante fuit — et eo rursus in mea unde*
ueni. Et haec dicentem euadere et effugere Potestates 12
dicunt. Venire quoque ad eos qui sunt circa Demiurgum
et dicere eis : *Vas ego sum pretiosum*[a]*, magis quam Femina*
104 *quae fecit uos. Si Mater uestra ignorat suam radicem, ego*
autem noui meipsum et scio unde sum et inuoco incorrup-
tibilem Sophiam quae est in Patre, Mater est autem 16
Matris uestrae, | *quae non habet Patrem neque coniugem* Hv 1
108 *masculum; Femina autem a Femina nata effecit uos,*
ignorans et Matrem suam et putans seipsam esse solam;
ego autem inuoco eius Matrem. Haec autem eos qui
circa Demiurgum sunt audientes ualde conturbari et 4
112 reprehendere suam radicem et genus Matris, ipsos autem
abire in sua, proicientes nodos ipsorum, hoc est animam.

21, 99 achamot C ‖ 100 autem *nos ex gr.* : enim *codd.* ε *edd.*
‖ 102 circha Q ‖ 104 radicem suam ∾ ε ‖ 105 sim Vε ‖ 106 autem
est ∾ *edd. a Feu.* ‖ 108 masculum ε *Feu. Gra. Hv* : -lo *codd. Mass.*
Sti. ‖ nata *om.* AQε ‖ efficit AQε ‖ 109 ignoras C[ac] ‖ 110 autem₁
om. V ‖ quae A ‖ 112 reprandere A[ac] ‖ 113 abeuntes ε ‖ in *om.* AQ
‖ nodos *codd.* : *forte leg. ex gr.* nodum ‖ hoc : id Qε

4 τῆς ᾿Αχαμώθ, ἥτις ἐστὶν Θήλεια καὶ ταῦτα ἑαυτῇ ἐποίησεν,
κατάγει δὲ τὸ γένος ἐκ τοῦ προόντος — καὶ πορεύομαι
πάλιν εἰς τὰ ἴδια ὅθεν ἐλήλυθα.» Καὶ ταῦτα εἰπόντα
διαφεύγειν τὰς ᾿Εξουσίας ⟨λέγουσι⟩. ῎Ερχεσθαί τε ἐπὶ
8 τοὺς περὶ τὸν Δημιουργὸν καὶ λέγειν ⟨αὐτοῖς⟩ · «Σκεῦός
εἰμι ἔντιμον[a] μᾶλλον παρὰ τὴν Θήλειαν τὴν ποιήσασαν
ὑμᾶς. Εἰ ἡ Μήτηρ ὑμῶν ἀγνοεῖ τὴν ἑαυτῆς ῥίζαν, ἐγὼ
οἶδα ἐμαυτὸν καὶ γινώσκω ὅθεν εἰμί, καὶ ἐπικαλοῦμαι τὴν
12 ἄφθαρτον Σοφίαν, ἥτις ἐστὶν ἐν τῷ Πατρί, Μήτηρ δὲ τῆς
Μητρὸς ὑμῶν τῆς μὴ ἐχούσης Πατέρα, ἀλλ᾽ οὔτε σύζυγον
ἄρρενα · Θήλεια δὲ ἀπὸ Θηλείας γενομένη ἐποίησεν ὑμᾶς,
ἀγνοοῦσα καὶ τὴν Μητέρα αὐτῆς καὶ δοκοῦσα ἑαυτὴν
16 εἶναι μόνην · ἐγὼ δὲ ἐπικαλοῦμαι αὐτῆς τὴν Μητέρα. »
Ταῦτα δὲ τοὺς περὶ τὸν Δημιουργὸν ἀκούσαντας σφόδρα

étranger, il est vrai, mais appartenant à Achamoth, qui
est Femme et a fait cela par elle-même, mais n'en tire
pas moins sa race du Préexistant — et je m'en retourne
vers mon domaine propre d'où je suis venu. »[1] En disant
ces mots, il échappera aux Puissances. Il arrivera
ensuite aux Anges qui entourent le Démiurge, et il leur
dira : « Je suis un vase précieux[a], plus précieux que la
Femme qui vous a faits. Si votre Mère ignore sa racine,
moi, je me connais, je sais d'où je suis. Et j'invoque
l'incorruptible Sagesse qui est dans le Père, qui est la
Mère de votre Mère, laquelle n'a pas de Père ni même
de conjoint mâle ; c'est une Femme issue de Femme
qui vous a faits, ignorant jusqu'à sa Mère et s'imaginant
qu'elle était seule ; quant à moi, j'invoque la Mère de
celle-là. »[2] En entendant ces mots, les Anges qui entourent
le Démiurge seront violemment troublés et s'en pren-
dront à leur racine et à la race de leur Mère ; quant à
l'initié, il s'en ira vers son domaine propre, en rejetant
son lien, c'est-à-dire son âme[3].

ταραχθῆναι καὶ καταγνῶναι αὐτῶν τῆς ῥίζης καὶ τοῦ
γένους τῆς Μητρός, αὐτὸν δὲ πορευθῆναι εἰς τὰ ἴδια,
20 ῥίψαντα τὸν δεσμὸν αὐτοῦ, τουτέστιν ⟨τὴν⟩ ψυχήν. Καὶ
περὶ μὲν τῆς ἀπολυτρώσεως ⟨αὐτῶν⟩ ταῦτά ἐστιν ὅσα
εἰς ἡμᾶς ἐλήλυθεν.

[Fr. gr. 11] 5 κατάγει nos : κατάγω VM ‖ 7 ⟨λέγουσι⟩ nos ‖ τε
nos : δὲ VM ‖ 8 post δημιουργὸν add. nonnulla VM ‖ post ⟨αὐτοῖς⟩
(nos) add. nonnulla VM ‖ 13 πατέρα Holl : μητέρα VM ‖
σύζυγον V^pc M : σύνζ- V^ac ‖ 14 ἀπὸ nos, iuxta Holl in app. :
ὑπὸ VM ‖ ὑμᾶς Holl : ἡμᾶς VM ‖ 17 ταῦτα Holl : τούτους VM ‖
20 post αὐτοῦ add. καὶ τὸν ἄγγελον VM ‖ ⟨τὴν⟩ Holl ‖ post ψυχήν
add. nonnulla VM ‖ 21 ⟨αὐτῶν⟩ nos ‖ 22 ἐλήλυθεν Holl : συνε-
λήλυθεν VM

21, 5. a. cf. Rom. 9, 21

Et de redemptione quidem ipsorum haec sunt quae [Hv
quidem in nos uenerunt. Cum autem discrepent ab 8
116 inuicem et doctrina et traditione, et qui recentiores
eorum agnoscuntur adfectant per singulos dies nouum
aliquid adinuenire et fructificare quod numquam
quisquam excogitauit, durum est omnium describere
120 sententias.

22, 1. Cum teneamus autem nos regulam ueritatis, 12
id est quia sit unus Deus omnipotens qui omnia condidit
per Verbum suum et aptauit et fecit ex eo quod non
4 erat ad hoc ut sint omnia[a], quemadmodum Scriptura
dicit : *Verbo enim Domini caeli firmati sunt, et Spiritu* 16
oris eius omnis uirtus eorum[b], *et* iterum : *Omnia per ipsum*
facta sunt, et sine ipso factum est nihil[c] — ex omnibus
8 autem nihil subtractum est, sed omnia | per ipsum Hv
fecit Pater, siue uisibilia siue inuisibilia[d], siue sensibilia
siue intellegibilia, siue temporalia propter quandam
dispositionem siue sempiterna et aeonia[e], non per
12 Angelos neque per Virtutes aliquas abscissas ab eius 4
sententia, nihil enim indiget omnium Deus, sed et per
Verbum et Spiritum suum omnia faciens et disponens
et gubernans et omnibus esse praestans; hic qui mundum
16 fecit, etenim mundus ex omnibus; hic qui hominem 8
plasmauit[f]; hic Deus Abraham et Deus Isaac et Deus
Iacob[g], super quem alius Deus non est neque Initium
neque Virtus neque Pleroma; hic Pater Domini nostri

21, 114 de Aε : *om.* CV Q ‖ 115 discrepant ε *Feu.* ‖ 117 singulas C
22, 1 *hic inser. codd.* & ε *tit. cap*[li] xviiii *de quo u. in init. libri* ‖
1-38 **occur. fragm.** S[b] (= S) ‖ 2 deus sit unus ∽ V (unus *om.* V
suppl. s.l. V[2]) ‖ 4 scribtura C ‖ 5 spiritus C[ac] S ‖ 8 est *om.* S ‖ 9 siue
sensibilia Qε : seu sens- S siue insens- A *om.* CV ‖ 10 intellegibilia : insensibilia S ‖ 11 aeonia CV *edd. a Mass.* : eaonia A ea
omnia QSε *Feu. Gra.* ‖ 12 abscissas *edd.* : abscisas *codd.* ε[mg]
abscisa ε ‖ 13 et *om.* Sε *edd. praet. Mass. Sti.* ‖ 14 disponans C ‖
15 gubernans C[1] *cett.* : -nas C ‖ mundum CV : uinum AQ teniũ (?)
S unum ε ‖ 17 hic]+ qui Qε ‖ et₁ *om.* AQSε

Telles sont les données que nous avons pu recueillir
sur leur « rédemption ». Mais ils diffèrent les uns des
autres dans leurs enseignements et leurs traditions, et
les derniers venus s'appliquent à trouver chaque jour
du neuf et à produire des « fruits » que personne n'a
jamais encore imaginés : aussi est-il malaisé de décrire
de façon exhaustive leurs doctrines.

3. La « Règle de vérité »

22, 1. Pour nous, nous gardons la Règle de vérité,
selon laquelle « il existe un seul Dieu » tout-puissant
« qui a tout créé » par son Verbe, « a tout organisé et a
fait de rien toutes choses pour qu'elles soient[a] »[1], selon
ce que dit l'Écriture : « Par le Verbe du Seigneur les
cieux ont été affermis, et par le Souffle de sa bouche
existe toute leur puissance[b] » ; et encore : « Tout a été
fait par son entremise et, sans lui, rien n'a été fait[c]. »
De ce « tout », rien n'est excepté : le Père a fait par lui
toutes choses, soit visibles, soit invisibles[d], soit sensibles, soit intelligibles, soit temporelles en vue d'une
« économie », soit éternelles[e][2]. Il ne les a pas faites par
des « Anges » ni par des « Puissances » séparées de sa
volonté[3], car Dieu n'a nul besoin de quoi que ce soit[4] ;
mais c'est par son Verbe et son Esprit qu'il fait tout,
dispose tout, gouverne tout, donne l'être à tout. C'est
lui qui a fait le monde — car le monde fait partie de ce
« tout » —, lui qui a modelé l'homme[f]. C'est lui le
Dieu d'Abraham, le Dieu d'Isaac, le Dieu de Jacob[g],
au-dessus duquel il n'est point d'autre Dieu, non plus
qu'un « Principe », une « Puissance » ou un « Plérôme »

22, 1. a. Hermas, Pasteur, Mand. 1. cf. II Mac. 7, 28. Sag. 1, 14
‖ b. Ps. 32, 6 ‖ c. Jn 1, 3 ‖ d. cf. Col. 1, 16 ‖ e. cf. II Cor. 4, 18 ‖
f. cf. Gen. 2, 7 ‖ g. cf. Matth. 22, 29. Ex. 3, 6

20 Iesu Christi[h], quemadmodum ostendemus —, hanc ergo [Hv ‖
tenentes regulam, licet ualde uaria et multa dicant,   12
facile eos deuiasse a ueritate arguimus. Omnes enim fere
quotquot sunt haereses Deum quidem unum dicunt,
24 sed per sententiam malam immutant, ingrati exsistentes
ei qui fecit eos, quemadmodum et gentes per idolola-   16
triam. Plasma autem Dei contemnunt, contradicentes
suae saluti, ipsi sui accusatores amarissimi et falsi testes
28 exsistentes. Qui quidem resurgent in carne, licet nolint,
uti agnoscant uirtutem suscitantis eos a mortuis; cum
iustis autem non adnumerabuntur propter increduli-   20
tatem suam.

32   **22, 2.** Cum sit igitur aduersus omnes haereticos
detectio atque conuictio uaria et multifaria, et nobis
propositum est omnibus his secundum ipsorum charac-
tera contradicere, necessarium arbitrati sumus prius   24
36 referre fontem et radicem eorum, uti sublimissimum
ipsorum Bythum cognoscens, intellegas arborem de qua
defluxerunt tales fructus. |

22, 20 ostendemus C² *cett.* : -dimus C ‖ 22 deuiasse AQSε :
deuⱽasse C   deuitasse V ‖ 23 quotquot : quod C   quot V ‖ haereses (-sis Q) : *forte leg.* haeretici, *cf.* 22 eos *et* 24-25 ingrati ...
eos ‖ 24 mutant S ‖ 25 et gentes *om.* AQSε ‖ 25-26 ydolatriam
S ‖ 26 plasmationem A   plas Q   plasmata ε *Feu.* ‖ dei : de S ‖ con-
tendunt C ‖ 28 in c. resurg. ∾ S ‖ 29 ut S ‖ suscitantes C ‖ 32 sit]
+ enim *expunct.* Q ‖ 33 conuicio A   conuiccio Aᵖᶜ ‖ 34-35 charac-
tera *Mass. Sti.* : caracthera CA Q (+fontem *expunct.* C)   caractera
V S   characterem ε *al. edd.* ‖ 36 ut S ‖ 37 bithȳ C   bytum V

quelconques. C'est lui le Père de notre Seigneur Jésus-Christ[h], comme nous le montrerons. En gardant cette Règle, nous pouvons sans peine, quelque variés et abondants que soient les dires des hérétiques, prouver qu'ils se sont écartés de la vérité. En effet, presque tous les hérétiques, autant qu'ils sont, affirment bien un seul Dieu, mais ils le changent par leur doctrine perverse, ingrats qu'ils sont envers leur Créateur autant que les païens le sont par l'idolâtrie. D'autre part, ils méprisent l'ouvrage modelé par Dieu, rejetant leur propre salut et s'érigeant en accusateurs farouches et en faux témoins contre eux-mêmes. Ils ressusciteront certes dans leur chair, même à leur corps défendant, pour reconnaître la puissance de Celui qui les ressuscitera d'entre les morts, mais ils ne seront pas comptés au nombre des justes à cause de leur incrédulité.

22, 2. Puisqu'une réfutation de tous les hérétiques est donc forcément variée et multiforme et que notre propos est de les contredire tous selon le caractère propre à chacun, nous croyons nécessaire de faire connaître d'abord leur source et leur « racine », afin que, connaissant leur très sublime « Abîme », tu saches de quel arbre sont sortis de tels « fruits » !

22, 1. h. cf. Éphés. 1, 3

23, 1. Simon enim Samarites, magus ille de quo ᴴᵛ 1
discipulus et sectator apostolorum Lucas ait : *Vir autem*
quidam nomine Simon, qui ante erat in ciuitate, magiam
4 *exercens et seducens gentem Samaritanorum, dicens se* 4
esse aliquem magnum, quem auscultabant a pusillo usque
ad magnum dicentes : Hic est uirtus Dei quae uocatur
magna. Intuebantur autem eum, propter quod multo tem-
8 *pore magicis suis dementasset eos*[a]. Hic igitur Simon, qui 8
fidem simulauit, putans apostolos et ipsos sanitates per
magiam et non uirtute Dei perficere et per impositionem manuum Spiritu sancto adimplere credentes Deo
12 per eum qui ab ipsis euangelizatur Christus Iesus, per
maiorem quandam magicam scientiam et hoc suspicans 12
fieri, et offerens pecuniam apostolis, ut acciperet et ipse
hanc potestatem quibuscumque uelit dandi Spiritum
16 sanctum, audiuit a Petro : *Pecunia tua tecum sit in*
perditionem, quoniam donum Dei existimasti pecunia
possideri. Non est tibi pars neque sors in sermone hoc : 16
cor enim tuum non est rectum coram Deo. In felle enim
20 *amaritudinis et obligatione iniustitiae uideo te esse*[b].

23, 1 *hic inser.* codd. & ε *tit.* cap^u xx *de quo u. in init. libri* ‖
symon V AQ ‖ samarithes Q ‖ 2 apostolus Q ‖ 2-3 quidam autem
∾ ε ‖ 3 symon V AQ ‖ ante : autem Q ‖ magiam C Q : -gicam
V Aε *edd.* ‖ 4 exercens]+ artem V *edd. a Feu.* ‖ 5 magnum *om.*
CV ‖ auscultabant ε : absc- C   asc- V AQ ‖ a pusillo : opus illo C ‖
8 symon V A ‖ 9 putans : post A   portans Q ‖ ipsas Aε   ipsa Q ‖
10 magiam CQε : -gicam VA *edd.* ‖ 10-11 per impositionem :
impositione V ‖ 11 credentis A^ac ‖ 13 quendam C ‖ 14 pecunias ε
Feu. Gra. ‖ ut : ita ut V ‖ 17 perditione C AQ ‖ 19 coram deo
rectum ∾ C ‖ 20 oblegatione C

TROISIÈME PARTIE

ORIGINE DU VALENTINISME

1. Les ancêtres des Valentiniens

Simon le magicien et Ménandre.

23, 1. Il s'agit en effet de Simon de Samarie, ce magicien dont Luc, disciple et compagnon des apôtres, dit : « Il se trouvait déjà auparavant dans la ville un homme du nom de Simon, qui exerçait la magie et émerveillait les gens de Samarie. Il prétendait être quelqu'un de grand. Tous s'attachaient à lui du petit au grand et disaient : Cet homme est la Puissance de Dieu, celle qu'on appelle la Grande. Ils s'attachaient à lui, parce que depuis longtemps il les avait émerveillés par ses pratiques magiques[a]. » Ce Simon donc feignit d'embrasser la foi. Il pensa que les apôtres eux aussi opéraient des guérisons par la magie, et non par la puissance de Dieu, et que, par l'imposition des mains, ils remplissaient de l'Esprit Saint ceux qui avaient cru en Dieu par le Christ Jésus qu'ils annonçaient. S'imaginant que c'était par l'effet d'un savoir magique plus grand encore qu'ils faisaient cela, il offrit de l'argent aux apôtres, afin de recevoir lui aussi ce pouvoir de donner l'Esprit Saint à qui il voudrait. Mais il s'entendit dire par Pierre : « Périsse ton argent avec toi, puisque tu as pensé pouvoir acquérir le don de Dieu à prix d'argent ! Il n'y a pour toi ni part ni lot en cette affaire, car ton cœur n'est pas droit devant Dieu. Je vois que tu es plongé dans un fiel amer et lié par l'iniquité[b]. »

23, 1. a. Act. 8, 9-11 ǁ b. Act. 8, 20-23

Et cum adhuc magis non credidisset Deo, et cupidus [Hv]
intendit contendere aduersus apostolos, uti et ipse 20
gloriosus uideretur esse, et uniuersam magiam | adhuc Hv 1
24 amplius scrutans, ita ut in stuporem cogeret multos
hominum : quippe cum esset sub Claudio Caesare, a quo
etiam statua honoratus esse dicitur propter magiam.
Hic igitur a multis quasi Deus glorificatus est, et docuit 4
28 semetipsum esse qui inter Iudaeos quidem quasi Filius
apparuerit, in Samaria autem quasi Pater descenderit,
in reliquis uero gentibus quasi Spiritus sanctus aduen-
tauerit : esse autem se sublimissimam Virtutem, hoc est 8
32 eum qui sit super omnia Pater, et sustinere uocari se
quodcumque eum uocant homines.

23, 2. Simon autem Samaritanus, ex quo uniuersae
haereses substiterunt, habet huiusmodi sectae materiam.
36 Hic Helenam quandam ipse a Tyro ciuitate Phoenicae 12
quaestuariam cum redimisset, secum circumducebat,
dicens hanc esse primam mentis eius Conceptionem,
Matrem omnium, per quam in initio mente concepit
40 Angelos facere et Archangelos. Hanc enim Ennoiam exsi- 16
lientem ex eo, cognoscentem quae uult Pater eius, | Hv 19
degredi ad inferiora et generare Angelos et Potestates,
a quibus et mundum hunc factum dixit. Posteaquam
44 autem generauerit eos, haec detenta est ab ipsis propter
inuidiam, quoniam nollent progenies alterius cuiusdam 4
putari esse. Ipsum enim se in totum ignoratum ab
ipsis; Ennoeam autem eius detentam ab his quae ab ea
48 emissae essent Potestates et Angeli et omnem contu-

23, 21 magus V ‖ 23 magiam C Qε Feu : -gicam V A *edd. a
Gra.* ‖ 24 inscrutans A Qε ‖ ageret C (cog- C²) ‖ 25 quippe]+ qui A
‖ 26 magiam C Qε *Feu.* : -gicam V A *edd. a Gra.* ‖ 31 ueritatem C
(uirtu- C²) ‖ 34 symon V A ‖ 35 matheriam C ‖ 36 elenam C ‖ quandam]+ quam AQε *Feu. Gra. Hv* ‖ phoenicae *nos ex mss* (phoe-
nice C Qε phenice A fenice V) : phoenices *edd. a Feu.* ‖ 37
redimisset CV AQ *(2Ls43)* : rede- ε *edd.* ‖ 39 in A : *om. cett.* ‖

Il n'en devint que plus incrédule à l'égard de Dieu. Dans son désir de rivaliser avec les apôtres et de devenir célèbre lui aussi, il s'appliqua davantage encore à toutes les pratiques magiques, au point de rendre muets d'admiration une foule d'hommes. Il vivait au temps de l'empereur Claude, qui, dit-on, alla jusqu'à l'honorer d'une statue pour sa magie. C'est ainsi qu'il fut glorifié par un grand nombre à l'égal de Dieu. C'était lui-même, enseignait-il, qui s'était manifesté parmi les Juifs comme Fils, qui était descendu en Samarie comme Père et qui était venu parmi les autres nations comme Esprit Saint : il était la suprême Puissance, c'est-à-dire le Père qui est au-dessus de toutes choses, et il consentait à être appelé de tous les noms dont l'appelaient les hommes[1].

23, 2. Simon de Samarie, de qui dérivèrent toutes les hérésies, édifia sa secte sur le système que voici[2]. Ayant acheté à Tyr, en Phénicie, une certaine Hélène, qui y exerçait le métier de prostituée, il se mit à parcourir le pays avec elle, disant qu'elle était sa Pensée première, la Mère de toutes choses, celle par laquelle, à l'origine, il avait eu l'idée de faire les Anges et les Archanges[3]. Cette Pensée avait bondi hors de lui : sachant ce que voulait son Père, elle était descendue vers les lieux inférieurs et avait enfanté les Anges et les Puissances, par lesquels fut ensuite fait ce monde. Mais, après qu'elle les eut enfantés, elle avait été retenue prisonnière par eux par malveillance, parce qu'ils ne voulaient pas passer pour être la progéniture de qui que ce fût. Lui-même, en effet, fut totalement ignoré d'eux ; quant à sa Pensée, elle fut retenue prisonnière par les Puissances et les Anges qu'elle avait

---

40 facere et archangelos *om.* V (*suppl. mg.* V[2]) ‖ aennoiam C ‖
44 generauit ε ‖ 47 ennoean ε ‖ 48 emissa V ‖ essent : sunt□□ C

meliam ab his passam, uti non recurreret sursum ad [Hv
suum Patrem, usque adeo ut et in corpore humano 8
includeretur et per saecula ueluti de uase in uas trans-
52 migraret in altera muliebria corpora. Fuisse autem eam
et in illa Helena, propter quam Troianum contractum
est bellum. *Quapropter et Stesichorum per carmina 12
maledicentem eam orbatum oculis; post deinde paeni-
56 tentem et scribentem eas quae uocantur palinodias, in
quibus hymnizauit eam, rursus uidisse. Transmigrantem
autem eam de corpore in corpus ex eo et semper contu- 16
meliam sustinentem, in nouissimis etiam in fornice
60 prostitisse : et hanc esse perditam ouem[a].

23, 3. Quapropter | et ipsum uenisse, uti eam adsu- Hv
meret primam et eliberaret eam a uinculis, *hominibus
autem salutem praestaret per suam agnitionem. Cum
64 enim male moderarentur Angeli mundum, quoniam
unusquisque eorum concupisceret principatum, ad emen- 4
dationem uenisse rerum et descendisse eum transfigu-

23, 49 his V² *cett.* : ipsam Vᵃᶜ ‖ 50 in *om.* V (*suppl. s.l.* V²) ‖ 51
includetur Cᵃᶜ (-dere- C¹) ‖ 52 corpore C -rea V ‖ 53 illam Q ‖ 54
stesicorum Cᵃᶜ (-cho- C²) sthesichorum Q ‖ 56 in : et in ε ‖ 57
rursus]+ eam *expunct.* Q ▨▨ C ‖ □□□□□ migrantem V
(trans- V²) ‖ et CVεᵐᵍ : ut AQε ‖ semper εᵐᵍ *cett.* : propter ε ‖
59 etiam]+ iam ε ‖ 60 uuem Qᵃᶜ ‖ 62 primam : poenam ε ‖ eliberaret *nos* (*cf. supra* 8, 39) : eliberare C liberaret Vε liberare AQ ‖
63 salutem *om.* CV

Fr. gr. 12. — HIPPOLYTE, *Elenchos* VI, 19 (Wendl. 145,
16 - 146, 1). — Voir *Introd.* p. 96.

| **23,** 2. | Διὸ καὶ τὸν Στησίχορον διὰ τῶν ἐπῶν λοιδο-
ρήσαντα αὐτὴν τὰς ὄψεις τυφλωθῆναι, αὖθις δὲ μεταμεληθέντα αὐτὸν καὶ γράψαντα τὰς παλινῳδίας, ἐν αἷς
4 ὕμνησεν αὐτήν, ἀναβλέψαι. Μετενσωματουμένην ⟨...⟩

Fr. gr. 12. — 1 διὸ καὶ nos : οὕτως γοῦν P ‖ 2-3 μεταμεληθέντα
αὐτὸν καὶ γράψαντα nos, iuxta Wendl. in app. : μεταμελη-
θέντος αὐτοῦ καὶ γράψαντος P

émis : pour qu'elle ne pût remonter vers son Père, elle fut accablée par eux de toute espèce d'outrages, jusqu'à être enfermée dans un corps humain et à être comme transvasée, au cours des siècles, dans différents corps de femme[1]. Elle fut, entre autres, en cette Hélène qui causa la guerre de Troie[2] ; et ainsi s'explique que Stésichore, pour l'avoir outragée dans ses poèmes, devint aveugle, tandis que, après s'être repenti et l'avoir célébrée dans ses « palinodies », il recouvra la vue. Tout en passant ainsi de corps en corps et en ne cessant de subir des outrages, pour finir elle vécut même dans un lieu de prostitution : c'était la « brebis perdue[a] »[3].

23, 3. C'est pourquoi il vint en personne, afin de la recouvrer la première et de la délivrer de ses liens[4], afin aussi de procurer le salut aux hommes par la « connaissance » de lui-même. Car, comme les Anges gouvernaient mal le monde, du fait que chacun d'eux convoitait le commandement, il vint pour redresser cette situation. Il descendit, en se métamorphosant et en se rendant

---

Fr. gr. **13**. — HIPPOLYTE, *Elenchos* VI, 19 (Wendl. 146, 16 - 147, 12). — Voir *Introd.* p. 96.

| **23**, 3. | ⟨...⟩ τοῖς ⟨δὲ⟩ ἀνθρώποις σωτηρίαν παρασχῇ διὰ τῆς ἰδίας ἐπιγνώσεως. Κακῶς γὰρ διοικούντων τῶν Ἀγγέλων τὸν κόσμον διὰ τὸ φιλαρχεῖν ἕκαστον αὐτῶν,
4 εἰς ἐπανόρθωσιν ἐληλυθέναι ⟨τῶν πραγμάτων καὶ καταβεβηκέναι⟩ αὐτὸν ἔφη μεταμορφούμενον καὶ ἐξομοιούμε-

---

Fr. gr. 13. — 1 ⟨δὲ⟩ nos ‖ παρασχῇ nos : παρέσχε P ‖ 3 ἕκαστον αὐτῶν nos : αὐτοὺς P ‖ 4-5 ⟨τῶν πραγμάτων καὶ καταβεβηκέναι⟩ nos

---

23, 2. a. cf. Lc 15, 6

ratum et adsimilatum Virtutibus et Potestatibus et [Hv
68 Angelis, ut et in hominibus homo appareret ipse, cum
non esset homo, et passum autem in Iudaea putatum, 8
cum non esset passus. Prophetas autem a mundi fabricatoribus Angelis inspiratos dixisse prophetias : qua-
72 propter nec ulterius curarent eos hi qui in eum et in
Helenam eius spem habeant et ut liberos agere quae
uelint : secundum enim ipsius gratiam saluari homines, 12
sed non secundum operas iustas. Nec enim esse natu-
76 raliter operationes | iustas, sed ex accidentia, quemad- Hv
modum posuerunt qui mundum fecerunt Angeli, per
huiusmodi praecepta in seruitutem deducentes homines.
Quapropter et solui mundum et liberari eos qui sunt
80 eius ab imperio eorum qui mundum fecerunt repromisit. 4

23, 4. Igitur horum mystici sacerdotes libidinose
quidem uiuunt, magias autem perficiunt, quemadmodum
potest unusquisque ipsorum. Exorcismis et incantatio-
84 nibus utuntur. Amatoria quoque et agogima et qui 8
dicuntur paredri et oniropompi et quaecumque sunt alia
perierga apud eos studiose exercentur. Imaginem quoque
Simonis habent factam ad figuram Iouis, et Helenae
88 in figuram Mineruae, et has adorant; habent quoque

23, 69 putatum *om.* CV ‖ 70 autem *om.* A ‖ 73 habent V hē-
bant Q ‖ quo AQ ‖ 75 opera iusta A ‖ 75-76 naturaliter *transp.*
post 76 iustas V ‖ 76 accidentia AQε : accedentia C accidenti V ‖
77-80 angeli — fecerunt *om.* Q ‖ 80 fecerunt VᵃᶜAε : -rint CV¹
‖ promisit CV ‖ 82 magicas A ‖ 85 omiropompi AQ ‖ 86 pariergia V   parerga ε ‖ 87 symonis V AQ ‖ selenae ε

νον ταῖς Ἀρχαῖς καὶ ταῖς Ἐξουσίαις καὶ τοῖς Ἀγγέλοις,
ὡς καὶ ⟨ἐν ἀνθρώποις⟩ ἄνθρωπον φαίνεσθαι αὐτὸν μὴ
8 ὄντα ἄνθρωπον, καὶ παθεῖν δὲ ἐν τῇ Ἰουδαίᾳ [καὶ] δεδοκη-
κέναι μὴ πεπονθότα. Τοὺς δὲ προφήτας ἀπὸ τῶν
κοσμοποιῶν Ἀγγέλων ἐμπνευσθέντας εἰρηκέναι τὰς προφητείας. Διὸ μηκέτι φροντίζειν αὐτῶν τοὺς εἰς τὸν

semblable aux Principautés, aux Puissances et aux
Anges : c'est ainsi qu'il se montra également parmi les
hommes comme un homme, quoique n'étant pas
homme, et qu'il parut souffrir en Judée, sans souffrir
réellement. Quant aux prophètes, c'est sous l'inspiration
des Anges auteurs du monde qu'ils avaient débité leurs
prophéties. Aussi les fidèles de Simon et d'Hélène ne
devaient-ils plus se soucier d'eux, mais, en hommes
libres, faire tout ce qu'ils voulaient : ce qui sauvait les
hommes, c'était la grâce de Simon, non les œuvres
justes. Car il n'y avait point d'œuvres justes par nature,
mais seulement par convention, selon qu'en avaient
disposé les Anges auteurs du monde dans le but de
réduire les hommes en esclavage par de tels commandements. Aussi Simon promettait-il de détruire le monde
et de libérer les siens de la domination des Auteurs du
monde[1].

23, 4. Leurs mystagogues vivent donc dans la
débauche et, d'autre part, s'adonnent à la magie,
chacun autant qu'il peut. Ils usent d'exorcismes et
d'incantations. Ils recourent aussi aux philtres, aux
charmes, aux démons dits parèdres et oniropompes et
à toutes les autres pratiques magiques. Ils possèdent
une image de Simon représenté sous les traits de Zeus
et une image d'Hélène sous ceux d'Athéna, et ils les
adorent[2]. Ils portent aussi un nom dérivé de Simon,

---

12 Σίμωνα καὶ τὴν Ἑλένην πεπιστευκότας [ἕως νῦν], πράσσειν
τε ὅσα βούλονται ὡς ἐλευθέρους · κατὰ γὰρ τὴν αὐτοῦ
χάριν σῴζεσθαι ⟨...⟩

[Fr. gr. 13] 7 ⟨ἐν ἀνθρώποις⟩ nos ‖ 8 [καὶ] Wendland ‖ 9 post
πεπονθότα add. nonnulla P ‖ 11 μηκέτι nos : μὴ P ‖ 12 [ἕως
νῦν] nos ‖ 13 τε ὅσα Wendland : τὰ σὰ P

et uocabulum | a principe impiissimae sententiae Hv
Simone, uocati Simoniani, a quibus falsi nominis scientia
accepit initia, sicut ex ipsis assertionibus eorum adest
92 discere.

23, 5. Huius successor fuit Menander, Samarites 4
genere, qui et ipse ad summum magiae peruenit. Qui
primam quidem Virtutem incognitam ait omnibus; se
96 autem eum esse qui missus sit ab inuisibilibus Saluatorem pro salute hominum. Mundum autem factum ab 8
Angelis, quos et ipse similiter ut Simon ab Ennoia
emissos dicit. Dare quoque per eam quae a se docea-
100 tur magia scientiam ad id ut et ipsos qui mundum
fecerunt uincat Angelos. Resurrectionem enim per id
quod est in eum baptisma accipere eius discipulos et 12
ultra non posse mori, sed perseuerare non senescentes
104 et immortales. |

24, 1. Ex his Saturninus, qui fuit ab Antiochia ea Hv
quae est apud Daphnen, et Basilides, occasiones accipientes, distantes doctrinas ostenderunt, alter quidem
4 in Syria, alter uero in Alexandria. Saturninus quidem 4
similiter ut Menander unum Patrem incognitum omnibus
ostendit, *qui fecit Angelos, Archangelos, Virtutes,
Potestates. A septem autem quibusdam Angelis mundum

23, 89 uocabula AQε ‖ 90 symone VA ‖ uocati CˣV : uocitis C
dicti A citi (+*s.l.* dicti) Q   citi dicti ε ‖ symoniani V AQ ‖ 92
dicere AQε *Feu.* ‖ 93 *hic inser. codd.* & ε *tit. cap*¹¹ xxi *de quo u. in
init. libri* ‖ 94 qui — peruenit *iter.* Q ‖ magice A ‖ 96 misus C
‖ 98 symon VAQ ‖ 100 magia CV : magiam Qε *Feu. Mass. Sti.*
magicam A *Gra. Hv* ‖ ad id CV : addidit AQε *Feu. Gra. Hv* ‖
101 fecerunt A¹ᵖᶜ ε : fecerit CVQ   *om.* A
24, 1 *hic inser. codd.* & ε *tit. cap*¹¹ xxii *de quo u. in init. libri* ‖
antiochia (-th-V) ea CV : initio chaea AQ   antiochea ε ‖ 2 est
om. AQ ‖ daphnen ε : daf- *codd.* ‖ 6 facit C (fe- C²) ‖ 7 septem A :
uii C   vii VQ

l'initiateur de leur doctrine impie[1], puisqu'ils sont
appelés Simoniens, et c'est d'eux que tire son origine la
« gnose » au nom menteur[2], ainsi qu'il est loisible de
l'apprendre par leurs déclarations mêmes.

23, 5. Il eut pour successeur Ménandre, originaire de
Samarie, qui atteignit, lui aussi, au faîte de la magie.
La première Puissance, disait-il, était inconnue de tous ;
quant à lui, il était le Sauveur envoyé des lieux invisibles
pour le salut des hommes. Le monde avait été fait par
des Anges, lesquels, affirmait-il à l'instar de Simon,
avaient été émis par la « Pensée ». Par la magie qu'il
enseignait, il donnait une « gnose » permettant de
vaincre les Anges mêmes qui avaient fait le monde.
Car, du fait qu'ils étaient baptisés en lui, ses disciples
recevaient la résurrection : ils ne pourraient plus
mourir, mais se maintiendraient à l'abri du vieillissement et de la mort.

Saturnin et Basilide.

24, 1. Prenant comme point de départ la doctrine de
ces deux hommes, Saturnin, originaire d'Antioche près
de Daphné, et Basilide donnèrent naissance à des
écoles divergentes, l'un en Syrie, l'autre à Alexandrie.
Pour Saturnin, tout comme pour Ménandre, il existe
un Père inconnu de tous[3], qui a fait les Anges, les
Archanges, les Vertus et les Puissances. Sept d'entre
ces Anges ont fait le monde et tout ce qu'il renferme.

Fr. gr. 14. — HIPPOLYTE, *Elenchos* VII, 28 (Wendl.
208, 11 - 210, 3). — Voir *Introd.* p. 97.

| **24, 1.** | ⟨...⟩ τὸν ποιήσαντα Ἀγγέλους, Ἀρχαγγέλους,
Δυνάμεις, Ἐξουσίας. Ὑπὸ δὲ ἑπτά τινων Ἀγγέλων τὸν

Fr. gr. 14. — 1 τὸν We : τοῦτον P ‖ 2 ὑπὸ nos, iuxta We in
app. : ἀπὸ P

8 factum et omnia quae in eo. Hominem autem Angelorum [Hv
esse facturam, desursum a summa Potestate lucida 8
imagine apparente, quam cum tenere non potuissent,
inquit, eo quod statim recurrerit sursum, adhortati sunt
12 semet|ipsos, dicentes : *Faciamus hominem ad imaginem* Hv
et similitudinem[a]. Qui cum factus esset et non potuisset
erigi plasma propter imbecillitatem Angelorum, sed
quasi uermiculus scarizaret, miserantem eius desuper 4
16 Virtutem, quoniam in similitudinem eius factus esset,
emisisse scintillam vitae, quae erexit hominem et arti-
culauit et uiuere fecit. Hanc igitur scintillam uitae post
defunctionem recurrere ad ea quae sunt eiusdem generis
20 dicit, et reliqua ex quibus facta sunt <in> illa resolui. 8

24, 2. Saluatorem autem innatum demonstrauit et
incorporalem et sine figura, putatiue autem uisum
hominem. Et Iudaeorum Deum unum ex Angelis esse

24, 10 quem V ‖ cum tenere C²V : continere Cᵃᶜ cum continere AQε *Feu. Gra.* ‖ 11 quod : qui AQ   statu qui ε ‖ recucur-
rerit A ‖ adortati C ‖ 13 similitudinem]+ nostram ε *Feu.* ‖
potuisse AQ ‖ 14 palma AQ ε (« *forte* plasma » εᵐᵍ) ‖ propter εᵐᵍ
cett. : per ε ‖ 15 scatizaret Vᵃᶜ ‖ miserentem V ‖ 16 similitudine
CV A ‖ esset factus ∾ Qε ‖ 20 <in> *Hv ex gr.* : *om. codd.* ε *al.*
edd. ‖ 21 ignotum ε ‖ 22-24 putatiue — ait *om.* V (*suppl. mg.* V²)

κόσμον γεγενῆσθαι καὶ πάντα τὰ ἐν αὐτῷ. Καὶ τὸν ἄνθρωπον
4 δὲ ᾿Αγγέλων εἶναι ποίημα, ἄνωθεν ἀπὸ τῆς Αὐθεντίας
φωτεινῆς εἰκόνος ἐπιφανείσης, ἣν κατασχεῖν μὴ δυνηθέντες
διὰ τὸ παραχρῆμα, φησίν, ἀναδραμεῖν ἄνω, ἐκέλευσαν
ἑαυτοῖς λέγοντες · «Ποιήσωμεν ἄνθρωπον κατ᾽ εἰκόνα
8 καὶ καθ᾽ ὁμοίωσιν[a] » · οὗ γενομένου, φησίν, καὶ ⟨μὴ⟩
δυναμένου ἀνορθοῦσθαι τοῦ πλάσματος διὰ τὸ ἀδρανὲς
τῶν ᾿Αγγέλων, ἀλλὰ δίκην σκώληκος σκαρίζοντος, οἰκτεί-
ρασα αὐτὸν ἡ ἄνω Δύναμις διὰ τὸ ἐν ὁμοιώματι αὐτῆς
12 γεγονέναι, ἔπεμψε σπινθῆρα ζωῆς, ὃς διήγειρε τὸν
ἄνθρωπον ⟨καὶ ἀνώρθωσε⟩ καὶ ζῆν ἐποίησε. Τοῦτον οὖν

L'homme, lui aussi, est l'ouvrage des Anges. Une image
resplendissante, venue d'en haut, de la suprême Puissance, leur était soudainement apparue. N'ayant pu la
retenir, dit Saturnin, parce qu'elle était aussitôt remontée dans les hauteurs, ils s'excitèrent les uns les autres
en disant : « Faisons un homme selon l'image et selon
la ressemblance ᵃ. » Ainsi fut fait ; mais, par suite de
la faiblesse des Anges, l'ouvrage modelé par eux ne
pouvait se tenir debout et se tortillait à la façon d'un
ver. Alors la Puissance d'en haut en eut pitié, parce qu'il
avait été fait à sa ressemblance, et lui envoya une
étincelle de vie qui le redressa, le mit debout[1] et le fit
vivre. Après la mort, dit Saturnin, cette étincelle de vie
remonte vers ce qui est de même nature qu'elle ; quant
au reste, il retourne aux éléments dont il a été tiré.

24, 2. Le Sauveur, affirme-t-il encore, est inengendré,
sans corps ni figure, et c'est d'une manière purement
apparente qu'il s'est fait voir comme homme. Le Dieu
des Juifs est l'un des Anges. Parce que le Père voulait

τὸν σπινθῆρα τῆς ζωῆς μετὰ τὴν τελευτὴν ἀνατρέχειν
πρὸς τὰ ὁμόφυλα λέγει, καὶ τὰ λοιπά, ἐξ ὧν ἐγένετο,
16 εἰς ἐκεῖνα ἀναλύεσθαι.

| **24, 2.** | Τὸν δὲ Σωτῆρα ἀγέννητον ὑπέθετο καὶ ἀσώματον
καὶ ἀνείδεον, δοκήσει δὲ ἐπιπεφηνέναι ἄνθρωπον. Καὶ
τὸν τῶν Ἰουδαίων Θεὸν ἕνα τῶν Ἀγγέλων εἶναί φησι·

[Fr. gr. 14] 5 φωτεινῆς We : φωνῆς P ‖ ἦν We : ἦν P ‖ 6 ἄνω We :
ἄνωθεν P ‖ 8 ⟨μὴ⟩ We ‖ 10 δίκην nos (cf. Épiph. Holl I, p.
249, 8 δίκην σκώληκος) : ὡς P ‖ 12 ἔπεμψε We : πέμψαι P
‖ 13 ⟨καὶ ἀνώρθωσε⟩ nos (cf. Épiph. ibid. l. 11-12 : ἀνώρ-
θωσε τὸν ἄνθρωπον) ‖ 17 ἀγέννητον We : ἀγένητον P

24, 1. a. Gen. 1, 26

24 ait : et propter hoc quod dissoluere uoluerint Patrem [Hv
eius omnes Principes, aduenisse Christum ad destruc- 12
tionem Iudaeorum Dei et ad salutem credentium ei;
esse | autem hos, qui habent scintillam vitae eius. Duo Hv 1
28 enim genera hic primus hominum plasmata esse ab
Angelis dixit, alterum quidem nequam, alterum autem
bonum. Et quoniam daemones pessimos adiuuabant, 4
uenisse Saluatorem ad dissolutionem malorum hominum
32 et daemoniorum, ad salutem autem bonorum. Nubere
autem et generare a Satana dicunt esse. Multi autem
ex his qui sunt ab eo et ab animalibus abstinent, per
fictam huiusmodi continentiam seducentes multos. 8
36 Prophetias autem quasdam quidem ab his Angelis qui
mundum fabricauerint dictas, quasdam autem a Satana :
quem et ipsum Angelum aduersarium mundi fabricatoribus ostendit, maxime autem Iudaeorum Deo. 12

40 **24, 3.** Basilides autem, ut altius aliquid et uerisimilius
inuenisse uideatur, in immensum extendit sententiam

24, 24 ait : dixit Qε ‖ 27 scintillas Qᵃᶜ ‖ 29 autem : aut Q
om. C (suppl. s.l. C²) ‖ 30 adiuuant CV ‖ 32 daemonum ε ‖ 33
sathana V AQ ‖ 34-35 per fictam C²V : perfectam C AQ   perfecta
ε ‖ 35 continentia ε ‖ 36 quidem : quidam ε ‖ 37 fabricauerunt V
‖ sathana V AQ ‖ 39 deo om. V ‖ 40 hic inser. codd. & ε tit. cap¹¹
xxiii de quo u. in init. libri ‖ 41 adinuenisse AQε Feu. Gra. ‖
in om. C ‖ sententiam : scientiam C

---

20 καὶ διὰ τὸ βούλεσθαι τὸν Πατέρα καταλῦσαι πάντας τοὺς
Ἄρχοντας, παραγενέσθαι τὸν Χριστὸν ἐπὶ καταλύσει τοῦ
τῶν Ἰουδαίων Θεοῦ καὶ ἐπὶ σωτηρίᾳ τῶν πειθομένων
αὐτῷ, εἶναι δὲ τούτους ⟨τοὺς⟩ ἔχοντας τὸν σπινθῆρα τῆς
24 ζωῆς ἐν αὐτοῖς. Δύο γὰρ γένη τῶν ἀνθρώπων ὑπὸ τῶν
Ἀγγέλων πεπλάσθαι ἔφη, τὸ μὲν πονηρόν, τὸ δὲ ἀγαθόν ·
καὶ ἐπειδὴ οἱ δαίμονες τοῖς πονηροῖς ἐβοήθουν, ἐληλυθέναι

détruire tous les Archontes[1], le Christ est venu pour la
destruction du Dieu des Juifs et pour le salut de ceux
qui croiraient en lui. Ces derniers sont ceux qui ont en
eux l'étincelle de vie. En effet, dit-il, deux races
d'hommes ont été modelées par les Anges[2], l'une mau-
vaise, l'autre bonne : comme les démons donnaient leur
aide aux mauvais, le Sauveur est venu pour la destruction des hommes pervers et des démons et pour le salut
des bons. Le mariage et la génération, dit-il encore,
viennent de Satan. La plupart de ses disciples s'abstiennent de viandes et trompent nombre d'hommes par
cette tempérance simulée. Quant aux prophéties, elles
ont été faites, les unes sous l'action des Anges auteurs
du monde, les autres sous celle de Satan. Ce dernier,
affirme Saturnin, est lui aussi un Ange, mais un Ange
opposé aux Auteurs du monde et, par-dessus tout, au
Dieu des Juifs.

24, 3. Basilide, pour paraître avoir trouvé quelque
chose de plus élevé et de plus persuasif, étendit à l'infini

τὸν Σωτῆρα ἐπὶ καταλύσει τῶν φαύλων ἀνθρώπων καὶ
28 δαιμόνων, ἐπὶ σωτηρίᾳ δὲ τῶν ἀγαθῶν. Τὸ δὲ γαμεῖν καὶ
γεννᾶν ἀπὸ τοῦ Σατανᾶ φησιν εἶναι. Οἱ πλείους τε τῶν
ἀπ' ἐκείνου καὶ ἐμψύχων ἀπέχονται, διὰ τῆς προσποιήτου
ταύτης ἐγκρατείας ⟨ἀπατῶντες πολλούς⟩. Τὰς δὲ προφη-
32 τείας, ἃς μὲν ἀπὸ τῶν κοσμοποιῶν Ἀγγέλων λελαλῆσθαι,
ἃς δὲ ἀπὸ τοῦ Σατανᾶ, ὃν καὶ αὐτὸν Ἄγγελον ἀντιπράτ-
τοντα τοῖς κοσμοποιοῖς ὑπέθετο, μάλιστα δὲ τῷ τῶν
Ἰουδαίων Θεῷ.

[Fr. gr. 14] 20 τὸ We : το P^{pc} τοῦτο P^{ac} ‖ 23 ⟨τοὺς⟩ We ‖ 25
τὸ ... τὸ We : τὸν ... τὸν P ‖ 30 προσποιήτου We : πρὸς ποιητοῦ
P ‖ 31 ⟨ἀπατῶντες πολλούς⟩ nos ‖ 34 ὑπέθετο We : -θεντο P ‖
34-35 τῷ ... Θεῷ We : τὸν ... θεόν P

doctrinae suae, | ostendens Nun primo ab innato natum Hv
Patre, ab hoc autem natum Logon, deinde a Logo
44 Phronesin, a Phronesi autem Sophian et Dynamin, a
Dynami autem et Sophia Virtutes et Principes et
Angelos, quos et primos uocat, et ab his primum caelum 4
factum. Dehinc ab horum diriuatione alios autem factos
48 aliud caelum simile priori fecisse, et simili modo ex
eorum diriuatione cum alii facti essent, antitypi eis
qui super eos essent, aliud tertium deformasse caelum; 8
et a tertio deorsum descendentium quartum, et deinceps
52 secundum eum modum alteros et alteros Principes et
Angelos factos esse dicunt et caelos cccLxv. Quapropter
et tot dies habere annum secundum caelorum numerum. 12

24. 4. Eos autem qui posterius continent caelum
56 Angelos, qui etiam a nobis uidetur, constituisse ea quae
sunt in mundo omnia | et partes sibi fecisse terrae et Hv
earum quae super eam sunt gentium. Esse autem principem ipsorum eum qui Iudaeorum putatur esse Deus.
60 Et quoniam hic suis hominibus, id est Iudaeis, uoluit 4
subicere reliquas gentes, reliquos omnes Principes contra
stetisse ei et contraegisse. Quapropter et reliquae resilue-
runt gentes eius genti. Innatum autem et innominatum
64 Patrem, uidentem perditionem ipsorum, misisse Primo-
genitum Nun suum, et hunc esse qui dicitur Christus, 8
in libertatem credentium ei a potestate eorum qui

24, 42 nun CVε : n̄ AQ (= non) ‖ primum CV ‖ 44 phronesin
Cε : -im V phrones AQ *u. seq.* ‖ a phronesi Vε : ad phronesi C
inaphronesim (-sin Q) AQ ‖ sophiam Aε -phiae Q ‖ dimamin A
dinamin Q ‖ 45 dynami V ε : dynamin C AQ ‖ sophi CV ‖ 47
deinde C^{ac} (*eras. et scr.* -hinc C^2) ‖ diriuatione CV A : deri- Qε
edd. ‖ autem : item ε *forte leg. ex Theodoreto (Haer. fab. I, 4)*
angelos ‖ 48 priore C ‖ 49 diriuatione CVA : deri- Qε *edd.* ‖ cum
om. AQε ‖ essent]+ et *coni.* Hv ‖ tantitypi AQε ‖ 50 qui *om.*
AQ ‖ aliud ε : alius C AQ alios V ‖ caelum deformasse ∾ A ‖ 51
et$_1$ *om.* V ‖ descentium A ‖ 52 alteros$_1$: altero AQ ‖ et$_1$: sed AQ
om. C^{ac} ‖ alteros$_2$ principes : pr. alt. ∾ C^{ac} ‖ 54 caelorum nume-

le développement de sa doctrine. D'après lui, du Père inengendré est né d'abord l'Intellect, puis de l'Intellect le Logos, puis du Logos la Prudence, puis de la Prudence la Sagesse et la Puissance, puis de la Puissance et de la Sagesse les Vertus, les Archontes et les Anges qu'il appelle premiers et par qui a été fait le premier ciel. Puis, par émanation à partir de ceux-ci, d'autres Anges sont venus à l'existence et ont fait un second ciel semblable au premier. De la même manière, d'autres Anges encore sont venus à l'existence par émanation à partir des précédents, comme réplique de ceux qui sont au-dessus d'eux, et ont fabriqué un troisième ciel. Puis, de cette troisième série d'Anges, une quatrième est sortie par dégradation, et ainsi de suite. De cette manière, assurent-ils, sont venues à l'existence des séries successives d'Archontes et d'Anges, et jusqu'à 365 cieux. Et c'est pour cette raison qu'il y a ce même nombre de jours dans l'année, conformément au nombre des cieux.

24, 4. Les Anges qui occupent le ciel inférieur, celui que nous voyons, ont fait tout ce que renferme le monde et se sont partagé entre eux la terre et les nations qui s'y trouvent. Leur chef est celui qui passe pour être le Dieu des Juifs. Celui-ci ayant voulu soumettre les autres nations à ses hommes à lui, c'est-à-dire aux Juifs, les autres Archontes se dressèrent contre lui et le combattirent. Pour ce motif aussi les autres nations se dressèrent contre la sienne. Alors le Père inengendré et innommable, voyant la perversité des Archontes[1], envoya l'Intellect, son Fils premier-né — c'est lui qu'on appelle le Christ — pour libérer de la domination des

---

rum CV : caelorum AQ   num- cael- ∞ ε ‖ 56 qui *codd.* ε : quod *edd.* ‖ uidentur ε ‖ 58 genitum A genitium A² ‖ 60 omnibus V ‖ 61 subigere AQε ‖ 62 tetisse V ‖ 62-63 restiterunt A residue ruerunt Q ‖ 63 nominatum V ‖ 65 num AQ

mundum fabricauerunt. Et gentibus ipsorum autem [Hv
68 apparuisse eum in terra hominem et uirtutes perfecisse.
Quapropter neque passum eum, sed Simonem quendam 12
Cyrenaeum angariatum portasse crucem eius pro eo[a],
et hunc secundum ignorantiam et errorem crucifixum,
72 transfiguratum ab eo, ut putaretur ipse esse Iesus, et
ipsum autem Iesum Simonis accepisse formam et
stantem irrisisse eos. Quoniam enim Virtus incorporalis 16
erat et Nus innati Patris, transfiguratum quemadmodum
76 uellet, et sic ascendisse ad eum qui miserat eum, deri-
dentem eos, cum teneri non posset et inuisibilis esset
omnibus. Eliberatos igitur eos qui haec sciant a mundi 20
fabricatoribus Principibus; et non oportere confiteri eum
80 qui sit crucifixus, sed eum qui in hominis forma uenerit
et putatus sit crucifixus et uocatus sit Iesus et missus
a Patre, uti per dispositionem hanc opera mundi
fabricatorum dissolueret. Si quis igitur, ait, confitetur 24
84 crucifixum, adhuc hic seruus est et sub potestate eorum
qui corpora fecerunt; qui autem negauerit, liberatus est
quidem ab his, cognoscit autem dispositionem innati
Patris. |

88   **24,** 5. Animae autem solae esse salutem : corpus enim Hv
natura corruptibile exsistit. Prophetias autem et ipsas
a mundi fabricatoribus fuisse ait Principibus, proprie
autem legem a principe ipsorum, qui eduxerit popu- 4
92 lum de terra Aegypti. Contemnere autem et idolothyta et nihil arbitrari, sed sine aliqua trepidatione

---

24, 67 et gentibus : egent- AQ   in gent- ε ‖ 69 quapater AQ ‖
symonem VAQ ‖ 70 cyrineum V ‖ 72 ut CVA : uti C[2] Qε ‖ esse
ipse ∽ V[ac] ‖ 73 symonis V AQ ‖ 75 et nus : aeternus ε ‖ 76 misit
ε ‖ 78 omni Q ‖ eliberatos C *(2Ls66)* : et liberatos *cett. et edd.* ‖
81 misus C ‖ 82 dispo|opera *(versa pag.)* V ‖ hanc ε : hunc C AQ
om. V ‖ 83 solueret V ‖ 88 anima V ‖ autem]+ eorum V *Gra.*
Sti. Hv ‖ solae C AQε *Mass. (2Ls31)* : solam V *Sti.* soli *Feu.*
Gra. Hv ‖ 91 legem *om.* CV ‖ ipsorum CV : autem AQε ‖ qui ε
Mass. Sti. : eum qui *codd. Feu. Gra. Hv* ‖ 92-93 idolothyta ε : ido-
latyta CV (-lo- C[2])   ydolothita A   ydolothyta Q

Auteurs du monde ceux qui croiraient en lui. Celui-ci
apparut aux nations de ces Archontes, sur terre, sous
la forme d'un homme, et il accomplit des prodiges.
Par conséquent, il ne souffrit pas lui-même la Passion,
mais un certain Simon de Cyrène fut réquisitionné et
porta sa croix à sa place[a]. Et c'est ce Simon qui, par
ignorance et erreur, fut crucifié, après avoir été méta-
morphosé par lui pour qu'on le prît pour Jésus ; quant
à Jésus lui-même, il prit les traits de Simon et, se tenant
là, se moqua des Archontes. Étant en effet une Puissance
incorporelle et l'Intellect du Père inengendré, il se méta-
morphosa comme il voulut, et c'est ainsi qu'il remonta
vers Celui qui l'avait envoyé, en se moquant d'eux,
parce qu'il ne pouvait être retenu et qu'il était invisible
à tous. Ceux donc qui « savent » cela ont été délivrés
des Archontes auteurs du monde. Et l'on ne doit pas
confesser celui qui a été crucifié, mais celui qui est venu
sous une forme humaine, a paru crucifié, a été appelé
Jésus et a été envoyé par le Père pour détruire, par
cette « économie », les œuvres des Auteurs du monde.
Si quelqu'un confesse le crucifié, dit Basilide, il est
encore esclave et sous la domination de ceux qui ont
fait les corps ; mais celui qui le renie est libéré de leur
emprise et connaît l'« économie » du Père inengendré.

24, 5. Il n'y a de salut que pour l'âme seule, car le
corps est corruptible par nature. Les prophéties proviennent elles aussi des Archontes auteurs du monde,
mais la Loi provient à titre propre de leur chef, c'est-à-
dire de celui qui a fait sortir le peuple de la terre
d'Égypte. On doit[1] mépriser les viandes offertes aux
idoles, les tenir pour rien et en user sans la moindre
crainte ; on doit tenir également pour matière indiffé-

uti eis, habere autem et reliquarum operationum usum [Hv
indifferentem et uniuersae libidinis. Vtuntur autem et 8
96 hi magia et incantationibus et inuocationibus et reliqua
uniuersa periergia, nomina quoque quaedam adfingentes
quasi Angelorum, adnuntiant hos quidem esse in primo
caelo, hos autem in secundo, et deinceps nituntur 12
100 ccclxv ementitorum caelorum et nomina et Principia
et Angelos et Virtutes exponere. Quemadmodum et |
[mundus] nomen [esse], in quo dicunt descendisse et Hv ?
ascendisse Saluatorem, esse Caulacau.

104   **24,** 6. Eum igitur qui haec didicerit et Angelos omnes
cognouerit et causas eorum, inuisibilem et incomprehensibilem Angelis et Potestatibus uniuersis fieri, 4
quemadmodum et Caulacau fuisse. Et sicut Filium
108 incognitum omnibus esse, sic et ipsos a nemine oportere
cognosci, sed cum sciant ipsi omnes et per omnes
transeant, ipsos omnibus inuisibiles et incognitos esse. 8
Tu enim, aiunt, omnes cognosce, te autem nemo
112 cognoscat. Quapropter et parati sunt ad negationem qui
sunt tales, immo magis ne pati quidem propter Nomen
possunt, cum sint omnibus similes. Non autem multos
scire posse haec, sed unum a mille et duo a myriadibus. 12
116 Et Iudaeos quidem | iam non esse dicunt, christianos Hv ?
autem nondum. Et non oportere omnino ipsorum
mysteria effari, sed in abscondito continere per silentium.

24, 95-96 et hi magia CV *Feu. Gra* : et imaginibus (-nis Q) AQε
et hi magia et imaginibus *Mass. Sti. Hv, non recte autem
propter corrupt.* ' magia ' *in* ' imaginibus ' *(prudens refert 2Ls167-
168)* ‖ 97 periergia *edd. a Gra.* : pariergia *codd.* parerga ε *Feu.* ‖
adfigentes AQ ‖ 100 ccclxii V ‖ eminentiorum A ‖ 102 nomen ε
(nom̄ CAQ) : nō V (= non *de more* V) *cf. SC* 210, *p.* 33 ; *supra* **21,**
38 ‖ mundus... esse *seclusimus propter interpolat.* ‖ 103-104 caulacau.
Eum *nos* : caula gaudeum CV   caula.cau deum AQ   caula cau-
leum ε   *‹ al's* caula esse caudeum › ε^mg   caulacau *edd. a Feu.*
‖ 105 agnouerit V ‖ causas : aus- V^ac ‖ 105-106 incomprehensibilem]+ eum C AQε *edd.* ‖ 106 angelis *om.* AQε ‖ 107 caulacau

rente les autres actions, y compris toutes les formes
possibles de débauche. Ces gens-là recourent eux aussi
à la magie, aux incantations, aux invocations et aux
autres pratiques magiques. Ils inventent des noms
qu'ils disent être ceux des Anges ; ils prétendent que
tels sont dans le premier ciel, tels autres dans le second,
et ainsi de suite ; ils s'évertuent de la sorte à exposer
les noms des Archontes, des Anges et des Vertus de leurs
365 prétendus cieux. De même, ils disent que le nom
sous lequel est descendu et remonté le Sauveur est
Caulacau[1].

24, 6. Celui donc qui aura appris ces choses et
connaîtra tous les Anges et leurs origines deviendra
lui-même invisible et insaisissable aux Anges et aux
Puissances, comme l'a été Caulacau. De même que le
Fils a été inconnu à tous, ainsi eux-mêmes ne pourront
être connus par personne : tandis qu'ils connaîtront
tous les Anges et franchiront leurs domaines respectifs,
ils resteront pour eux tous invisibles et inconnus.
« Pour toi, disent-ils, connais-les tous, mais qu'aucun
ne te connaisse[2] ! » Pour ce motif, des gens de cette
sorte sont prêts à tous les reniements : bien mieux, ils
ne peuvent pas même souffrir pour le Nom[3], puisqu'ils
sont semblables aux Éons. Peu d'hommes sont capables
d'un tel savoir : il n'y en a qu'un sur mille, deux sur
dix mille. Les Juifs, disent-ils, n'existent plus, et les
chrétiens n'existent pas encore. Leurs mystères ne
doivent absolument pas être divulgués, mais tenus
secrets par le moyen du silence.

---

edd. a Gra. : caula caua CV caudacaua AQ cauda canam ε « al's
cada caua » ε^mg calaucau *Feu.* ‖ 108 cognitum AQε ‖ ipsos a
nemine : ipso sanami ne AQ ‖ 109 scient C ‖ 111 cognoscet Qᵃᶜ ‖
112 negationem CVᵖᶜ : negociationem V AQε ‖ 113 imo Qε ‖ magis : et m- ε ‖ 115 et : et a C ‖ 116 christianus Cᵃᶜ ‖ 118 continere CV² *Feu. al. edd.* : continere pertinere AQε *Gra. om.* ε

24, 7. Trecentorum autem LXV caelorum locales 4 [I⁴
120 positiones distribuunt similiter ut mathematici : illorum
enim theoremata accipientes, in suum characterem
doctrinae transtulerunt. Esse autem principem illorum
Abrasax, et propter hoc CCCLXV numeros habere in se. | 8

25, 1. *Carpocrates autem et qui ab eo mundum Hv
quidem et ea quae in eo sunt ab Angelis multo inferioribus ingenito Patre factum esse dicunt. Iesum autem
4 ex Ioseph natum, et cum similis reliquis hominibus 4
fuerit, distasse a reliquis secundum id quod anima eius,
firma et munda cum esset, commemorata fuerit quae
uisa essent sibi in ea circumlatione quae fuisset ingenito
8 Deo; et propter hoc ab eo missam esse ei uirtutem, uti
mundi fabricatores effugere posset et per omnes trans- 8
gressa et in omnibus liberata ascenderet ad eum, et eas
quae similia ei | amplecterentur similiter. Iesu autem Hv

24, 119 ccc AQε ‖ LXV : sexaginta quinque *edd.* ‖ 121 theure-
mata AQ ‖ 123 abrasax *scripsimus (cf. Lampe, s. uerbo)* : abra-
xax CV AQ ἀδράξας *Erasm. edd.*
25, 1 *hic inser. codd. & ε tit. cap*¹¹ XXIIII *de quo u. in init. libri* ‖
3 ingenitum CA (-to C²) ‖ 4 ex (e ε) ioseph Cε : *om.* V *(suppl. mg.* V²)
et ioseph AQ ‖ cum *in ras.* C²ᐟ³ (? Cᵃᶜ) *Mass. Sti.* : esset V qui
AQε *Feu. Gra. Hv* ‖ 5 fuerit : fieri V ‖ distare A ‖ 6 commemorata
CV *coni.* εᵐᵍ : connumerata A commerata Qε ‖ 7 circulatione ε ‖
fuisset]+ in ε *Feu.* ‖ 8 ab eo ε *cett.* : a deo εᵐᵍ ‖ ut A ut in
A²Qε ‖ 9 fabricatoribus AQε ‖ 10 ad eum εᵐᵍ *cett.* : ad deum ε ‖
11 iesum CVA

Fr. gr. 15. — HIPPOLYTE, *Elenchos* VII, 32 (Wendl. 218,
1 - 220, 2). Cf. ÉPIPHANE, *Pan., haer.* 27, 2 (Holl I, 301, 5 -
304, 13). — Voir *Introd.* p. 98.

| **25, 1.** | Καρποκράτης ⟨δὲ καὶ οἱ ἀπ' αὐτοῦ⟩ τὸν μὲν
κόσμον καὶ τὰ ἐν αὐτῷ ὑπὸ 'Αγγέλων πολὺ ὑποβεβηκότων
τοῦ ἀγεννήτου Πατρὸς γεγενῆσθαι λέγουσιν, τὸν δὲ
4 'Ιησοῦν ἐξ 'Ιωσὴφ γεγεννῆσθαι, καὶ ὅμοιον τοῖς ἀνθρώποις
γεγονότα διαφορώτερον τῶν λοιπῶν γενέσθαι ⟨κατὰ τὸ⟩

24, 7. Ils déterminent la position des 365 cieux de
la même manière que les astrologues : empruntant leurs
principes, ils les adaptent au caractère propre de leur
doctrine. Leur chef est Abraxas, et c'est pour cela qu'il
possède le nombre 365.

Carpocrate et ses disciples.

25, 1. Selon Carpocrate et ses disciples, le monde
avec ce qu'il contient a été fait par des Anges de beaucoup inférieurs au Père inengendré. Jésus était né de
Joseph ; semblable à tous les autres hommes, il fut
supérieur à tous[1] en ce que son âme, qui était forte et
pure, conserva le souvenir de ce qu'elle avait vu dans
la sphère du Père inengendré[2]. Pour ce motif, une force
lui fut envoyée par le Père pour lui permettre d'échapper
aux Auteurs du monde ; ayant traversé tous leurs
domaines[3] et ayant été délivrée en tous, elle remonta
jusqu'au Père. Et il en va de même pour les âmes qui
embrassent des dispositions semblables aux siennes.
L'âme de Jésus, disent-ils, éduquée dans les coutumes

    τὴν ψυχὴν αὐτοῦ εὔτονον καὶ καθαρὰν γεγονυῖαν διαμνημο-
νεῦσαι τὰ ὁραθέντα αὐτῇ ἐν τῇ τοῦ ἀγεννήτου Θεοῦ
8 περιφορᾷ, καὶ διὰ τοῦτο ὑπ' ἐκείνου αὐτῇ καταπεμφθῆναι
δύναμιν ὅπως τοὺς κοσμοποιοὺς ἐκφυγεῖν δυνηθῇ · ἣν
καὶ διὰ πάντων χωρήσασαν ἐν πᾶσί τε ἐλευθερωθεῖσαν
ἀνεληλυθέναι πρὸς αὐτόν, ⟨καὶ τὰς⟩ τὰ ὅμοια αὐτῇ
12 ἀσπαζομένας ⟨ὁμοίως⟩. Τὴν δὲ τοῦ Ἰησοῦ λέγουσι

Fr. gr. 15. — 1 ⟨δὲ καὶ οἱ ἀπ' αὐτοῦ⟩ nos ‖ 3 ἀγεννήτου nos :
ἀγενήτου P ‖ λέγουσιν nos : λέγει P ‖ 4 γεγεννῆσθαι We (Epiph.) :
γεγενῆσθαι P ‖ 5 διαφορώτερον nos : δικαιότερον P ‖ ⟨κατὰ τὸ⟩
nos ‖ 6 post τὴν add. δὲ P ‖ 7 ὁραθέντα Epiph. : ὁρατὰ μὲν P ἑωρα-
μένα We ‖ τοῦ Epiph. : μετὰ τοῦ P ‖ ἀγεννήτου nos : ἀγενήτου
P ‖ 8 αὐτ(ῇ) P ‖ 9 post ἐκφυγεῖν add. δι' αὐτῆς P ‖ 11 ἀνεληλυθέναι
We : ἐληλυθέναι P ‖ ⟨καὶ τὰς⟩ nos ‖ αὐτῇ We : αὐτῆς P ‖ 12
ἀσπαζομένας nos : -νην P ‖ ⟨ὁμοίως⟩ nos

334 ADVERSVS HAERESES

12 dicunt animam in Iudaeorum consuetudine nutritam [Hv 2
contempsisse eos, et propter hoc uirtutes accepisse, per
quas euacuauit quae fuerunt in poenis passiones, quae 4
inerant hominibus.

16 **25, 2.** Eam igitur quae similiter atque illa Iesu anima
potest contemnere mundi fabricatores Archontas, similiter accipere uirtutes ad operandum similia. Quapropter
★et ad tantum elationis prouecti sunt, ut quidam quidem 8
20 similes se esse dicant Iesu, quidam autem adhuc et
secundum aliquid illo fortiores, qui sunt distantes
amplius quam illius discipuli, ut puta quam Petrus et
Paulus et reliqui apostoli : hos autem | in nullo demi- Hv 20
24 norari ab Iesu. Animas enim ipsorum ex eadem circumlatione deuenientes et ideo similiter contemnentes

25, 12 animam *om.* C (*suppl. s.l.* C²) ‖ consue|uerunt tudine
(*uersa pagina*) Q ‖ 14 poenis *codd.* ε^mg : peius ε ‖ 15 erant AQε ‖
16 eam *Mass. Sti. ex gr.* : ea CV AQε *Feu.* eas *Gra.* ‖ 19 et
om. Q ‖ tantas C^ac ‖ quidem quidam ∽ A ‖ 20 se esse ε *Feu.*
Gra. Hv : esse C sese V *Mass. Sti.* se AQ ‖ et *om.* AQε ‖ 21
distentes CV ‖ 23-24 denominari A ‖ 24 ab : a V Qε

Fr. arm. 6. — **25,** 19-25 et — deuenientes *Galata 54*, p. 3.
— Voir *Introd.*, p. 101.

19 tantum elationis : tantam elationem ‖ 19-22 quidam —
amplius : similes *(cum articulo)* esse dicant seipsos iesu, quosdam
autem (4) in aliquo in quo(?) fortiores adhuc dicant, quosdam
autem (4) meliores ‖ 22 ut puta *om.* ‖ 23 hos autem : quosdam
autem (4) seipsos quoniam ‖ 23-24 deminorari : deminorantur ‖
24 animas : animae

ψυχὴν ἐν τοῖς τῶν Ἰουδαίων ἔθεσιν ἀνατραφεῖσαν καταφρονῆσαι αὐτῶν, καὶ διὰ τοῦτο δυνάμεις εἰληφέναι,
δι' ὧν κατήργησε τὰ ἐπὶ κολάσεσι πάθη προσόντα τοῖς
16 ἀνθρώποις.

des Juifs, les a méprisées[1] ; c'est pourquoi elle a reçu
des forces grâce auxquelles elle a détruit les passions
qui se trouvaient dans les hommes à titre de châtiment.

25, 2. L'âme donc qui, à l'instar de celle de Jésus,
est capable de mépriser les Archontes auteurs du monde,
reçoit pareillement une force lui permettant d'accomplir
les mêmes actes. Aussi en sont-ils venus à un tel degré
d'orgueil[2], que certains d'entre eux se disent égaux à
Jésus[3], tandis que d'autres se déclarent encore plus
forts que lui[4] et que d'autres[5] se prétendent supérieurs
à ses disciples, comme Pierre et Paul et les autres apôtres,
qui ne le cèdent eux-mêmes en rien à Jésus. Car leurs
âmes, provenant de la même sphère[6] et, pour ce motif,

| **25, 2.** | Τὴν οὖν ὁμοίως ἐκείνῃ τῇ τοῦ Ἰησοῦ ψυχῇ
δυναμένην καταφρονῆσαι τῶν κοσμοποιῶν Ἀρχόντων
ὁμοίως λαμβάνειν δύναμιν πρὸς τὸ πρᾶξαι τὰ ὅμοια. Διὸ
20 καὶ εἰς τοσοῦτον τῦφον ἐληλάκασιν, ὥστε τοὺς μὲν
ὁμοίους ἑαυτοὺς εἶναι λέγειν τῷ Ἰησοῦ, τοὺς δὲ καὶ ἔτι
δυνατωτέρους, τινὰς δὲ καὶ διαφορωτέρους τῶν ἐκείνου
μαθητῶν, οἷον Πέτρου καὶ Παύλου καὶ τῶν λοιπῶν
24 ἀποστόλων, τούτους δὲ κατὰ μηδὲν ἀπολείπεσθαι τοῦ
Ἰησοῦ. Τὰς δὲ ψυχὰς αὐτῶν ἐκ τῆς αὐτῆς περιφορᾶς
παρούσας καὶ διὰ τοῦτο ὡσαύτως καταφρονούσας τῶν

[Fr. gr. 15] 13 ἐν — ἀνατραφεῖσαν Epiph. : ἐννόμως ἠσκημένην
ἐν ἰουδαϊκοῖς ἔθεσι P ‖ 14 εἰληφέναι Epiph. : ἐπιτετεληκέναι P
‖ 15 κολάσεσι Epiph. : κολάσει P ‖ 17 ἰησοῦ nos : χριστοῦ P
‖ 20 τοσοῦτον τῦφον ἐληλάκασιν nos (cf. Epiph.) : τοῦτο τὸ τῦφος
κατεληλύθασιν P ‖ τοὺς We : αὐτοὺς P ‖ 21 ὁμοίους We : ὁμοίως
P ‖ ἑαυτοὺς nos : αὐτῷ P ‖ λέγειν nos, iuxta We in app. :
λέγουσι P ‖ 24 μηδὲν We : μηδένα P ‖ 25 αὐτῆς περιφορᾶς
Epiph. : ὑπερκειμένης ἐξουσίας P ‖ 26 καταφρονούσας We :
καταφρονεῖν P

mundi fabricatores, eadem dignas habitas esse uirtute [Hv
et rursus in idem abire. Si quis autem plus quam ille 4
28 contempserit ea quae sunt hic, posse meliorem quam
illum esse.

25, 3. Artes enim magicas operantur et ipsi et incan-
tationes philtra quoque et charitesia et paredros et
32 oniropompos et reliquas malignationes, dicentes se 8
potestatem habere ad dominandum iam Principibus et
Fabricatoribus mundi huius, non solum autem, sed et
his omnibus quae in eo sunt facta. Qui et ipsi ad
36 detractationem diuini Ecclesiae nominis, quemadmodum
et gentes, a Satana praemissi sunt, uti secundum alium 12
et alium modum quae sunt illorum audientes homines
et putantes omnes | nos tales esse, auertant aures suas Hv 2
40 a praeconio ueritatis, aut et uidentes quae sunt illorum
omnes nos blasphement in nullo eis communicantes
neque in doctrina neque in moribus neque in quotidiana
conuersatione. Sed uitam quidem luxoriosam, senten- 4

25, 26 dignos AQε dignus C ‖ habitos C AQε ‖ 30 operantes
Q ‖ 31 caritesia V Q ‖ et₃ om. ε ‖ 32 oniroponpos C ‖ 33 iam]+
in *(expunct.)* A ‖ 34 huius mundi ∽ *edd. a Gra.* ‖ 36 detracta-
tionem C Q : detractionem V Aε *Gra. Mass. Sti.* detrectationem
Feu. Hv ‖ 37 sathana CV AQ ‖ ut V ‖ 38 et alium *om.* AQε ‖ 40 aut
C *cett.* : ut Cˣ *post ras.* ‖ et *om.* AQ *(suppl. s.l.* A²) ‖ 42 minoribus
A ‖ cotidia Q ‖ 43 luxoriosam C *(2Ls20)* : luxu- *cett.*

κοσμοποιῶν τῆς αὐτῆς ἠξιῶσθαι δυνάμεως καὶ αὖθις εἰς
28 τὸ αὐτὸ χωρῆσαι. Εἰ δέ τις ἐκείνου πλέον καταφρονήσειεν
τῶν ἐνταῦθα, δύνασθαι διαφορώτερον αὐτοῦ ὑπάρχειν.

| 25, 3. | Τέχνας οὖν μαγικὰς ἐξεργάζονται ⟨καὶ αὐτοὶ⟩
καὶ ἐπαοιδάς, φίλτρα τε καὶ χαριτήσια, παρέδρους τε καὶ
32 ὀνειροπόμπους καὶ τὰ λοιπὰ κακουργήματα, φάσκοντες
ἐξουσίαν ἔχειν πρὸς τὸ κυριεύειν ἤδη τῶν Ἀρχόντων καὶ

méprisant pareillement les Auteurs du monde, ont été
gratifiées de la même force et retournent au même lieu.
Et s'il arrive que quelqu'un méprise plus que Jésus les
choses d'ici-bas[1], il peut lui être supérieur.

25, 3. Ils recourent, eux aussi, aux pratiques magiques, aux incantations, aux philtres, aux charmes, aux
démons parèdres et envoyeurs de songes et aux autres
infamies. Ils disent qu'ils ont le pouvoir de dominer
déjà sur les Archontes et les Auteurs de ce monde, et
non seulement sur eux, mais sur tous leurs ouvrages
que renferme le monde. Ces gens-là, eux aussi, ont été
envoyés par Satan vers les païens[2] pour faire calomnier
le nom vénérable de l'Église, afin que les hommes, entendant de diverses manières parler d'eux et s'imaginant
que nous leur sommes tous pareils, détournent leurs
oreilles de la prédication de la vérité, ou que, voyant
également leur conduite, ils nous enveloppent tous dans
la même diffamation. Cependant nous n'avons rien de
commun avec eux, ni dans la doctrine, ni dans les
mœurs, ni dans la vie quotidienne ; mais ces gens, qui
vivent dans la débauche et professent des doctrines

Ποιητῶν τοῦδε τοῦ κόσμου, οὐ μὴν ἀλλὰ καὶ τῶν ἐν αὐτῷ
ποιημάτων ἁπάντων · οἵτινες καὶ αὐτοὶ εἰς διαβολὴν τοῦ
36 θείου τῆς Ἐκκλησίας ὀνόματος πρὸς τὰ ἔθνη ὑπὸ τοῦ
Σατανᾶ προεβλήθησαν, ἵνα κατ' ἄλλον καὶ ἄλλον τρόπον
τὰ ἐκείνων ἀκούοντες ἄνθρωποι καὶ δοκοῦντες ἡμᾶς
πάντας τοιούτους ὑπάρχειν ἀποστρέφωσι τὰς ἀκοὰς
40 αὐτῶν ἀπὸ τοῦ τῆς ἀληθείας κηρύγματος, ⟨ἢ καὶ⟩ βλέπον-
τες τὰ ἐκείνων ἅπαντας ἡμᾶς βλασφημῶσιν.

[Fr. gr. 15] 27 τῆς We : διὰ τῆς P ‖ 30 ἐξεργάζονται We :
-αζόμενον P ‖ ⟨καὶ αὐτοὶ⟩ nos ‖ 40 ⟨ἢ καὶ⟩ We ‖ 41 ἅπαντας
We : -τα P ‖ βλασφημῶσιν We : -μοῦσιν P

44 tiam autem impiam ad uelamen malitiae ipsorum [Hv
nomine abutuntur[a], *quorum iudicium iustum est*[b],
recipientium dignam suis operibus a Deo retributionem.

25, 4. Et in tantum insania ineffrenati sunt, uti et 8
48 omnia quaecumque sunt irreligiosa et impia in potestate
habere et operari se dicant. Sola enim humana opinione
negotia mala et bona dicunt. Et utique secundum
transmigrationes in corpora oportere in omni uita et
52 omni actu fieri animas — si non praeoccupans quis in 12
uno aduentu omnia agat semel ac pariter, quae non
tantum dicere et audire non est fas nobis, sed ne quidem
in mentis conceptionem uenire, nec credere si apud
56 homines conuersantes in his quae sunt secundum nos 16
ciuitates tale aliquid agitatur — uti, secundum quod
scripta eorum dicunt, in omni usu uitae factae animae | Hv 2
ipsorum, exeuntes, in nihilo adhuc minus habeant;
60 adoperandum autem in eo, ne forte, propterea quod
deest libertati aliqua res, cogantur iterum mitti in
corpus. Propter hoc dicunt Iesum hanc dixisse para- 4
bolam : *Cum es cum aduersario tuo in uia, da operam*
64 *ut libereris ab eo, ne forte te det iudici et iudex ministro*
et mittat te in carcerem. Amen dico tibi, non exies inde,
donec reddas nouissimum quadrantem[a]. Et aduersarium
dicunt unum ex Angelis qui sunt in mundo, quem 8
68 diabolum uocant, dicentes factum eum ad id ut ducat

25, 44 impiam *codd.* : *forte leg.* impiam <habentes> || 45 abu-
tuntur *edd. a Feu.* : -tantur *codd.* ε *(cf.1Ls125)* || 46 a deo :
ade Q || 47 tantam insaniam V *Mass. Sti.* || effrenati V Qε *edd.* ||
ut A || 48 in *om.* Qε || potestatem ε || 49 habere *edd. a Feu.* :
habeant *codd.* ε || et *om.* AQε *Feu. Gra.* || operandi *Erasm. 1534*
Feu. || dicunt V || 51 corpore V || et]+ in Qε || 52-53 quis in uno :
qui si nu non A   quisinum non Q || 54 fas]+ dicere *expunct.* Q ||
ne : nec V || 55 mente AQε || 56-57 nos — quod *om.* AQε *(habet*
quod Q) || 58 scribta C   scripturae Q || 60 adoperandum C *Hv* : ad
op- V AQ *(in quant. mss. hanc praebent distinctionem)* ε *al. edd.* ||
propterea Q : propter eam CV Aε || 61 liberati A[ac]Q || re AQε || 64
ut : et CV || 65 et]+ minister ε *Feu.* || exeas C || 68 eum : est V ||
ut : et C[ac]

impies[1], se servent du Nom comme d'un voile dont
ils couvrent leur malice[a]. Aussi «leur condamnation
sera-t-elle juste[b]», et recevront-ils de Dieu le digne
salaire de leurs œuvres.

25, 4. Ils en sont venus à un tel degré d'aberration
qu'ils affirment pouvoir commettre librement toutes
les impiétés, tous les sacrilèges. Le bien et le mal,
disent-ils, ne relèvent que d'opinions humaines. Et les
âmes devront de toute façon, moyennant leur passage
dans des corps successifs, expérimenter toutes les
manières possibles de vivre et d'agir — à moins que,
se hâtant, elles n'accomplissent d'un coup, en une seule
venue, toutes ces actions que non seulement il ne nous
est pas permis de dire et d'entendre, mais qui ne nous
viendraient même pas à la pensée et que nous ne
croirions pas si on venait à les mettre sur le compte
d'hommes vivant dans les mêmes cités que nous. Donc,
d'après leurs propres écrits, il faut que leurs âmes
expérimentent toutes les manières possibles de vivre,
en sorte que, à leur sortie du corps, elles ne soient en
reste de rien ; autrement dit, elles doivent faire en sorte
que rien ne manque à leur liberté, faute de quoi elles
se verraient contraintes de retourner dans un corps.
Voilà pourquoi, disent-ils, Jésus a dit cette parabole :
« Tandis que tu es en chemin avec ton adversaire, fais
en sorte de te libérer de lui, de peur qu'il ne te livre au
juge, que le juge ne te livre à l'huissier et que celui-ci
ne te jette en prison. En vérité, je te le dis, tu ne sortiras
pas de là que tu n'aies remboursé jusqu'au dernier
sou[a]. » L'adversaire, disent-ils, c'est un des Anges qui
sont dans le monde, celui qu'on nomme le Diable ; il a
été fait, à les en croire, pour conduire les âmes des

25, 3. a. cf. I Pierre 2, 16 ‖ b. Rom. 3, 8
25, 4. a. Lc 12, 58-59. Matth. 5, 25-26

eas quae perierunt animas a mundo ad Principem. Et [Hv
hunc dicunt esse primum ex mundi fabricatoribus, et
illum altero Angelo, ei qui ministrat ei, tradere tales
72 animas, uti in alia corpora includat : corpus enim dicunt 12
esse | carcerem. Et id quod ait : *Non exies inde, quoad-* Hv
usque nouissimum quadrantem reddas, interpretantur
quasi non exeat quis a potestate Angelorum eorum
76 qui mundum fabricauerunt, sed sit transcorporatus 4
semper, quoadusque in omni omnino operatione quae
in mundo est fiat; *et cum nihil defuerit ei, tum liberatam
eius animam eliberari ad illum Deum qui est supra
80 Angelos mundi fabricatores; sic quoque saluari et
omnes animas, siue ipsae praeoccupantes in uno aduentu 8
in omnibus misceantur operationibus, siue de corpore
in corpus transmigrantes uel immissae, in unaquaque
84 specie vitae adimplentes et reddentes debita, liberari, uti
iam non fiant in corpore.

25, 5. *Et si quidem fiant haec apud eos quae sunt 12

25, 69 animas *om.* V (*suppl. mg.* V²) ‖ a : in V ‖ 71 altero A^{ac} ε :
-um CV A^{pc} Q ‖ ei₁ AQ : et CV   *om.* ε *edd.* ‖ 72 alio Q ‖ includunt
AQ ‖ 73 exeas C ‖ 73-74 quoadusque : quoad ε ‖ 74 interpretatur
C ‖ 76 sed sit V *Feu. Gra.* : sed sic *Hv*   sic C AQε *Mass.*
Sti. ‖ transcorporatus *nos (coni. Mass. in n.)* : -tum *codd.* ε ‖
78 fiat *om.* Q ‖ cum : quam AQ ‖ tum : tunc CV ‖ 79 eliberari
CV Qε : et liberari A ‖ 80 et *om.* Q ‖ 83 unaquoque A^{ac} Q ‖ 84
reddentes : credentes C^{ac}V Q^{ac} ‖ 85 fiant : faciant CV ‖ corpora C
‖ 86 h. ap. e. fiant ∽ C

Fr. gr. 16. — HIPPOLYTE, *Elenchos* VII, 32 (Wendl. 220,
3-8). — Voir *Introd.* p. 98.

| **25,** 4. | ῞Οταν δὲ μηδὲν λείπῃ, τότε ἐλευθερωθεῖσαν
⟨αὐτοῦ τὴν ψυχὴν⟩ ἀπαλλαγῆναι πρὸς ἐκεῖνον τὸν
ὑπεράνω τῶν κοσμοποιῶν ᾿Αγγέλων Θεόν, καὶ οὕτως
4 σωθήσεσθαι πάσας τὰς ψυχάς, εἴτε φθάσασαι ἐν μίᾳ
παρουσίᾳ πάσαις ἀναμιγήσονται πράξεσιν, εἴτε μετενσωματούμεναι, ἐν ἑκάστῳ εἴδει τοῦ βίου ἐκπληρώσασαι καὶ

défunts de ce monde à l'Archonte. Cet Archonte est, d'après eux, le premier des Auteurs du monde ; il livre les âmes à un autre Ange, qui est son huissier, pour que celui-ci les enferme dans d'autres corps : car, disent-ils, c'est le corps qui est la prison. Quant à la parole : « Tu ne sortiras pas de là que tu n'aies remboursé jusqu'au dernier sou », ils l'interprètent de la façon suivante : nul ne s'affranchit du pouvoir des Anges qui ont fait le monde, mais chacun passe sans cesse d'un corps dans un autre, et cela aussi longtemps qu'il n'a pas accompli toutes les actions qui se font en ce monde[1] ; lorsqu'il n'en manquera plus aucune, son âme, devenue libre, s'élèvera vers le Dieu qui est au-dessus des Anges auteurs du monde. Ainsi seront sauvées toutes les âmes, soit que, se hâtant, elles s'adonnent à toutes les actions en question au cours d'une seule venue, soit que, passant de corps en corps et y accomplissant toutes les espèces d'actions voulues, elles acquittent leur dette et soient ainsi libérées de la nécessité de retourner dans un corps.

25, 5. Commettent-ils effectivement toutes ces impié-

ἀποδοῦσαι τὰ ὀφλήματα, ἐλευθερωθήσονται τοῦ μηκέτι
8 γενέσθαι ἐν σώματι.

Fr. gr. 16. — 2 ⟨αὐτοῦ τὴν ψυχὴν⟩ nos ‖ 4 εἴτε nos : εἴ τινες δὲ P ‖ 5 πάσαις ἀναμιγήσονται πράξεσιν nos : ἀναμιγῆναι πάσαις ἁμαρτίαις P ‖ 5-6 εἴτε μετενσωματούμεναι nos : οὐκέτι μετενσωματοῦνται P ‖ 6 ἐν — καὶ nos : ἀλλὰ πάντα ὁμοῦ P

Fr. gr. 17. — Théodoret, *Haer. fab.* I, 5 : A, f. 11ʳ. B, f. 305ʳ. M, f. 115ʳ. R, f. 84ᵛ. — *PG* 83, 352 C. — Voir *Introd.* p. 98.

| **25, 5.** | Καὶ εἰ μὲν πράσσεται ⟨ταῦτα⟩ παρ' αὐτοῖς τὰ

Fr. gr. 17. — 1 ⟨ταῦτα⟩ nos cum Irlat.

irreligiosa et iniusta et uetita, ego nequaquam credam. [Hv ?
88 In conscriptionibus autem illorum sic conscriptum est
et ipsi ita exponunt, Iesum dicentes in mysterio disci-
pulis suis et apostolis seorsum locutum | et illos expos- Hv 2}
tulasse, ut dignis et adsentientibus seorsum haec trade-
92 rent. Per fidem enim et caritatem saluari; reliqua uero,
indifferentia cum sint, secundum opinionem hominum
quaedam quidem bona, quaedam autem mala uocari, 4
cum nihil natura malum sit.

96 **25, 6.** *Alii uero ex ipsis signant, cauteriantes suos
discipulos in posterioribus partibus exstantiae dexterae
auris. Vnde et Marcellina, quae Romam sub Aniceto 8
uenit, cum esset huius doctrinae, multos exterminauit.
100 Gnosticos se autem uocant. Et imagines quasdam
quidem depictas, quasdam autem et de reliqua materia
fabricatas habent, dicentes formam Christi factam a

25, 87 credo ε ‖ 88 conscribtum C ‖ 89 ita : sic CV ‖ 89-90 disciplinis AQ ‖ 90 lucutum C^{ac} ‖ 91-92 trad. haec ∽ A ‖ 93 indiffentia
C^{ac} ‖ 94 quaedam : quidam C ‖ mala : bona *(expunct.)* mala C ‖ 97
superioribus Qε (poster- ε^{mg}) ‖ exstantiae : ex tante A^{ac} extantis
ε (-tiae ε^{mg}) ‖ 97-98 dexterae auris CV : dextrae a. Qε a. dextrae ∽ A ‖ 98 marcellinea C ‖ anicleto A^{ac} ‖ 99 huius : ueri (?)
C^{ac} uius C^{1pc} ‖ multus C ‖ exterminabit C^{ac} (-uit C^{2}) ‖ 100
cinosticos C ignosticos AQ ‖ et CV : etiam A^{a}Qε *om.* A

ἄθεα καὶ ἔκθεσμα καὶ ἀπειρημένα, ἐγὼ οὐκ ἂν πιστεύσαιμι.
Ἐν δὲ τοῖς συγγράμμασιν αὐτῶν οὕτως ἀναγέγραπται,
4 καὶ αὐτοὶ οὕτως ἐξηγοῦνται, τὸν Ἰησοῦν λέγοντες ἐν
μυστηρίῳ τοῖς μαθηταῖς αὐτοῦ καὶ ἀποστόλοις κατ' ἰδίαν
λελακηκέναι καὶ αὐτοὺς ἀξιῶσαι τοῖς ἀξίοις καὶ τοῖς
πειθομένοις κατ' ἰδίαν ταῦτα παραδιδόναι. Διὰ πίστεως
8 γὰρ καὶ ἀγάπης σῴζεσθαι · τὰ δὲ λοιπά, ἀδιάφορα ὄντα,

tés, toutes ces abominations, tous ces crimes ? Pour ma
part, j'ai quelque peine à le croire. Quoi qu'il en soit,
c'est bien là ce qui se trouve écrit dans leurs ouvrages
et c'est ce qu'ils exposent eux-mêmes. A les en croire,
Jésus aurait communiqué des secrets à part à ses disciples et apôtres, et il leur aurait demandé de les transmet-
tre à part à ceux qui en seraient dignes et auraient
la foi. C'est en effet par la foi et l'amour qu'on est
sauvé ; tout le reste est indifférent ; selon l'opinion des
hommes, cela est appelé tantôt bon, tantôt mauvais[1],
mais en réalité il n'y a rien qui, de sa nature, soit
mauvais.

25, 6. Certains d'entre eux marquent même leurs
disciples au fer rouge à la partie postérieure du lobe de
l'oreille droite. Au nombre des leurs était cette Marcellina, qui vint à Rome sous Anicet et causa la perte d'un
grand nombre. Ils se décernent le titre de « gnostiques ».
Ils possèdent des images, les unes peintes, les autres

κατὰ τὴν δόξαν τῶν ἀνθρώπων πῇ μὲν ἀγαθά, πῇ δὲ κακὰ
ὀνομάζεσθαι, οὐδενὸς φύσει κακοῦ ὑπάρχοντος.

[Fr. gr. 17] 2 ἂν : ἀντὶ Β ‖ 5 κατ' ἰδίαν : καθ' ἰδίαν (θ erasum) A ‖ 7 κατ' ἰδίαν (θ erasum A) AB : om. MR ‖ 9 πῇ μὲν
... πῇ δὲ codd. : forte legendum τὰ μὲν ... τὰ δὲ cum Irlat. ‖
10 ὀνομάζεσθαι BM Irlat. : νομίζεσθαι AR

Fr. gr. 18. — HIPPOLYTE, *Elenchos* VII, 32 (Wendl. 220,
8-11). — Voir *Introd.* p. 98.

| **25, 6.** | Ἄλλοι δὲ αὐτῶν καυτηριάζουσι τοὺς ἰδίους
μαθητὰς ἐν τοῖς ὀπίσω μέρεσι τοῦ λοβοῦ τοῦ δεξιοῦ
ὠτός.

Fr. gr. 18. — 1 ἄλλοι δὲ αὐτῶν nos : τούτων τινὲς καὶ P ‖ 3
post ὠτός add. καὶ εἰκόνας δὲ κατασκευάζουσι τοῦ χριστοῦ λέγοντες ὑπὸ πιλάτου τῷ καιρῷ γενέσθαι P

Pilato illo in tempore in quo fuit Iesus cum hominibus. [Hv

104 Et has coronant, et proponunt eas cum imaginibus 12
mundi philosophorum, uidelicet cum imagine Pytha-
gorae et Platonis et Aristotelis et reliquorum, et reliquam
obseruationem circa eas similiter ut gentes faciunt. | 16

26, 1. *Et Cerinthus autem quidam in Asia non a primo Hv 2
Deo factum esse mundum docuit, sed a Virtute quadam
ualde separata et distante ab ea Principalitate quae
4 est super uniuersa et ignorante eum qui est super omnia 4
Deum. Iesum autem subiecit non ex Virgine natum,
impossibile enim hoc ei uisum est, fuisse autem eum
Ioseph et Mariae filium similiter ut reliqui omnes
8 homines, *et plus potuisse iustitia et prudentia et
sapientia ab omnibus. Et post baptismum descendisse 8

25, 103 pylato V A ‖ in₁ om. Q ‖ in₂ om. Qε ‖ 104 coronam C ‖
105 philosoporum C   phylosoph- A ‖ 105-106 phytagore C Q
pytagore V ‖ 106 aristoteris Cᵃᶜ   -tilis AQ
26, 1 *hic inser. codd. & ε tit. cap*¹¹ xxv *de quo u. in init. libri* ‖
et *om.* Qε ‖ 4 ignorantem Q ‖ eo ε ‖ 5 deo ε ‖ 8 potuisse]+ in CV ‖
9 hominibus V ‖ descendis Cᵃᶜ

Fr. arm. 7. — 26, 8-15 et plus — spiritalem *Galata 54*, p. 3.
— Voir *Introd.*, p. 101.

8 potuisse *add.* dicit cerinthus iesum ‖ prudentia : sanitate
(σωφροσύνη?) ‖ 9 ab omnibus : quam homines

Fr. gr. 19. — HIPPOLYTE, *Elenchos* VII, 33-34 (P₁)
(Wendl. 220, 12 - 221, 10) et X, 21-22 (P₂) (*ibid.* 281,
4-18). — Voir *Introd.* p. 99.

| 26, 1. | ⟨Καὶ⟩ Κήρινθος δέ τις ἐν τῇ 'Ασίᾳ οὐχ ὑπὸ
τοῦ πρώτου Θεοῦ γεγονέναι τὸν κόσμον ἐδίδαξεν, ἀλλ' ὑπὸ
Δυνάμεώς τινος πολὺ κεχωρισμένης καὶ διεστώσης τῆς
4 ὑπὲρ τὰ ὅλα Αὐθεντίας καὶ ἀγνοούσης τὸν ὑπὲρ πάντα
Θεόν. Τὸν δὲ 'Ιησοῦν ὑπέθετο μὴ ἐκ Παρθένου γεγεννῆσθαι,

faites de diverses matières : car, disent-ils, un portrait
du Christ fut fait par Pilate du temps où Jésus vivait
parmi les hommes. Ils couronnent ces images et les
exposent avec celles des philosophes profanes, c'est-à-
dire avec celles de Pythagore, de Platon, d'Aristote et
des autres. Ils rendent à ces images tous les autres
honneurs en usage chez les païens.

Cérinthe.

26, 1. Un certain Cérinthe, en Asie, enseigna la
doctrine suivante. Ce n'est pas le premier Dieu qui a fait
le monde, mais une Puissance séparée par une distance
considérable de la Suprême Puissance qui est au-dessus
de toutes choses et ignorant le Dieu qui est au-dessus
de tout. Jésus n'est pas né d'une Vierge — car cela lui
paraît impossible —, mais il a été le fils de Joseph et de
Marie par une génération semblable à celle de tous les
autres hommes, et il l'a emporté sur tous par la justice,
la prudence et la sagesse[1]. Après le baptême, le Christ,

⟨ἀδύνατον γὰρ τοῦτο αὐτῷ ἔδοξε⟩, γεγονέναι δὲ αὐτὸν
Ἰωσὴφ καὶ Μαρίας υἱόν, ὁμοίως τοῖς λοιποῖς ἅπασιν
8 ἀνθρώποις, καὶ διενηνοχέναι δικαιοσύνῃ καὶ σωφροσύνῃ
καὶ συνέσει ὑπὲρ πάντας. Καὶ μετὰ τὸ βάπτισμα κατελθεῖν

Fr. gr. 19. — 1 <καὶ> nos ‖ τις P₁ : ὁ P₂ ‖ ἐν τῇ ἀσίᾳ nos :
ἐν τῇ αἰγύπτῳ ἀσκηθεὶς αὐτὸς P₂ αὐτὸς αἰγυπτίων παιδείᾳ
ἀσκηθεὶς ἔλεγεν P₁ ‖ 2 θεοῦ om. P₁ ‖ γεγονέναι τὸν κόσμον P₁ : τὸν
κόσμον γεγονέναι ∞ P₂ ‖ ἐδίδαξεν nos : ἠθέλησεν P₂ om. P₁ ‖ 3 post
τινος add. ἀγγελικῆς P₂ ‖ πολύ om. P₁ ‖ καὶ διεστώσης om. P₁ ‖ 4
αὐθεντίας P₂ : ἐξουσίας P₁ ‖ 5 ὑπέθετο P₁ : λέγει P₂ ‖ γεγεννῆσθαι Theod. Haer. fab. II, 3, *PG* 83, 389 : γεγενῆσθαι P₁ P₂ ‖ 6
<ἀδύνατον — ἔδοξε> nos ‖ 7 ἰωσήφ nos : ἐξ ἰωσήφ P₁ P₂ ‖ υἱὸν
P₂ : οἷον P₁ ‖ ὁμοίως P₁ : ὅμοιον P₂ ‖ ἅπασιν om. P₂ ‖ 8-9 διενηνοχέναι — συνέσει P₂ : δικαιότερον γεγονέναι καὶ σοφώτερον P₁
‖ 8 δικαιοσύνῃ nos : ἐν δικαιοσύνῃ P₂ ‖ 9 ὑπὲρ πάντας P₂ : om. P₁ ‖
post πάντας add. τοὺς λοιποὺς P₂ ‖ κατελθεῖν P₁ : κατεληλυθέναι P₂

in eum ab ea Principalitate quae est super omnia [Hv
Christum figura columbae, et tunc adnuntiasse inco-
12 gnitum Patrem et uirtutes | perfecisse; in fine autem Hv 2
reuolasse iterum Christum de Iesu, et Iesum passum
esse et resurrexisse, Christum autem impassibilem
perseuerasse, exsistentem spiritalem.

16 **26, 2.** Qui autem dicuntur Ebionaei consentiunt 4
quidem mundum a Deo factum, ea autem quae sunt
erga Dominum non simi|liter ut Cerinthus et Carpo- Hv 2
crates opinantur. Solo autem eo quod est secundum
20 Matthaeum Euangelio utuntur, et apostolum Paulum
recusant, apostatam eum legis dicentes. Quae autem
sunt prophetica curiosius exponere nituntur; et circum- 4
ciduntur ac perseuerant in his consuetudinibus quae
24 sunt secundum legem et iudaico charactere uitae, uti
et Hierosolymam adorent, quasi domus sit Dei. |

26, 11 christum *transp. ante* 10 ab ea AQε ‖ figuram AQ ‖ 13
reuelasse AQ   recessisse εᵐᵍ ‖ 16 *hic inser. codd. & ε tit. cap*¹¹
xxvi *de quo u. in init. libri* ‖ consentiunt *iter. uersa pag.* V ‖ 18
non *codd.* : *forte secludendum* ‖ cherintus Q ‖ 20 utantur AQ ‖
apostolorum C ‖ 21 leges Q ‖ 24 caractere CV characteri Aε
caratheri Q ‖ 25 hierosolymam ε : ierosoli- C hyerosoli- Q
iherosoli- A   ihrlm̄ V ‖ adorant V

[Fr. arm. 7] 10 in eum *om.* ‖ 11 figura : in figura ‖ 13 reuolasse : abscessisse (ἀφίσταμαι) ‖ iesum *add.* deinceps ‖ 15 exsistentem spiritalem : quoniam spiritalis erat

εἰς αὐτὸν ἐκ τῆς ὑπὲρ τὰ ὅλα Αὐθεντίας τὸν Χριστὸν ἐν
εἴδει περιστερᾶς καὶ τότε κηρύξαι τὸν ἄγνωστον Πατέρα
12 καὶ δυνάμεις ἐπιτελέσαι· πρὸς δὲ τῷ τέλει ⟨πάλιν⟩
ἀποπτῆναι τὸν Χριστὸν ἀπὸ τοῦ Ἰησοῦ, καὶ τὸν Ἰησοῦν
πεπονθέναι καὶ ἐγηγέρθαι, τὸν δὲ Χριστὸν ἀπαθῆ διαμεμενηκέναι, πνευματικὸν ὑπάρχοντα.

venant d'auprès de la Suprême Puissance qui est
au-dessus de toutes choses, est descendu sur Jésus sous
la forme d'une colombe ; c'est alors que ce Christ a
annoncé le Père inconnu et accompli des miracles ;
puis, à la fin, il s'est de nouveau envolé[1] de Jésus :
Jésus a souffert et est ressuscité, mais le Christ est
demeuré impassible, du fait qu'il était pneumatique.

Ébionites et Nicolaïtes.

26, 2. Ceux qu'on appelle Ébionites admettent que le
monde a été fait par le vrai Dieu[2], mais, pour ce qui
concerne le Seigneur, ils professent les mêmes opinions[3]
que Cérinthe et Carpocrate. Ils n'utilisent que l'Évangile selon Matthieu, rejettent l'apôtre Paul qu'ils
accusent d'apostasie à l'égard de la Loi. Ils s'appliquent
à commenter les prophéties avec une minutie excessive.
Ils pratiquent la circoncision et persévèrent dans les
coutumes légales et dans les pratiques juives, au point
d'aller jusqu'à adorer Jérusalem, comme étant la
maison de Dieu.

---

16 | **26, 2.** | Οἱ δὲ λεγόμενοι Ἐβιωναῖοι ὁμολογοῦσι μὲν
τὸν κόσμον ὑπὸ τοῦ ὄντως Θεοῦ γεγονέναι, τὰ δὲ περὶ
τὸν Κύριον ὁμοίως τῷ Κηρίνθῳ καὶ Καρποκράτει μυθεύουσιν.

[Fr. gr. 19] 10 ἐκ P₂ : τὸν P₁ ‖ 11 ἄγνωστον P₂ : γνωστὸν P₁
‖ 12 post τέλει add. τοῦ πάθους P₂ ‖ <πάλιν> nos ‖ 13 ἀποπτῆναι P₂ : ἀποστῆναι P₁ ‖ ἰησοῦ We : υἱοῦ P₂ χριστοῦ P₁ ‖
13-14 καὶ τὸν ἰησοῦν πεπονθέναι P₁ : πεπονθέναι τὸν ἰησοῦν
P₂ ‖ 14 καὶ ἐγηγέρθαι om. P₂ ‖ 14-15 διαμεμενηκέναι P₁ : μεμενηκέναι P₂ ‖ 15 πνευματικὸν We : πνεῦμα κυρίου P₂ πατρικὸν
P₁ ‖ 16 οἱ δὲ λεγόμενοι ἐβιωναῖοι nos : ἐβιωναῖοι δὲ P₁
εὐιαιωναῖοι P₂ ‖ 16-17 μὲν τὸν We : τὸν μὲν P₂ τὸν P₁ ‖ 17
ὄντως P₁ : ὄντος P₂ ‖ 17-18 τὰ δὲ περὶ τὸν κύριον nos : τὰ δὲ
περὶ τὸν χριστὸν P₁ τὸν δὲ χριστὸν P₂ ‖ 18 τῷ om. P₂ ‖ 18-19
καὶ καρποκράτει μυθεύουσιν om. P₂

26, 3. Nicolaitae autem magistrum quidem habent Hv 2
Nicolaum, unum ex vii qui primi ad diaconium ab
28 apostolis ordinati sunt[a]. Qui indiscrete uiuunt. Plenissime
autem per Iohannis Apocalypsin manifestantur qui 4
sint, nullam differentiam esse docentes in moechando,
et idolothytum edere[b]. Quapropter dixit et de his sermo :
32 *Sed hoc habes quod odisti opera Nicolaitarum, quae et*
ego odi[c].

27, 1. *Et Cerdon autem quidam ab his qui sunt erga 8
Simonem occasionem accipiens, cum uenisset Romam
sub Hygino, qui | nonum locum episcopatus per succes- Hv 2
4 sionem ab apostolis habuit, docuit eum qui a lege
et prophetis adnuntiatus sit Deus non esse Patrem
Domini nostri Christi Iesu. Hunc enim cognosci, illum
autem ignorari; et alterum quidem iustum, alterum 4
8 autem bonum esse. |

26, 26 *hic inser. codd. & ε tit. cap*[11] xxvii *de quo u. in init. libri*
|| nicholaite V Q || 27 nicholaum Q || septem A || 29 apocalypsin *edd.*
a Feu. : -lipsyn C -lipsim V Q   -lypsim Aε || 30 sunt V || 31 ido-
lothytum ε : idolathitum C (-lo- C²)   idolotitum V   ydola-
titum A   ad ydolathytum Q   idolothyton *edd. a Feu.* || 32 hoc
om. V || odisti CV ε : odis AQ *(cf. 2Ls42)* || nicolaitarum (-cho-Q)
V AQ : -tanorum C || 33 odi CV : odio AQε

27, 1 *hic inser. codd. & ε tit. cap*[11] xxviii *de quo u. in init. libri* ||
2 symonem CV AQ || 3 sub]+ hoc ε || igino Qᵃᶜ   higi- Qᵖᶜ ||
nonum *codd.* ε *Feu. Gra. Hv* : octauum *Mass. (e sic dicto cod.*
Passeratii) Sti. || 6 nostri ε : *om. codd.*

Fr. gr. 20. — Eusèbe, *Hist. eccl.* IV, 11, 2 (Schwartz 322,
3-10). Hippolyte, *Elenchos* VII, 37 (Wendl. 223, 12-19). —
Voir *Introd.* p. 100.

| 27, 1. | ⟨Καὶ⟩ Κέρδων δέ τις ἀπὸ τῶν περὶ τὸν Σίμωνα
τὰς ἀφορμὰς λαβὼν καὶ ἐπιδημήσας ἐν τῇ Ῥώμῃ ἐπὶ
Ὑγίνου ἔνατον κλῆρον τῆς ἐπισκοπῆς κατὰ διαδοχὴν
4 ἀπὸ τῶν ἀποστόλων ἔχοντος, ἐδίδαξεν τὸν ὑπὸ τοῦ νόμου
καὶ προφητῶν κεκηρυγμένον Θεὸν μὴ εἶναι Πατέρα τοῦ

26, 3. Les Nicolaïtes ont pour maître Nicolas, un des sept premiers diacres qui furent constitués[1] par les apôtres[a]. Ils vivent sans retenue. L'Apocalypse de Jean manifeste pleinement qui ils sont : ils enseignent que la fornication[2] et la manducation des viandes offertes aux idoles sont choses indifférentes[b]. Aussi l'Écriture dit-elle à leur propos : « Mais tu as pour toi que tu hais les œuvres des Nicolaïtes, que je hais moi aussi[c]. »

Cerdon et Marcion.

27, 1. Un certain Cerdon, prit, lui aussi, comme point de départ la doctrine des gens de l'entourage de Simon ; il résida à Rome sous Hygin, le neuvième à détenir la fonction de l'épiscopat par succession à partir des apôtres[3], et enseigna que le Dieu annoncé par la Loi et les prophètes n'est pas le Père de notre Seigneur Jésus-Christ : car le premier a été connu et le second est inconnaissable[4], l'un est juste et l'autre est bon.

Κυρίου ἡμῶν Ἰησοῦ Χριστοῦ · τοῦτον μὲν γὰρ ἐγνῶσθαι, ἐκεῖνον δὲ εἶναι ἄγνωστον, καὶ τὸν μὲν δίκαιον, τὸν δὲ
8 ἀγαθὸν ὑπάρχειν.

Fr. gr. 20. — 1 <καὶ> nos ‖ 1-2 ἀπὸ — λαβὼν Eus. : καὶ αὐτὸς ἀφορμὰς ὁμοίως παρὰ τούτων λαβὼν καὶ σίμωνος P ‖ 2-4 καὶ — ἔχοντος Eus. : om. P ‖ 2 ἐν τῇ ῥώμῃ BDM : εἰς τὴν ῥώμην ATER ‖ 3 ἐπισκοπῆς T^{ac}D^{ac} M : ἐπισκοπικῆς rel. codd. ‖ κατὰ διαδοχὴν nos : διαδοχῆς Eus. ‖ 4 ἐδίδαξεν : λέγει P ‖ τοῦ νόμου Eus. : μωϋσέως P ‖ 5 κεκηρυγμένον θεὸν Eus. : θεὸν κεκ- ∾ P ‖ 5-6 τοῦ κυρίου ἡμῶν om. P ‖ 6 τοῦτον P : τὸν Eus. ‖ ἐγνῶσθαι P : γνωρίζεσθαι Eus. ‖ 7 ἐκεῖνον δὲ nos : τὸν δὲ Eus. τὸν δὲ τοῦ χριστοῦ πατέρα P ‖ εἶναι ἄγνωστον P : ἀγνῶτα εἶναι Eus. ‖ post μὲν add. εἶναι P ‖ 8 ὑπάρχειν om. P

26, 3. a. cf. Act. 6, 5-6 ‖ b. cf. Apoc. 2, 14-15 ‖ c. Apoc. 2, 6

27, 2. Succedens autem ei Marcion Ponticus adam-   Hv
pliauit doctrinam, impudorate blasphemans eum qui a
lege et prophetis adnuntiatus est Deus, malorum facto-
12 rem et bellorum concupiscentem et inconstantem quoque   4
sententia et contrarium sibi ipsum dicens. Iesum autem
ab eo Patre qui est super mundi fabricatorem Deum,
uenientem in Iudaeam temporibus Pontii Pilati prae-
16 sidis, qui fuit procurator Tiberii Caesaris, in hominis
forma manifesta|tum his qui in Iudaea erant, dissoluen-   Hv
tem prophetas et legem et omnia opera eius Dei qui
mundum fecit, quem et Cosmocratorem dicit. Et super
20 haec, id quod est secundum Lucam Euangelium circum-
cidens et omnia quae sunt de generatione Domini   4
conscripta auferens et de doctrina sermonum Domini
multa auferens, in quibus manifestissime Conditorem
24 huius uniuersitatis | suum Patrem confitens Dominus   Hv
conscriptus est, semetipsum ueraciorem esse quam sunt
hi qui Euangelium tradiderunt apostoli suasit discipulis
suis, non Euangelium, sed particulam Euangelii tradens   4
28 eis. Similiter autem et apostoli Pauli epistolas abscidit,
auferens quaecumque manifeste dicta sunt ab Apostolo
de eo Deo qui mundum fecit, quoniam hic Pater Domini
nostri Iesu Christi, et quaecumque ex propheticis
32 memorans Apostolus docuit praenuntiantibus aduentum   8
Domini.

27, 3. Salutem autem solum animarum esse futuram
earum quae eius doctrinam didicissent, corpus autem,
36 uidelicet quoniam a terra sit sumptum, impossibile esse

27, 9 *hic inser. codd. & ε tit. cap*ʰ *xxviiii de quo u. in init. libri*
‖ 9-10 adimpleuit ε ‖ 10 impurate AQε ‖ 12 bellatorum CV ‖ 14 qui
est ab eo (a deo ε) patre ∞ Qε ‖ 15 ponti V ‖ pylati V A ‖ 16 ty-
berii V ‖ 17 manifestanstum V ‖ 17-18 dissoluentes Q ‖ 19 qui C
‖ cosmucratorem A   cosmucreatorem Q ‖ 20 hoc V ‖ 21 domini
]+ et CV ‖ 25 esse uer. ∞ ε ‖ 29 manifesta C ‖ 32 apostolos C
(-lus C²) ‖ praenuntians CV ‖ 33 dei ε ‖ 35 didicissent : audis-
sent ε^mg *Feu.*^mg

27, 2. Il eut pour successeur Marcion, originaire du
Pont, qui développa son école en blasphémant avec
impudence le Dieu annoncé par la Loi et les prophètes :
d'après lui, ce Dieu est un être malfaisant, aimant les
guerres, inconstant dans ses résolutions et se contre-
disant lui-même. Quant à Jésus, envoyé par le Père qui
est au-dessus du Dieu Auteur du monde, il est venu en
Judée au temps du gouverneur Ponce Pilate, procura-
teur de Tibère César ; il s'est manifesté sous la forme
d'un homme aux habitants de la Judée, abolissant les
prophètes, la Loi et toutes les œuvres du Dieu qui a
fait le monde et que Marcion appelle aussi le Cosmo-
crator. En plus de cela, Marcion mutile l'Évangile selon
Luc, éliminant de celui-ci tout ce qui est relatif à la
naissance du Seigneur, retranchant aussi nombre de passages des enseignements du Seigneur[1], ceux précisément
où celui-ci confesse de la façon la plus claire que le Créateur de ce monde est son Père. Par là, Marcion a fait
croire à ses disciples qu'il est plus véridique que les
apôtres qui ont transmis l'Évangile, alors qu'il met
entre leurs mains, non pas l'Évangile, mais une simple
parcelle de cet Évangile. Il mutile de même les épîtres
de l'apôtre Paul, supprimant tous les textes où l'Apôtre
affirme de façon manifeste que le Dieu qui a fait le
monde est le Père de notre Seigneur Jésus-Christ, ainsi
que tous les passages où l'Apôtre fait mention de
prophéties annonçant par avance la venue du Seigneur.

27, 3. Selon Marcion, il n'y aura de salut que pour
les âmes seulement, pour celles du moins qui auront
appris son enseignement ; quant au corps, du fait qu'il

| **27, 2.** | Διαδεξάμενος δὲ αὐτὸν Μαρκίων ὁ Ποντικὸς
ηὔξησε τὸ διδασκαλεῖον, ἀπηρυθριασμένως βλασφημῶν.

[Fr. gr. 20] 8-10 διαδεξάμενος — βλασφημῶν Eus. : omnino dif-
fert P

participare salutem. Super blasphemiam autem quae 12 [
est in Deum adiecit et hoc, uere diaboli os accipiens
et omnia contraria dicens ueritati : Cain enim et eos
40 qui sunt similes ei et Sodomitas et Aegyptios et similes
eis et omnes omnino gentes quae in omni permixtione
malignitatis ambulauerunt saluatas esse a Domino, 16
cum descendisset ad inferos et adcucurrissent ei, et in
44 suum adsumpsisse regnum; Abel autem et Enoch et
Noe et reliquos iustos et eos qui sunt erga Abraham
patriarchas, cum omnibus prophetis et his qui placue-
runt Deo, non participasse salutem, qui in Marcione 20
48 fuit serpens praeconauit. Quoniam enim sciebant, inquit,
Deum | suum semper temptantem eos, et tunc temptare Hv
eum suspicati, non adcucurrerunt Iesu neque crediderunt
adnuntiationi eius : et propterea remansisse animas
52 ipsorum apud inferos dixit.

27, 4. Sed huic quidem, quoniam et solus manifeste 4
ausus est circumcidere Scripturas et impudorate super
omnes obtrectare Deum, seorsum contradicemus, ex
56 eius scriptis arguentes eum, et ex his sermonibus qui
apud eum obseruati sunt, Domini et Apostoli, quibus
ipse utitur, euersionem eius faciemus, praestante Deo. 8
Nunc autem necessario meminimus eius, ut scires
60 quoniam omnes qui quoquo modo adulterant ueritatem
et praeconium Ecclesiae laedunt Simonis Samaritani
magi discipuli et successores sunt. Quamuis non confi- 12
teantur nomen magistri sui ad seductionem reliquorum,
64 attamen illius sententiam docent : Christi quidem Iesu

27, 39 caim ε ‖ enim *om.* V ‖ 40 similes sunt ∞ ε ‖ 41 ei Q ‖
42 ambularunt CV ‖ 43 adcurrissent (acc- ε) AQε ‖ 44 habel C ‖
enoc Q ‖ 45 sint AQε ‖ 46 patriarchas C AQε : -chā⫽ Cᵖᶜ -cham
V ‖ 48 praeconiauit ε ‖ 49 temptantem ... temptare *codd.* : tent-
... tent- ε *edd.* ‖ 50 eum Cε : eos V cum AQ ‖ accurrerunt (adc-
A) AQε ‖ iesum ε ‖ 52 eorum Qε ‖ 53 quoniam : quomodo V
‖ 55 obtractare A ‖ 57 obseruatae C AQ ‖ 59 *hic inser. codd. &*
ε *tit. cap*¹¹ xxx *de quo u. in initio libri* ‖ 61 symonis V AQ ‖ 64
iesu quidem A

a été tiré de la terre, il ne peut avoir part au salut. A
son blasphème contre Dieu, il ajoute encore, en vrai
porte-parole du diable et en contradicteur achevé de
la vérité, l'assertion que voici : Caïn et ses pareils, les
Sodomites, les Égyptiens et ceux qui leur ressemblent,
les peuples païens qui se sont vautrés dans toute espèce
de mal, tous ceux-là ont été sauvés par le Seigneur lors
de sa descente aux enfers, car ils sont accourus vers lui
et il les a pris dans son royaume ; au contraire, Abel,
Hénoch, Noé et les autres « justes », Abraham et les
patriarches issus de lui, ainsi que tous les prophètes et
tous ceux qui ont plu à Dieu, tous ceux-là n'ont point
eu part au salut : voilà ce qu'a proclamé le Serpent qui
résidait en Marcion ! En effet, dit Marcion, ces « justes »
savaient que leur Dieu était sans cesse en train de les
tenter ; croyant qu'il les tentait alors encore, ils ne sont
pas accourus à Jésus et n'ont pas cru à son message :
aussi leurs âmes sont-elles demeurées aux enfers.

27, 4. Puisque ce Marcion est le seul qui ait eu
l'audace de mutiler ouvertement les Écritures et qu'il
s'est attaqué à Dieu plus impudemment que tous les
autres, nous le contredirons séparément : nous le
convaincrons d'erreur à partir de ses écrits et, Dieu
aidant, nous le réfuterons à partir des paroles du
Seigneur et de l'Apôtre qu'il a conservées et qu'il utilise.
Pour l'instant il nous faut faire mention de lui, pour que
tu saches que tous ceux qui, de quelque manière que
ce soit, adultèrent la vérité et blessent la prédication
de l'Église, sont les disciples et les successeurs de
Simon, le magicien de Samarie. Bien que, dans le but
de tromper autrui, ils se gardent d'avouer le nom de
leur maître, c'est pourtant sa doctrine qu'ils enseignent ;
ils mettent en avant le Nom du Christ Jésus comme
un appât, mais c'est l'impiété de Simon qu'ils propagent

nomen tamquam irritamentum proferentes, Simonis [Hv
autem impietatem uarie introducentes, mortificant
multos, per nomen bonum sententiam suam male 16
68 disperdentes et per dulcedinem et decorem nominis[a]
amarum et malignum principis apostasiae serpentis
uenenum porrigentes eis.

28, 1. Ab his autem qui praedicti sunt iam multae
propagines multarum haereseum factae sunt, eo quod 20
multi ex ipsis, immo omnes, uelint doctores esse et
4 abscedere quidem ab haeresi in qua fuerunt, aliud autem
dogma ab alia sententia et deinceps alteram ab altera
componentes noue docere insistunt, semetipsos adinuen- 24
tores sententiae quamcumque compegerint enarrantes. |

8 Vt exempli gratia dicamus, *a Saturnino et Marcione Hv
qui uocantur Continentes abstinentiam a nuptiis adnun-
tiauerunt, frustrantes antiquam plasmationem Dei
et oblique accusantes eum qui et masculum et feminam
12 ad generationem hominum fecit[a], et eorum quae dicun- 4
tur apud eos animalia abstinentiam induxerunt, ingrati
exsistentes ei qui omnia fecit Deus. Contradicunt quoque
eius saluti qui primus plasmatus est : et hoc nunc adin-
16 uentum est apud eos, Tatiano quodam primo hanc 8

27, 65 symonis V AQ ‖ 66 uariae C ‖ 68 disperdentes *codd.* :
forte leg. dispergentes
28, 2 haeresum V A[pc]ε ‖ factae V : facta C AQ *(ex gr., 1Ls32)* ‖
3 imo Q ‖ uolunt ε ‖ 7 copegerint Q ‖ 10 frustantes C ‖ dei *om.* CV ‖
11 oblique]+ ambulantes Q ‖ 12 hominum *om.* CV ‖ quae ε :
qui *codd.* ‖ 14 deus CV : deo AQε ‖ 16 *post* eos *inser. codd. &* ε *tit.*
cap[11] xxxi (xxxii CV) *de quo u. in initio libri*

Fr. gr. 21. — Eusèbe, *Hist. eccl.* IV, 29, 2-3 (Schwartz
390, 6-20). — Voir *Introd.* p. 100.

| 28, 1. | ⟨...⟩ ἀπὸ Σατορνίνου καὶ Μαρκίωνος οἱ
καλούμενοι Ἐγκρατεῖς ἀγαμίαν ἐκήρυξαν, ἀθετοῦντες
τὴν ἀρχαίαν πλάσιν τοῦ Θεοῦ καὶ ἠρέμα κατηγοροῦντες
4 τοῦ ἄρρεν καὶ θῆλυ εἰς γένεσιν ἀνθρώπων πεποιηκότος,

sous des formes diverses, causant ainsi la perte d'un
grand nombre ; par ce Nom excellent[a], ils répandent
leur détestable doctrine ; sous la douceur et la beauté de
ce Nom, ils présentent le venin amer et pernicieux du
Serpent, qui fut l'initiateur de l'apostasie.

Sectes diverses.

28, 1. A partir de ceux que nous venons de dire ont
déjà surgi les multiples ramifications de multiples
sectes, par le fait que beaucoup parmi ces gens-là —
ou, pour mieux dire, tous — veulent être des maîtres :
quittant[1] la secte dans laquelle ils se sont trouvés et
échafaudant une doctrine à partir d'une autre doctrine,
puis encore une autre à partir de la précédente, ils
s'évertuent à enseigner du neuf, en se donnant eux-
mêmes pour les inventeurs du système qu'ils ont ainsi
fabriqué.

Ainsi, par exemple, des gens qui s'inspirent de
Saturnin et de Marcion et qu'on appelle Encratites ont
proclamé le rejet du mariage, répudiant l'antique
ouvrage modelé par Dieu et accusant de façon détournée
Celui qui a fait l'homme et la femme en vue de la pro-
création[a] ; ils ont introduit l'abstinence de ce qu'ils
disent animé, ingrats qu'ils sont envers le Dieu qui a
fait toutes choses ; ils nient également le salut du
premier homme. Ce dernier point fut inventé chez eux
à notre époque, quand un certain Tatien introduisit le

καὶ τῶν λεγομένων παρ' αὐτοῖς ἐμψύχων ἀποχὴν εἰσηγή-
σαντο, ἀχαριστοῦντες τῷ πάντα πεποιηκότι Θεῷ.

Fr. gr. 21. — 1 σατορνίνου ADM Rufin : σατορνίλου TEB
syr. σαρτονίλου R

27, 4. a. cf. Jac. 2, 7
28, 1. a. cf. Gen. 1, 27-28

introducente blasphemiam. Qui cum esset Iustini [Hv
auditor, in quantum quidem apud eum erat, nihil
enarrauit tale; post uero illius martyrium absistens ab
20 Ecclesia et praesumptione magistri elatus et inflatus, 12
quasi prae caeteris esset, proprium characterem doctrinae constituit, Aeonas quosdam inuisibiles similiter
atque hi qui a Valentino sunt uelut fabulam enarrans,
24 nuptias autem corruptelas et fornicationes similiter ut
Marcion et Saturninus dicens, Adae autem saluti ex se 16
contradictionem faciens. |

28, 2. Alii autem rursus a Basilide et Carpocrate Hv 2
28 occasiones accipientes, indifferentes coitus et multas
nuptias induxerunt et neglegentiam ipsorum quae sunt
idolothyta ad manducandum, non ualde haec curare 4
dicentes Deum. Et quid enim? non est numerum dicere
32 eorum qui secundum alterum et alterum modum exci-
derunt a ueritate[a].

28, 17 introducente ε : -tes codd. || qui cum : quicumque Q ||
iustiniani A || 18 adiutor ε || 20 magisterii AQε || 21 caeteros CV
|| esse AQε || 21-22 doctrina AQε || 22 constituit aeonas : constituta
nos (non ε) AQε || quosdam edd. a Feu. : quasdam codd. ε || 23
atque : ad hoc Q || a om. V || ualenti CV || 24 nuptias ex gr. Feu.
Gra. Hv : nuptiarum codd. ε Mass. Sti. || et om. AQε || 25 adae]
+ ea expunct. V || salute V || 27 hic inser. AQε tit. cap[ll] xxxii
(xxxiii CV) de quo u. in init. libri || 28 coitus ε[mg] edd. : coetus C ε
cetus V AQ || 29 ipsorum om. CV || 30 idolothyta ε : idolathitae
C idolatita V ydolotita A ydolothyta Q || hoc Qε || curare :
comparare AQε || 31 quid enim : qui demum V

'Αντιλέγουσί τε τῇ τοῦ πρωτοπλάστου σωτηρίᾳ, καὶ
8 τοῦτο νῦν ἐξευρέθη παρ' αὐτοῖς, Τατιανοῦ τινος πρώτως
ταύτην εἰσενέγκαντος τὴν βλασφημίαν. Ὃς 'Ιουστίνου
ἀκροατὴς γεγονώς, ἐφ' ὅσον μὲν συνῆν ἐκείνῳ, οὐδὲν

premier ce blasphème. Ce dernier avait été l'auditeur
de Justin ; aussi longtemps qu'il fut avec lui, il n'avança
rien de semblable, mais, après son martyre, il se sépara
de l'Église ; s'enflant à la pensée qu'il était un maître
et se croyant, dans son orgueil, supérieur à tout le
monde, il voulut donner un trait distinctif à son école :
comme les disciples de Valentin, il imagina des Éons
invisibles ; comme Marcion et Saturnin, il proclama
que le mariage était une corruption et une débauche ;
de lui-même, enfin, il s'inscrivit en faux contre le salut
d'Adam[1].

28, 2. D'autres, en revanche, ont pris comme point
de départ les doctrines de Basilide et de Carpocrate ; ils
ont introduit les unions libres, les noces multiples,
l'usage indifférent des viandes offertes aux idoles : Dieu,
disent-ils, n'a cure de tout cela. Et que sais-je encore ?
Car il est impossible de dire le nombre de ceux qui,
d'une manière ou d'une autre, se sont écartés de la
vérité[a].

ἐξέφηνεν τοιοῦτον · μετὰ δὲ τὴν ἐκείνου μαρτυρίαν ἀποστὰς
12 τῆς Ἐκκλησίας, οἰήματι διδασκάλου ἐπαρθεὶς καὶ τυφω-
θεὶς ὡς διαφέρων τῶν λοιπῶν, ἴδιον χαρακτῆρα διδασκαλείου συνεστήσατο, Αἰῶνάς τινας ἀοράτους ὁμοίως τοῖς
ἀπὸ Οὐαλεντίνου μυθολογήσας, γάμον τε φθορὰν καὶ
16 πορνείαν παραπλησίως Μαρκίωνι καὶ Σατορνίνῳ ἀναγορεύ-
σας, τῇ δὲ τοῦ Ἀδὰμ σωτηρίᾳ παρ' ἑαυτοῦ τὴν ἀντιλογίαν
ποιησάμενος.

[Fr. gr. 21] 16 σατορνίνῳ ABDM Rufin : σατορνίλῳ TER syr.
‖ 17 ἀντιλογίαν Tᵃᶜ Aᵐᵍ syr. : αἰτιολογίαν ATᵖᶜ ERBM ἀπο-
λογίαν D καινολογίαν Rufin

28, 2. a. II Tim. 2, 18

29, 1. Super hos autem ex his qui praedicti sunt [Hv
Simoniani multitudo Gnosticorum [Barbelo] exsurrexit, 8
et uelut a terra | fungi manifestati sunt, quorum princi- Hv
4 pales apud eos sententias enarramus.

Quidam enim eorum Aeonem quendam numquam
senescentem in uirginali Spiritu subiciunt, quem Barbelon
nominant : ubi esse Patrem quendam innominabilem 4
8 dicunt. Voluisse autem hunc manifestare se ipsi Barbeloni.
Ennoeam autem hanc progressam stetisse in conspectu
eius et postulasse Prognosin. Cum prodiisset autem et
Prognosis, his rursum petentibus prodiit Incorruptela, 8
12 post deinde Vita aeterna. In quibus gloriantem Barbelon
et prospicientem in Magnitudinem et conceptu delectatam in hanc, generasse simile ei Lumen. Hanc initium
et luminationis et generationis omnium dicunt. Et
16 uidentem Patrem Lumen hoc, unxisse illud sua beni- 12
gnitate, ut perfectum fieret : hunc autem dicunt esse
Christum. Qui rursus postulat, quemadmodum dicunt,
adiutorium sibi dari Nun : et progressus est Nus. Super
20 haec autem emittit Pater Logon. Coniugationes autem 16
fient Ennoiae et Logi, et Aphtharsias et Christi, et
aeonia autem Zoe Thelemati coniuncta est, et Nus |
Prognosi. Et magnificabant hi magnum Lumen et Hv
24 Barbelon.

29, 1 *hic inser.* AQε *tit. cap*[ii] xxxiii (xxxiiii CV) *de quo u. in
init. libri* ‖ 2 symoniani A symoniam Q ‖ Barbelo *seclusimus
(u. not. iustif.)* ‖ 4 sententias *om.* A *(suppl. s.l.* A²) ‖ 8 se C : *om.* V
ei se AQε[mg] ea se ε ‖ barbiloni CV ‖ 9 ennoeam ε : ennoenam CV
enneon AQ ‖ 10 prognosim V ‖ prodiisset *edd.* : prodisset C AQε
produxisset V ‖ et₂ *om.* V ‖ 11 prodiit *edd.* : prodidit *codd.* ε ‖
13 in *om.* V ‖ magnitudine AQε ‖ 16 unxisset A ‖ 19 nun : num V ‖
20 hanc V ‖ 21 aphtharsias ε : apth- *codd.* ‖ 22 thelemathi C
thelamati V (-le- V²) ‖ 23 glorificabunt AQ glorificabitur ε

2. Les « Gnostiques » ou
ascendants immédiats des Valentiniens

Les Barbéliotes.

29, 1. En plus de ces gens, les Simoniens dont nous avons parlé plus haut ont encore donné naissance à la multitude des « Gnostiques »[1], qui ont surgi à la façon de champignons sortant de terre. Nous allons rapporter leurs principales doctrines.

Certains d'entre eux posent à la base de leur système un Éon étranger à tout vieillissement, dans un Esprit virginal qu'ils nomment « Barbélo » : car en cet Esprit existait, disent-ils, un « Père » innommable[2]. Or celui-ci eut la pensée[3] de se manifester à cette Barbélo. Cette « Pensée », étant apparue[4], se tint en sa présence et demanda la « Pré-gnose ». Lorsque cette Pré-gnose fut apparue à son tour, elles demandèrent derechef, et l'« Incorruptibilité » apparut, puis la « Vie éternelle ». Barbélo se réjouissait de toutes ces productions ; regardant vers la Grandeur, elle conçut, dans la joie de la voir[5], et elle enfanta une Lumière semblable à cette Grandeur. Tel est, disent-ils, le commencement de l'illumination et de la génération de toutes choses. Le Père alors, voyant cette Lumière, l'oignit de son excellence afin qu'elle devînt parfaite : c'est là le « Christ », disent-ils[6]. Celui-ci, à son tour, demanda que lui fût donné comme aide l'« Intellect », et l'Intellect apparut. Le Père émit en outre le « Vouloir » et le « Logos »[7]. Alors s'unirent en syzygies la Pensée et le Logos, l'Incorruptibilité et le Christ, la Vie éternelle et le Vouloir, l'Intellect et la Pré-gnose. Tous glorifiaient la Grande Lumière et Barbélo.

29, 2. Post deinde de Ennoia et de Logo Autogenen [Hv
emissum dicunt ad repraesentationem magni Luminis :
et ualde honorificatum dicunt et omnia huic subiecta[a]. 4
28 Coemissam autem ei Alethiam, et esse coniugationem
Autogenus et Alethiae. De Lumine autem, quod est
Christus, et de Incorruptela, quattuor emissa luminaria
ad circumstantiam Autogeni dicunt. Et de Thelemate
32 rursus et aeonia Zoe quattuor emissiones factas ad 8
subministrationem quattuor luminaribus, quas nominant Charin, Thelesin, Synesin, Phronesin. Et Charin
quidem magno et primo luminario adiunctam : hunc
36 autem esse Sotera uolunt et uocant eum Armozel; 12
Thelesin autem secundo, quem et nominant Raguhel;
Synesin autem tertio luminario, quem uocant Dauid;
Phronesin autem quarto, quem nominant Eleleth.

40   **29,** 3. Confirmatis igitur sic omnibus, super haec
emittit | Autogenes Hominem perfectum et uerum, Hv
quem et Adamantem uocant, quoniam neque ipse domatus est neque hi ex quibus erat. Qui et remotus est cum
44 primo Lumine ab Armozel. Emissam autem cum Homine 4
ab Autogene Agnitionem perfectam, et coniunctam ei :
unde et hunc cognouisse eum qui est super omnia,
uirtutem quoque ei inuictam datam a uirginali Spiritu.

29, 25 deinde]+ et ε *Feu.* ‖ autogenem V *edd.* ‖ 25-26 autogenen emissum : aut ogenene missum Q ‖ 26 repraesentationis
AQ ‖ 28 coemissam V : -ssa C AQε ‖ 29 autogenus *codd.* ε *Gra.
Mass.* (*cf. supra* **9,** 35) : autogenis A^xpc *Feu. Sti. Hv* ‖ 30 cor-
ruptela A (inc- A²) ‖ 4^or Q ‖ 31 circumstantium V ‖ 32 et *om.*
ε ‖ 4^or Q ‖ 32-33 emissiones — quattuor *om.* AQε ‖ 34 thelesin
ε : enthesin (-im V) CV   *om.* AQ ‖ synesim V ‖ fronesin C
AQ -sim V ‖ charim V ‖ 36 sothera Q ‖ armozel *nos iuxta*
« *Apocryphon Iohannis* » : armogenes CV AQ   harmogen *coni.*
ε^mg *scr. Feu.* harmogenes ε *Gra. Mass. Sti.*   armogen *Hv* ‖ 37 the-
sin (-im V) CV ‖ autem *om.* A ‖ raguhel C A : -uel V Qε ‖ 38
synesim V ‖ dauid *codd.* ε : « *al's* dadud » ε^mg ‖ 39 fronesin C
AQ   -sim V ‖ 4° Q ‖ eleleth C² *cett.* : eleth C^ac ‖ 41 ogenes AQ ‖

29, 2. Ensuite, de la Pensée et du Logos, « Auto-génès » fut émis, disent-ils, pour représenter la Grande Lumière : il fut grandement honoré et toutes choses lui furent soumises [a]. Avec lui fut émise la « Vérité », et il y eut syzygie d'Autogénès et de la Vérité. Par ailleurs, de la Lumière qu'est le Christ et de l'Incorruptibilité, quatre Luminaires furent émis, disent-ils, pour se tenir autour d'Autogénès. Du Vouloir et de la Vie éternelle, quatre émissions furent faites pour être au service des quatre Luminaires. Ces émissions se nomment : « Charis » « Thélèsis », « Synesis » et « Phronèsis ». Charis fut adjointe au grand et premier Luminaire, qu'ils pré-tendent être le Sauveur et qu'ils appellent « Harmozel » ; Thélèsis fut adjointe au second Luminaire qu'ils appellent « Raguel » ; Synesis fut adjointe au troisième, qu'ils nomment « David » ; Phronèsis fut adjointe au quatrième, qu'ils nomment « Éléleth ».

29, 3. Tout étant ainsi constitué, Autogénès émit l'« Homme » parfait et vrai, qu'ils appellent « Adamas », parce que ni lui-même n'a été dompté ni ceux de qui il est issu[1]. Il fut éloigné d'Harmozel et placé à côté de la Première Lumière. D'Autogénès, avec l'Homme, fut émise la « Gnose » parfaite, conjointe à celui-ci : c'est pourquoi l'Homme a « connu » Celui qui est au-dessus de toutes choses ; une force invincible lui fut aussi donnée par l'Esprit virginal. Et tous les Éons, se

42 et *om.* AQε ‖ 42-43 domatus est C ε : dominatus est AQ   dog-matus V ‖ 43 cum *om.* Aε ‖ 44 armozel *nos* (*cf. supra* 36) : armoze CV AQε   harmoge *Feu. Gra. Mass. Sti.* armoge *Hv* ‖ 46 agnouisse V AQ

29, 2. a. cf. Ps. 8, 6-7. I Cor. 15, 26-28. Éphés. 1, 22. Hébr. 2, 8

48 Et refrigerantia in hoc omnia hymnizare magnum Aeona. [Hv
   Hinc autem dicunt manifestatam Matrem, Patrem, 8
   Filium; ex Anthropo autem et Gnosi natum lignum,
   quod et ipsum Gnosin uocant. |

52 **29**, 4. Deinde ex primo Angelo qui adstat Monogeni Hv
   emissum dicunt Spiritum sanctum, quem et Sophiam
   et Prunicum uocant. Hanc igitur uidentem reliqua
   omnia coniugationem | habentia, se autem sine coniu- Hv
56 gatione, quaesisse cui adunaretur; et cum non inueniret,
   adseuerabat et extendebatur et prospiciebat ad inferiores
   partes, putans hic inuenire coniugem; et non inueniens, 4
   exsiliit, taediata quoque, quoniam sine bona uoluntate
60 Patris impetum fecerat. Post deinde simplicitate et
   benignitate acta, generauit opus in quo erat Ignorantia
   et Audacia : hoc autem opus eius esse Protarchontem
   dicunt, Fabricatorem conditionis huius. Virtutem autem 8
64 magnam abstulisse eum a Matre narrant et abstitisse
   ab ea in inferiora et fecisse firmamentum caeli, in quo
   et habitare dicunt eum. Et cum sit Ignorantia, fecisse
   eas quae sunt sub eo Potestates et Angelos et firmamenta 12
68 et terrena omnia. Deinde dicunt adunitum eum Autha-
   diae, generasse Kakian, Zelum et Phthonon et Erin
   et Epithymian. Generatis autem his, Mater Sophia
   contristata refugit et in altiora secessit, et fit deorsum 16

29, 48 refrigerantia *coni. 1Ls110* : -ranti CV   -rant AQε ||
hymnizare : in ymnizare Q || magnum ε *cett.* : agnum ε^mg || aeona
C²ε : aeonem C eonam (ae- A) V AQ || 49 autem : enim ε || 51 et
ipsum : ipsum ipsum V || gnosin ε^mg *edd.* : canosin C AQε canos
V || 52 primo : plurimo CV || 54 prianicum ε (« *forte* prun- » ε^mg)
|| hanc *nos* : hunc *codd.* ε *edd.* || 55 habenti a *sic* A || se *om.* Q ||
59 bone Q || 61 opus *om.* CV || erit AQε || 62 eius *om.* V (*suppl. s.l.*
ante opus V²) || protarchontem *nos (cf. not. edd. a Gra. ex gr.*
Theodoreti, Fab. I, 13) : proarchontem C AQε proarchantem V ||
63 huius : eius C^ac || 64 abs. magnam ∞ A || abstitisse : -tise C
abstulisse ε || 65 in₁ *om.* Q || 66 sit *om.* A || 67 sub eo *om.* V (*suppl.*
s.l. V²) || potestates et : potestate sed AQ || 68-69 authadiae CV :

reposant désormais, chantèrent des hymnes au Grand Éon. De là apparurent, disent-ils, la Mère, le Père et le Fils. De l'Homme et de la Gnose naquit un arbre, auquel ils donnent également le nom de Gnose.

29, 4. Ensuite, du premier Ange qui se tient auprès du Monogène, fut émis, disent-ils l'« Esprit Saint », qu'ils appellent aussi « Sagesse » et « Prounikos »[1]. Celle-ci, voyant que tous les autres avaient leur conjoint, tandis qu'elle-même était privée de conjoint, chercha à qui elle pourrait s'unir ; comme elle ne trouvait personne, elle faisait effort et s'étendait, regardant vers les régions inférieures dans l'espoir d'y trouver un conjoint ; n'en trouvant point, elle bondit, mais elle fut accablée de dégoût parce qu'elle s'était élancée sans l'agrément du Père. Ensuite, poussée par la simplicité et la bonté, elle engendra une œuvre contenant Ignorance et Présomption. Cette œuvre, disent-ils, c'est le « Protarchonte », l'Auteur de cet univers. Il emporta de sa Mère une grande puissance et s'éloigna d'elle vers les lieux inférieurs. Il fit le firmament du ciel, en lequel ils le disent habiter. Étant Ignorance, il fit les Puissances qui sont au-dessous de lui, les Anges, les firmaments et toutes les choses terrestres. Puis il s'unit à la Présomption et engendra la Méchanceté, la Jalousie, l'Envie, la Discorde[2] et le Désir. Devant ces productions, sa Mère Sagesse s'enfuit, attristée, et se retira dans les hauteurs : ce fut l'Ogoade, en comptant

---

authabidiae AQ   atabadiae ε *Feu.*   atabidiae ε^mg ‖ 69 generasse *om.* Q ‖ kakiam V ‖ zelum *codd.* ε : zelon *edd. a Feu.* ‖ phthonon ε *Sti.* : pthonon *codd.* phthonum *Feu. Gra. Mass.* ‖ erin *nos (cf. not. iustif.)* : erinin C AQ   erinim V   erinnyn ε *edd.* ‖ 70 epithymian Aε : ephitimian C (-thi- C^pc)   epythimiam V   ephythymian Q epithymiam *Feu. Gra. Mass.* ‖ mater his ∽ A

72 numerantibus Octonatio. Illa igitur secedente, se solum [Hv
opinatum esse, et propter hoc dixisse : *Ego sum Deus
zelator, et praeter me nemo est*[a]. Et hi quidem talia
mentiuntur.

30, 1. Alii autem rursus portentuosa loquuntur, esse 20
quoddam primum Lumen in uirtute Bythi, beatum et
incorruptibile et in|terminatum : esse autem hoc Patrem Hv 2
4 omnium et uocari Primum Hominem. Ennoeam autem
eius progredientem filium dicunt emittentis : et esse
hunc Filium Hominis, Secundum Hominem. Sub his 4
autem Spiritum sanctum esse, et sub superiori Spiritu
8 segregata elementa, aquam, tenebras, abyssum, chaos :
super quae ferri Spiritum[a] dicunt, Primam Feminam
eum uocantes. Postea, dicunt, exsultante Primo Homine
cum Filio suo super formositatem Spiritus, hoc est 8
12 Feminae, et illuminante eam, generauit ex ea Lumen
incorruptibile, Tertium Masculum, quem Christum
uocant, filium Primi et Secundi Hominis et Spiritus
sancti, Primae Feminae.

16 **30, 2.** Concumbentibus autem Patre et Filio Feminae,
quam et Matrem uiuentium[a] dicunt, cum [autem] non 12
potuisset portare nec capere magnitudinem luminum,
superrepletam et | superebullientem secundum siniste- Hv 2
20 riores partes dicunt. Et sic quidem filium eorum solum
Christum, quasi dextrum, et in superiora adleuaticium,
arreptum statim cum Matre in incorruptibilem Aeonem. 4

29, 72 se *om.* V ‖ 73 opinantem V ‖ 74 zelotes ε *Feu.*
30, 1 *hic inser.* AQε *tit. cap*[ll] xxxiiii (xxxv CV) *de quo u. in
init. libri* ‖ 2 bithy C AQ ‖ 3 autem]+ et V ‖ 4 uocari *ex gr. Feu.
Gra. Hv* : inuocari CV *Mass. Sti.* uocare AQε ‖ ennoean Q ‖
5 emitentis C ‖ 6 hunc AQε *Feu. Gra. Hv* : hanc CV *Mass. Sti* ‖
7 sub *om.* Q ‖ superiora Qε ‖ 8 cahos C ‖ 10 eum CV : eam AQε ‖
inuocantes V ‖ 11 formositate AQε ‖ 12 illuminante *edd.* : -tem
codd. ε ‖ 16 patrem AQ (m *expunct.* A) ‖ 17 quem A[ac]Q ‖ autem
seclusimus (« redundat » Mass. Sti.) ‖ 20 filium quidem ∽ CV ‖
21 in *om.* Q ‖ 22 abreptum C Q ‖ in *om.* V Q (*suppl. s.l.* V[a])

à partir du bas. Lorsqu'elle se fut retirée, il se crut seul, et c'est pour ce motif qu'il dit : « Je suis un Dieu jaloux, et en dehors de moi il n'est pas de Dieu ᵃ ». Tels sont les mensonges de ces gens-là.

Les Ophites.

30, 1. D'autres encore font le prodigieux récit que voici. Il existait, dans la puissance de l'Abîme, une Lumière primordiale, bienheureuse, incorruptible et illimitée : c'est le Père de toutes choses et il s'appelle le « Premier Homme ». De lui procéda une Pensée, qu'ils disent être le Fils de celui qui l'émit ; c'est le « Fils de l'Homme » ou « Second Homme ». Au-dessous d'eux se trouvait l'Esprit Saint, et sous cet Esprit d'en haut se trouvaient les éléments séparés, à savoir l'eau, les ténèbres, l'abîme et le chaos : sur ces éléments, disent-ils, était porté l'Esprit ᵃ, qu'ils appellent la « Première Femme ». Alors, disent-ils, le Premier Homme avec son Fils exulta devant la beauté de l'Esprit, autrement dit de la Femme, et il l'illumina ; ainsi engendra-t-il d'elle une Lumière incorruptible, le Troisième Mâle, celui qu'ils appellent le « Christ », fils du Premier et du Second Homme et de l'Esprit Saint ou Première Femme.

30, 2. Le Père et le Fils s'unirent donc à la Femme, qu'ils appellent aussi la Mère des Vivants ᵃ. Mais celle-ci fut incapable de porter et de contenir l'excessive grandeur de la Lumière, qui, disent-ils, déborda et jaillit par-dessus du côté gauche. Ainsi le Christ fut-il seul à être leur Fils, comme étant de droite ; élevé dans les régions supérieures, il fut aussitôt enlevé avec sa Mère dans l'Éon incorruptible. La vraie, la sainte

---

29, 4. a. Ex. 20, 5. Is. 45, 5-6 ; 46, 9
30, 1. a. cf. Gen. 1, 2
30, 2. a. cf. Gen. 3, 20

Esse autem hanc et ueram et sanctam Ecclesiam, quae [Hv 2
24 fuerit appellatio et conuentio et adunatio Patris omnium,
Primi Hominis, et Filii, Secundi Hominis, et Christi, filii
eorum, et praedictae Feminae.

30, 3. Virtutem autem quae superebulliit ex Femina, 8
28 habentem humectationem luminis, a Patribus decidisse
deorsum docent, sua autem uoluntate habentem humectationem luminis : quam et Sinistram et Prunicon et
Sophiam et Masculo-feminam uocant. Et descendentem 12
32 simpliciter in aquas, cum essent immobiles, et mouisse
quoque eas, petulanter agentem usque | ad abyssos, et Hv 22
adsumpsisse ex eis corpus. Humectationi enim luminis
eius omnia adcucurrisse et adhaesisse dicunt et circum-
36 tenuisse eam : quam nisi habuisset, tota absorta fortassis
fuisset et demersa a materia. Deligatam igitur hanc a 4
corpore quod erat a materia et ualde grauatam, resipisse
aliquando et conatam esse fugere aquas et ascendere
40 ad Matrem, non potuisse autem propter grauidinem
circumpositi corporis. Valde autem male se habentem 8
machinatam esse abscondere illud quod erat desuper
lumen, timentem ne et ipsum laederetur ab inferioribus
44 elementis, quemadmodum et ipsa. Et cum uirtutem
accepisset ab humectatione eius quod erat secundum
eam lumen, resiliit et in sublimitatem elata est, et 12
facta in alto dilatauit et cooperuit et fecit caelum hoc
48 quod apparet a corpore eius, et remansit sub caelo
quod fecit, adhuc habens aquatilis corporis typum.
Cum accepisset concupiscentiam superioris luminis et 16

30, 27 superebuliit C   -bullit ε ‖ 28 habente ε ‖ dedisse A
(deci- A²) ‖ 29 docenti⫽ C   docente V ‖ 30 quem ε ‖ prunicon
codd. : pronichon ε   prunichum ε^mg ‖ 31 sophian ε ‖ descendentes
ε ‖ 32 aquam AQε ‖ mouisse C : □□mouisse V   nemouisse AQ
ne mou- ε *Feu. Gra.* ‖ 34 humectationem AQε ‖ 35 adcurrisse C ‖
ahesisse Q ‖ 36 absorpta ε *edd.* ‖ fortasse ε ‖ 37 fuisse AQ ‖
delegatam A ‖ igitur : autem igitur Q ‖ 38 resipisse CV *Mass.*
Sti. : repsisse AQε *al. edd.*   repisse Q^ac ‖ 40 potuisse]+ eam V

Église, la voilà : c'est la convocation, la société et l'union du Père de toutes choses ou Premier Homme, du Fils ou Second Homme, du Christ leur Fils, et de la Femme que nous venons de dire[1].

30, 3. Or la Puissance qui jaillit hors de la Femme possédait une rosée de lumière ; quittant le domaine des Pères, elle se précipita vers les régions inférieures, de son propre chef, en emportant avec elle la rosée de lumière[2]. Cette Puissance, ils la nomment la Gauche, ou Prounikos, ou Sagesse, ou Mâle-Femelle. Elle descendit tout uniment dans les eaux, qui étaient immobiles, les mit en mouvement en y plongeant hardiment jusqu'au fond et prit d'elles un corps. Car, disent-ils, toutes choses accoururent vers la rosée de lumière qui était en elle, se collèrent à elle, l'emprisonnèrent de toutes parts ; et, si elle n'avait eu cette rosée de lumière, elle aurait été entièrement engloutie et submergée par la matière. Tandis qu'elle était ainsi enchaînée à ce corps de matière et très appesantie par lui, elle vint un jour à résipiscence : elle tenta de s'échapper des eaux et de remonter vers sa Mère, mais elle ne le put, par suite de la pesanteur du corps qui l'enveloppait. Se sentant très mal en point, elle imagina de cacher la lumière issue des régions supérieures, de crainte que cette lumière n'eût à pâtir à son tour, comme elle, des éléments inférieurs. Une force lui fut alors communiquée par la rosée de lumière qui était en elle : elle bondit et s'éleva dans les hauteurs. Parvenue en haut, elle se déploya, fit ce ciel visible, qu'elle tira de son corps, et demeura d'abord sous ce ciel qu'elle venait de faire, ayant encore la forme d'un corps aqueux[3]. Mais ensuite ayant

---

uirtutem sumpsisset, per omnia deposuisse corpus et [Hv 2
52 liberatam ab eo. Corpus autem hoc exuisse dicunt eam,
feminam a femina nominant.

30, 4. Et filium autem eius dicunt habuisse et ipsum
adspirationem quandam in se incorruptelae a Matre 20
56 relictam ei, per quam operatur. Et potens factus emisit
et ipse, sicut dicunt, ab aquis filium sine matre : neque
enim cognouisse Matrem eum uolunt. Et filium eius
secundum patris imitationem alterum emisisse filium.
60 Hic quoque tertius quartum generauit, et quartus et 24
ipse generauit filium; de quinto sextum filium genera-
tum dicunt; et sextus | septimum generauit. Sic quoque Hv 23
Ebdomas perfecta est apud eos, octauum Matre
64 habente locum; et quemadmodum generationibus, sic
et dignitatibus et uirtutibus praecedere eos ab inuicem. 4

30, 5. Et nomina autem mendacio suo talia posuerunt :
eum enim qui a Matre primus sit Ialdabaoth uocari,
68 eum autem qui sit ab eo Iao, et qui ab eo Sabaoth,
quartum autem Adoneum, et quintum Eloeum, et sex- 8
tum Horeum, septimum autem et nouissimum omnium
Astaphaeum. Hos autem Caelos et Areothas et Virtutes
72 et | Angelos et Conditores subiciunt per ordinem sedentes Hv 23
in caelo secundum generationem ipsorum, non appa-
rentes, regere quoque caelestia et terrestria, primo
ipsorum Ialdabaoth contemnente Matrem in eo quod 4
76 filios et nepotes sine ullius permissu fecerit, adhuc etiam
Angelos et Archangelos et Virtutes et Potestates et Domi-

30, 51 deposuisse *Mass. Sti. Hv* : -sset *codd.* ε *Feu. Gra.* || 55
corruptile (-tele V) CV || a matre : ad matrem Q || 57 sicut : ut ε || 58
agnouisse V || 60 generauit *om.* V || et₂ *om.* ε || 63 ebdomas C AQ :
ebdomada (da *expunct.*) V   hebdomada ε || matre C : -em V AQε ||
64 habente *edd.* : -tem *codd.* ε || 67 a *om.* Vᵃᶜ || ialdabaoth *edd. a*
Gra. : -booth CV AQ   -both ε *Feu.* || 68 qui₁ : que A || sabahot C
|| sabaoth]+ magnum AQε || 70 horeum *codd.* ε *Mass. Sti.* :
oreum *Feu. Gra. Hv* || 71 astaphaeum *edd. a Feu.* : adsthapheum

éprouvé le désir de la lumière d'en haut et reçu une
nouvelle force, elle déposa totalement son corps et en
fut libérée. Ce corps, ils le disent son fils ; quant à
elle, ils la nomment « Femme issue de Femme »[1].

30, 4. Son fils posséda, lui aussi, disent-ils, un souffle
d'incorruptibilité que lui avait laissé sa Mère et grâce
auquel il lui était possible d'œuvrer. Devenu puissant,
il émit, lui aussi, comme ils disent, à partir des eaux,
un fils, sans sa Mère : car, prétendent-ils, il ne connut
pas sa Mère. Son fils, à l'imitation de son père, émit un
autre fils ; ce troisième en engendra un quatrième ; le
quatrième en engendra un cinquième, le cinquième un
sixième et le sixième un septième. Ainsi, selon eux, se
paracheva l'Hebdomade, le huitième lieu étant occupé
par la Mère. Et comme il existe entre eux une hiérarchie
d'origine, ainsi existe-t-il aussi entre eux une hiérarchie
de dignité et de puissance.

30, 5. Voici les noms dont ils affublent ces êtres de
leur invention : le premier, celui qui est issu de la Mère,
s'appelle Jaldabaoth ; le second, issu de Jaldabaoth,
s'appelle Jao ; le troisième a nom Sabaoth, le quatrième,
Adonaï, le cinquième, Élohim, le sixième, Hor, le
septième et dernier, Astaphée. Ces Cieux, Vertus,
Puissances, Anges et Créateurs, déclarent-ils, siègent
en bon ordre dans le ciel, selon leur origines respectives,
tout en demeurant invisibles, et régissent les choses
célestes et terrestres. Le premier d'entre eux, c'est-à-
dire Jaldabaoth, méprisa la Mère en engendrant sans sa
permission des fils et des petits-fils, voire des Anges,
des Archanges, des Vertus, des Puissances et des Domi-

C   artapheum V asthaphaeum AQ   aschaphaeum ε ‖ areothas
codd. (ἀρετάς?) : arotheas ε Feu. ‖ 73 ipsorum om. V Q (suppl.
mg. V²) ‖ non om. ε Feu. ‖ 75 ialdabooth CV ‖ contemnente edd.
a Feu. : -tem codd. ε ‖ quos AQ ‖ 76 permissum C ‖ 77 et archangelos om. AQε (et hab. ε unde cum seq. et et) ‖ et₂ om. V

nationes. Quibus factis ad litem et iurgium aduersus | [Hv ₂
eum conuersos esse filios eius de principatu : propter Hv 2
80 quae contristatum Ialdabaoth et desperantem, con-
spexisse in subiacentem faecem materiae et consolidasse
concupiscentiam suam in eam. Vnde natum filium 4
dicunt, hunc autem ipsum esse Nun, in figura serpentis
84 contortum : dehinc et spiritum et animam et omnia
mundialia; inde generatam omnem obliuionem et malitiam et zelum et inuidiam et mortem. Hunc autem
serpentiformem et contortum Nun eorum adhuc magis 8
88 euertisse Patrem dicunt tortuositate, cum esset cum
Patre ipsorum in caelo et in paradiso.

30, 6. Vnde exsultantem Ialdabaoth in omnibus his
quae sub eo essent gloriatum et dixisse : *Ego Pater et*
92 *Deus, et super me nemo*ᵃ. Audientem autem Matrem 12
clamasse aduersus eum : *Noli mentiri, Ialdabaoth, est*
enim super te Pater omnium Primus Anthropus, et
Anthropus Filius Anthropi. Conturbatis autem omnibus
96 ad nouam uocem et inopinabili nuncupatione et quae-
rentibus unde clamor, ad auocandos eos et ad se sedu- 16
cendum dixisse Ialdabaoth dicunt : *Venite, faciamus*
hominem ad imaginem [*nostram*ᵇ]. Sex autem Virtutes
100 audientes haec, Matre dante illis excogitationem hominis, uti per eum euacuet eos a principali uirtute, conue- 20
nientes formauerunt hominemᶜ immensum latitudine et
longitudine. Scarizante autem eo tantum, aduexerunt

30, 79 eum *edd. a Feu. :* eos *codd.* ε ‖ 80 quae V : quem C AQε
‖ ialdabooth CV   -booth AQε ‖ desperatum ε *Feu.* ‖ 81 faciem
AQε ‖ matherie C ‖ consoldasse C ‖ 83 autem ipsum *om.* AQε ‖
num V ‖ 84 et₃ *om.* CV AQ ‖ 85-86 maliam Cᵃᶜ ‖ 87 serpentem informem A   serpentis formam V ‖ num V ‖ magis *om.* V ‖ 88 tur-
tuositate C ‖ 89 patrem C ‖ in₂ *om.* CV ‖ 90 exsultantem *edd.*
a Feu. : exaltantem CV   exultante AQε ‖ ialdabaoht C   -booth V
-both AQε ‖ 91 dixisset AQ ‖ ego]+ et Vε (*exp.* V) ‖ 93 ialdaboth
AQε ‖ 95 anthrophy Q ‖ 97 ad : et AQε ‖ auocandos : -cans A ‖ ad
se seducendum C : ad seduc- V   adesse seduc- AQε   adesse se

nations. A peine venus à l'existence, ses fils se retour-
nèrent contre lui pour lui disputer la première place.
Dans sa tristesse et son désespoir, Jaldabaoth regarda
alors la lie de la matière qui se trouvait au-dessous de
lui et s'éprit d'un violent désir pour elle : de là, disent-ils,
lui naquit un fils, « l'Intellect », qui a la forme entortillée
du serpent. De celui-ci sortirent l'élément pneumatique,
l'élément psychique et tous les êtres cosmiques ; de lui
naquirent aussi l'Oubli, la Méchanceté, la Jalousie et
la Mort. Cet Intellect à forme de serpent et tout entor-
tillé, disent-ils, pervertit davantage encore son Père par
sa tortuosité, lorsqu'il était avec lui dans le ciel et dans
le paradis.

30, 6. C'est pourquoi Jaldabaoth exulta et se pavana
à la vue de tout ce qui se trouvait sous lui, et il dit :
« C'est moi qui suis Père et Dieu, et il n'est personne
au-dessus de moi[a]. » Mais la Mère, en entendant ces
paroles, lui cria : « Ne mens pas, Jaldabaoth, car au-
dessus de toi il y a le Père de toutes choses ou Premier
Homme, ainsi que l'Homme, Fils de l'Homme. » Tous
furent saisis d'effroi à cette parole étrange et à cette
appellation inattendue. Tandis qu'ils cherchaient d'où
était venu ce cri, Jaldabaoth leur dit, pour les en
détourner et les attirer à lui : « Venez, faisons un homme
selon l'image[b] »[1]. Ce qu'entendant, les six Puissances se
réunirent ; c'était la Mère qui leur inspirait l'idée de
l'homme, afin de les vider par lui de leur puissance
originelle. Elles modelèrent donc un homme[c] d'une
largeur et d'une longueur prodigieuses ; mais, comme
il ne pouvait que se tortiller, elles le traînèrent jusqu'à

duc- ε ‖ 99 nostram *(codd. ε edd.) seclusimus (cf. not. iustif.)* ‖ 101
eum : eos C[ac] ‖ 102-103 et longitudine *om.* CV ‖ 103 scarizan-
tem C Qε ‖ adduxerunt AQε

30, 6. a. cf. Is. 45, 5-6 ; 46, 9 ‖ b. Gen. 1, 26 ‖ c. cf. Gen. 2, 7

104 eum patri eorum, et hoc Sophia operante uti et illum │ [Hv⌐
    euacuet ab humectatione luminis, uti non posset erigi Hv ⌐
    aduersus eos qui susum sunt, habens uirtutem. Illo
    autem insufflante in hominem spiritum uitae[d], latenter
108 euacuatum eum a uirtute dicunt; hominem autem 4
    inde habuisse nun et enthymesin, et haec esse quae
    saluantur dicunt, et statim gratias agere eum Primo
    Homini, relictis Fabricatoribus.

112   **30, 7.** Zelantem autem Ialdabaoth uoluisse excogitare 8
    euacuare hominem per feminam, et de sua enthymesi
    eduxisse feminam : quam illa Prunicos suscipiens inuisi-
    biliter euacuauit a uirtute. Reliquos autem uenientes
116 et mirantes formositatem eius, uocasse eam Euam, et
    concupiscentes hanc generasse ex ea filios, │ quos et Hv ⌐
    Angelos esse dicunt. Mater autem ipsorum argumentata
    est per Serpentem seducere Euam et Adam, supergredi
120 praeceptum Ialdabaoth. Eua autem quasi a Filio Dei
    hoc audiens, facile credidit et Adam suasit manducare 4
    de arbore de qua dixerat Deus non manducare. Mandu-
    cantes autem eos cognouisse[a] eam quae est super omnia
124 Virtutem dicunt et abscessisse ab his qui fecerunt eos.
    Prunicum autem uidentem quoniam et per suum plasma 8
    uicti sunt, ualde gratulatam et rursum exclamasse
    quoniam, cum esset Pater incorruptibilis olim, hic

30, 104 eorum *nos* : suorum *codd.* ε   suo *edd. a Feu. (cf. 3Ls
224)* ‖ 105 humectione C ‖ posse AQε ‖ 106 susum C AQ : sursum
C²V A²ε ‖ sunt : est AQε *Feu.* (eum qui sursum est *Feu. perpe-
ram*) ‖ 109 num V ‖ enthimesim V   enthimesin Q ‖ 112 autem
om. V ‖ ialdaboth Aε ‖ uoluisse ε : uoluit CV AQ ‖ 113-114 et
— feminam *om.* CV ‖ 114 illam C ‖ 115 a *om.* V (*suppl.* V²) ‖ 117
hanc : eam hanc ε ‖ ea]+ sibi AQε ‖ et *om.* AQε ‖ 118 argumenta
C (-tata C²) ‖ 120 ialdaboth CV² : ilda- V   ialdaboth AQε ‖ 121-
122 de arb. mand. ∞ CV ‖ 122 de qua — manducare *om.* CV ‖
122-124 manducantes — eos *om.* AQε ‖ 123 autem *om.* C (*suppl.
s.l.* C¹) ‖ 124 abscisisse C ‖ fecerunt (-r̄) CV² : ferunt V   fecerant
edd. a Feu. ‖ 125 prunicum AQε : pronicum CV ‖ per : ▓▓per

leur Père. C'était encore Sagesse qui leur faisait faire
cela, afin de vider Jaldabaoth de sa rosée de lumière et
pour que celui-ci, privé de sa puissance, ne fût plus à
même de se dresser contre ceux qui étaient au-dessus
de lui. Il souffla donc dans l'homme un souffle de vie[d] et,
par là, sans s'en rendre compte, se vida de sa puissance.
L'homme posséda dès lors l'intellect et la pensée — ce
sont ces choses-là, disent-ils, qui seront sauvées — et
sur le champ il rendit grâces au Premier Homme,
sans plus se soucier de ceux qui l'avaient fait.

30, 7. Jaloux, Jaldabaoth voulut alors vider l'homme
par la femme et, de la pensée de celui-ci, il tira la
femme ; mais Prounikos se saisit d'elle et la vida invisiblement de sa puissance. Les autres, survenant et
admirant sa beauté, l'appelèrent Ève ; s'étant épris
d'amour pour elle, ils engendrèrent d'elle des fils, qui
sont également des Anges, disent-ils. Leur Mère imagina
alors de tromper Ève et Adam par l'entremise du
Serpent, de manière à leur faire transgresser le commandement de Jaldabaoth. Ève crut aisément, comme si
c'était le Fils de Dieu qui lui eût parlé, et elle persuada
Adam de manger de l'arbre auquel Dieu leur avait
défendu de goûter. Lorsqu'ils en eurent mangé, ils
« connurent[a] », disent-ils, la Puissance qui est au-dessus
de toutes choses, et ils se séparèrent de ceux qui les
avaient faits. Prounikos, voyant que ceux-ci avaient
été vaincus par leur propre ouvrage se réjouit grandement ; de nouveau elle s'écria que, puisqu'il existait
déjà un Père incorruptible, Jaldabaoth avait menti en

(super ?) C ǁ suum plasma CV *Feu.*mg *Mass.* : sua (-am Qε *Feu.*tx)
blasphema (-iam ε *Feu.*tx) AQε *Feu.*tx ǁ 126 ualde, ualde *(cum
interpunct.)* ε *Feu.* ǁ gratulatum ε *Feu.*

30, 6. d. cf. Gen. 2, 7
30, 7. a. cf. Gen. 3, 7

128 semetipsum uocans Patrem mentitus est, et cum Homo [Hv 2
olim esset et Prima Femina, et haec adulterans peccauit.

30, 8. Ialdabaoth autem propter eam quae circa eum 12
erat obliuionem ne quidem intendentem ad haec, proie-
132 cisse Adam et Euam de paradiso, quoniam transgressi
erant praeceptum eius. Voluisse enim filios ei ex Eua gene-
rari, et non adeptum esse, quoniam Mater sua in omnibus 16
contrairet ei, et latenter euacuans Adam et Euam ab
136 humectatione luminis, uti neque maledictionem partici-
paret neque opprobrium is qui esset a Principalitate
spiritus. | Sic quoque uacuos a diuina substantia factos, Hv 23
maledictos esse ab eo et deiectos a caelo in hunc mundum
140 docent. Sed et Serpentem aduersus Patrem operantem
deiectum ab eo in deorsum mundum. In potestatem 4
autem suam redigentem Angelos qui hic sunt, et ipsum
sex filios generasse, septimo ipso exsistente ad imita-
144 tionem eius quae circa Patrem est Ebdomadis. Et hos
septem daemonas mundiales esse dicunt, aduersantes
et resistentes semper generi humano, quoniam propter 8
eos pater illorum proiectus est deorsum.

148 **30,** 9. Adam autem et Euam prius quidem habuisse
leuia et clara et uelut spiritalia corpora, quemadmodum
et plasmati sunt : uenientes autem huc, demutasse in 12
obscurius et pinguius et pigrius. Sed et animam disso-
152 lutam et languidam, quippe a Factore tantummodo
insufflationem mundialem habentes, quoadusque Prunicos miserata eorum reddidit eis odorem suauitatis
humectationis luminis. Per quam in commemorationem 16

30, 129 femina prima ∾ A ‖ 130 ialdabaoth V Qε : -booth C
-both A ‖ 133 filius C ‖ 135 contrahiret C Qᵃᶜ ‖ 136 luminis uti
om. AQε ‖ neque : que AQε ‖ 136-137 participarit CV ‖ 138 a :
de Qᵃᶜ ‖ 140 et *om.* V ‖ 142 redigente Q ‖ 143 ipso : ex ipso
CV ‖ exsistente : asistente Cᵃᶜ extante Aε ‖ 144 ebdomadis *codd.* :
hebd- ε ‖ 145 vii Q ‖ daemones Vᵃ (-as Vᵃᶜ) A ‖ esse *om.* A ‖ dicant

se donnant à lui-même le nom de Père, et que, puisqu'il
y avait déjà un Homme et une Première Femme, il avait
péché en en faisant une copie frelatée[1].

30, 8. Mais Jaldabaoth, à cause de l'Oubli dont il
était environné, ne prêta même pas attention à ces
paroles : il chassa Adam et Ève du paradis, parce qu'ils
avaient transgressé son commandement. Car il avait
voulu qu'Ève engendrât des fils à Adam, mais il n'y
était pas parvenu, parce que sa Mère agissait en tout
à l'encontre de ses desseins. Celle-ci vida secrètement
Adam et Ève de leur rosée de lumière, afin que l'esprit
issu de la Suprême Puissance n'eût point de part à la
malédiction et à l'opprobre. Ainsi vidés de la divine
substance, Adam et Ève furent maudits par Jaldabaoth
et précipités du ciel en ce monde. Le Serpent, qui avait
agi contre son Père, fut également précipité par lui dans
le monde inférieur. Il réduisit sous son pouvoir les
Anges qui s'y trouvaient et il engendra six fils, étant
lui-même le septième, de façon à imiter l'Hebdomade
qui est auprès du Père. Ce sont là, disent-ils, les sept
démons cosmiques : ils ne cessent de s'opposer et de
faire obstacle à la race des hommes, parce que c'est à
cause de ceux-ci que leur père a été précipité ici-bas.

30, 9. Or Adam et Ève avaient eu jusque-là des
corps légers, lumineux et, pour ainsi dire, spirituels :
ainsi avaient-ils été modelés. Mais, en venant ici-bas,
leurs corps devinrent obscurs, épais et paresseux.
Même leurs âmes devinrent molles et languissantes, car
ils n'avaient plus que le souffle cosmique reçu de leur
Auteur. Il en fut ainsi jusqu'à ce que Prounikos les prît
en pitié et leur rendît la suave odeur de la rosée de
lumière : grâce à elle, ils se ressouvinrent d'eux-mêmes,

AQ ‖ 150 et *om.* A (*suppl.* A¹) ‖ 151 et₁ *om.* AQε ‖ 152 factores Q ‖
153 quoadusque]+ iterum Aε ‖ 153-154 prunicos AQε : -cus CV
‖ 154 reddit Q

156 uenerunt | suam ipsorum et cognouerunt semetipsos Hv 2
nudus[a] et corporis materiam; et cognouerunt quoniam
mortem baiolant et magnanimes exstiterunt, cognoscentes quoniam ad tempus corpus circumdatum est
160 eis; et escas quoque inuenisse eos, praeeunte eis Sophia, 4
et satiatos coisse inuicem carnaliter et generasse Cain.
Quem deiectibilis Serpens cum filiis suis statim suscipiens
euertit et adimpleuit mundiali obliuione, in stultitiam
164 et audaciam immittens, ita ut et dum fratrem suum 8
Abel occideret, primus zelum et mortem ostenderit.
Post quos secundum prouidentiam Prunici dicunt
generatum Seth, post Noream : ex quibus reliquam
168 multitudinem hominum generatam dicunt, et ab infe-
riori Ebdomade in omnem malitiam immissam et 12
apostasiam <a> superiore sancta Ebdomade et
idolatriam et reliquam uniuersam contemptionem, cum
172 contraria eis esset semper Mater inuisibiliter et proprium
saluaret, hoc est humectationem luminis. Sanctam
autem Ebdomadem septem stellas quas dicunt planetas 16
esse uolunt, et proiectibilem Serpentem duo habere
176 nomina, Michahel et Samahel, dicunt.

30, 10. Iratum autem Ialdabaoth hominibus, quo|niam Hv 23
eum non colebant neque honorificabant quasi Patrem
et Deum, diluuium eis immisisse ut omnes simul perde-
180 ret. Contra stante autem et hic Sophia[a], saluatos esse
eos qui circa Noe erant in arca propter humectationem 4

30, 156 seipsos Qε ‖ 158 baiolant C A : -iul- V Qε ‖ existerunt C
‖ 158-159 cognoscentes : et cogn- CV ‖ 160 eis₂ : eos ε ‖ 161 coeisse
A[ac] ‖ cayn V ‖ 162 suis *om.* ε ‖ 163 uertit AQ ε ‖ mundialia obliuionem CV ‖ in *om.* AQε ‖ 163-164 stultitia et audacia ε ‖ 164 ut
om. CV ‖ 167 noream Vε ‖ 168 hominem generatum AQ ‖ 169
ebdomade AQ : e-dae CV heb-de ε ‖ 170 <a> *nos cum Gra. in n.*
‖ *superiore codd.* : -ri ε *Feu. Gra. Hv* -rem *Mass.* ‖ sancta *nos cum
Gra. in n.* : sanctae C ε *edd.* sancte A (*transp. post* eb-de A) Q
secunde V ‖ ebdomade CV AQ : h-dae ε *edd.* ‖ 171 idololatriam ε
edd. praet. Hv ‖ 172 esse AQ ‖ 174 ebdomadem (ed- C[ac]) *codd.* :
hebd- ε ‖ vii Q ‖ qua Q ‖ 176 michael CVε ‖ samahel C : -uhel A

connurent qu'ils étaient nus[a] et que leur corps était fait de matière ; ils connurent qu'ils portaient la mort en eux, et ils prirent patience en sachant qu'ils n'étaient revêtus d'un corps que pour un temps seulement ; sous la conduite de Sagesse, ils trouvèrent de la nourriture, puis, une fois rassasiés, ils s'unirent charnellement et engendrèrent Caïn. Mais le Serpent déchu[1], avec ses fils, se saisit aussitôt de lui, le corrompit, le remplit de l'oubli cosmique et le précipita dans la plus folle audace, à tel point que, en tuant son frère Abel, il fut le premier à faire paraître la Jalousie et la Mort. Après eux, conformément à la providence de Prounikos, furent engendrés Seth, puis Noréa, desquels naquit le reste du genre humain. Celui-ci fut plongé, par l'Hebdomade d'en bas, dans toute espèce de malice, dans l'apostasie à l'égard de la Sainte Hebdomade d'en haut, dans l'idolâtrie et dans le mépris de tout, cependant que la Mère ne cessait de contrarier invisiblement l'œuvre de ces Puissances et de sauver ce qui lui appartenait, c'est-à-dire la rosée de lumière. La Sainte Hebdomade en question, ce sont, prétendent-ils, les sept étoiles dites planètes ; quant au Serpent déchu, disent-ils, il porte deux noms, Michel et Samaël.

30, 10. Irrité contre les hommes, parce qu'ils ne lui rendaient pas un culte et ne l'honoraient pas comme leur Père et leur Dieu, Jaldabaoth leur envoya le déluge, afin de les faire périr tous d'un seul coup. Une fois de plus, Sagesse s'opposa[a] : Noé et ceux qui étaient avec lui dans l'arche furent sauvés à cause de la rosée

---

-ael V -uel Qε ‖ 177 ialdabaoth Qε : -both C A   ildabaoth V ‖ 179 induxisse CV *Mass. Sti.* ‖ 180 stante ε : -em *codd.* ‖ sophiam CV ‖ 180-181 eos esse ∽ ε ‖ 181-182 in — erat *om.* V (*suppl. mg.* V²)

30, 9. a. cf. Gen. 3, 7
30, 10. a. cf. Sag. 10, 4

illius luminis quod ab ea erat, per quam iterum adim-   [Hv 2
pletum esse mundum hominibus. Ex quibus quendam
184 Abraham elegisse ipsum Ialdabaoth, et testamentum
posuisse ad eum, si perseuerauerit semen eius seruiens
ei, dare ei hereditatem terrae. Post per Moysen eduxisse 8
ex Aegypto eos qui ab Abraham essent et dedisse eis
188 legem et fecisse eos Iudaeos. Ex quibus elegisse septem
Deos, quos et sanctam Ebdomadem uocant, unumquemque eorum suos praecones ad semet gloriandum 12
et Deum adnuntiandum, uti et reliqui audientes glorias
192 seruirent et ipsi his qui a prophetis adnuntiarentur Dii.

30, 11. Sic autem prophetas distribuunt : huius quidem
Ialdabaoth Moysen fuisse et Iesum Naue et Amos et 16
Ambacum; illius autem Iao, Samuhel et Nathan et Ionan
196 et Michaeam; illius autem Sabaoth, Helian et Iohel
et Zacharian; illius autem Adonei, Esaiam et Ezechiel
et Hieremiam et Daniel; illius autem Eloei, Tobiam et
Aggaeum; illius autem Horei, Michaeam et Naum; illius 20
200 autem Astaphaei, Hesdram et Sophoniam. Horum igitur
unusquisque glorificans suum Patrem et Deum, Sophiam
et ipsam per eos multa locutam esse de Primo | Homine Hv 23
et incorruptibili Aeone et de illo Christo qui sit susum
204 dicunt, praemonentem et rememorantem homines in
incorruptibile lumen et in Primum Hominem et de
descensione Christi : in quibus conterritis Principibus 4

30, 182 quod *om.* V² ‖ eo AQε ‖ erant Q ‖ 184 elegisse]+ et
AQε ‖ ialdabaoth Q : -both C Aε   ildabaoth V ‖ 186 ei₂ *om.* A ‖ per
om. Q ‖ 187 eos ex egypto ∽ Qε ‖ 187 ab : ob V ‖ 188 vii Q ‖ 189
deos *nos* : diis C   dies V AQε *edd.* ‖ ebdomadem C AQ : hebdo-
madam (ebd- V) V ε ‖ uocant]+ et ε *edd.* ‖ 189-190 unumquemque
nos (u. not. iustif.) : unusquisque *codd.* ε *edd.* ‖ 190 suos praecones
nos cf. infra 193-201 *(u. not. iustif.)* : suum praeconem *codd.* ε
edd. ‖ ad semet ε *Feu. Mass. Sti.* : adsumet CV AQ   assumit ad
Gra. Hv ‖ 192 annuntiantur ε ‖ 194 ialdabooth C   -both AQε
ildabaoth V ‖ 195 ambacum A : abacuc C Qε   abacuth V ‖ samuel
V Aε ‖ ionam V ε ‖ 196 heliam V Q ‖ et iohel CA : et ioel V ε *om.* Q ‖

de lumière provenant de Sagesse, et, grâce à elle, le monde fut de nouveau rempli d'hommes. Parmi ceux-ci, Jaldabaoth fit choix d'un certain Abraham et conclut une alliance avec lui, s'engageant à donner la terre en héritage à sa descendance si elle persévérait dans son service. Dans la suite, par l'entremise de Moïse, il fit sortir d'Égypte ceux qui étaient issus d'Abraham, leur donna la Loi et fit d'eux les Juifs. C'est parmi eux que les sept Dieux, appelés aussi la Sainte Hebdomade, se choisirent chacun ses propres hérauts chargés de le glorifier et de le prêcher comme Dieu, afin que les autres hommes, entendant cette glorification, servent eux aussi les Dieux que prêchaient les prophètes[1].

30, 11. Voici comment se répartissent les prophètes. Appartinrent à Jaldabaoth : Moïse, Jésus fils de Navé, Amos et Habacuc ; à Jao : Samuel, Nathan, Jonas et Michée ; à Sabaoth : Élie, Joël et Zacharie ; à Adonaï : Isaïe, Ézéchiel, Jérémie et Daniel ; à Élohim : Tobie et Aggée ; à Hor : Michée et Nahum ; à Astaphée : Esdras et Sophonie. Chacun de ces prophètes glorifia donc son propre Dieu et Père. Mais Sagesse, elle aussi, disent-ils, proféra par eux de multiples paroles relatives au Premier Homme, à l'Éon incorruptible et au Christ d'en haut, rappelant les hommes au souvenir de l'incorruptible Lumière et du Premier Homme et leur prédisant la descente du Christ. Les Archontes furent frappés

---

197 zachariam V AQ ‖ adonai V ε ‖ esaiam C ε : eseiam A   ysaiam A²   ysayam Q   oseam V ‖ 198 iheremiam V A   hye- Q ‖ eloei C : eloi V   eloy AQε ‖ thobiam V ‖ 199 ageum Q ‖ autem : aut C ‖ horei *Mass. Sti.* (cf. *supra* 70) : orei *codd.* ε ‖ et ε *edd.* : om. *codd.* ‖ naum *codd.* ε : nahum *edd.* ‖ 200 astaphaei *Mass. Sti.* (cf. *supra* 71) : astam fidei Cᵃᶜ   astam fei C²   artanfei V   astamfei A   astanfei Qε *Feu. Gra. Hv* ‖ esdram C ‖ sophoniam : sophiam Cᵃᶜ (-oni- C²) ‖ 202 eas Qᵃᶜ ‖ multam CV ‖ locutum εᵐᵍ ‖ 203 et incorr. aeone om. CV ‖ susum C Aᵖᶜ : sur- V AᵃᶜQ ‖ 204 rememorantem]+ et Q ‖ in om. C Q ‖ 205 de : inde A   in Qε ‖ 206 descensionem Q

et admirantibus nouitatem in his quae a prophetis [Hv 2

208 adnuntiabantur, operatam esse Prunicum per Ialdabaoth nescientem quid faciat, duorum hominum factas esse emissiones, alterum quidem de sterili Elisabeth, alterum autem ex Maria Virgine.

8

212 **30**, 12. Et quoniam non haberet eadem ipsa requiem neque in caelo neque in terra, contristatam inuocasse in adiutorium Matrem. Mater autem eius, Prior Femina, miserata est super paenitentia filiae et postulauit a

216 Primo Homine adiutorium ei mitti Christum : qui et 12 descendit emissus ad sororem suam et ad humectationem luminis. Cognoscentem autem eam quae deorsum est Sophiam descendere ad <se> fratrem eius, et adnuntiasse

220 eius aduentum per Iohannem et praeparasse baptismum 16 paenitentiae et ante adaptasse Iesum, uti descendens Christus inueniat uas mundum et uti per filium eius Ialdabaoth Femina a Christo adnuntiaretur. Descendisse

224 autem eum per septem caelos, adsimilatum filiis eorum dicunt, et sensim eos euacuasse uirtutem : ad ipsum 20 enim uniuersam humectationem luminis concurrisse dicunt. Et descendentem Christum in hunc mundum,

228 induisse primum sororem suam Sophiam, et exsultasse utrosque refrigerantes super inuicem : et hoc esse sponsum et sponsam[a] definiunt. Iesum autem, quippe 24 ex Virgine per operationem Dei generatum, sapientiorem

232 et mundiorem et iustiorem hominibus omnibus fuisse; in <quem> Christum perplexum Sophiae descendisse, et sic factum esse Iesum Christum.

30, 13. Multos ergo ex discipulis eius non cognouisse 28

30, 208 ialdabooth C -both AQε   ildabaoth V ‖ 210 elisabeth C : -ly- A   heliz- V Q   elizabet ε ‖ 214 adiutorio AQ ‖ 217
missus Q ‖ 219 <se> *coni. iam Mass. in n.* ‖ 222 inuenit CV ‖ 223
ialdabaoth V : -booth C   -both Aε   yaldaboth Q ‖ a *om.* V ‖
224 vii C Q ‖ adsimulatam AQ ‖ 225 eos Vᵖᶜ *cett.* : eorum V *edd.* ‖
230 diffiniunt C difi- Q ‖ iesum CV : omnia AQε ‖ 232 et iustiorem

d'effroi et de stupeur devant cette nouveauté que contenaient les messages des prophètes. Prounikos, agissant par l'entremise de Jaldabaoth sans que celui-ci s'aperçut de rien, fit en sorte qu'eussent lieu deux productions d'hommes, l'une du sein d'Élisabeth la stérile, l'autre du sein de la Vierge Marie.

30, 12. Prounikos elle-même ne trouvait de repos ni au ciel ni sur la terre. Dans son affliction, elle appela sa Mère à l'aide. Celle-ci, c'est-à-dire la Première Femme, fut émue du repentir de sa fille et demanda au Premier Homme que le Christ fût envoyé à son secours. Celui-ci descendit donc, envoyé vers sa sœur et vers la rosée de lumière. Apprenant que son frère descendait vers elle, la Sagesse d'en bas annonça sa venue par Jean, prépara le baptême de pénitence et disposa à l'avance Jésus pour que lors de sa descente, le Christ trouvât un vase pur et que, grâce à son fils Jaldabaoth, la Femme fût annoncée par le Christ[1]. Le Christ descendit donc à travers les sept Cieux, en se rendant semblable à leurs fils, et les vida graduellement de leur puissance : car, disent-ils, vers lui accourut toute la rosée de lumière. En descendant en ce monde, le Christ revêtit d'abord sa sœur Sagesse. Tous deux exultèrent, en prenant leur repos l'un dans l'autre : c'est là, assurent-ils, l'Époux et l'Épouse[a]. Or Jésus, du fait qu'il était né d'une Vierge par l'opération de Dieu, était plus sage, plus pur et plus juste que tous les hommes : en lui descendit le Christ uni à Sagesse, et ainsi il y eut Jésus-Christ.

30, 13. Beaucoup de disciples de Jésus, disent-ils,

om. CV ǁ hominibus : omin- C[ac] ǁ 233 in C AQε : *om.* V ǁ <quem> nos *(cf. not. apud Gra. Mass. Sti. Hv)* ǁ descendisse et : et desc. V ǁ 235 ergo : igitur ε *edd.*

30, 12. a. cf. Matth. 25, 1. Jn 3, 29

236 Christi descensionem in eum dicunt; descendente autem [Hv
Christo in | Iesum, tunc coepisse uirtutes perficere et Hv
curare et adnuntiare incognitum Patrem et se manifeste
Filium Primi Hominis confiteri. In quibus irascentes
240 Principes et Patrem Iesu, operatos ad occidendum eum; 4
et in eo cum adduceretur, ipsum Christum quidem cum
Sophia abstitisse in incorruptibilem Aeonem dicunt,
Iesum autem crucifixum. Non autem oblitum suum
244 Christum, sed misisse desuper uirtutem quandam in
eum, quae excitauit eum in corpore. Quod et corpus 8
animale et spiritale uocant : mundialia enim remisisse
eum in mundo. Videntes autem discipuli resurrexisse
248 eum, non eum cognouerunt, sed ne ipsum quidem Iesum
cuius gratia a mortuis resurrexit. Et hunc maximum 12
errorem inter discipulos eius fuisse dicunt, quoniam
putarent eum in corpore mundiali resurrexisse, igno-
252 rantes quoniam *caro et sanguis regnum Dei non appre-
hendunt*[a].

30, 14. Confirmare autem uolunt descensionem Christi
et ascensionem ex eo quod neque ante baptismum 16
256 neque post resurrectionem a mortuis magni aliquid
fecisse Iesum dicant discipuli, ignorantes adunitum
esse Iesum Christo, et incorruptibilem Aeonem Ebdo-
madi, et mundiale corpus animale dicunt. Remoratum |
260 autem eum post resurrectionem xviii mensibus, et Hv 2
sensibilitate in eum descendente didicisse quod liquidum

30, 236 dicunt]+ □□A ·es· Q ‖ descendentem C ‖ 237 coe-
pisse (ce- AQ) C AQε : coincepisse V ‖ 238 manifestasse A^{ac} ‖ 241
christum *om.* AQε ‖ 242 in V A²ε : *om.* C AQ ‖ 248 ne : nec A ‖ 250
eius *om.* AQε ‖ 251 mundiale C ‖ 255 ascensionem : descensionem CV ‖ ante CV : post ε *om.* AQ ‖ 256 aliquid magni ∽ Qε
magnalia quid CV ‖ 258 christum C ‖ aeonem]+ et CV A ‖
258-259 ebdomadi C A : hebd- Qε ebdomadali V ‖ 259 animalium
CV ‖ dicunt *codd.* : *forte leg.* dicentes ‖ rememoratum CV ‖ 261

ne connurent pas la descente du Christ en lui. Lorsque le Christ fut descendu en Jésus, c'est alors qu'il commença à accomplir des miracles, à opérer des guérisons, à annoncer le Père inconnu et à se proclamer ouvertement le Fils du Premier Homme. Irrités, les Archontes et le Père de Jésus travaillèrent à le faire mourir. Tandis qu'on le conduisait à la mort, le Christ se retira avec Sagesse dans l'Éon incorruptible, à ce qu'ils disent, et Jésus seul fut crucifié. Le Christ n'oublia pas ce qui était sien : il envoya d'en haut en Jésus une puissance qui le ressuscita dans un corps, qu'ils appellent corps psychique et pneumatique, car, pour ce qui est des éléments cosmiques, Jésus les abandonna dans le monde. Ses disciples, lorsqu'ils le virent après sa résurrection, ne le connurent pas[1] et ne surent même pas par la faveur de qui il était ressuscité d'entre les morts. Les disciples, disent-ils, tombèrent ainsi dans cette erreur énorme de s'imaginer qu'il était ressuscité dans son corps cosmique : ils ignoraient que la chair et le sang ne s'emparent pas du royaume de Dieu[a].

30, 14. Ils prétendent confirmer la descente du Christ et sa remontée par le fait que, ni avant son baptême ni après sa résurrection d'entre les morts, Jésus n'a rien fait de considérable, au dire de ses disciples : ceux-ci ignoraient que Jésus avait été uni au Christ et l'Éon incorruptible à l'Hebdomade[2], et ils prenaient le corps psychique pour un corps cosmique[3]. Après sa résurrection, Jésus demeura encore dix-huit mois sur terre, et, lorsque l'intelligence fut descendue en lui, il apprit l'exacte vérité[4]. Il enseigna alors ces

sensibilitatem AQε ‖ descendente V : -tem C Aε -tem descendisse Q

30, 13. a. cf. I Cor. 15, 50

est, et paucos ex discipulis suis, quos sciebat capaces [Hv
tantorum mysteriorum, docuit haec, et sic receptus est 4
264 in caelum, Iesu sedente ad dexteram Patris Ialdabaoth, uti animas eorum qui cognouerunt eum post
depositionem mundialis carnis recipiat in se, ditans
semetipsum, Patre eius ignorante, sed ne uidente quidem
268 eum, uti in quantum Iesus semetipsum ditat in sanctis 8
animabus, in tantum Pater eius in detrimentis factus
deminoretur, euacuatus a uirtute sua per animas. Iam
enim non habiturum eum animas sanctas, ut rursus
272 dimittat eas in saeculum, sed tantum eas quae sunt ex 12
substantia eius, hoc est quae sunt ex insufflatione.
Consummationem autem futuram, quando | tota Hv 9
humectatio spiritus luminis colligatur et abripiatur in
276 Aeonem incorruptibilitatis.

    30, 15. Tales quidem secundum eos sententiae sunt :
a quibus, uelut Lernaea hydra, multiplex capitibus fera 4
[de] Valentini scola generata est. Quidam enim ipsam
280 Sophiam Serpentem factam dicunt : quapropter et
contrariam exstitisse Factori Adae et agnitionem hominibus immisisse, et propter hoc dictum Serpentem
omnium sapientiorem[a]. Sed et propter positionem intes- 8
284 tinorum nostrorum, per quae esca infertur, eo quod
talem figuram habeant, ostendentem absconsam generatricem Serpentis figurae substantiam in nobis.

30, 264 iesu *nos (u. not. iustif.)* : christo *codd.* ε *edd.* ‖
264-265 ialdabaoth V : -booth C -both AQε ‖ 265 eum A² : eos A
cett. ‖ 266 depositionem V A² : disp- C de passionem AQ de
passione ε ‖ 268 ut CV ‖ ditans Qε (-tat ε^mg) ‖ 269 animalibus
(li *expunct.*) C ‖ patre A ‖ 270 deminoretur CV²^mg *(quid scr.* V
dub.) : dimi- AQε ‖ 270-271 iam — animas *om.* Q ‖ 272 demittat ε ‖
eas]+ se C esse C²V ‖ saeculum : caelum CV ‖ 273 hoc : id Qε ‖
sufflatione C^ac ‖ 275 humectio A^ac ‖ 278 larnea (ler- C^pc) ydra C ‖
faera C ‖ 279 de *seclusimus (cf. not. iustif.)* ‖ scola *codd.* : scho- ε ‖
enim : etiam AQε *forte leg.* autem ‖ 283 omnium *om.* CV ‖ 284
quae *edd. a Mass.* : quas C AQε *Feu. Gra.* quos V^pc *(quid scr.*

choses à un petit nombre de ses disciples, à ceux qu'il
savait capables de comprendre de si grands mystères,
puis il fut enlevé au ciel. Ainsi Jésus[1] siège maintenant
à la droite de son Père Jaldabaoth, pour recevoir en
lui-même, après la déposition de leur chair cosmique,
les âmes de ceux qui l'auront connu ; il s'enrichit,
tandis que son Père est dans l'ignorance et ne le voit
même pas : car, dans la mesure où Jésus s'enrichit
lui-même de saintes âmes, dans cette même mesure son
Père subit une perte et un amoindrissement, vidé qu'il
est de sa puissance du fait de ces âmes. Car il ne possé-
dera plus les âmes saintes, de façon à pouvoir les
renvoyer dans le monde, mais seulement celles qui sont
issues de sa substance, c'est-à-dire qui proviennent de
l'insufflation. La consommation finale aura lieu lorsque
toute la rosée de l'esprit de lumière sera rassemblée et
emportée dans l'Éon d'incorruptibilité.

Sectes apparentées.

30, 15. Telles sont les doctrines de ces gens, doctrines
dont est née, telle une hydre de Lerne, la bête aux
multiples têtes qu'est l'école de Valentin[2]. Certains,
cependant, disent que c'est Sagesse elle-même qui
fut le Serpent[3] : c'est pour cette raison que celui-ci s'est
dressé contre l'Auteur d'Adam et a donné aux hommes
la « gnose » ; c'est aussi pour cela que le Serpent est dit
plus intelligent que tous les êtres[a]. Il n'est pas jusqu'à
la place de nos intestins, à travers lesquels s'achemine
la nourriture, et jusqu'à leur configuration, qui ne
ferait voir, cachée en nous, la substance génératrice de
vie à forme de Serpent[4].

V[ac] *dub.*) ‖ eo V AQε : et C ‖ 285-286 absconsam generatricem
om. Q

30, 15. a. cf. Gen. 3, 1

31, 1. Alii autem rursus Cain a superiore Principalitate   12 [ᴴ
dicunt, et Esau et Core et Sodomitas et omnes tales
cognatos suos confitentur; et propter hoc a Factore
4 impugnatos, neminem ex eis malum accepisse. Sophia
enim illud | quod proprium ex ea erat abripiebat ex   Hᴠ ᴎ
eis ad semetipsam. Et haec Iudam proditorem diligenter
cognouisse dicunt, et solum prae caeteris cognoscentem
8 ueritatem, perfecisse proditionis mysterium : per quem   4
et terrena et caelestia omnia dissoluta dicunt. Et confinctionem adferunt huiusmodi, Iudae Euangelium illud
uocantes.

12 **31,** 2. Iam autem et collegi eorum conscriptiones, in
quibus dissoluere opera Hysterae adhortantur : Hysteran autem Fabricatorem caeli et terrae uocant. Nec   8
enim aliter saluari eos nisi per omnia eant, quemad-
16 modum et Carpocrates dixit. Et in unoquoque peccatorum et turpium operationum Angelum adsistere, et
operantem audere audaciam et immunditiam inferre, id   12
quod inest ei operationi, Angeli nomine dicere : *O tu,*
20 *Angele, abutor opere tuo ; o tu, illa Potestas, perficio tuam*
operationem. Et hoc esse scientiam perfectam, sine
timore in tales abire operationes, quas ne nominare
quidem fas est. | 16

24 **31,** 3. A talibus matribus et patribus et proauis eos   Hᴠ ᴎ
qui a Valentino sint, sicut ipsae sententiae et regulae

31, 1 *hic inser.* CV AQSᵇε (A *sine nᵒ*) *tit. cap* ¹¹ xxxv (xxxvi C)
de quo u. in init. libri ‖ cam *(expunct.)* cain Q ‖ 2 dicunt *om.* Q ‖
esau et : esca autem CV ‖ chore (c *exp.* V) V A ‖ 4 malum accepisse
coni. Gra. in n. : male acceptos *codd.* ε *edd. in tx. a Feu.* male
acceptum *Mass. in in.* mala acceptasse *Hv in hamulis* ‖ 9-10
confinctionem ε : -fict- CV -finet- A -finect- Q ‖ 10 iudam
AQε ‖ 12 colligi AQε ‖ 13-14 hysteran C A : -ram V Qε ‖ 15 enim
om. V ‖ erant C ‖ 18-19 operantem — dicere *textus corruptus* ‖
18 audere A : audire CV *edd. a Gra.* accedere A² accidere Qε
Feu. ‖ immundum C ‖ 19 nomine dicere : nom̄ edicere A nⁿ
edicere Q nomen edicere ε ‖ 20 abutor *edd. a Feu.* : abateor C

31, 1. D'autres encore disent que Caïn était issu de la Suprême Puissance, et qu'Esaü, Coré, les Sodomites et tous leurs pareils étaient de la même race qu'elle : pour ce motif, bien qu'ils aient été en butte aux attaques du Démiurge, ils n'en ont subi aucun dommage, car Sagesse s'emparait de ce qui, en eux, lui appartenait en propre[1]. Tout cela, disent-ils, Judas le traître l'a exactement connu, et, parce qu'il a été le seul d'entre les disciples à posséder la « connaissance » de la vérité, il a accompli le « mystère » de la trahison : c'est ainsi que, par son entremise, ont été détruites toutes les choses terrestres et célestes. Ils exhibent, dans ce sens, un écrit de leur fabrication, qu'ils appellent « Évangile de Judas ».

31, 2. J'ai pu rassembler d'autres écrits émanant d'eux, dans lesquels ils exhortent à détruire les œuvres d'Hystéra ; ils désignent sous ce nom l'Auteur du ciel et de la terre. Car, disent-ils, on ne peut être sauvé autrement qu'en s'adonnant à toutes les actions possibles, comme l'avait déjà dit Carpocrate. En tout péché ou acte honteux, à les en croire, un Ange est présent : il faut commettre hardiment cet acte et faire retomber l'impureté sur l'Ange présent en cet acte, en lui disant : « Ô Ange, j'use de ton œuvre ; ô Puissance, j'accomplis ton opération. » La voilà, la « gnose » parfaite : s'adonner sans crainte à des actions qu'il n'est pas même permis de nommer !

Conclusion.

31, 3. Voilà de quels pères et de quels ancêtres sont issus les disciples de Valentin, tels que les révèlent leurs

ostendunt eos, necessarium fuit manifeste arguere et [Hv
in medium adferre dogmata ipsorum, si qui forte ex his 4
28 paenitentiam agentes et conuertentes ad unum solum
Conditorem Deum et Factorem uniuersitatis saluari
possint, reliqui autem iam non abstrahantur a praua
quasi uerisimili suasione eorum, putantes maius et
32 aliquid altius ab his scituros se mysterium, sed a nobis 8
bene discentes quae ab illis male docentur, derideant
quidem doctrinam ipsorum, illorum autem misereantur
qui adhuc in his tam miserrimis et instabilibus fabulis
36 tantam elationem adsumpserunt, ut meliores semetipsos 12
reliquis propter talem agnitionem, immo ignorantiam,
arbitrentur. Detectio autem eorum haec est; siue
aduersus eos uictoria est sententiae eorum manifestatio.

40   **31,** 4. Quapropter conati sumus nos uniuersum male
compositae uulpiculae huius corpusculum in medium 16
producere et aperte facere manifestum : iam enim non
multis opus erit sermonibus ad euertendum doctrinam
44 ipsorum manifestam omnibus factam. Quemadmodum
bestiae alicuius in silua absconditae et inde impetum
facientis et multos uastantis, qui segregat et denudat 20
siluam et ad uisionem perduxit ipsam feram iam non
48 elaborauit ad capiendam, uidentes quoniam ea fera fera
est — ipsis enim adest uidere et cauere impetus eius
et iaculari undique et uulnerare et interficere uastatri- 24
cem illam bestiam —, sic et nobis, cum in manifestum

31, 26 eis C ‖ fuit *om.* V (*suppl. s.l.* V²) ‖ 29 deum et *nos* : et
deum *codd.* ε *edd.* ‖ 30 iam *om.* Qε ‖ non : nisi ε (non εᵐᵍ) ‖ abstra-
huntur AQεᵐᵍ ‖ 31 et *om.* V ‖ 32 a nobis : anbi Q ‖ 33 benedi-
centes AQ ‖ quae : quam AQ   quoniam ε ‖ 34 ipsorum : eorum Qε
edd. a Feu. ‖ miserentur Aε ‖ 35 in his *om.* AQε ‖ instabilis C ‖ 37
agnitionem : magnitudinem AQε ‖ imo ε ‖ 38 arbitrantur C ‖
38-64 **occur. fragm.** Sᵇ (= S) ‖ 38 detectio *coni. in n. edd. a Feu.*
(recus. Gra.) : delectatio *codd.* ε *edd. in tx.* ‖ 40 nos *om.* ε *Feu.* ‖
41 compositum ε ‖ uulpeculae V ASε ‖ 42 aperte AQSε : perte C
per te V *Mass. Sti.* ‖ 43 uertendum C   euertendam S ‖ 44 eorum

doctrines elles-mêmes et leurs systèmes. Il a été nécessaire d'en fournir une preuve évidente et, pour cela, de produire au grand jour leurs enseignements[1]. Peut-être, de la sorte, certains d'entre eux se repentiront-ils et, en revenant au seul Dieu Créateur et Auteur de l'univers, pourront-ils être sauvés. Quant aux autres, ils cesseront de se laisser prendre à leurs perfides et spécieuses arguties et de croire qu'ils recevront d'eux la connaissance de quelque mystère plus grand et plus sublime ; ils apprendront correctement de nous ce que ces gens-là enseignent de travers et ils se moqueront de leur doctrine ; enfin ils auront compassion de ceux qui, encore plongés dans des fables aussi misérables et aussi inconsistantes, ont assez d'orgueil pour se croire meilleurs que tous les autres du fait d'une telle « gnose », ou, pour mieux dire, d'une telle ignorance. Car les avoir démasqués, c'est bien cela : c'est les avoir déjà vaincus, que de les avoir fait connaître[2].

31, 4. C'est pourquoi nous nous sommes efforcé d'amener à la lumière et de produire au grand jour tout le corps mal bâti de ce renard : car il ne sera plus besoin de beaucoup de discours pour renverser leur doctrine, maintenant qu'elle est devenue manifeste pour tout le monde. Lorsqu'une bête sauvage est cachée dans une forêt, d'où elle fait des sorties et cause de grands ravages, si quelqu'un vient à écarter les branches et à découvrir les taillis et réussit à apercevoir l'animal, point ne sera besoin désormais de grands efforts pour s'en emparer : on verra à quelle bête on a affaire ; il sera possible de la voir, de se garder de ses attaques, de la frapper de toutes parts, de la blesser, de tuer cette bête dévasta-

---

Qε *om.* S ‖ manifestam ... factam V ε : -sta ... -cta *cett.* ‖ 45 sylua Q^{ac}ε ‖ 46 multo Q ‖ et denudat *om.* S ‖ 47 syluam ε   sil⫽uam C (uu C^{ac}) ‖ perducit V   adduxit AQε *edd. ante Hv* ‖ 48 ad : a Q ‖ uidentes *codd.* : *forte leg.* uidens ‖ fera₂ *om.* S ‖ 49 ipsis *codd.* : *forte leg.* ipsi ‖ 50-51 uastratricem C

52 redegerimus eorum abscondita et apud se tacita mys- [Hv ?
teria, iam non erit necessarium multis destruere eorum
sententiam : adest enim et tibi et omnibus qui tecum
sunt ad haec quae praedicta sunt exerceri et euertere 28
56 nequam ipsorum doctrinas et inconditas et <non> apta
ueritati ostendere | dogmata. Cum igitur haec sic se Hv 2(
habeant, quatenus promisi, secundum nostram uirtutem
inferemus euersionem ipsorum, omnibus eis contradi-
60 centes in sequenti libro — enarratio enim in longum 4
pergit, ut uides —, et uiatica quoque dabimus ad euersionem ipsorum, occurrentes omnibus sententiis secundum narrationis ordinem, ut simus non tantum osten-
64 dentes, sed et uulnerantes undique bestiam.

31, 52 redegerimus Sε : redigeremus C   redigerimus V AQ ‖ se
om. V (*suppl. s.l.* V²) ‖ 53 necesarium C ‖ 54 enim *om.* C (*suppl. s.l.*
C²) ‖ tescum S ‖ 55 excutere ε euertere εᵐᵍ ‖ 56 nequam AQε :
nequas CV   nequissimas S ‖ <non> apta *nos (u. not. iustif.)* :
apta *codd.* ‖ 57 dogmati C AQ ‖ 58 habent S ‖ quatimus AQ ‖
promisisse C ‖ 61 uiatica : ut░░atica C ‖ 63 tantium Cᵃᶜ ‖ 64
bestiam]+ hirenei lī͞b. I explicit C   explicit liber hyrenei primus V   explicit liber primus AQ   Irenaei Lugdunensis episcopi
contra haereticos liber primus explicit ε   *lacuna* S, *cf. Introd.
p. 34.*

trice. Ainsi en va-t-il pour nous, qui venons de produire au grand jour leurs mystères cachés et enveloppés chez eux de silence : nous n'avons plus besoin de longs discours pour anéantir leur doctrine. Car il t'est dorénavant loisible, ainsi qu'à tous ceux qui sont avec toi, de t'exercer sur tout ce que nous avons dit précédemment, de renverser les doctrines perverses et informes de ces gens-là et de montrer que leurs opinions ne s'accordent pas avec la vérité[1]. Cela étant, conformément à notre promesse et selon la mesure de nos forces, nous allons, dans le Livre suivant, apporter une réfutation des doctrines de ces gens, en nous opposant à eux tous — notre exposé s'allonge, comme tu vois —, et nous te fournirons les moyens de les réfuter, en discutant toutes leurs thèses dans l'ordre où nous les avons exposées : ce faisant, nous n'aurons pas seulement montré, mais nous aurons aussi blessé de toutes parts la bête.

TABLE DES MATIÈRES

SOURCES CHRÉTIENNES

24 bis. PTOLÉMÉE : **Lettre à Flora.** G. Quispel (1966).

25 bis. AMBROISE DE MILAN : **Des Sacrements. Des Mystères. Explication du Symbole.** B. Botte (1961).

26 bis. BASILE DE CÉSARÉE : **Homélies sur l'Hexaéméron.** S. Giet (réimpr. avec suppl., 1968).

27 bis. **Homélies Pascales,** t. I. P. Nautin. *En préparation.*

28 bis. JEAN CHRYSOSTOME : **Sur l'incompréhensibilité de Dieu.** J. Daniélou, A.-M. Malingrey, R. Flacelière (1970).

29 bis. ORIGÈNE : **Homélies sur les Nombres.** A. Méhat *En préparation.*

30 bis. CLÉMENT D'ALEXANDRIE : **Stromate I.** *En préparation.*

31. EUSÈBE DE CÉSARÉE : **Histoire ecclésiastique,** t. I. G. Bardy (réimpression, 1965).

32 bis. GRÉGOIRE LE GRAND : **Morales sur Job,** t. I Livres I-II. R. Gillet, A. de Gaudemaris (1975).

33 bis. **A Diognète.** H. I. Marrou (réimpr. avec suppl., 1965).

34. IRÉNÉE DE LYON : **Contre les hérésies,** livre III. F. Sagnard. *Remplacé par les nos 210 et 211.*

35 bis. TERTULLIEN : **Traité du baptême.** F. Refoulé. *En préparation.*

36 bis. **Homélies Pascales,** t. II. P. Nautin. *En préparation.*

37 bis. ORIGÈNE : **Homélies sur le Cantique.** O. Rousseau (1966).

38 bis. CLÉMENT D'ALEXANDRIE : **Stromate II.** *En préparation.*

39 bis. LACTANCE : **De la mort des persécuteurs.** 2 vol. *En préparation.*

40. THÉODORET DE CYR : **Correspondance,** t. I. Y. Azéma (1955).

41. EUSÈBE DE CÉSARÉE : **Histoire ecclésiastique,** t. II. G. Bardy (réimpression 1965).

42. JEAN CASSIEN : **Conférences,** t. I. E. Pichery (réimpression, 1966).

43. JÉRÔME : **Sur Jonas.** P. Antin (1956).

44. PHILOXÈNE NE MABBOUG : **Homélies.** E. Lemoine. Trad. seule (1956).

45. AMBROISE DE MILAN : **Sur S. Luc,** t. I. G. Tissot (réimpr. avec suppl., 1971).

46. TERTULLIEN : **De la prescription contre les hérétiques.** P. de Labriolle et F. Refoulé (1957).

47. PHILON D'ALEXANDRIE : **La migration d'Abraham.** R. Cadiou (1957).

48. **Homélies Pascales,** t. III. F. Floëri et P. Nautin (1957).

49 bis. LÉON LE GRAND : **Sermons,** t. II. R. Dolle (1969).

50 bis. JEAN CHRYSOSTOME : **Huit Catéchèses baptismales inédites.** A. Wenger (réimpr. avec suppl., 1970).

51 bis. SYMÉON LE NOUVEAU THÉOLOGIEN : **Chapitres théologiques, gnostiques et pratiques.** J. Darrouzès. *En préparation.*

52 bis. AMBROISE DE MILAN : **Sur S. Luc,** t. II. G. Tissot (réimpr. avec suppl., 1976).

53 bis. HERMAS : **Le Pasteur.** R. Joly (réimpr. avec suppl., 1968).

54. JEAN CASSIEN : **Conférences,** t. II. E. Pichery (réimpression, 1966).

55. EUSÈBE DE CÉSARÉE : **Histoire ecclésiastique,** t. III. G. Bardy (réimpression, 1967).

56. ATHANASE D'ALEXANDRIE : **Deux apologies.** J. Szymusiak (1958).

57. THÉODORET DE CYR : **Thérapeutique des maladies helléniques.** 2 volumes. P. Canivet (1958).

58 bis. DENYS L'ARÉOPAGITE : **La hiérarchie céleste.** G. Heil, R. Roques, M. de Gandillac (réimpr. avec suppl., 1970).

59. **Trois antiques rituels du baptême.** A. Salles. Trad. seule. *Epuisé.*

60. AELRED DE RIEVAULX : **Quand Jésus eut douze ans.** A. Hoste, J. Dubois (1958).

61 bis. GUILLAUME DE SAINT-THIERRY : **Traité de la contemplation de Dieu.** J. Hourlier (réimpression, 1977).

62. IRÉNÉE DE LYON : **Démonstration de la prédication apostolique.** L. Froidevaux. Nouvelle trad. sur l'arménien. Trad. seule (réimpr. 1971).

63. RICHARD DE SAINT-VICTOR : **La Trinité.** G. Salet (1959).

102. **Id.** — Tome II (1964).

103. Jean Chrysostome : **Lettre d'exil.** A.-M. Malingrey (1964).

104. Syméon le Nouveau Théologien : **Catéchèses.** B. Krivochéine, J. Paramelle. Tome II. Catéchèses 6-22 (1964).

105. **La Règle du Maître.** A. de Voguë. Tome I. Introd. et chap. 1-10 (1964).

106. **Id.** — Tome II. Chap. 11-95 (1964).

107. **Id.** — Tome III. Concordance et Index orthographique. J.-M. Clément, J. Neufville, D. Demeslay (1965).

108. Clément d'Alexandrie : **Le Pédagogue,** tome II. Cl. Mondésert, H. I. Marrou (1965).

109. Jean Cassien : **Institutions cénobitiques.** J.-C. Guy (1965).

110. Romanos le Mélode : **Hymnes.** J. Grosdidier de Matons. Tome II. Hymnes IX-XX (1965).

111. Théodoret de Cyr : **Correspondance,** t. III. Y. Azéma (1965).

112. Constance de Lyon : **Vie de S. Germain d'Auxerre.** R. Borius (1965).

113. Syméon le Nouveau Théologien : **Catéchèses.** B. Krivochéine, J. Paramelle. Tome III. Catéchèses 23-24, Actions de grâces 1-2 (1965).

114. Romanos le Mélode : **Hymnes.** J. Grosdidier de Matons. Tome III. Hymnes XXI-XXXI (1965).

115. Manuel II Paléologue : **Entretien avec un musulman.** A. Th. Khoury (1966).

116. Augustin d'Hippone : **Sermons pour la Pâque.** S. Poque (1966).

117. Jean Chrysostome : **A Théodore.** J. Dumortier (1966).

118. Anselme de Havelberg : **Dialogues,** livre I. G. Salet (1966).

119. Grégoire de Nysse : **Traité de la Virginité.** M. Aubineau (1966).

120. Origène : **Commentaire sur S. Jean.** C. Blanc. Tome I. Livres I-V (1966).

121. Éphrem de Nisibe : **Commentaire de l'Évangile concordant ou Diatessaron.** L. Leloir. Trad. seule (1966).

122. Syméon le Nouveau Théologien : **Traités théologiques et éthiques** J. Darrouzès. Tome I. Théol. 1-3, Éth. 1-3 (1966).

123. Méliton de Sardes : **Sur la Pâque (et fragments).** O. Perler (1966).

124. **Expositio totius mundi et gentium.** J. Rougé (1966).

125. Jean Chrysostome : **La Virginité.** H. Musurillo, B. Grillet (1966).

126. Cyrille de Jérusalem : **Catéchèses mystagogiques.** A. Piédagnel, P. Paris (1966).

127. Gertrude d'Helfta : **Œuvres spirituelles.** Tome I. Les Exercices. J. Hourlier, A. Schmitt (1967).

128. Romanos le Mélode : **Hymnes.** J. Grosdidier de Matons. Tome IV. Hymnes XXXII-XLV (1967).

129. Syméon le Nouveau Théologien : **Traités théologiques et éthiques** J. Darrouzès. Tome II. Éth. 4-15 (1967).

130. Isaac de l'Étoile : **Sermons.** A. Hoste. G. Salet. Tome I. Introduction et Sermons 1-17 (1967).

131. Rupert de Deutz : **Les œuvres du Saint-Esprit.** J. Gribomont, É. de Solms. Tome I. Livres I et II (1967).

132. Origène : **Contre Celse.** M. Borret. Tome I. Livres I et II (1967).

133. Sulpice Sévère : **Vie de S. Martin.** J. Fontaine. Tome I. Introduction, texte et traduction (1967).

134. **Id.** — Tome II. Commentaire (1968).

135. **Id.** — Tome III. Commentaire (suite), Index (1969).

136. Origène : **Contre Celse.** M. Borret. Tome II. Livres III et IV (1968).

137. Éphrem de Nisibe : **Hymnes sur le Paradis.** F. Graffin, R. Lavenant. Trad. seule (1968).

138. Jean Chrysostome : **A une jeune veuve. Sur le mariage unique.** B. Grillet, G. H. Ettlinger (1968).

139. Gertrude d'Helfta : **Œuvres spirituelles.** Tome II. Le Héraut. Livre I et II. P. Doyère (1968).

140. Rufin d'Aquilée : Les bénédictions des Patriarches. M. Simonetti, H. Rochais, P. Antin (1968).

141. Cosmas Indicopleustès : Topographie chrétienne. Tome I. Introduction et livres I-IV. W. Wolska-Conus (1968).

142. Vie des Pères du Jura. F. Martine (1968).

143. Gertrude d'Helfta : Œuvres spirituelles. Tome III. Le Héraut. Livre III. P. Doyère (1968).

144. Apocalypse syriaque de Baruch. Tome I. Introduction et traduction. P. Bogaert (1969).

145. Id. — Tome II. Commentaire et tables (1969).

146. Deux homélies anoméennes pour l'octave de Pâques. J. Liébaert (1969).

147. Origène : Contre Celse. M. Borret. Tome III. Livres V et VI (1969).

148. Grégoire le Thaumaturge : Remerciement à Origène. — La lettre d'Origène à Grégoire. H. Crouzel (1969).

149. Grégoire de Nazianze : La passion du Christ. A. Tuilier (1969).

150. Origène : Contre Celse. M. Borret. Tome IV. Livres VII et VIII (1969).

151. Jean Scot : Homélie sur le Prologue de Jean. E. Jeauneau (1969).

152. Irénée de Lyon : Contre les hérésies, livre V. A. Rousseau, L. Doutreleau, C. Mercier. Tome I. Introduction, notes justificatives et tables (1969).

153. Id. — Tome II. Texte et traduction (1969).

154. Chromace d'Aquilée : Sermons. Tome I. Sermons 1-17. J. Lemarié (1969).

155. Hugues de Saint-Victor : Six opuscules spirituels. R. Baron (1969).

156. Syméon le Nouveau Théologien : Hymnes. J. Koder, J. Paramelle. Tome I. Hymnes I-XV (1969).

157. Origène : Commentaire sur S. Jean. C. Blanc. Tome II. Livres VI et X (1970).

158. Clément d'Alexandrie : Le Pédagogue. Livre III. Cl. Mondésert, H. I. Marrou et Ch. Matray (1970).

159. Cosmas Indicopleustès : Topographie chrétienne. Tome II. Livre V. W. Wolska-Conus (1970).

160. Basile de Césarée : Sur l'origine de l'homme. A. Smets et M. Van Esbroeck (1970).

161. Quatorze homélies du IXᵉ siècle d'un auteur inconnu de l'Italie du Nord. P. Mercier (1970).

162. Origène : Commentaire sur l'Évangile selon Matthieu. Tome I. Livres X et XI. R. Girod (1970).

163. Guigues II le Chartreux : Lettre sur la vie contemplative (ou Échelle des Moines). Douze méditations. E. Colledge, J. Walsh (1970).

164. Chromace d'Aquilée : Sermons. Tome II. S. 18-41. J. Lemarié (1971).

165. Rupert de Deutz : Les œuvres du Saint-Esprit. Tome II. Livres III et IV. J. Gribomont, É. de Solms (1970).

166. Guerric d'Igny : Sermons. Tome I. J. Morson, H. Costello, P. Deseille (1970).

167. Clément de Rome : Épître aux Corinthiens. A. Jaubert (1971).

168. Richard Rolle : Le chant d'amour (Melos amoris). F. Vandenbroucke et les Moniales de Wisques. Tome I (1971).

169. Id. — Tome II (1971).

170. Évagre le Pontique : Traité pratique. A. et C. Guillaumont. Tome I. Introduction (1971).

171. Id. — Tome II. Texte, traduction, commentaire et tables (1971).

172. Épître de Barnabé. R. A. Kraft, P. Prigent (1971).

173. Tertullien : La toilette des femmes. M. Turcan (1971).

174. Syméon le Nouveau Théologien : Hymnes. J. Koder, L. Neyrand. Tome II. Hymnes XVI-XL (1971).

175. Césaire d'Arles : Sermons au peuple. Tome I. Sermons 1-20. M.-J. Delage (1971).

251. Grégoire le Grand : **Dialogues.** Tome I. Introduction, bibliographie et cartes. A. de Vogüé (1978).

252. Origène : **Traité des principes.** Livres I et II. Tome I. Introduction, texte critique et traduction. H. Crouzel et M. Simonetti (1978).

253. **Id.** — Tome II. Commentaire et fragments. H. Crouzel et M. Simonetti (1978).

254. Hilaire de Poitiers : **Sur Matthieu.** Tome I. Introduction et chap. 1-13. J. Doignon (1978).

255. Gertrude d'Helfta : **Œuvres spirituelles.** Tome IV. **Le Héraut.** Livre IV. J.-M. Clément, B. de Vregille et les Moniales de Wisques (1978).

256. **Targum du Pentateuque.** Tome II. **Exode et Lévitique.** R. Le Déaut et J. Robert. Trad. seule (1979).

257. Théodoret de Cyr : **Histoire des moines de Syrie.** Tome II. **Histoire Philothée** (XIV-XXX), **Traité sur la Charité** (XXXI) et Index. P. Canivet et A. Leroy-Molinghen (1979).

258. Hilaire de Poitiers : **Sur Matthieu.** Tome II. Chap. 14-33, appendice et index. J. Doignon (1979).

259. S. Jérôme : **Commentaire sur S. Matthieu.** Tome II. Livres III et IV, index. É. Bonnard (1979).

260. Grégoire le Grand : **Dialogues.** Tome II. Livres I-III. A. de Vogüé (1979).

261. **Targum du Pentateuque.** Tome III. **Nombres.** R. Le Déaut et J. Robert. Trad. seule (1979).

262. Eusèbe de Césarée : **Préparation évangélique,** livres IV, 1 - V, 17. O. Zink et É. des Places (1979).

263. Irénée de Lyon : **Contre les hérésies,** livre I. A. Rousseau, L. Doutreleau. Tome I. Introduction, notes justificatives et tables (1979).

264. **Id.** — Tome II. Texte et traduction (1979).

Hors série :

Directives pour la préparation des manuscrits (de « Sources Chrétiennes »). A demander au Secrétariat de « Sources Chrétiennes », 29, rue du Plat, 69002 Lyon.

La Règle de S. Benoît. VII. Commentaire doctrinal et spirituel. A. de Vogüé (1977).

SOUS PRESSE

Grégoire le Grand : **Dialogues,** t. III. P. Antin et A. de Vogüé.

Jean Chrysostome : **Le Sacerdoce.** A.-M. Malingrey.

Origène : **Traité des principes.** Livres III et IV. H. Crouzel et M. Simonetti (2 volumes).

Eusèbe de Césarée : **Préparation évangélique,** livres V, 18 - VI. É. des Places.

Pseudo-Macaire : **Œuvres spirituelles,** t. I. V. Desprez.

Grégoire de Nazianze : **Discours 20-23.** J. Mossay.

Lettres des premiers Chartreux, tome II : les Chartreux de Portes. Par un Chartreux.

Tertullien : **A son épouse.** C. Munier.

Tertullien : **Contre les Valentiniens.** J.-C. Fredouille (2 volumes).

Scolies ariennes sur le Concile d'Aquilée. R. Gryson.

Targum du Pentateuque. Tome IV. **Deutéronome.** R. Le Déaut.

Clément d'Alexandrie : **Stromate V.** A. Le Boulluec.

Jean Chrysostome : **Homélies sur Ozias.** J. Dumortier.

PROCHAINES PUBLICATIONS

Irénée de Lyon : **Contre les hérésies,** livre II. A. Rousseau et L. Doutreleau.

Théodoret de Cyr : **Commentaire sur Isaïe.** J.-N. Guinot.

Romanos le Mélode : **Hymnes,** t. V. J. Grosdidier de Matons.

SOURCES CHRÉTIENNES

(1-264)

Également aux Éditions du Cerf :

LES ŒUVRES DE PHILON D'ALEXANDRIE
publiées sous la direction de
R. Arnaldez, C. Mondésert, J. Pouilloux.
Texte grec et traduction française.

IMPRIMERIE A. BONTEMPS

LIMOGES (FRANCE)

Éditeur n° 7132 - Imprimeur n° 1540

Dépôt légal : 4e trimestre 1979